NEUROLAND

NELROLAND

SÉBASTIEN BOHLER

NEUROLAND

roman

ROBERT LAFFONT

À Victoria, Elena et Inès...

«Toujours ces yeux qui vous observaient, cette voix qui vous enveloppait. Dans le sommeil ou la veille, au travail ou à table, au-dedans ou au-dehors, au bain ou au lit, pas d'évasion. Vous ne possédiez rien, en dehors des quelques centimètres cubes de votre crâne.»

George Orwell, *1984*

Première partie

Ali avait vingt-neuf ans et n'aimait pas le monde dans lequel il vivait. Un monde où les richesses de la planète étaient concentrées dans les mains de quelques hommes. Un monde où des navires de guerre et des missiles imposaient des blocus qui coûtaient la vie à des milliers d'enfants. Où des traders s'offraient des villas et des yachts en revendant des biens qui ne leur appartenaient pas, un monde où des paysans étaient expropriés de leur propre terre héritée de leurs ancêtres.

La question qu'il se posait était : pouvait-on mourir à vingt-neuf ans pour combattre cela? La cyclonite reposait devant lui, blanche et douce au toucher. Dans les milieux du djihad, on avait tendance à négliger cet explosif. C'était pourtant un composé stable, malléable, résistant à la chaleur et à l'humidité. Une matière qui avait fait ses preuves depuis son invention par un chimiste allemand, plus d'un siècle auparavant. Elle avait été utilisée par les plus grandes armées du XXᵉ siècle. La cyclonite était ce qui convenait à son projet.

Il se leva et serra les sangles de sa mule. La frontière avec la Syrie était à trois jours de marche. Il aurait trois jours pour réfléchir à la question.

Un premier élément de réponse lui fut donné le surlendemain, quand il arriva en vue de la frontière. Celle-ci n'était matérialisée par rien d'autre que le désert et l'air surchauffé vibrant au-dessus des pierres. Il s'arrêta et ouvrit les fontes de sa mule. La cyclonite lui apparut sous la forme d'une pâte blanche semblable à de la nougatine, avec des paillettes brillantes comme la neige des monts Zahari, au Pakistan. Ayant plongé la main dans une des poches latérales, il en ressortit un petit cylindre métallique puis un câble épais de couleur verdâtre. Il fixa le cordeau au détonateur, enfonça ce dernier dans un morceau de cyclonite de la taille d'un dé à coudre.

L'endroit était plat et totalement nu, sans rien d'autre que du sable parsemé de cailloux tranchants et de rares buissons. Il décrocha sa pelle du harnais de la mule et commença à creuser un trou dans le sable et la pierraille. Au bout d'une demi-heure, il obtint une cavité d'un mètre de profondeur et autant de large. Avec précaution, il déposa le morceau de cyclonite au fond du trou, puis disposa quatre pierres plates autour pour la recouvrir. Il se mit à combler la fosse, en évitant de laisser tomber trop brusquement les pelletées sur son petit édifice de pierre. Le soleil montait sur l'horizon. Ali s'hydrata à sa gourde. Ses mains étaient moites. Lorsqu'il reprit sa tâche, le manche de la pelle pivota dans sa paume et une pierre fit un bruit mat en tombant dans le trou. Ali se figea, mais rien ne se produisit. Fiévreux, il combla les derniers centimètres avec du sable. Il devait maintenant y avoir une tonne de gravats sur ce dé de cyclonite. Ali déroula le cordeau détonant et s'éloigna d'une vingtaine de mètres. Il avait épuisé sa mèche. Il lui était impossible de s'éloigner davantage. Tant pis. Il emmena l'âne et la mule jusqu'à la piste et les attacha du mieux qu'il put à un poteau planté dans la terre.

Il recula encore et s'allongea sur le sol. Le soleil brillait, ardent et immobile, dans le ciel.

Vingt mètres, songea-t-il. Un gramme de cyclonite, sous un mètre de terre.

Il sentit qu'il avait peur.

Il connecta le cordeau au boîtier de commande. Pourquoi cette peur? Certains de ses camarades se moquaient de la mort. Ne pouvait-il pas être comme eux? Le tribut à payer à la cause était lourd. Dieu, sans doute, lui avait imposé cette épreuve.

Couché sur les cailloux, il ferma les yeux et appuya sur le bouton de commande. Un coup de boutoir monta de la terre. Il rentra la tête dans les épaules et vit le ciel s'obscurcir. Une gerbe noire et granuleuse s'éleva vers le ciel, des pierres et des projectiles de toutes sortes décrivirent de lents arcs de cercle qui rejoignirent le sol. Il sentit des objets durs percuter ses jambes, son dos, et de la poussière s'infiltrer dans ses poumons. Enfin, tout cessa. Ne demeuraient qu'un sifflement dans les tympans et une impression de sons étouffés. Ali resta un instant allongé sur le ventre, écoutant sa respiration aller et venir, dans la crainte pourtant absurde d'une autre explosion. Enfin il remua les jambes, les bras, les mains, puis se redressa en prenant appui sur ses coudes, indemne. La poussière flottait encore alentour. Le visage maculé de poudre blanchâtre, il s'approcha du lieu d'impact. La terre avait été volatilisée sur un diamètre de trois mètres environ. Un cratère s'étendait à la place du trou qu'il avait creusé quelques instants plus tôt. Dans le lointain, les montures s'ébrouaient, tirant sur leur corde.

Ali se prit à imaginer ce que cela donnerait dans une grande ville. Ce serait un carnage.

Lorsqu'il arriva au camp du mollah Kader de l'autre côté de la frontière syrienne, des chefs étaient rassemblés autour d'une aire sablonneuse située à l'ombre des falaises.

Sur le coup de onze heures, le mollah sortit de sa tente. Il était accompagné de deux membres de sa garde personnelle qui traînaient un Occidental mal rasé, sale et visiblement épuisé. L'homme fut placé au centre de l'aire sablonneuse, entouré par des caméras montées sur trépieds. Ali crut reconnaître le journaliste enlevé trois semaines plus tôt à Peshawar, dont toute la presse avait parlé.

L'attention redoubla quand l'homme fut agenouillé sur le sable. Il devait avoir été drogué, car il n'opposa aucune résistance. Le mollah se plaça devant la foule. Il leva un doigt au ciel.

— Le sol de notre pays est sacré et les envahisseurs seront saignés comme des brebis.

Ali se raidit quand le mollah tira un poignard de sa ceinture. Il saisit le prisonnier par les cheveux. Avec un bref éclat, la lame décrivit un arc de cercle presque gracieux, traçant un mince fil rouge sur la gorge de l'homme. Son cou s'ouvrit, comme une bourse vermillon et palpitante, alors que le liquide jaillissait à grands jets. Le mollah retint la tête droite pendant plusieurs secondes, tandis que le captif se vidait de son sang sur le sable. Les yeux du prisonnier se révulsèrent.

— Ainsi périront ceux qui défieront les volontés du Très-Haut, déclara Kader.

Laissant retomber le cadavre à terre, il essuya la lame de son poignard et le glissa dans son fourreau. Puis, s'adressant à la foule :

— Les chefs des tribus du nord passeront chacun à leur tour dans ma tente. Ceux du sud viendront ensuite.

Les dignitaires se mirent en ordre pour être reçus par le mollah. Ali resta posté devant l'entrée, d'où il pouvait les voir entrer et sortir.

Lorsque ce fut son tour, le mollah le prit dans ses bras pendant qu'un serviteur offrait une tasse de thé.

— Vous partirez dès la nuit tombée pour Damas, dit-il. Il vous faudra arriver avant la fin de la semaine prochaine au Liban, où vous vous embarquerez pour Marseille. Vous vous rendrez ensuite à Paris et préparerez vos montages dans un lieu calme que nous vous indiquerons. Des amis viendront alors prendre livraison des engins. Vous n'aurez pas à bouger.

Le mollah lui remit un petit sac en toile de jute. Dedans, Ali découvrit trois djandals. Des moitiés de cailloux s'emboîtant dans leur moitié complémentaire, constituant ainsi le meilleur moyen de cryptographie du monde.

— Prenez aussi ceci, lui dit le mollah en lui tendant une cassette vidéo. Pour montrer aux autorités françaises que nous ne plaisantons pas. Mais je vois planer une ombre sur votre âme. Vous avez peur ?

Ali jugea inutile de nier. Il hocha la tête.

— Rassurez-vous, je ne vous envoie pas à l'abattoir, dit le mollah. Vous êtes un élément trop précieux. Et surtout, les Occidentaux ne tuent pas leurs prisonniers.

Ali sursauta.

— Cela semble incroyable, dit le mollah en haussant les épaules, mais c'est tout simplement vrai. Les Occidentaux sont obligés de vous traiter «humainement». Ils n'égorgent pas les captifs.

Le mollah prit sur une table basse un vieux livre.

— Un ami m'a rapporté un jour ceci d'un voyage en Europe. Cela s'appelle *La Déclaration des droits de l'homme*. C'est très instructif. Dans ce code étrange, un captif ne peut être mis à mort. Il ne peut être torturé.

Le mollah baissa la voix.

— Pour tout vous dire, il y a là-bas des avocats qui défendent les bourreaux.

Ali n'en croyait pas ses oreilles. S'il ne risquait plus de mourir, cela changeait tout.

— Voici l'adresse d'un avocat, lui dit le mollah en lui tendant un billet griffonné. Il vous tirera d'affaire si nécessaire. Vous n'avez donc aucun souci à vous faire.

Ali prit le morceau de papier que lui tendait le mollah. Un avocat. Les droits de l'homme.

Maintenant il avait envie d'aller au combat.

Ali embarqua pour Marseille et y prit un TGV vers Paris. À la gare de Lyon, un homme se présenta avec un djandal à la main. La moitié de caillou s'emboîtait parfaitement dans une de celles que détenait Ali. Il suivit l'homme hors de la gare.

L'homme s'appelait Ibrahim et l'emmena au nord de Paris, dans une ville de banlieue nommée Aulnay-sous-Bois où il tenait une épicerie. Il y logea son hôte dans une cave ancienne en meulière, avec un soupirail en forme de voûte semi-circulaire qui laissait passer un rai de lumière. La cave était composée d'un réseau de petites pièces aux murs noircis par le temps et la poussière, les unes servant à entreposer de vieux meubles, les autres abritant encore des râteliers à vin désormais inutiles, la pièce centrale faisant office de réserve pour les stocks de fruits secs.

Entre des piles de caisses de haricots, de figues et de conserves qui s'élevaient jusqu'au plafond, Ali s'aménagea une sorte de caverne où il pouvait pénétrer en déplaçant une rangée de cageots. Au centre, un espace de trois ou quatre mètres carrés suffisait pour accueillir un matelas et des couvertures, des provisions d'eau et une petite table basse faisant office d'établi.

Dans les quincailleries du quartier, Ali trouva du câble électrique ainsi que des batteries au lithium et des minuteries digitales. Ibrahim lui prêta quelques outils rudimentaires : tournevis, dénudeur... Il dut aussi faire l'acquisition d'un voltmètre. Enfin, il reçut une carte d'abonnement téléphonique. Il enregistra dans ses contacts favoris le seul numéro utile, celui de l'avocat donné par le mollah. Un certain Philippe Duvernet. En deux touches il pouvait maintenant lancer un appel ou envoyer un texto. Il posa l'appareil bien en vue sur la caisse en bois où il faisait ses montages.

Il approchait du but. Il n'avait plus que quelques raccords à effectuer pour que ses engins soient opérationnels. Les bruits de la boutique au-dessus de lui étaient devenus familiers, presque rassurants. Il entendait les clients aller et venir, discuter avec le patron, acheter un pack de pois chiches, une carte de recharge prépayée pour mobile ou de l'eau minérale...

Restait maintenant à assembler les charges. Ali tendit la main vers le sac de plastique transparent renfermant la cyclonite. Grâce à un système de minuterie standard disponible dans le commerce, des batteries au lithium et une résistance d'un ohm, il avait réussi à leur connecter des amorces de grenades rapportées de Peshawar. C'était un montage simple, fiable et solide.

La cyclonite était maintenant disposée en trois paquets oblongs, enfermés dans une feuille de latex transparente et reliée aux circuits de détonation. Ibrahim apporta trois sacs de sport avec serviettes de bain et gels douche. La cyclonite fut déposée dans les serviettes. L'arrivée des transporteurs était imminente. Il posa les trois djandals sur l'établi et commença à triturer machinalement son téléphone portable. Il sentait la nervosité monter.

La voix d'Ibrahim résonna dans l'escalier. Il y avait aussi celle d'un autre homme. En les voyant entrer, Ali tira de sa poche une moitié de caillou brisée. Son interlocuteur, un homme de type algérien habillé à l'occidentale, exhiba à son tour un morceau de pierre. Ali le plaça contre le sien. Ils s'emboîtaient parfaitement.

Ali se baissa pour attraper un des trois sacs de sport qu'il donna à son comparse. L'autre le jeta par-dessus son épaule, puis demanda en anglais :

— Quelle heure ?

Ali éleva la main, deux doigts tendus.

— Deux heures ? Champs-Élysées. *It is OK Champs-Élysées ?*

Il hocha la tête et serra une nouvelle fois la main de son partenaire. Avec son sac sur l'épaule, ce gars-là ressemblait à n'importe quel jeune urbain se rendant à une salle de gym. Il devait être français, parfaitement acclimaté à la vie occidentale, ce qui expliquait qu'il ne parlait pas l'arabe.

Un quart d'heure plus tard, les deux autres contacts arrivèrent. Le premier était un homme blond de type caucasien, peut-être russe ou allemand, d'allure brutale. Son djandal était conforme. Ali lui tendit un sac. Le troisième était une femme, des yeux bleus très clairs tranchant sur le teint sombre de sa peau. En prenant le sac, elle confirma simplement : « Châtelet. »

Champs-Élysées, gare de Lyon, Châtelet. Ali ne savait pas précisément où se situaient ces trois lieux. Manifestement des points névralgiques de la capitale. Une fois seul, il eut la sensation que son voyage touchait à son terme. Pourtant, il ne fallait pas se laisser aller. Le temps pressait. Il devait maintenant faire disparaître toute trace de son activité. Il dégagea de sous une couverture un petit aspirateur pour évacuer la poussière de cyclonite. Dans un sachet étanche, il plaça les chutes de matériel électronique. Lorsqu'il brancha la prise, le mugissement de l'aspirateur emplit la cave.

Il fallait être méticuleux. L'extrémité du tuyau s'introduisit entre les moindres recoins des caisses de fruits et de conserves, tandis que le bruit de l'aspirateur se répercutait contre le plafond en briques scellées de poutrelles métalliques. Ali éteignit l'appareil. Il avait cru entendre des bruits au rez-de-chaussée. Des gens couraient. On criait.

Ali sentit son estomac se nouer. Avait-il déjà été localisé ? Oui, on entendait maintenant des bruits dans l'escalier. Une descente de police ! La police antiterroriste...

Il se précipita vers ses affaires dans l'espoir de les dissimuler, mais il se rendit compte que cela n'avait aucun sens. Il était bloqué ici. Un coup ébranla la porte et il sentit son cœur battre la chamade. De l'autre côté, on lançait des ordres en français. Il y avait là-derrière des soldats armés jusqu'aux dents. La peur déferla sur lui. Il se jeta sur son téléphone et ses doigts se mirent à pianoter fébrilement un texto. Les coups continuaient à résonner, des barres d'acier s'insinuaient entre la porte et le chambranle. Les gonds se descellèrent. Ali appuya sur la touche envoi. Philippe Duvernet, avocat, le reçut dans la seconde.

Il y eut un grand craquement.

— Qu'est-ce qu'un terroriste ?

Philippe Duvernet contempla son public. Près de cinq cents personnes étaient massées dans le Palais des sports de Levallois. Le thème de la conférence avait attiré du monde.

« Nouvelles lois antiterroristes : comment on entrave nos libertés. »

Philippe Duvernet fit quelques pas sur la scène. Il lissa sa chevelure poivre et sel et s'éclaircit la voix.

— La plupart des gens, dit-il, répondent qu'un terroriste est un individu qui utilise la peur comme une arme. Mais à qui profite cette peur ?

La réponse allait être cruciale. Duvernet allait bientôt avoir cinquante-quatre ans. Il avait obtenu tout ce qu'un avocat de son niveau pouvait espérer. Près de trois cents acquittements, des honoraires hors norme et des articles dans les plus grands journaux. Au point que certains médias avaient fini par l'appeler « Blanchissor » ou « Acquittor ». Mais il savait ce qui attendait les ténors du barreau, une fois franchi le cap de la cinquantaine : la routine, le cynisme, la gestion du cabinet, attendant que de plus jeunes prennent sa place. Il ne voulait pas de cela. Il lui fallait de nouveaux défis. Et pour laisser son empreinte dans l'Histoire, il lui fallait affronter le plus puissant des ennemis : l'État.

Alors il fit un pas vers les premiers rangs et leur dit :

— C'est l'État qui profite en premier lieu de la peur. Avant, il avait le communiste pour faire trembler les foules et justifier des lois iniques. Mais cette menace a disparu. Alors le terroriste tombe à pic. Pour nos gouvernements, il justifie toutes les extrémités. Dont la pire de toutes. La loi sur l'AMT.

Duvernet adorait ces moments où son public s'accrochait à ses lèvres. Combien de fois avait-il répété ce passage devant son miroir ? Cela faisait toujours le même effet devant un auditoire.

— AMT, répéta-t-il. Association de malfaiteurs en relation avec une entreprise terroriste. Ce délit est désormais passible de vingt ans d'emprisonnement et de cinq cent mille euros d'amende. Il prévoit une garde à vue prolongée de quatre-vingt-seize heures et n'autorise la présence d'un avocat qu'après une période de sécurité de soixante-douze heures. Autant dire, un régal pour la police. Détentions provisoires, arrestation sans preuve, sur la base des seules suppositions, interventions de policiers armés, vous connaissez cela.

Duvernet scruta les visages dans le public. Il devait forcément y en avoir qui venaient de Marcillac, dans le Tarn-et-Garonne. Dans ce village, un an plus tôt, des troupes d'élite avaient arrêté des passants au hasard dans la rue, au motif de la loi AMT. Simplement parce qu'ils étaient suspectés de connaître un jeune faisant de la détention d'armes.

— Marcillac, ce nom vous dit quelque chose ? De braves pères et mères de famille arrêtés comme de vulgaires trafiquants parce que leur nom apparaissait dans une liste de contacts téléphoniques d'une personne suspectée d'appartenir à une AMT. Embarqués dans des fourgons de police par des commandos cagoulés. Certains sont ici aujourd'hui, ils savent de quoi je parle. Le pire, c'est qu'en se rendant à notre réunion, ils enfreignent la loi car depuis ce jour la loi leur interdit de s'approcher à moins de vingt mètres les uns des autres !

Au deuxième rang, un moustachu se dressa sur son siège, indigné. À côté de lui, une vieille dame secouait la tête. Philippe Duvernet tira un coup sec sur le câble du micro qui décrivit une courbe majestueuse.

— La facilité avec laquelle les forces de police sont autorisées à agir par la loi sur l'AMT devient un instrument de domestication des populations. Le but des gouvernements est d'étouffer dans l'œuf toute révolte dans les banlieues, par la fabrication d'un ennemi intérieur. Aujourd'hui, peut être qualifié de terroriste aussi bien un «jeune de banlieue», un «autonomiste», qu'un «immigré clandestin» : il suffit qu'une suspicion d'AMT soit prononcée pour que des réseaux entiers d'activistes ou de citoyens soient neutralisés. J'ai accepté de présider le comité de soutien aux inculpés de Marcillac parce que la législation antiterroriste ne sert, aujourd'hui, qu'à l'assujettissement du citoyen et que...

Philippe Duvernet s'arrêta. Son portable venait de vibrer sur la table juste à côté de la bouteille d'eau minérale. Dans la salle, les gens voulaient participer et avaient des questions à la pelle. Le moustachu du premier rang leva la main.

— Mon frère a été gardé à vue pendant quatre-vingt-seize heures après les interpellations de Marcillac, expliqua-t-il. Il m'a dit avoir subi des sévices. Quelle est la législation à ce sujet ?

Duvernet posa lentement la main sur son cœur.

—. Je peux vous répondre sur la question car j'ai été le défenseur du Libyen Farouk Abdoujimal lors du procès sur les attentats du RER de Saint-Michel en 1995. La loi antiterroriste de 1993 venait d'être votée et prévoyait des conditions de garde à vue renforcée. La France est un pays où l'on ne pratique plus la torture, aime-t-on à dire. Mais, voyez-vous, ce n'est pas exactement ce que soutient mon client. Pendant trois jours et trois nuits, Farouk a été livré au pouvoir des enquêteurs, qui l'ont soumis aux pires traitements. L'opinion doit être informée de ces pratiques policières. Nous aimons croire que nous vivons au pays des droits de l'homme. Mais la vérité est que les droits de l'homme s'arrêtent à la porte des commissariats.

Le moustachu du premier rang le fixait de ses yeux hagards. On sentait une tension monter de toutes parts. Duvernet enfonça une main dans sa poche et regarda au loin.

— Je crois que nous sommes arrivés à un stade critique de l'évolution de nos sociétés, dit-il. Je crains parfois que nous ne soyons à deux doigts de basculer vers une forme de dictature. Quand j'ai rencontré Abdoujimal en 1998, à la simple évocation de cette garde à vue il se mettait aussitôt à trembler. Il avait des crises de larmes, des nausées. Un psychiatre a évoqué un syndrome de stress post-traumatique, le même que celui des anciens du Vietnam. Farouk était marqué psychiquement, même si les traces physiques des sévices, évidemment, n'étaient plus visibles. J'ai eu à défendre des Algériens pendant la guerre, des Corses... Ils m'ont souvent fait part de supplices caractérisés. Leurs familles ont été menacées.

Une femme tout au fond de la salle l'interpella, les mains en porte-voix :

— Et la justice ? Qu'a-t-elle fait ?

C'était le moment crucial. Duvernet força sa voix à descendre d'une demi-octave. Elle devint lugubre.

— Je ne vais pas vous raconter d'histoires, dit-il. Dans de pareils cas, la justice s'efface devant la raison d'État.

Un silence atterré s'abattit sur la salle. Aussitôt suivi par une clameur de rage. Duvernet se retira en coulisses. Encore ce téléphone portable qui vibrait. Il avait un peu de temps pour voir qui l'appelait.

Il lut le message.

Il rêvait ou le ciel lui faisait un cadeau ?

La porte vola en éclats et des cris fusèrent. Le visage couvert de Plexiglas, le thorax bardé de protections pare-balles, trois hommes cagoulés firent irruption dans le sous-sol et alignèrent leurs fusils d'assaut sur Ali Saleh. Ali posa instantanément les mains le long de son corps. En face de lui, les policiers hurlaient. Un homme le ceintura et le plaqua au sol. Puis Ali fut hissé jusqu'à la lumière et jeté dans un fourgon qui démarra en trombe. L'équipe de déminage entra en action. Ali savait qu'elle ne trouverait rien si ce n'est la cassette vidéo contenant le message du mollah Kader. Accessoirement, le service de police scientifique réaliserait des prélèvements. D'innombrables clichés seraient pris. On saisirait l'aspirateur avec les cartes, les outils, le matériel électronique.

Dès l'instant où les hommes comprirent qu'Ali n'était pas armé, l'atmosphère s'apaisa. Une demi-heure plus tard, ils arrivèrent à la sous-direction antiterroriste, à Levallois-Perret. Des pneus crissèrent sur un bitume lisse dans une enceinte close, sans doute un parking souterrain. Puis des couloirs, des bureaux emplis d'hommes en uniforme. Ali fut transféré dans une salle équipée d'un miroir sans tain, les mains menottées derrière le dos.

Le commissaire Morzini entra dans la salle de débriefing. Il avait convoqué Sandra Cicchini, analyste pour le Moyen-Orient, Lucien Antoniard et Jacques Melvin du service action. En bout de table, il ouvrit un dossier dont il tourna les premières pages.

— Apparemment, Saleh maniait de la cyclonite, dit-il. Les analyses indiquent qu'au moins trois autres personnes ont séjourné, même brièvement, dans la cave au cours des dernières vingt-quatre heures. On les a ratées. Nous sommes arrivés au moment où Saleh essayait de faire le ménage. Sandra, quel est votre avis?

Sandra Cicchini avait travaillé pendant des mois sur le dossier Ali Saleh. Elle avait noté la disparition de Saleh à Beyrouth et le suspectait d'avoir embarqué pour Marseille sous une fausse identité. C'est lorsqu'elle avait remarqué qu'une entreprise familiale de fruits secs se fournissait régulièrement aux entrepôts de déchargement d'une darse de Marseille, qu'elle était remontée jusqu'à l'épicerie d'Ibrahim à Aulnay-sous-Bois. Elle avait fait du bon boulot. Lorsque la section d'intervention de la sous-direction antiterroriste (SDAT) avait fait irruption dans la cave, elle savait que les hommes tomberaient sur Ali.

Malheureusement, l'explosif n'était plus là.

— C'est bien notre homme de Beyrouth, venu de Bagdad via Alep en Syrie, dit-elle. La cyclonite provient probablement d'Afghanistan, province de Zabul, ou du Pakistan. D'anciens stocks soviétiques. Toutes nos infos indiquent qu'Ali agit sous les ordres du mollah Kader.

Tout en approuvant, Morzini introduisit une cassette vidéo dans le lecteur.

— Ali était effectivement avec Kader, mais on ne le voit pas sur la cassette. Tenez, dites-moi ce que vous en pensez.

Sandra Cicchini et les autres membres de l'équipe d'analyse se penchèrent vers le téléviseur. La décapitation du journaliste était ignoble. Les membres du bureau d'analyse en avaient déjà vu, mais c'étaient généralement des exécutions sommaires au sabre où l'on ne s'appesantissait pas sur tous les détails comme sur cette bande.

Assis sur leurs bancs au fond de la pièce, les soldats du groupe d'intervention de la section antiterroriste ne bronchèrent pas. Jacques Melvin, capitaine de section, gardait ses mains posées sur ses genoux. Il attendait les ordres pour passer à l'action.

— Attendez, dit Cicchini alors que le commissaire s'apprêtait à stopper la cassette. Il doit y avoir un discours de revendication à la fin.

Sur la bande, effectivement, un homme en qamis et turban blancs se mit à scander un discours en pachtou, un index pointé vers le ciel.

Sandra commenta.

— Kader dit qu'il ne veut pas de la présence française à al-Qaïm. Il revendique l'embuscade de Karjin à la frontière avec la Syrie. Et réitère ses menaces. Les Français n'ont rien à faire sur le secteur de la frontière.

La moustache de Morzini jaunie par le tabac remua sous les mouvements crispés de sa bouche.

— On a une cassette, et alors? Que mijote ce type, cet Ali Saleh?

— Pour moi, dit Cicchini, cette cassette signifie qu'il est envoyé en mission par le mollah Kader. Il a dû avoir des contacts dans cette cave, si on en juge par les analyses d'ADN. Est-ce que vous avez trouvé des jandals?

— Des quoi?

— Des cailloux brisés. Des signes d'identification pour des émissaires au sein des réseaux. Ça vaut toutes les cryptographies du monde.

— C'était donc ça. Des bouts de cailloux... Trois pierres brisées en deux.

— Et ça confirme que trois autres personnes sont venues dans ce réduit récemment, dit Cicchini. Est-ce qu'on sait où elles sont parties?

Morzini secoua la tête.

— On va lancer des recherches sur les aéroports et les transports publics. Le plan Vigipirate passe au niveau alerte-attentat. Mais ça ne donnera rien avant au moins vingt-quatre heures.

Le capitaine Melvin jeta un regard à son sergent-chef. Les fusils d'assaut n'allaient pas tarder à être distribués à l'armurerie. Melvin leva le bras pour signaler qu'il désirait prendre la parole.

— Patron, il faut qu'on sache si c'est une menace kamikaze...

Sandra tourna la tête vers lui.

— Négatif, dit-elle. Ali travaille avec des pros. Ces types-là n'ont pas besoin de se faire exploser pour mettre une ville sens dessus dessous. Il a dû préparer des engins minutés ou télécommandés.

— Donc, dit Morzini, nous avons potentiellement trois impacts à retardement en région parisienne. Cicchini, combien de temps nous reste-t-il?

Sandra se tourna vers Jacques Melvin. C'était lui, l'expert en explosifs. Melvin était à la fois une force de la nature et un artificier hors pair. Quand il partait à l'assaut, tout le monde suivait. Il avait lancé l'attaque du casino de Bayonne où un djihadiste s'était réfugié après avoir tué trois militaires et un sexagénaire. Le gars avait été transformé en passoire. Du coup, quand une opération sérieuse se profilait, on l'envoyait en premier. Et ça n'avait jamais raté.

— Dans ce type de configuration, dit Melvin, un terroriste vraiment résolu programme un délai court pour éviter que son colis ne soit découvert.

— «Court», c'est-à-dire?

— Un poseur de bombe fait en sorte de ne pas rester longtemps en possession de l'engin, dit Melvin. Il se rend sur le lieu choisi, y dépose l'explosif et programme son engin. Tout compris, cela nous fait une heure ou deux avant l'impact.

— Bon. Jacques, tu vas surveiller Ali. Je me mets en contact avec le secrétariat général de la défense et de la sécurité nationale dans le cadre de Vigipirate.

Le téléphone sonna, Morzini décrocha aussitôt.

— Oui. Certainement, madame la ministre...

D'un geste de la main, il fit signe à tout le monde de quitter la pièce. Sandra Cicchini ramassa ses notes. Elle sortit avec les autres analystes, Jacques ferma la marche et se dirigea aussitôt vers la salle d'interrogatoire.

Surveiller Ali Saleh. Cela n'allait pas être difficile. Ce n'était pas un athlète. Malingre, il semblait avoir passé les derniers mois à l'abri de la lumière, dans des caves ou les cales d'un bateau. Sans doute obligé de se cacher en permanence.

Jacques observa le captif à travers le miroir sans tain. Pendant ce temps, la conversation de Morzini avec le ministère s'éternisait. Melvin n'aimait pas ces moments où on ne pouvait rien faire. Simplement attendre que les décisions soient prises par d'autres.

Brusquement, Morzini jaillit de son bureau.

— Message du ministère. Le témoin doit parler. Priorité maximale.

— Certainement, chef. Quels sont les ordres ?

Morzini s'impatienta. Cette question l'irritait.

— Je ne vais pas te faire un dessin, Jacques. Il faut qu'il nous dise où sont les bombes. On a trois engins avec impact à soixante minutes, peut-être même moins. Ce type sait. C'est lui qui avait les jandals, la cassette et qui a fabriqué les détonateurs.

Jacques regarda l'homme assis sur la chaise, sous la lumière blanche de la salle d'interrogatoire.

— D'accord, dit-il. Je vais aller lui parler, je vais lui expliquer qu'il est soumis au régime de la garde à vue dans le cadre d'une Association de malfaiteurs en but de préparer une action terroriste, qu'il n'aura pas droit à un avocat, qu'il a intérêt à se mettre à table.

— Non, Jacques ! explosa Morzini. Ça, c'est bon quand on a trois jours devant soi pour laisser mariner le suspect. Là, on a une heure, montre en main. Il doit cracher. Coûte que coûte. Ordre de la ministre. Compris ?

Jacques marqua un silence. Il n'était toujours pas sûr de comprendre. Morzini expira profondément. Il fourra ses mains dans ses poches en fixant le plancher. Sa voix était redevenue celle, chaleureuse et paternelle, du patriarche de la sous-direction.

— Écoute, Jacques, là, c'est chaud, c'est vraiment chaud. J'ai le feu vert politique. On est couverts. En clair, tout ce qui va se passer ici dans les soixante prochaines minutes sera effacé des registres.

Cela n'aura jamais existé. Pendant une heure montre en main, aucun droit international ne s'appliquera ici. Tu entends? La voie directe.

Jacques fronça les sourcils.

— Excusez-moi, chef, mais... La voie directe, qu'est-ce que c'est?

— Ça veut dire qu'on a toute latitude pour faire parler le suspect, par tous les moyens. Est-ce que c'est assez clair, là?

Le capitaine Melvin fronça les sourcils.

Morzini lui tapota sur l'épaule.

— Assieds-toi.

La grande carcasse de Jacques Melvin se posa sur le banc installé dans le couloir, juste à côté de la salle d'interrogatoire. Morzini s'assit juste à côté de lui. Sa lèvre remuait à peine sous la moustache de crin jaunie par le tabac.

— Melvin. Écoute-moi bien, mon gars. Ton gamin est dans le métro. Il rentre de l'école. Tu vas le revoir ce soir, chez toi. Mais il y a une bombe dans le métro. Peut-être sous son siège. De la cyclonite. Cette bombe, Saleh sait où elle se trouve. D'accord?

Melvin releva la tête et croisa le regard de son chef. Vu comme cela, effectivement, c'était plus clair.

En entrant dans la salle d'interrogatoire, Melvin fut ébloui par la lumière. Saleh était maigre comme un clou. Jacques aurait préféré trouver un combattant. Jamais il n'avait eu peur de l'affrontement, que ce soit des échanges de tirs ou du corps à corps avec des ennemis déterminés. Quand on risquait de se prendre une balle, on n'avait pas d'états d'âme. Mais face à un ennemi désarmé, ligoté et pesant la moitié de son poids, c'était différent.

Jacques se planta devant le prisonnier et affecta un ton martial.

— Saleh, je vais t'exposer les chefs d'inculpation qui pèsent contre toi et les pouvoirs qui nous sont conférés pour t'interroger.

Pour la première fois, Ali Saleh releva les yeux vers lui. La grimace qu'il lança pouvait aussi bien passer pour un sourire que pour du dédain.

— Selon nos informations, tu as connaissance des détails d'une opération en cours visant à commettre un triple attentat sur notre territoire.

Ali continuait de grimacer.

— Les prélèvements réalisés sur le lieu de ton arrestation et sur tes vêtements ont établi que tu as manié un explosif ainsi que du matériel de détonation. Une cassette vidéo révèle ton appartenance à un réseau djihadiste commandé par le mollah Kader.

Toujours le même sourire.

— Nous attendons de toi des informations sur les attentats, dit Melvin. Nous pouvons faire de toi tout ce que nous voulons. T'arracher les yeux, te peler comme une orange. Personne ne viendra te chercher. Ton cadavre sera donné aux chiens du chenil. Tu n'existes pas officiellement.

Le visage du suspect changea subtilement. Melvin le remarqua.

— Tu croyais peut-être que ne pouvions pas toucher à un cheveu de ta tête ? C'est cela, qu'ils te disent dans les camps d'entraînement en Afghanistan ?

Jacques saisit une clé pendue à un crochet du mur et se dirigea vers une armoire blindée. L'armoire contenait des pinces, des écarteurs, des lames recourbées. Sur un des battants, un schéma du corps humain indiquait les différents endroits du corps sur lesquels les ustensiles pouvaient être utilisés. En pointillés, comme les affiches de viande bovine dans les boucheries... Des outils pendant à des crochets, portant des numéros correspondant aux différents éléments d'anatomie.

Jacques resta un moment sans voix. Il reconnut aussi un énucléateur pour arracher les yeux de leurs orbites, des vrilles de charpentier à insérer dans les vertèbres, des hachoirs. Même une fraise de dentiste comportant des embouts abrasifs.

Depuis les attentats de Saint-Michel en 1995, les autorités avaient dû faire en sorte que plus jamais cela ne se reproduise.

Que devait-il faire de ces outils ? C'était une blague ou quoi ? Il essaya de toutes ses forces de penser à son fils dans le métro, rentrant du collège. Un putain de sac de sport sous une banquette, quelques mètres plus loin. Un sacré foutu sac de sport bourré de mort en barre.

Au hasard, sa main se posa sur une sorte de pince. Mais il eut un mouvement de recul. Pourrait-il rompre les os de Saleh comme un simple boucher ?

L'heure tournait. Ne pas choisir, c'était choisir. Merde ! Quand on pensait qu'il y avait des philosophes qui avaient théorisé sur la violence, sur la dignité humaine. À quoi ces types pensaient-ils ? Quelles solutions préconisaient-ils ?

Au bout d'un moment, désemparé, Jacques sortit de la pièce. Morzini était furibond. Il le prit aussitôt par les épaules.

— Nom de Dieu, Jacques, qu'est-ce que tu fous !

— On ne peut pas faire ça, chef. On ne peut combattre la barbarie par la barbarie. Ou alors on devient comme eux.

— Je ne te parle pas de barbarie, imbécile ! Je te parle de guerre. C'est la guerre, tu comprends ? Et on doit défendre les nôtres. Qu'est-ce que tu préfères ? Que cinquante gugusses crèvent les tripes collées au plafond du métro ou que cet enfant de salaud apprenne ce qu'il en coûte de vouloir assassiner les gens ?

C'était l'évidence. Morzini avait raison.

— T'as déjà tué des types, Jacques, lui rappela Morzini. C'était pour la bonne cause. Souviens-toi ! Agis !

Melvin savait que c'était la vérité. À un moment donné dans la vie, il fallait se salir les mains. C'était cela, être un homme. Les bonnes gens pouvaient dormir sur leurs deux oreilles, uniquement parce que des durs comme lui faisaient le boulot en se confrontant à l'horreur humaine.

Vaguement sonné, il retourna donc dans la salle d'interrogatoire. Cette fois, il vit que le détenu suait la peur par tous les pores. Son visage luisait d'angoisse et il se dégageait de lui une odeur rance. Dans l'armoire, Jacques choisit l'ustensile qu'il jugea le moins abominable, une sorte de matraque munie de disques de large diamètre devant faire office de condensateurs électriques.

D'un seul coup, Saleh se mit à hurler en se trémoussant sur sa chaise.

— Mon avocat ! Mon avocat ! J'ai droit à un avocat ! Les droits de l'homme ! Mollah Kader ! Au secours ! Vous... vous irez en prison ! Non... c'est impossible...

— Personne ne sait que tu es là, dit Melvin en enclenchant la charge des condensateurs qui se mirent à vibrer frénétiquement.

Et il plaça d'une main ferme la matraque sur le thorax du prisonnier.

Juste avant d'appuyer, Melvin vit à travers la vitre Morzini qui avait décroché son téléphone. L'appareil collé contre l'oreille, le commissaire hochait la tête gravement. Finalement, il raccrocha et déboula dans la salle d'interrogatoire et lui dit, affolé :

— Stop. On arrête tout.

Philippe Duvernet venait de saisir son téléphone qui sonnait sur la table. Le contenu du message lui sauta aux yeux.

« Police antiterroriste attaque chez moi. Moi prisonnier. SOS. Kader dit que vous aider. Signé : Ali Saleh. »

Saleh. Ce nom évoquait quelque chose à Duvernet. Cet homme lui avait été recommandé par un de ses clients au Moyen-Orient qui disait que Saleh serait certainement torturé par la police s'il était pris dans les semaines à venir.

Duvernet resta interdit devant son appareil. Puis il retourna dans la salle où l'assemblée l'attendait, électrisée. Reprenant le câble de son micro dans sa main gauche, il inspira profondément.

— Écoutez-moi, dit-il. La situation est plus grave que je ne le pensais. À l'heure où je vous parle, un de mes clients est détenu de façon arbitraire par la police antiterroriste. Il va probablement être interrogé dans les locaux de la sous-direction antiterroriste, à Levallois. Dans le cadre d'une AMT.

Les cris redoublèrent. Duvernet les fit taire.

— Mon client est sous le coup d'une garde à vue de quatre-vingt-seize heures, privé d'avocat pendant trois jours et trois nuits. Livré à eux. Vous savez ce que cela veut dire. À l'instant où je vous parle, ils sont en train de le torturer.

Le mot fit l'effet d'une bombe. La foule se déchaîna. Le moustachu brandissait le poing, l'œil injecté, le naseau fumant, les cordes vocales chauffées à blanc. La vieille dame du deuxième rang tapait du bout de sa canne contre le sol. Il fallait arrêter ce scandale.

Duvernet cria plus fort que tous.

— Tout cela se passe au moment même où je vous parle ! Sur notre sol ! À quelques centaines de mètres d'ici !

Ça y était, la salle était prête. Il pouvait en faire ce qu'il voulait.

— La sous-direction antiterroriste est située rue de Villiers, à quelques minutes d'ici, expliqua-t-il. La seule solution pour faire reculer le pouvoir est d'aller nous installer sous leurs fenêtres ! Allons-y, que tout le monde sache ce qui se passe ici !

La foule déchaînée se mit en branle comme un seul homme. Ces gens allaient créer une véritable émeute. À peine sortis dans la rue, des spectateurs brandirent des pancartes improvisées. Une belle foire d'empoigne.

Duvernet prit son téléphone et composa à la va-vite un communiqué de presse qu'il adressa à ses nombreux contacts dans les grandes rédactions de journaux et télés. Une affaire comme celle-là, c'était du pain bénit pour les journalistes. Tous les ingrédients y étaient réunis : restriction des libertés, violation des droits de l'homme, affaires de terrorisme. Impossible qu'une équipe de reporters ne vienne pas rendre compte de l'événement.

Il n'en vint pas une, mais des dizaines. Les camionnettes de France Télévisions et de TF1 étaient déjà stationnées en double file tandis qu'une rangée de scooters s'alignaient contre les balustrades de la sous-direction antiterroriste. Des gars avec des caméras, des micros, des appareils photo, s'agitaient sur la chaussée.

La presse avait fait plus vite que les manifestants.

Philippe Duvernet sentit que le faîte de sa gloire était arrivé. Il ne lui restait plus maintenant qu'un appel téléphonique à passer, pour mesurer l'étendue de son nouveau pouvoir.

La ministre de l'Intérieur, Andrée Charcot-Dumas, quittait une réunion de cabinet lorsque sa secrétaire lui tendit sa ligne sécurisée en annonçant le célèbre avocat. Duvernet la prit à froid.

— Madame, j'ai été averti qu'Ali Saleh avait été placé en garde à vue pour une AMT dans les locaux de la sous-direction antiterroriste, voici moins d'une heure.

Charcot-Dumas avait la réputation de ne jamais se démonter.

— S'il est en AMT, rétorqua-t-elle, je ne vois pas pourquoi vous m'appelez. Vous n'avez aucun droit d'intervenir dans cette procédure pendant soixante-douze heures.

— Je vais vous expliquer pourquoi je vous appelle. Je me trouve actuellement rue de Villiers, en face des bureaux de la sous-direction antiterroriste. Il y a dans cette rue un certain nombre d'équipes de presse et une foule de militants qui ne repartiront pas avant d'avoir vu le visage d'Ali Saleh et d'avoir acquis la certitude qu'il a été traité dans le respect des conventions internationales sur les droits des prisonniers.

La ministre marqua une courte pause.

— Vous avez fort bien fait, maître. De cette façon, tout le monde pourra témoigner que les conditions de garde à vue dans notre pays sont parfaitement respectueuses des droits de l'homme. J'ai moi-même milité pour une mise en conformité sans concession de nos établissements pénitentiaires avec les directives de Schengen et c'est un combat que je n'aurai de cesse de porter sur la place publique, au Parlement et à l'Élysée.

Charcot-Dumas avait beau feindre l'indifférence, le timbre de sa voix s'était altéré. Chaque minute que cette foule passerait devant la sous-direction antiterroriste serait de trop, surtout dans la perspective d'un remaniement gouvernemental où elle traînait déjà suffisamment de casseroles.

Charcot-Dumas appela immédiatement le commissaire Morzini à la sous-direction antiterroriste.

— Vous ne toucherez pas à un seul des cheveux de Saleh, dit-elle. Son interrogatoire doit être en tout point conforme aux conventions internationales sur les droits des prisonniers. Enjeu politique et diplomatique majeur. Je ne veux pas qu'il lui arrive quoi que ce soit. Pas un cheveu. Compris ?

Quelques secondes plus tard, Morzini jaillissait devant Melvin.

— Stop. On arrête tout.

Quand il sut qu'il n'aurait pas à interroger Ali Saleh, Jacques Melvin ressentit un immense soulagement. Il quitta la salle d'interrogatoire et s'assit sur un banc au milieu du couloir. Tout autour de lui, des fax crépitaient, des hommes allaient et venaient.

Au bout de longues minutes, il se leva. Lentement, il se mit en marche vers le bureau des analystes.

Tous les hommes étaient penchés sur leurs écrans et affairés sur leurs claviers. Sandra Cicchini, dans un coin de la pièce, se mordillait les lèvres en déroulant le menu de son ordinateur. Jacques s'approcha d'elle.

— Qu'est-ce que c'est?

— Le compte rendu de l'interrogatoire en temps réel, dit-elle. Les types de la direction centrale du renseignement intérieur (DCRI) ont pris le relais.

L'interrogatoire avait maintenant lieu dans les locaux de la DCRI, juste à côté de leurs bureaux. Ali Saleh avait simplement été transféré chez eux.

— Et que dit le rapport?

— Saleh garde le silence, répondit Cicchini. Il sait qu'il n'est pas obligé de parler. Il l'a parfaitement compris.

Melvin lut le compte rendu qui tombait sur l'imprimante, ligne par ligne. Les enquêteurs étaient des pros. Ils ne prenaient pas le prisonnier frontalement. Leurs questions étaient tantôt claires, tantôt déroutantes. Ils lui faisaient comprendre qu'ils savaient tout de lui. Ses réseaux, ses derniers déplacements, tout. On lui avait clairement signifié qu'il passerait le reste de sa vie au fond d'une cellule s'il ne coopérait pas.

— Quel taux de succès a-t-on avec ce genre de méthodes? demanda Melvin.

Le visage de Sandra était lisse.

— Avec des idéologues comme Saleh? C'est une bataille perdue. La prison ne leur fait pas peur, ils sont convaincus qu'avec un bon avocat ils peuvent obtenir des réductions de peine. Ils n'ont pas tort.

Jacques sentit son estomac se nouer. Il garda le regard rivé sur le rapport d'interrogatoire qui défilait à l'écran. Durant tout ce temps, Saleh n'ouvrit pas la bouche.

Jacques sortit de la pièce. En passant devant le bureau de Morzini, il entendit quelques bribes de conversations.

— Quatre unités du Samu mobilisées sur le secteur centre, oui. Les dix autres en alerte sur les arrondissements X-XVIII. Pouvez-vous voir avec l'Assistance publique?

Ils étaient en train de prévoir des systèmes de délestage des services d'urgence, des cellules psychologiques. La phase des secours était déjà active...

Jacques sentit un frisson lui parcourir l'échine. L'horreur de la situation lui apparut. Ça allait sauter. Et quelques minutes plus tôt, dans la salle d'interrogatoire, il avait eu l'occasion de faire parler Ali Saleh.

Il se rua vers le bureau de son chef.

— Patron, on ne peut pas laisser faire ça. Il est peut-être encore temps. Je vais le faire parler, ce petit enfoiré!

— Ne t'occupe plus de cela, Jacques, dit Morzini en composant un numéro de téléphone. C'est trop tard. Nous sommes revenus au régime de droit. En l'état, le prévenu n'est coupable que de détention de matériel explosif, et encore, à titre de suspicion.

Ces mots semblèrent absurdes à Jacques. Tout le monde savait ce qui allait se passer, et on ne faisait rien, car le droit protégeait ce criminel. Il se jeta dans le couloir menant à la direction générale du renseignement intérieur. Morzini sortit derrière lui.

— Arrêtez-le!

Aussitôt, deux hommes de la DCRI lui firent barrage. Jacques baissa les bras. Il n'allait pas se battre. Ce serait pire que tout.

— Laissez-moi le voir, c'est tout...

Les hommes l'accompagnèrent jusqu'au miroir sans tain derrière lequel deux inspecteurs discutaient avec le jeune homme maigre au teint blafard. La scène, sous les néons de la salle d'interrogatoire, avait quelque chose de glaçant. Cet homme assis sur sa chaise, impassible, était protégé par le pays même qu'il s'apprêtait à frapper. Jacques crut déceler un sourire sur son visage.

C'est à ce moment que les explosions se produisirent.

— Champs-Élysées, Châtelet, gare de Lyon. Charges brisantes. Je note. Combien ?

Morzini griffonna quelques chiffres sur un bloc-notes, lèvres serrées. Puis il se leva et passa entre des rangées d'hommes au garde-à-vous dans le couloir. Il s'arrêta devant le responsable de la section de déminage et lui murmura quelques instructions.

Pour Jacques, l'attente était devenue insupportable. Il dut attendre que son patron ait raccroché pour lui demander :

— Que se passe-t-il ? Il y a eu combien d'impacts ?

Morzini lui jeta un regard noir.

— Ça sent mauvais, très mauvais. Apparemment, à Châtelet c'est la boucherie.

À l'approche de la colonne du Châtelet, on ne voyait rien. Pas même un nuage de fumée montant de la station de métro. Les explosions souterraines étaient les pires. Les ondes de choc se répercutaient et ne faiblissaient pas en fonction de la distance au foyer de détonation. Melvin savait cela. Les secours étaient rendus difficiles par le confinement de l'air et l'étroitesse des voies d'accès. Les gaz toxiques mettraient du temps pour s'échapper, malgré l'action des systèmes d'évacuation des fumées.

Sur place, Melvin se vit refuser le droit d'entrer. Dans la galerie, les pompiers étaient les premiers à intervenir, à la fois pour l'assistance respiratoire et pour parer aux sinistres liés au feu et aux courts-circuits. Rapidement, on établissait un relais avec les équipes médicales d'urgence situées à l'extérieur.

Jacques avait l'impression d'assister à une expédition de spéléologie. Les rescapés avaient dû s'extraire du sinistre depuis longtemps et maintenant un silence de mort régnait sur le site. Soudain, un talkie-walkie grésilla et il vit les pompiers s'activer par petits groupes pour remonter à la chaîne des corps noircis par ce qu'il prit pour de la suie et qui était en réalité de la chair carbonisée. Les blessés furent traités sur place ou acheminés dans les services d'urgence de l'Hôtel-Dieu ou de la Salpêtrière. Melvin vit quatre pompiers s'affairer autour d'un brancard devant un corps de petite taille, portant à un pied une chaussure d'enfant. Melvin chercha l'autre pied, il n'y en avait pas.

Il sentit la main de Morzini s'abattre sur son épaule.

— Melvin, ne reste pas là. Vous autres, ramenez-le à la section. Jacques, tu m'entends ? Prends une douche et fourre-toi en salle de repos en attendant le débriefing de ce soir.

Le même jour, deux autres explosions eurent lieu sur les Champs-Élysées et à la gare de Lyon. Au soir, le bilan était de cinquante-trois morts et quatre-vingts blessés, dont quarante-deux grièvement. Aux Champs-Élysées, la bombe explosa dans une boutique de luxe, tuant quinze personnes. À la gare de Lyon, le bilan était le plus lourd. L'engin avait fait feu dans une salle de départ bondée, décimant des familles qui attendaient devant des panneaux d'affichage ou assises sur les bancs devant les kiosques à journaux. À leur arrivée, les secours se retrouvèrent devant une scène de guerre. Un lieu dévasté, des gens traumatisés, du sang partout.

Déjà, sur toutes les antennes et tous les plateaux de télévision, des professeurs de droit, des avocats, des constitutionnalistes et des philosophes se succédaient, tentant d'apaiser les esprits sur la question de la peine de mort, feignant de croire à la supériorité de l'humanisme sur le terrorisme. Lorsque le commissaire Morzini retourna au siège de la SDAT, il fit face aux équipes de cameramen qui avaient fait le siège toute la journée.

— Vous voulez voir Ali Saleh ? Vous voulez l'interroger ? Attendez seulement qu'il ait terminé sa garde à vue. Ne vous faites pas de souci pour lui, nous sommes respectueux des droits des prisonniers. Vous voulez connaître son menu de ce soir ?

Les journalistes se regardèrent, interloqués. Ils ne savaient plus quoi penser. Le silence était revenu dans la rue. Un silence assourdissant.

Les cercueils étaient alignés dans la cour du palais de l'Élysée en rangées composant un quadrilatère sombre de cinquante-six boîtes identiques. La presse s'était massée le long des façades latérales du palais, mais la cour était presque trop petite pour contenir les dépouilles et le public, constitué exclusivement des proches des victimes. Le président de la République avait décrété un jour de deuil national et tenu à recevoir les familles pour leur témoigner le soutien de la nation.

Tous les regards étaient rivés sur six petits cercueils soutenus par des tréteaux, sur le gravier. Six enfants. Le premier était décédé sur le coup avec son père, gare de Lyon. Deux autres étaient morts dans les couloirs de la station de métro Châtelet, asphyxiés. Les trois derniers s'étaient attardés un instant à l'intérieur d'une boutique des Champs-Élysées alors que leur mère réglait des achats et était sur le point de franchir la porte.

Les mères de ces petites victimes avaient toutes trois survécu. C'étaient elles que l'on retrouvait sous les objectifs des caméras, au premier rang des familles, elles qui captaient toute l'attention du public et des médias et qui se retrouvaient côte à côte, unies dans le chagrin.

Le Président Dejaby monta à la tribune. Petit, râblé et énergique, il semblait cette fois vidé de son entrain habituel. Lorsque le drapeau fut hissé sur le toit du palais, dans un lugubre roulement de tambour, il baissa la tête. Puis il toisa l'assistance. L'émotion était palpable dans son regard.

— Il y a des jours où la charge d'un chef d'État est plus lourde que tout ce qu'il aurait pu imaginer, dit-il. Des jours où l'on voudrait

ne jamais voir le soleil se lever. Où la terre entière devrait s'engloutir dans les ténèbres. Car dans des jours tels que celui-ci, à quoi bon
encore se réveiller, croire en l'avenir, trouver du sens au quotidien?
Quel peut être le sens de notre action, devant tant de vide et d'ab-
surdité? La nation est en deuil. Elle pleure ses enfants. La France ne
voit plus le bleu du ciel, elle est frappée en plein cœur.

Silence. Dix, vingt secondes.

— Chers compatriotes, reprit le Président, rien ne vous rendra
les proches que vous avez perdus. La nation n'a à vous offrir que
son soutien et sa compassion. Mais il y a une chose que je ne toléré-
rai pas, c'est que de pareils crimes restent impunis. Mon rôle est de
poursuivre les auteurs de cette abomination où qu'ils se trouvent.
Rien ne sera négligé. C'est avec la plus ferme détermination que
nous lutterons contre le terrorisme et les autorités qui le sou-
tiennent, où qu'ils soient. Qu'ils sachent, à l'heure où je vous parle,
qu'ils ne connaîtront plus le repos.

Le visage du Président se métamorphosa alors, exprimant une
sourde colère.

— Il y a autre chose qui me fait horreur, dit-il. Des fautes ont
été commises au plus haut niveau de l'État. Au sein de la population, des individus irresponsables ont joué avec la sécurité publique
dans une totale inconscience. À eux, aussi, je veux dire qu'ils ne
resteront pas impunis.

Sur ce, il descendit de la tribune et commença à serrer les
mains des proches des victimes. Certains gardaient la tête baissée,
les autres soutenaient son regard. Un cri monta de la foule.

Une femme s'était agrippée au bras du chef de l'État et lui
lançait :

— Il savait! N'est-ce pas, qu'il savait! Le monstre qui se trouvait dans les locaux de la police. Ils l'ont dit, à la télévision. Il savait
où se trouvaient les bombes et vous n'avez rien fait!

Le Président Dejaby secoua la tête sans lâcher sa main.

— Nous avons fait ce que nous avons pu, madame.

Elle recula dans un geste de rejet, le fusillant du regard.

— Ne me dites pas cela. Mon fils est en charpie dans cette
boîte parce que vous avez protégé ce monstre en appliquant le droit
international.

— Madame, je vous assure que...

Elle se jeta sur lui et l'agrippa par les deux manches de sa veste.

— Jurez-moi, monsieur le Président, que plus jamais un assassin ne pourra garder le silence alors qu'une bombe risque d'exploser. Jurez-le-moi!

Sa dernière phrase résonnait encore dans l'enceinte du palais. Cette image allait être diffusée en boucle dans tous les médias.

Le Président était furieux.

— Je veux que le parquet attaque cet avocat pour mise en danger de la vie d'autrui, dit-il en gravissant frénétiquement les marches de l'escalier d'honneur. Comment il s'appelle, déjà, Duvernet, ce con d'anarchiste. Je veux un jury populaire. Je veux les proches des victimes dans l'enceinte du Palais de justice. On commence par virer Andrée Charcot-Dumas de l'Intérieur. Michel, tu viens avec moi.

Le ministre de la Défense, Michel Levareux, fidèle compagnon du Président, lui emboîta instantanément le pas et le suivit jusqu'à son bureau.

Dejaby parlait sans se retourner, exécutant des moulinets de la main droite, dodelinant de la tête comme un poney survolté.

— Tu t'emmerdes à la Défense, hein, Michel? Tu espères mieux, je le sais. Et tu le mérites. Tu sais que c'est à l'Intérieur que tu pourras faire passer tes vues. Installe-toi, Michel.

Michel Levareux prit un siège pendant que le Président fermait la porte et allait ouvrir une boîte de cigares derrière son bureau. Il parvenait enfin à maîtriser ses gesticulations.

— On ne peut pas revenir sur le régime de garde à vue, dit-il. On s'est déjà fait épingler par Bruxelles.

— J'encule Bruxelles, lâcha pour la première fois le ministre de la Défense, Michel Levareux.

— Je sais, Michel, je sais. Mais on a les manifs d'agriculteurs pour la PAC. Si tu veux, on va enculer Bruxelles, mais en y mettant les formes. Je te mets à l'Intérieur.

— Merci.

Dejaby cracha une bouffée de fumée vers les fenêtres qui donnaient sur le jardin.

— Je me souviendrai jusqu'à ma mort de cette femme, confia-t-il. À une époque comme la nôtre, il ne devrait plus être permis qu'un criminel garde pour lui des informations qu'il est le seul à détenir et qui mettent en danger la vie d'autrui. Je veux que, la prochaine fois que je verrai cette maman, nous ayons tenu notre promesse que plus jamais cela ne se reproduira.

— Bien sûr. Que proposez-vous, monsieur le Président ?

— Je suis passé place Beauvau avant toi, Michel. Il y a beaucoup à faire du côté des techniques de persuasion et d'interrogatoire. On est des minables à côté de ce que font les Ricains. Renseigne-toi. C'est fini la police de grand-papa, on doit être à la pointe. Investigations, empreintes génétiques, détecteurs de mensonge, manipulation psychologique, etc. En douceur, mais droit au but.

Levareux eut un demi-sourire. Moderniser les techniques d'interrogatoire, ce n'était pas pour lui déplaire. Au fond, Levareux avait toujours admiré Dejaby. Plus intelligent, plus rapide, plus politicien. Une force, une autorité, et cette façon d'emballer les gens. Cette fois, il semblait tenir sa nouvelle idée.

— Je veux que la prochaine fois qu'un type comme ce fumier d'Ali Saleh se pointe devant nous, il nous déballe ce qu'il sait, sans même qu'on ait à hausser le ton. Il paraît qu'aux États-Unis la police met au point une technique de visualisation du cerveau et qu'on peut presque lire dans les pensées de quelqu'un. Est-ce de la science-fiction ? Je ne sais pas. L'avenir finit toujours par reléguer la science-fiction aux oubliettes, c'est une chose que la politique m'a apprise.

Levareux sentit que Dejaby retrouvait l'élan de sa campagne présidentielle victorieuse. À l'époque, l'aspiration sécuritaire du pays leur laissait véritablement caresser l'espoir d'une société contrôlée. Par la suite, les rebuffades de l'opinion les avaient refroidis, et Levareux avait dû remiser ses espoirs d'être nommé à l'Intérieur, mais voici que son mentor refaisait surgir devant lui l'image d'une loi intransigeante.

Il eut un petit sourire.

— Habile..., dit-il. En fait, on utilise la douleur des familles et de ces mères éplorées pour justifier un programme de recherche sur les nouvelles méthodes d'interrogatoire. Avec l'assentiment de la population.

Le Président Dejaby prit un air outré.

— Ne me dis plus jamais cela, Michel. Nous n'utilisons personne. Je trouve absolument scandaleux qu'une mère perde son enfant et que des familles soient endeuillées, dans notre pays. J'ai été bouleversé par ce témoignage. Absolument bouleversé.

Michel Levareux garda le silence. Bouleversé. C'était bien un langage de politicien.

Mais il avait compris l'essentiel. Il avait une putain de carte blanche pour révolutionner les méthodes d'interrogatoire.

Deuxième partie

Vincent Carat posa sa sacoche et regarda sa montre. Il avait dix minutes d'avance. La secrétaire lui avait annoncé que René Kriegel, le directeur du laboratoire d'imagerie cérébrale de la Salpêtrière, le recevrait dans quelques instants. Il en profita pour examiner les lieux.

La salle d'attente était peu accueillante. Un vieux linoléum, des papiers peints défraîchis et de vieux journaux scientifiques amoncelés sur une table basse. Il en prit un au hasard et le feuilleta, sans arriver à évacuer totalement son stress.

Enfin, la porte s'ouvrit et la secrétaire l'appela. La quarantaine, pull en V et barbe de trois jours, René Kriegel était installé derrière un bureau encombré de revues scientifiques. Il fit signe à son hôte de s'asseoir et prit un dossier de couleur rose, probablement le sien.

— Vincent Carat, élève au master de neuroimagerie de l'École normale supérieure, dit-il. Je vois que votre projet de recherche porte sur la maladie d'Alzheimer. Et vous postulez pour un stage de fin d'année chez nous ?

— Exact. Je souhaite développer des biomarqueurs de la maladie.

— Veuillez préciser, lui dit Kriegel.

Vincent rajusta sa position sur son siège.

— La maladie d'Alzheimer se manifeste par une accumulation de substances toxiques dans le cerveau, les plaques amyloïdes. Si l'on pouvait rendre ces plaques amyloïdes visibles à l'aide des méthodes d'imagerie par résonance magnétique, cela aiderait à détecter la maladie plus en amont et à tester différents traitements.

René Kriegel observa plus attentivement le dossier de Vincent

— Et donc, pour rendre visibles ces plaques amyloïdes, vous proposez de synthétiser des molécules capables de se fixer dessus et de les rendre luminescentes en IRM.

— C'est exactement cela, monsieur.

Le directeur de labo continuait à tourner les pages du dossier.

— Votre idée est bonne, dit-il. Mais pour la réaliser, il faut des experts en neuroimagerie, en électromagnétisme, en traitement du signal, pas des biologistes comme vous.

— La biologie est ma formation initiale, répondit Vincent, mais cette année je suis inscrit dans un très bon master d'imagerie cérébrale.

— Je sais, je sais. Néanmoins, cela va être difficile pour vous. Sans vouloir diminuer votre mérite, les bases de la résonance magnétique nucléaire ne sont pas à la portée immédiate d'un biologiste de formation.

— Je vais travailler dur. J'y arriverai.

— Certes, votre idée est originale. Mmmh..., murmura Kriegel. Peut-être. Je...

Il s'interrompit, le regard immobilisé sur une ligne du CV de Vincent. Son expression se métamorphosa subitement. Il referma le dossier.

— Je vous tiendrai au courant ultérieurement, dit-il.

— Quoi, que se passe-t-il? Vous voulez dire que...

— À bientôt, à bientôt.

Vincent fut pris de court. L'homme le raccompagna jusqu'à la porte et il se retrouva seul dans le couloir. Il n'y comprenait rien. Le directeur du laboratoire avait pourtant eu l'air intéressé par son projet! Dépité, désorienté, le jeune homme quitta la Salpêtrière pour rejoindre le métro et prendre son train de banlieue à destination de Courbevoie.

Derrière la gare, il vit se profiler une barre d'immeubles datant des années 1930. La bâtisse en pierre de meulière n'avait pratiquement jamais été rénovée. Vincent traversa le hall aux peintures écaillées, mal éclairé, et fit craquer les planches de l'escalier en accédant au quatrième étage. Sa mère était en train de préparer le dîner.

— Bonjour, maman, dit-il en l'embrassant. Comment s'est passée ta journée?

Elle se retourna.

— La routine, tu sais. Beaucoup d'appels téléphoniques à gérer pour organiser l'emploi du temps du patron. Demain, nous recevons la visite d'une délégation chinoise! Ces gros industriels pourraient nous passer une commande pharaonique. Et toi, tu avais un entretien important aujourd'hui, n'est-ce pas?

Pendant qu'ils passaient à table, Vincent revint sur sa rencontre avec René Kriegel.

— J'ai l'impression d'avoir pris une mauvaise orientation en m'inscrivant dans ce master d'imagerie cérébrale, dit-il. Tous les étudiants de ma classe ont fait une licence avec un module d'électromagnétisme ou de physique quantique. Moi, j'ai suivi la filière de biologie générale. J'aurais mieux fait de continuer dans cette voie. J'avais de si bonnes notes, tous mes professeurs me prédisaient un bel avenir...

— Tu sais bien ce que j'en pense, Vincent, lui dit Félicia. Ton père croyait que l'avenir appartenait aux sciences du cerveau. Et plus particulièrement à l'imagerie du cerveau. Il voulait que tu t'inscrives à ce master. Il te l'a fait promettre avant de... tu l'as oublié?

Vincent se mit à manger.

— N'empêche, maintenant cela me ferme des portes, maugréa-t-il. Les directeurs de labo voient bien sur mon CV que je n'ai pas la formation suffisante en physique.

— Tu y arriveras, Vincent. Ton père savait ce qu'il disait, il dirigeait un des meilleurs laboratoires d'électro-encéphalographie de la Salpêtrière. Et il croyait en toi.

La délégation chinoise allait arriver d'un instant à l'autre. Félicia disposa sur la table les macarons qu'elle avait achetés la veille chez Ladurée, à la demande expresse du patron. Le champagne était au frigo. Tout était sous contrôle. Dans la salle de réception, les verres en cristal s'alignaient fièrement sur de longues nappes blanches. Il n'y aurait plus qu'à servir le moment venu. Les contrats avec les Chinois valaient de l'or. L'entreprise où travaillait Félicia, VKG-Thermicouple, fabriquait des échangeurs thermiques, sortes d'immenses fûts d'acier à la structure interne en spirale, utilisés par les compagnies minières.

Elle retourna dans son bureau pour s'occuper des bordereaux d'envoi de matériel à l'étranger. Un transporteur allemand de Mannheim devait venir charger des échangeurs thermiques modèle 4K en début d'après-midi. Elle avait préparé le bordereau la veille et le donna à sa collègue Christiane pour qu'elle l'apporte à la manutention.

— Le patron veut que vous réserviez ses billets pour l'île Maurice cet été pour lui et sa famille, lui dit cette dernière. Sauf Julien qui fait un stage en entreprise et qui ne partira pas.

Félicia s'assit devant son ordinateur et se connecta à un site de réservation en ligne. Jean-Jacques Vernier, le patron et fondateur de VKG-Thermicouple, lui déléguait tout. Ses rendez-vous, réservations d'hôtel, tâches administratives, planification de ses vacances, billets de spectacle pour sa famille. C'était une belle responsabilité. Félicia était honorée. Il ne fallait pas se défiler. En quelques minutes, elle trouva des billets à moitié prix pour le mois d'août.

Elle souffla un bon coup.

Le téléphone sonna.

— Hôtel Haussmann, pouvez-vous confirmer la présence de M. Hao Chai pour la nuit?

Félicia confirma. Hao Chai et quatre autres membres de la délégation.

— Je vais vous demander de régler maintenant sur notre site, dit l'hôtesse.

Félicia ouvrit une autre fenêtre sur son écran et se connecta au site de l'hôtel Haussmann. Elle trouva la carte de crédit de l'entreprise dans le bureau du patron et tapa les numéros. Puis elle imprima le document de réservation qu'il faudrait remettre aux Chinois tout à l'heure.

Le téléphone sonna de nouveau.

— C'est le bureau d'expédition, dit la voix d'un employé. Le transporteur de Mannheim est là. Il a pu avancer son arrivée à cause d'une modification de trajet de livraison, une mission annulée sur Bruxelles. Vous pouvez signer le bordereau avec l'horaire modifié?

Christiane lui apporta le document qu'elle signa, vaguement étourdie. Les chambres d'hôtel pour les Chinois, les macarons, les billets pour l'île Maurice, tout cela commençait à danser une gigue infernale dans sa tête.

Elle ressentit le besoin d'une cigarette.

Elle sortit sur l'aire de stockage. Le camion allemand était arrivé et faisait sa marche arrière vers un des huit hangars de stockage où étaient entreposés les échangeurs thermiques. Elle nota qu'il s'agissait du hangar C. Félicia alluma la cigarette et sentit la fumée pénétrer dans ses poumons. Tout à l'heure, devant son ordinateur, elle avait eu la sensation que le fil de ses pensées lui échappait. La nicotine lui faisait l'effet d'un coup de fouet et elle retrouvait sa lucidité. Avant, elle n'avait pas besoin de ces pauses. Mais le rythme de travail s'était intensifié. Parfois, elle avait l'impression que tout s'embrouillait.

Sans doute qu'à cinquante-quatre ans, le cerveau ne fonctionnait plus de la même manière.

Sur le coup de deux heures, trois Mercedes noires firent crisser le gravier devant l'entrée principale. Jean-Jacques Vernier sortit de son bureau et descendit les marches, main tendue. Les Orientaux étaient impeccablement peignés avec la raie de côté, avec leurs cravates bleues, leurs attachés-cases et leurs grosses lunettes carrées. Vernier leur dit deux mots de mandarin appris lors de cours du soir. Puis tout le monde passa naturellement à l'anglais.

Les personnels étaient alignés dans le couloir central de l'aile administrative, comme à la parade. Les Chinois s'engouffrèrent dans le sillage de Jean-Jacques Vernier.

— Direction le hangar C!

Félicia s'interrogea. Le hangar C? Pourquoi ça, qu'y avait-il donc dedans?

Vernier sortit des bureaux, suivi par les Orientaux en costume. Félicia suivit avec le staff de direction. Un étrange pressentiment la gagnait. Une impression proche de ce que l'on ressent quand l'orage menace, et que les premières gouttes commencent à tomber. Vernier expliquait maintenant à ses invités que les échangeurs modèle 4K étaient le fleuron de leur industrie et qu'ils allaient gagner tout le marché du traitement des minerais d'uranium. Il descendit l'escalier menant à l'aire de stockage.

Félicia se souvint alors que le camion du transporteur allemand avait fait sa marche arrière vers le hangar C. Il venait prendre livraison des échangeurs thermiques qui s'y trouvaient.

Elle sentit la panique monter. Le transporteur devait initialement venir en fin d'après-midi. Mais à cause de sa mission annulée à Bruxelles, il s'était présenté plus tôt. Et dans le feu des réservations de billets sur Internet, elle avait signé le bordereau avec le nouvel horaire sans y prendre garde.

Le camion était reparti avec les échangeurs.

Elle voulut prévenir son patron. Mais Jean-Jacques Vernier marchait à grandes enjambées sans cesser de plaisanter et la délégation était maintenant à quelques mètres des portes géantes du hangar. À cet instant, Vernier fit signe à son contremaître d'actionner l'ouverture des portes.

Un rayon de lumière pénétra dans le hangar quand les battants d'acier coulissèrent sur leurs rails. Félicia ouvrit de grands yeux. Elle aurait voulu avertir son patron que quelque chose n'allait pas. Mais Vernier ne pensait qu'aux Chinois. Les meilleurs échangeurs thermiques du monde. Fabriqués par la société VKG-Thermicouple.

Des contrats de plusieurs millions à la clé. Il fallait juste leur en montrer des échantillons. Pendant qu'il parlait, les portes du hangar coulissaient, la lumière se propageait sur le sol en béton, centimètre par centimètre, jusqu'au mur du fond, et Vernier ne faisait que se rapprocher de cette entrée béante, pendant que ses invités regardaient, de plus en plus médusés, à l'intérieur.

Elle savait à l'avance ce qu'il y avait à l'intérieur.

À l'intérieur, il n'y avait rien.

Morgane et son frère Théo jouaient sur la terrasse de l'appartement à se poursuivre autour d'un énorme pot de fleurs. La petite fille prit une corde à sauter et la passa autour de la taille de son frère qui courait en la tirant derrière lui comme s'il avait été juché sur un carrosse. Il affirmait se diriger vers le château du marquis de Carabas qui les attendait pour se débarrasser d'un très vilain ogre.

Soudain, une tache rouge apparut sur la jambe de l'enfant. En quelques secondes, la tache se transforma en trait qui fendit la jambe sur toute sa longueur. Une cascade de sang s'en échappa. Des fumées noires en montèrent. Horrifiée, Morgane tomba assise sur le sol et se mit à crier. De petits enfants couverts de suie s'extrayaient de sa cuisse, se précipitant comme des fourmis sur les dalles, où un homme les attrapait à grandes poignées pour les fourrer dans un sac.

Cet homme, c'était Ali Saleh.

Jacques se réveilla en sueur, aspirant une grande bouffée d'air. Il alla aussitôt mettre de l'eau à chauffer. Il lui fallait ingurgiter une forte dose de café. Il se laissa tomber sur une chaise de la cuisine, cligna des yeux plusieurs fois pour s'extraire de ce mauvais rêve.

Florence revint de la salle de bains, les cheveux encore humides.

— Ça ne va pas ? dit-elle aussitôt.

— Je vais faire un tour à la salle de sport avant d'aller à Levallois. Est-ce que tu peux emmener les enfants à l'école ce matin ?

Elle hocha la tête. Jacques contempla ses enfants. Il serra les épaules frêles de Morgane, puis caressa la tête douce et chaude de Théo. Sa main tremblait.

Ils étaient vivants.

— Allez, dites au revoir à votre papa! lança Florence. Morgane, mets ton manteau!

Jacques entendit le bruit des pas des enfants dans l'escalier. Il ferma les yeux, jusqu'à ce que la porte de l'immeuble claque. Alors, il s'assit devant la table du salon et tira de sa poche un morceau de papier.

Marianne Bonnelli
Juliette Metzinger
Clara Mangot

Il resta un moment, le souffle court, devant les noms et les adresses de ces trois femmes. Finalement il replia le billet, se leva et enfila son blouson.

Après l'explosion des bombes, Jacques s'était senti happé par un gouffre sans fond. Son cœur s'était figé, il avait l'impression qu'il allait mourir. Des visions horribles l'assaillaient : celles d'enfants mutilés, éventrés, dépecés. Et puis, il avait vu ces femmes à la télévision. Les mères des enfants morts. L'une d'elles avait pris le Président à partie.

Comment oublier le moment où il avait tenu Ali Saleh au bout de sa matraque, où celui-ci aurait pu cracher la vérité ? Ce moment où il avait pensé que la torture était un acte injustifiable...

Ces femmes, qu'auraient-elles pensé si on leur avait posé la question ?

Il rendit d'abord visite à Marianne Bonnelli. C'était elle qui avait empoigné le Président devant des millions de téléspectateurs. Elle avait maigri. Ses orbites étaient creusées. Le deuil l'avait ravagée.

Elle lui demanda d'une voix blanche qui il était et ce qu'il voulait.

— Je fais partie de la police criminelle, dit Jacques. Nous essayons de savoir ce qui n'a pas marché dans l'interrogatoire du suspect numéro un dans l'affaire des attentats de Châtelet.

La femme l'invita à entrer dans un appartement terne et sans vie. Jacques aperçut sur la cheminée deux portraits d'enfants.

— Voulez-vous boire quelque chose ? proposa-t-elle.

— Volontiers, un café.

Pendant qu'elle s'absentait, Jacques fit un pas vers la cheminée. Le plus grand des enfants devait avoir neuf ans, la petite quatre. Ils se tenaient par la main devant le perron d'une maison de campagne. Jacques se rendit compte qu'à cause de son hésitation il avait envoyé ces chérubins à la boucherie. C'était terrible.

— Voici le motif de ma visite, dit-il. Comment vous dire... Quelques heures avant les attentats, un criminel nommé Ali Saleh a été interrogé dans les locaux de la police. Vous connaissez la polémique qui s'est ensuivie. La réalité est que Saleh savait tout : où se trouvaient les bombes, et à quelle heure elles allaient exploser.

Le visage de la femme sembla se décomposer. Jacques poursuivit.

— Je voulais vous dire que... C'est affreux, mais... Il y a eu des dysfonctionnements. Nous essayons de comprendre ce qui s'est passé. Madame, j'ai une question cruciale à vous poser. En votre âme et conscience, les policiers auraient-ils dû le faire parler par tous les moyens ? Je veux dire, y compris par les moyens les plus sauvages, comme la torture ?

Marianne Bonnelli enfouit son visage dans ses mains.

— On voit bien que ce ne sont pas vos enfants qui sont morts, sanglota-t-elle...

Elle resta ainsi plusieurs secondes, puis soudain retira ses mains et le regarda droit dans les yeux. Sa voix était cette fois chargée de haine.

— Les hommes qui sont restés les bras croisés devant lui devraient tous brûler en enfer. Ce ne sont pas eux qui paient aujourd'hui le prix de la douleur de la mort d'un enfant. C'est facile pour eux de se retrancher derrière la loi, derrière des règles. Comme le font si bien les politiques, les journalistes, les juristes, les philosophes. Mais pourquoi autoriser un criminel à garder le silence ?

Jacques baissa les yeux. Les paroles de cette femme déferlaient sur lui en vagues assassines. Les mots d'une mère valaient bien plus que tous les débats éthiques des commissions internationales sur la torture ou la peine de mort.

Qu'il brûle en enfer, c'était une chose, mais avant cela, n'y aurait-il rien à faire pour se racheter ?

Dans le hall d'entrée de l'École normale supérieure, les classements des élèves du master aux épreuves écrites étaient affichés sur de grands panneaux, ainsi que les stages de fin d'année qui leur avaient été attribués.

Vincent vit que le classement n'avait pas bougé : dix-neuvième sur vingt-sept. En face de son nom, la colonne des stages était toujours vide. Ce qui voulait dire qu'il n'aurait pas de bourse d'études pour faire son doctorat. Il n'y avait que douze bourses et il se situait trop loin au classement. La faute à toutes ces matières trop nouvelles et impénétrables pour lui : électromagnétisme, théorie quantique des champs, traitement du signal...

— Salut, Vincent !

Une main se posa sur son épaule. Le visage de Thomas Langlois lui sourit, surmonté d'une épaisse tignasse bouclée.

— Toujours pas de stage de fin d'année ? demanda Thomas.

— Hé non. Et toi ?

— Je viens de trouver à la Salpêtrière, chez René Kriegel. Je vais bosser sur des anticorps pour le marquage des neurones dans le cerveau.

Vincent resta interdit.

— La Salpêtrière ? Mais j'y étais hier ! Ils t'ont donné le poste ?

— Heu... Désolé, dit Thomas d'un air penaud. Je ne savais pas qu'il t'intéressait aussi !

— Tant mieux pour toi s'ils t'ont choisi. Mais comment s'est passé ton entretien ?

— Pas particulièrement bien, admit Thomas. J'ai eu l'impression que Kriegel ne s'intéressait absolument pas à mon projet et qu'il voulait juste un candidat pour son poste.

Vincent jaugea Langlois, ne sachant que penser. Avec son nez étroit et ses lunettes rondes, Thomas avait vraiment l'air d'un oiseau tombé du nid. Il ne mentait probablement pas. Son projet de recherche était à peine une ébauche, Vincent l'avait vu un jour. Kriegel l'avait donc pris dans son laboratoire pour une raison qui lui échappait.

Mais déjà les portes de la salle s'ouvraient. Dans un instant allait commencer le cours d'électromagnétisme. Vraiment pas le point fort de Vincent. Quand on n'avait fait comme lui que de la biologie cellulaire pendant des années, il fallait s'accrocher pour suivre des enseignements comme celui-ci. Des matières «dures» comme les maths ou la résonance magnétique nucléaire. Forcément, son classement était du coup trop moyen pour espérer décrocher une bourse.

En revanche, Thomas occupait un rang plus honorable, avec une dixième place synonyme de bourse et un avantage certain pour se faire accepter en stage dans un labo...

L'attention de Vincent fut attirée par un attroupement qui s'était formé devant l'entrée de la salle. Apparemment, un élève avait réalisé un sans-faute aux premiers examens d'évaluation. Il occupait la tête du classement dans pratiquement toutes les matières.

En s'approchant, Vincent aperçut plus distinctement ce prodige. Un garçon à la figure lisse et pâle, aux traits réguliers et peu expressifs. Les mains dans les poches, il semblait observer ses semblables avec distance. Il répondait au nom de Franck Corsa.

Un autre élève, Ethan Gubler, espèce de fier-à-bras parlant toujours plus fort que tout le monde, écarta les autres élèves pour arriver près de Corsa. Il lui lança d'une voix complice :

— Comment ça va, Franck ? Je suis sûr qu'aujourd'hui, tu vas nous faire un carton en électromagnétisme, pas vrai ?

Franck entra dans la salle, suivi par un cortège de fidèles. L'un d'entre eux, Antony Lepalot, posait des questions à tout bout de champ en classe. Il lui demanda :

— Dis, Corsa, je me suis posé une question concernant l'exercice sur la précession de Larmor.

— Moi aussi, renchérit aussitôt un autre élève. Le moment magnétique...

— Il y avait une erreur d'énoncé, dit Franck Corsa. Reprenez l'exercice en considérant l'atome d'hydrogène comme un dipôle magnétique simple.

Vincent observait ce spectacle, intrigué. Corsa parlait avec autorité, ses consignes ne semblaient pas être discutées. Les autres élèves opinaient en prenant des notes. Le visage de Corsa ne sourcillait pas, sa voix était posée, il se comportait comme s'il donnait un cours à ses camarades. Le tout en pleine salle de classe, quelques instants avant que le professeur ne fasse son entrée.

Ce jour-là, c'était le directeur du master lui-même. Le professeur Serge Larcher s'avança d'une démarche claudicante, les yeux plissés derrière ses lunettes épaisses, un sourire sur les lèvres.

— Eh bien, eh bien, quelle agitation... Peut-on savoir de quoi il est question ?

En le voyant arriver, la plupart des élèves regagnèrent immédiatement leur place. Antony Lepalot voulut expliquer l'objet du litige :

— Il semblerait que dans le problème d'hier, il y avait une ambiguïté. L'énoncé parle de niveaux de spin et on ne l'a pas encore vu en cours. Franck dit qu'il faut le considérer comme un dipôle magnétique simple, sans niveaux de spin.

L'étonnement se lut sur le visage du professeur.

— M. Corsa a dit cela ? Eh bien, pourquoi ne lui demanderions-nous pas de faire le cours d'électromagnétisme d'aujourd'hui ?

Franck Corsa ne broncha pas. Il demeura assis, désinvolte, une fesse sur le rebord de sa table, sans même retirer les mains de ses poches.

— Nous avons des exercices à faire à la maison, déclara-t-il. Il nous faut bien un semblant de logique pour les résoudre. Nous devons nous fonder sur les outils qui nous ont été dispensés dans les leçons précédentes. Sinon, pourquoi ne pas aller piocher dans la théorie des quarks pour que chacun puisse proposer sa propre solution au problème posé, selon son exigence de raffinement ? Or, les leçons précédentes donnaient la définition de l'atome d'hydrogène comme un dipôle simple. Nous devons procéder ainsi, c'est la logique même.

Le directeur resta un moment immobile. Il observa le jeune phénomène avec des yeux de chouette. Puis, il prit une craie et dessina la première figure du cours. De toute évidence, il ne souhaitait pas s'appesantir sur la question.

Vincent s'efforça de noter tout ce que le professeur écrivait au tableau : vecteurs, ondes radiofréquence, aimantation... conscient qu'il lui faudrait de longues heures de travail pour rattraper son retard.

À la fin du cours, il remballa ses affaires et chercha du regard Thomas Langlois. Beaucoup d'élèves s'étaient de nouveau rassemblés autour de Franck Corsa. Gubler était toujours le plus exubérant.

— Tu as été génial, Franck! La tête de Larcher, mais la tête du vieux! Génial, je dis génial comme tu lui as mis la honte.

Corsa restait impassible. Lepalot semblait chercher à se ménager une place au plus près du major de la promo. Les autres se serraient autour de lui, comme pour signifier qu'ils faisaient partie de son cercle rapproché.

— Je me suis demandé une chose, Franck, dit Lepalot : est-ce que tu as jamais calé sur une équation?

Corsa conservait un air dégagé. Un autre élève répondit à sa place.

— Tu n'imagines pas comme ce type bosse, dit-il. Tu l'as déjà vu en soirée, en boîte de nuit ou dans un bar? Non, il sait tout parce qu'il bûche comme un forcené. C'est une machine, je te dis, une machine!

— Mais non, c'est tout simplement un mec génial, dit Ethan Gubler en passant son bras autour de l'épaule de Franck.

Un imperceptible mouvement d'épaule de Corsa obligea Gubler à retirer sa main. Il se mit à rire jaune, puis ouvrit son sac, en ressortit un stylo et se rua vers les listes de classement. Dans la colonne des laboratoires d'accueil, il inscrivit devant le nom de Franck Corsa :

Neuroland

— Neuroland! Voilà, c'est fait. De toute façon, ça ne fait de mystère pour personne. C'est clair, hein, que Corsa va aller à Neuroland?

Des cris d'approbation s'élevèrent du petit groupe. Vincent retourna près de Thomas, qui était en grande conversation avec deux filles du côté du distributeur de boissons. Il leur demanda :

— Neuroland, vous connaissez...?

Thomas écarquilla les yeux en entendant la question.

— Tu plaisantes? Neuroland est le meilleur centre d'imagerie cérébrale d'Europe. Il faut voir quel machin c'est : un complexe technique géant, le plus puissant d'Europe et peut-être du monde pour l'exploration du cerveau. On dit qu'ils vont lancer un nouveau scanner d'une puissance inégalée.

— Les élèves disent que c'est Corsa qui va avoir l'offre de stage, dit Vincent.

— Ça ne fait pas l'ombre d'un doute. À Neuroland, il n'y a qu'une place, répondit Langlois. Et c'est le major qui l'aura. Je ne me fais même pas d'illusions pour ce qui me concerne. Si quelqu'un peut y prétendre, c'est Corsa. Aussi clair que de l'eau de roche.

À quelques pas de là, Franck Corsa entendit qu'on parlait de lui. Il se détacha du groupe et s'approcha de Thomas, de Vincent et des deux autres filles.

— Tu disais, Langlois?

— Tout simplement, que Neuroland était un endroit génial et que ce serait sûrement toi qui irais.

Franck jeta un regard à Vincent, puis à une des filles. Elle baissa les yeux, gênée. Franck examina ensuite son amie, un peu plus grande qu'elle, plutôt jolie. Là encore, d'un regard sans expression. Au bout de quelques secondes, la jeune fille se détourna, embarrassée.

Franck finit par rejoindre son groupe sans dire un mot. Thomas toussota pour détendre l'ambiance.

— Vincent, je ne sais pas si ça peut t'intéresser mais j'ai une proposition de job, si jamais ça te tente.

Vincent regarda son ami, étonné.

— Qu'est-ce que c'est?

Thomas passa une main dans sa tignasse bouclée et déballa une épaisse liasse de papiers de son cartable.

— Un éditeur a besoin d'un relecteur pour un bouquin de biologie cellulaire, niveau licence. Il y a quatre cents pages et c'est écrit serré avec des figures partout. Mais je me suis dit que la biologie cellulaire était ton truc, et puis il y a aussi de l'immunologie et de la chimie organique. Le boulot est correctement payé, enfin je ne sais pas si tu as le temps avec le programme des cours...

Vincent éclata de rire.

— Mais tu n'es pas obligé de vouloir me rendre service!... Tu veux te faire pardonner pour la Salpêtrière? Je te dis que c'est oublié, Thomas!

Vincent prit tout de même le manuscrit. Qui sait. Il aurait peut-être besoin d'argent s'il ne parvenait pas à décrocher de bourse d'études.

Jean-Jacques Vernier ne réprimanda même pas Félicia pour son oubli de la veille. Il se contenta de l'emmener dans son bureau et de lui présenter une jeune femme à peine sortie de l'école de secrétariat. Pas plus de vingt-cinq ans, légèrement pomponnée, la mine plutôt austère, un sourire crispé sur les lèvres, elle était plutôt mignonne mais pas du genre à folâtrer.

— Coralie va venir renforcer l'équipe de secrétariat, dit-il. Je compte sur vous pour la former, Carat. Cela fera du bien à tout le monde. Briefez-la sur l'agenda, déléguez des missions de logistique simple. Vous verrez, cela vous soulagera. Vous avez bien mérité de passer à un niveau de responsabilité supérieur. Vous aurez quelqu'un pour vous épauler, désormais.

Félicia ne sut quoi répondre. La veille, Vernier avait subi un affront terrible. Trouver un hangar vide devant des invités censés être venus admirer les merveilles technologiques produites par son entreprise ! Les clients avaient fait semblant de compatir, mais dans ce milieu, des ratés de cette ampleur n'étaient jamais considérés comme des accidents. Et lui, Jean-Jacques Vernier, au lieu de sanctionner Félicia, parlait de la soulager !

Cet homme était admirable, songea Félicia. Tout ce qu'il lui demanderait, elle le ferait. Et puis, sa décision était fort avisée. Il fallait anticiper l'avenir. Dans quelque temps, elle partirait à la retraite, et le mieux était de mettre en place une transmission des compétences en douceur.

Félicia se dit que la première chose à faire était de prendre un café avec sa nouvelle collègue. La machine était au bout d'un couloir en linoléum qui longeait les bureaux administratifs.

— Vous venez de l'école d'Angers? demanda-t-elle à Coralie.

— Je... pas tout à fait, non. J'ai occupé un poste chez Milton Brothers et avant cela j'étais assistante du sous-directeur de la section française de Procter.

Cette fille n'était pas fraîchement émoulue de l'école de secrétariat. Elle avait de sacrées références.

— Toutes mes excuses, bredouilla Félicia.

— Il n'y a pas de mal. Et vous?

— Je vous demande pardon?

— Je veux dire, que faisiez-vous avant?

Félicia retira son gobelet de la machine.

— J'ai toujours travaillé ici. VKG-Thermicouple est ma vie.

— Ah. Vous devez bien connaître la boîte, alors.

Était-ce un compliment? Félicia jeta son gobelet dans la corbeille et retourna à son bureau. Elle indiqua à Coralie le planning Excel de la semaine où s'affichaient les rendez-vous de Jean-Jacques Vernier.

— Je vous explique en quelques mots. M. Vernier est très occupé. Nous devons le prévenir la veille au soir des rendez-vous importants du lendemain. Ici, il a rendez-vous à la Maison de la chimie à Paris à onze heures, pour une commission ministérielle sur l'avenir du secteur nucléaire français, en présence du ministre de l'Industrie, M. Pegas.

— J'imagine que c'est important.

— Et comment. Essayez de vous familiariser quelques moments avec l'agenda, pendant que je termine de rédiger une commande.

Félicia se dirigea vers l'armoire où se trouvaient les dossiers de commande. Elle eut un moment de vide. De quel dossier s'agissait-il? Ah oui, voilà... Un fournisseur de plots basé en Slovaquie pour la fabrication des échangeurs thermiques. Il fallait lui demander un devis pour la livraison de huit cent mille plots.

Coralie l'interrompit à ce moment-là.

— Pour les congés du patron, il y a une période particulière?

— Oui, il faut voir cela en fonction de sa famille, répondit Félicia. Marie-Lise, son épouse, part dans le Var début juillet. Mais le fils aîné Lucas doit faire des boulots d'été, c'est son père qui y tient. Ce qu'on fait généralement dans ce cas, c'est que...

Le pas caractéristique de Vernier résonna dans le couloir. La porte s'ouvrit et il entra, furibond.

— Un sacré foutu journaliste a trouvé moyen de me joindre sur mon portable. C'est vous qui lui avez donné mon numéro, Carat?

— Pas du tout, patron. Je n'ai donné votre numéro à personne.

— Fichus scribouillards. Ces types-là trouvent toujours le moyen de vous débusquer. Remarquez, il travaille à *L'Usine nouvelle*, un journal de référence. Il fait un reportage sur l'automatisation des procédés de soudure. De la publicité pour nous... Bon, je le rencontre dans une demi-heure à l'hôtel Don Carlo près de la gare du Nord. Je file. Et Félicia, pour cet été, vous me placez une semaine seulement fin juillet, mais on part à La Réunion, vous savez?

Félicia grava l'information dans sa tête. Elle avait l'impression d'être en train d'oublier quelque chose. Mais impossible de savoir quoi. En tout cas, elle avait d'un seul coup une très forte envie de fumer.

— Coralie, murmura-t-elle, vous ne voulez pas venir prendre une cigarette?

— Désolée, je ne fume pas.

Dès la première bouffée, Félicia eut l'impression de retrouver ses esprits. Ses pensées lui semblaient plus claires, plus précises. Un instant plus tôt, elle avait eu un moment de flottement, mais à présent tout rentrait dans l'ordre. Elle regarda sa montre. Onze heures.

Onze heures.

Une alarme retentit au fond d'elle-même. Elle se concentra de toutes ses forces pour savoir ce qu'elle avait oublié. Elle alluma une seconde cigarette, tira dessus à pleins poumons. À nouveau cette sensation de clarté. Et soudain, elle se souvint. La Maison de la chimie.

Elle laissa tomber sa cigarette sur le sol, se précipita vers les bureaux, décrocha son téléphone et composa le numéro de Jean-Jacques.

— Catastrophe. Il a coupé son portable.

Affolée, elle appela le secrétariat de la Maison de la chimie. Personne ne répondait. Elle chercha à se rappeler le thème de la réunion. Ça, elle s'en souvenait. Entretien des principaux acteurs du secteur nucléaire avec le ministre de l'Industrie.

Bonté divine. Son patron était en train de louper la réunion de lobbying avec le ministre.

Elle se laissa tomber sur son siège. Cette fois, c'était du sérieux. Une bourde pareille, cela pouvait suffire à vous faire virer.

Vincent Carat soupesa les quatre cents pages du manuscrit que lui avait confié Thomas. En corrigeant quinze pages par jour, il pensait pouvoir respecter le délai d'un mois imposé par l'éditeur. Mais ce genre de solutions de fortune n'était pas une façon sérieuse d'assurer sa subsistance. Il lui fallait trouver un stage d'accueil pour valider son diplôme. Son avenir en dépendait.

Le rendez-vous avait été pris à l'université Pierre-et-Marie-Curie avec un certain John Müller. L'université n'était qu'à quelques stations de métro de l'École normale supérieure. Vincent traversa le campus dans les bourrasques, prit un ascenseur lugubre et traversa un couloir avant de frapper à la porte indiquée. Un homme en blouse blanche, installé derrière un bureau discret, l'invita à prendre place.

— Entrez, entrez! lui dit-il. J'ai lu votre dossier.

Vincent s'assit, rassuré. Son interlocuteur avait une tête plutôt sympathique.

— Alors, vous êtes inscrit au master de neurosciences de l'École normale et vous venez pour faire un stage. C'est ça?

Vincent hocha la tête et sortit un dossier de sa sacoche.

— Oui, c'est cela. Mon projet porte sur la maladie d'Alzheimer. Comme vous savez, le cerveau des malades est contaminé par des sortes de grumeaux, des agrégats qu'on appelle les «plaques amyloïdes». Moi, je fabrique des molécules qui se fixent sur les plaques amyloïdes et qui sont visibles grâce à un agent de contraste spécial. Comme cela, on voit précisément où sont les plaques amyloïdes, et combien il y en a.

John Müller hocha la tête.

— Intéressant. Vous savez tout de même qu'il faut des appareillages très puissants pour mettre cela en œuvre. Pour être honnête avec vous, nous ne disposons que de scanners de puissance moyenne. Certes suffisants pour visualiser des tumeurs, mais certainement pas pour des plaques amyloïdes. Hum... En fait, pour le projet que vous proposez, il faudrait un matériel d'un tout autre niveau. Et il n'y a pas beaucoup d'endroits dans le monde qui le possèdent. En France, il n'y a guère que Neuroland.

— Neuroland?

— Oui. Vous connaissez?

Vincent eut un petit rire nerveux. Bien sûr, qu'il connaissait Neuroland. Tout le monde connaissait Neuroland. C'était juste qu'il s'agissait d'un endroit où il ne risquait jamais de mettre les pieds. Un endroit pour les premiers de la classe, les Franck Corsa.

Mais il fallait absolument faire quelque chose pour ne pas rentrer bredouille.

— Écoutez, monsieur Müller, je ne tiens pas à tout prix à observer des plaques amyloïdes, dit-il. Ce n'était qu'un exemple. Juste pour montrer comment ma technique pouvait s'appliquer à un cas concret. Mais je pourrais le faire avec n'importe quoi. Par exemple, avec des tumeurs cérébrales, c'est votre sujet de recherche, non?

Müller leva un sourcil intéressé.

— Pourriez-vous me faire des agents de contraste qui se fixeraient sur des tumeurs?

— Bien sûr! s'écria Vincent.

Müller sourit. Il reprit le dossier du jeune homme, qui sentit soudain son cœur accélérer.

— Vous êtes libre à partir de quand?

— Dans deux semaines..., dit Vincent.

L'homme continua de tourner les pages.

— Ah! zut... Je vois comme un problème.

Le visage de John Müller exprimait l'embarras. Il feuilleta le dossier, puis secoua la tête en le refermant.

— Cela ne va pas être possible, déclara-t-il finalement.

— Comment? Mais...

— Je suis désolé et je vais être franc avec vous, nous ne travaillons qu'avec des jeunes qui ont une bourse. Cela semble ridicule, mais en fait c'est très simple. Un étudiant qui a une bourse se donne entièrement à son stage. Il bénéficie d'une protection sociale, de ressources matérielles, n'a aucun souci annexe. Croyez-moi, mon ami, les expériences avec les élèves sans bourse se sont révélées parfois difficiles. Sans compter qu'il y a des situations d'illégalité.

Le scientifique parcourut rapidement le relevé de notes trimestriel.

— Personnellement, cela m'est égal que vous ayez des notes insuffisantes en mécanique quantique ou en traitement du signal : si vous êtes efficace au poste où je vous emploie, cela me convient parfaitement. Mais ces mauvaises notes vous mettent loin de la barre d'attribution des bourses, au classement général. Ma parole, pourquoi donc ne vous êtes-vous pas inscrit dans un master de biologie classique ?

Vincent sentit la brûlure dans sa chair. Toujours revenait cette sempiternelle question de son orientation vers des matières trop difficiles.

— Écoutez, dit Müller, vous m'avez l'air motivé et capable. Bossez votre cours d'électromagnétisme, recollez les plâtres en traitement du signal. Remontez-moi cette pente, et on verra. OK ?

Vincent était écœuré. Mais il tenait enfin l'explication de toutes ces manœuvres secrètes. Les directeurs de labo ne prenaient que des jeunes qui avaient la certitude de décrocher une bourses de doctorat. Voilà donc pourquoi René Kriegel lui avait fermé la porte au nez, au dernier moment, probablement lorsqu'il avait découvert que son classement actuel ne lui laissait que peu d'espoir de décrocher cette fameuse bourse. Et Thomas Langlois, avec sa dixième place, faisait parfaitement l'affaire.

C'était déprimant et absurde. Vincent prit sa sacoche sous son bras et regagna le métro, puis le train de banlieue. Dans une demi-heure, il verrait se profiler les cheminées et les toits de la gare de Courbevoie.

Lorsque Vincent rentra chez lui, sa mère était prostrée dans son fauteuil près de la fenêtre, immobile, le regard dans le vague.

Il eut aussitôt un mauvais pressentiment.

— Maman? Quelque chose ne va pas?

Le visage de Félicia était maculé de traînées noires. Elle avait pleuré.

Vincent fut désarçonné. Il ne l'avait jamais vue dans cet état. Félicia lui avait toujours renvoyé une image de mère courage, infaillible. Subitement, elle semblait avoir vieilli de dix ans.

— Que t'arrive-t-il?

— J'ai perdu mon travail, Vincent.

Il resta là, sans réaction, sentant seulement son cœur donner de grands coups dans sa poitrine. Elle remuait à peine les lèvres.

— J'ai oublié de rappeler un rendez-vous à Vernier, précisa-t-elle. Un rendez-vous très important.

Vincent ne comprenait pas.

— Tu m'as dit toi-même que Vernier avait fait preuve de compréhension la dernière fois?

— Oh, oui! La petite stagiaire, Coralie. Un joli tour de passe-passe, celle-là. Il avait compris que je commençais à perdre les pédales, et il a embauché une jeune secrétaire en me donnant pour mission de la former. Résultat : elle peut à peu près reprendre les dossiers, et on peut me flanquer à la porte!

— Je vais leur parler. Ce n'est pas possible qu'ils te renvoient après toutes les années que tu as passées à leur service.

— Pour leur dire quoi? Ce que j'ai fait est grave, Vincent.

Perdre la face devant les Chinois était une chose, difficile à avaler pour l'amour-propre de Vernier. Mais louper la réunion de lobbying des acteurs du nucléaire au ministère, sans même informer le secrétariat de son absence, c'est un acte dont les conséquences peuvent être lourdes pour l'avenir de VKG-Thermicouple. Je ne pourrai plus regarder mes collègues en face.

Vincent trouvait tout cela ridicule.

— Tu as toujours travaillé impeccablement. Ils t'ont surchargée de travail, voilà tout.

Félicia ne répondit pas. Pas plus que Vincent, elle n'arrivait à s'expliquer pourquoi elle avait commis ces erreurs. La seule chose qui avait changé est qu'elle allumait cigarette sur cigarette, comme si cette satanée fumée allait pouvoir lui éclaircir les idées. Mais son esprit ne faisait que s'embrumer davantage.

— Tu sais, dit-elle, cette entreprise était devenue pour moi comme une grande famille. Et Vernier était presque comme un père. Je ne suis plus rien, maintenant, Je suis devenue inutile.

— Tu vas retrouver du travail, rétorqua Vincent. L'entreprise va devoir te verser de sacrées indemnités, avec l'ancienneté que tu as chez eux.

Elle secoua la tête avec un sourire triste.

— Je suis licenciée pour faute grave, Vincent. Je ne toucherai pas un centime. J'ai fauté de façon répétée et gravement. Aucun jury de prud'hommes ne me donnera raison. Mais je ne comprends pas comment j'ai pu oublier des choses aussi importantes. Avant, j'avais toutes les informations à l'esprit.

Vincent lui prit les mains, se voulant compatissant.

— Ce qui t'arrive est simple, c'est du surmenage. Ces derniers mois, tu croulais sous le travail. Je te l'ai dit la dernière fois que c'est arrivé. Il ne fallait pas accepter une telle surcharge. Au travail, plus tu en fais, moins on te remercie. Et au moindre faux pas, on t'enfonce plus bas que terre.

— ... Un contrat de plusieurs dizaines de millions avec la Chine... L'avenir de la filière en France, les négociations avec l'État... à cause de moi...

Vincent préféra ne pas entrer dans une longue conversation sur les conditions de travail de Félicia. Vernier était allé faire des ronds de jambe devant un journaliste dans un palace parisien, c'était de sa faute aussi s'il avait raté son rendez-vous. Félicia n'était pas là pour assumer la responsabilité de tous les échecs. Mais le résultat pour lui et sa mère n'était que trop clair : elle allait perdre son travail et Vincent n'aurait sans doute pas de bourse d'études.

Il devait absolument trouver un laboratoire qui soit intéressé par son programme de recherches. Il n'en existait qu'un. John Müller le lui avait dit. Neuroland.

Vincent eut envie de rire. Neuroland. Le labo d'imagerie le plus coté de France. Il avait une chance sur dix mille d'y entrer.

Jacques Melvin enfila deux disques de quinze kilos de chaque côté de la barre d'haltère. Il cala ses omoplates contre le cuir rembourré, prit une grande inspiration et développa la puissance de ses pectoraux. Les cent vingt kilos de fonte s'arrachèrent à la gravitation terrestre. Jacques expira bruyamment, les veines du cou prêtes à éclater. Il maintint la position bras tendus pendant cinq secondes, puis reposa la barre sur les fourches de l'étai. Dix développés en poids croissant. Il était en forme.

Autour de lui, ses collègues frottaient leurs muscles endoloris avec des serviettes-éponges. Certains pratiquaient des étirements ou répétaient des passes de close-combat.

Le maître d'armes, Christian Sorensen, s'approcha.

— Tu te prépares pour une expédition en Guyane avec la Légion?

Jacques se leva, étira ses bras derrière son dos et exécuta une série d'appuis faciaux. Ces dernières semaines, il avait doublé les doses d'entraînement. On aurait cru qu'il se lançait dans une préparation olympique. Il passait le plus clair de son temps en salle de musculation ou dans le parc de Levallois à améliorer ses temps de course.

— Jacques, lui dit Sorensen, il faudrait que tu reviennes un peu en salle de tir. C'est important, tu le sais.

Jacques s'assit sur le banc et prit une gorgée de boisson énergisante.

— Le tir n'est pas un problème, dit-il. J'y retourne quand je veux.

Sorensen se demanda si c'était le moment d'aborder le sujet.

— Tu sais, lui dit-il, on est tous les rouages d'une grande mécanique. Si un ministre dit qu'on laisse tomber une planque, on laisse tomber. S'il dit qu'on part en planque, on part en planque. S'il dit qu'on fiche la paix à un terroriste, on lui fiche la paix. Ce n'est pas ta responsabilité.

Jacques appuya sur le bouton marche du tapis de course. Chris Sorensen comprenait bien que Jacques s'abrutissait dans l'effort physique. Il était le premier à constater que les résultats de Jacques au tir baissaient. D'un score de 49 au pistolet Glock à cinq mètres, il était passé à un médiocre 32...

— Reviens faire un peu de tir au H&K un de ces jours.

Jacques n'était pas dupe. C'était bien le genre du patron Pierre Morzini d'envoyer un maître d'armes discuter avec les éléments fragilisés... et pondre son rapport juste après.

Seul l'effort physique parvenait à anesthésier son mal. Jacques goûtait alors cette fatigue qui éteint l'esprit et gèle la conscience. Il pouvait se laisser tomber sur son lit et dormir. Mais dès que son esprit se réveillait, des visions infernales l'assaillaient. Des images de corps d'enfants démembrés. La vision d'Ali Saleh dans sa cellule. Jacques revoyait sa main saisissant la matraque électrifiée ; enclenchant l'interrupteur.

Il avait appris qu'il vivait un « syndrome du survivant ». Le psy de la section le lui avait dit. Une sorte de culpabilisation maximale. On voyait ça chez les survivants de crashs aériens qui se sentaient coupables d'avoir survécu, alors que les autres étaient morts. Chez Jacques, ce syndrome prenait une dimension supplémentaire parce qu'il y mêlait des enfants. Son psychisme subissait une pression intolérable qui rejaillissait sous forme de visions, de cauchemars ou de crises d'angoisse.

Enfin bon. Ça, c'était le discours du psy. Et ce psy se fourrait le doigt dans l'œil. Ce qu'il ne savait pas, c'est que Jacques avait *réellement* causé la mort de ces enfants. Ce n'était pas une simple élucubration psychologique, c'était une réalité.

La séance de muscu l'avait épuisé. Un bref instant, sous la douche, il se sentit libre et heureux de laisser ses muscles se détendre sous le jet brûlant. Mais en se rhabillant, il sentit l'angoisse revenir.

C'était de nouveau comme une sorte de voile noir qui s'abattait tout autour de lui et rétrécissait son champ de vision. Sa poitrine était comprimée par une main invisible, un bourdonnement sourd emplissait ses oreilles. Les nausées devenaient de plus en plus fréquentes. Surtout lorsqu'il retrouvait ses enfants, le soir. Il les imaginait comme des petits morts en sursis, leur vie devant un jour racheter celle des autres.

La situation était devenue insupportable. Jacques avait pensé en parler à Florence. Mais il savait qu'elle lui dirait qu'il n'y était pour rien, le mauvais sort avait frappé au hasard ce jour-là, il ne fallait pas se ronger les sangs.

Lui se rongeait l'âme tout entière.

Il s'engagea dans le couloir du premier étage qui menait de la salle de sport aux locaux de sa section. Ce corridor longeait les bureaux de l'UCLAT, l'Unité de coordination de la lutte antiterroriste chargée des écoutes téléphoniques sur le territoire. Le long du couloir, des circulaires, offres de formation ou notes de service étaient punaisées sur des panneaux en liège. Le regard de Jacques fut attiré par l'une d'elles. On y lisait :

« **Création d'une nouvelle cellule technique
de renseignement de crise** »

Jacques contempla l'affiche, intrigué. C'était un appel à volontaires. Le terme « renseignement de crise » se référait aux techniques d'interrogatoire. Ce qui voulait dire que les autorités étaient en train de créer une nouvelle section d'interrogatoire où l'on mettait au point de nouveaux procédés.

La description de la mission était particulièrement intéressante :

> En situation de crise, la nécessité d'obtenir rapidement des informations stratégiques de la part d'individus suspects dans le cadre d'une garde à vue peut être cruciale pour la survie des citoyens. Dans le cadre légal excluant l'usage de la violence qu'elle soit physique ou psychologique, la mission de cette cellule consistera à étudier tout nouveau moyen, scientifique, juridique, médical ou autre, permettant d'accéder aux renseignements stratégiques détenus par l'ennemi.

Outre le libellé, l'annonce comportait un numéro de téléphone et l'adresse d'un service à contacter au ministère de l'Intérieur.

Jacques sentit un frisson le parcourir. Améliorer les techniques d'interrogatoire. Faire en sorte que tout cela ne se reproduise jamais plus.

C'était une chance unique. S'il rejoignait cette équipe, il contribuerait à ce que plus jamais, dans ce pays, un criminel ne puisse garder pour lui des informations qui mettent en danger la vie d'innocents.

Sa vie aurait de nouveau un sens.

Fébrile, il trouva un stylo dans la poche de sa veste et griffonna les chiffres du numéro affiché.

Le soir même, il dormit d'un sommeil de plomb. Les visions, les cauchemars le laissèrent en paix. Le lendemain, il profita pour la première fois, pleinement, de la présence de ses enfants. Puis il partit pour Levallois, cette fois sans son sac de sport. Jacques avait imprimé une copie de l'annonce et noté soigneusement le numéro du responsable à joindre au ministère de l'Intérieur, place Beauvau. Mais en bon soldat, il devait passer par la voie hiérarchique. Avoir l'accord de Morzini.

Quand il tendit la copie de l'annonce à son chef, celui-ci en prit connaissance et la reposa sur son bureau.

— Peux-tu me dire ce que tu as derrière la tête, Jacques?

— J'aimerais faire partie de cette nouvelle section, chef. J'en ai vraiment envie.

Morzini poussa un long soupir.

— J'ai besoin de toi ici, et tu le sais. On n'a que deux chefs de section d'intervention.

— Chef, vous ne m'avez plus envoyé sur le terrain depuis des semaines...

— J'aurais dû y réfléchir avant de t'envoyer au casse-pipe avec Saleh. Tout ça, c'est ma faute. On avait peu de temps, je pensais que tu avais le profil, mais j'ai agi à la légère. Il y a des types qui ont le sens de l'interrogatoire, qui y vont franco, qui sont même un peu pervers, et on en a besoin car il en faut.

Melvin le coupa.

— Obtenir certains renseignements auprès des suspects est vital. Je l'ai compris. Aujourd'hui, plus que jamais. Nous sommes face à un dilemme, patron. Nous voulons respecter le droit des suspects et veiller à la vie de nos concitoyens. Il est impératif de changer de méthode. Le fait que le ministère prenne les devants et lance une mission de prospective est un point très positif. Cela veut dire que les choses vont bouger, et je veux être de la partie.

Morzini trouva que ce n'était pas du tout le genre de Melvin de tenir ce type de discours. Son chef de section semblait habité par quelque chose de nouveau et d'inquiétant.

— Jacques, j'ai cafouillé avec l'affaire Saleh, d'accord. Mais c'est moi le boss. C'est moi qui t'ai envoyé au casse-pipe. Si des civils sont morts, c'est moi qui en porte la responsabilité. Moi et personne d'autre. Compris?

Melvin sentit une bouffée de rage monter en lui.

— Chef, vous dormez la nuit?

Morzini fit mine de ne pas avoir compris la question.

— Vous dormez la nuit? Vous avez des nausées le matin en vous levant? Vous voyez des enfants égorgés sur les murs? Non, alors ne me dites pas que c'est vous qui êtes responsable de ce qui s'est passé. Si vous éprouviez le dixième de ce que je ressens, vous supplieriez pour que l'on arrête ce supplice. Tout ce que je demande, c'est de pouvoir faire quelque chose pour me sentir moins coupable.

Morzini commençait à y voir plus clair. Et ce qu'il voyait ne lui disait rien de bon.

— Jacques, tu vas te reposer, reprendre l'entraînement et rester pour l'instant dans la section. Tu as besoin de temps.

Jacques planta ses yeux dans les siens.

La réponse de Morzini était claire. C'était non.

Il réprima une envie furieuse de renverser le bureau sur son chef.

Vincent Carat ouvrit sa sacoche et en sortit le manuscrit du livre que lui avait donné Thomas Langlois. Une montagne de papier recouverte de dessins, de marges et encadrés, de blocs de texte interminables et de formules. Des schémas de cellules vivantes, d'ADN et de globules rouges...

Il se sentit propulsé deux ans en arrière, du temps où il était en licence de biologie. Il était alors considéré comme un petit génie de la biologie cellulaire. Dès la troisième semaine de travaux pratiques, le professeur lui avait demandé de passer le voir dans son bureau. Il lui avait déclaré tout de go qu'il avait un avenir brillant devant lui. Qu'il pouvait réaliser une grande carrière universitaire et, ensuite, monter son propre laboratoire. Ce n'était pas difficile à deviner, il suffisait de le regarder travailler : Vincent découvrait instantanément ce qu'il fallait faire pour résoudre un problème de biologie. Il trouvait des raccourcis pour court-circuiter les méthodes préconisées dans les manuels. Il imaginait des protocoles de coloration particulière des cellules pour observer le noyau, l'ADN, les microtubules, ces microscopiques filaments servant d'axes de transport pour les molécules internes des cellules du corps humain.

Vincent jouait avec tout cela comme un enfant avec un Meccano.

Vincent appuya sur l'interrupteur de sa lampe de bureau. Les pages tournèrent. Des dessins de neurones, et de synapses aussi. Les jonctions entre neurones où s'échangeait l'information électrique et chimique.

Et puis on basculait vers l'infiniment petit. Le royaume fascinant des neurotransmetteurs, des molécules chimiques assurant la communication entre neurones. Comment avait-il pu oublier tout cela ? C'était son élément, sa seconde nature.

Il se demanda comment il en était arrivé à user ses yeux et ses propres neurones sur des équations d'électromagnétisme, dans un master qui n'était pas fait pour lui. À la traîne des autres élèves, incapable de maîtriser les matières au programme. Et maintenant condamné à vivre sans bourse d'études. Et sans laboratoire d'accueil.

Il savait très bien où tout avait commencé. C'était un jour précis, un matin d'été 2009 à l'Institut Gustave-Roussy, chambre 119 ; quartier des cancéreux en soins palliatifs. Henri Carat, le grand neurologue, au soir de sa vie. Intubé de partout, cherchant ses mots, et quelques heures à vivre. Vincent et sa mère étaient là. Alors il avait pris son fils par le bras, l'avait attiré à lui et avait dit dans un râle :

— Vincent, l'avenir, c'est le cerveau. Ceux qui verront loin dans le cerveau verront loin dans l'homme. Toi, tu dois y consacrer toutes tes forces. J'ai pris contact il y a quelques semaines avec Serge Larcher, le directeur des études de l'École normale supérieure. Il lui reste quelques places dans son master d'imagerie cérébrale. C'est l'endroit idéal pour faire ses armes. Abandonne donc tes cellules et ton ADN, va au cœur du cerveau, conquiers le monde par l'imagerie cérébrale. Fais-m'en la promesse.

Et Vincent, incapable de dire non, avait promis.

C'était une erreur. Pour lui, cette voie se révélait sans issue. Il ne percerait jamais dans ce domaine. Il le savait.

« Abandonne tes cellules. » Mais comment aurait-il pu ? Il n'avait qu'une envie, se replonger dans ce livre.

Quatrième chapitre. La structure des neurones. L'axone est le câble principal, le plus long, celui qui va établir des contacts à distance avec d'autres neurones. Le long de ce câble circulent les informations électriques. Mais quand on regarde cette chose de plus près, à l'échelle du micromètre, on voit que ce câble est en fait un mince tube formé par une membrane. À l'intérieur du tube, les molécules d'eau se déplacent en tous sens. Certaines filent à toute vitesse au centre du tube. Les autres ralentissent près des bords, retenues par des forces électrostatiques.

Pour Vincent, cela évoquait le flux des voyageurs dans les couloirs du métro. Les gens qui avançaient près des bords étaient toujours plus lents que ceux marchant au centre. Si cela se trouve, c'était la même chose aux échelles de l'infiniment petit et, si on disposait d'instruments de mesure assez précis, on verrait probablement de l'eau quasi immobile près des membranes du neurone et de l'eau rapide au centre. Ce serait vraiment intéressant à observer.

Le lendemain, Vincent commença sa journée en se connectant à la page internet de Neuroland. Il fallait tout de même préparer un minimum son rendez-vous. Il découvrit que Neuroland était hébergé par le Commissariat à l'énergie atomique, sur le plateau de Saclay, dans le sud de la région parisienne. Ce qui signifiait : accélérateurs de particules, instrumentation de pointe en physique, le tout au service de l'exploration du vivant.

L'institut Neuroland était bâti sur le modèle du consortium. Les investissements provenaient de l'État français, mais aussi d'Allemagne et des Pays-Bas. L'essentiel du budget était alloué à la construction d'électro-aimants gigantesques dont le but était de produire des champs magnétiques d'une intensité jamais égalée, pour observer à l'intérieur du cerveau avec une précision ultime. Les électro-aimants contenaient des bobines de fil électrique supraconducteur plongées dans de l'hélium liquide à moins 271 degrés. Des fils de plusieurs milliers de kilomètres d'un alliage de niobium et de titane. Cela produisait des champs magnétiques équivalant à deux cent mille fois le champ terrestre. Une folie. Quelque chose de si formidablement puissant que cela en modifiait l'inclinaison des atomes d'hydrogène dans votre cerveau. Et c'est justement en perturbant cette structure intime qu'on voyait apparaître les replis de la matière grise cérébrale, les câbles internes qui connectaient entre elles les grandes aires du raisonnement, de la mémoire, de l'émotion...

Vincent se demanda quelles pouvaient bien être les dimensions de la chose réalisant ces prouesses. Ses maigres connaissances en électromagnétisme lui indiquaient qu'un champ électromagnétique deux cent mille fois supérieur au champ magnétique terrestre devrait être produit par un aimant d'une dizaine de mètres de diamètre. Celui-ci devait peser approximativement quarante-cinq tonnes. Pas étonnant qu'on demande au major du master de venir y faire un stage. Et lui, Vincent Carat, dix-neuvième de sa promotion, qui n'avait pas le quart des connaissances d'un type comme Franck Corsa, s'était mis en tête d'y fourrer le bout de son nez. C'était du suicide.

Enfin, pas tout à fait. Car on menait à Neuroland des recherches sur Alzheimer. On fabriquait des agents de contraste, c'est-à-dire des molécules qui améliorent la précision et la qualité des clichés d'imagerie cérébrale. La synergie entre les champs magnétiques surpuissants et les agents de contraste devait permettre d'observer des détails insoupçonnés du cerveau humain.

Ça, c'était le point positif. Vincent avait bâti un projet en lien direct avec les agents de contraste. Le but était de les améliorer de manière à ce qu'ils puissent s'accrocher spontanément, par des systèmes d'ancres moléculaires, aux plaques amyloïdes, le poison qui détruisait le cerveau des malades d'Alzheimer. Ainsi, on verrait apparaître ces fameuses plaques sur les clichés.

Si l'on se fiait au dossier de presse, le projet n'en était encore qu'à ses balbutiements. Il avait donc peut-être une chance de pouvoir s'y immiscer.

Son dossier sous le bras, Vincent marcha d'un pas vif jusqu'à la gare de Sarcelles. Il sauta dans le premier train pour la gare du Nord, puis prit le RER B à destination de Massy-Palaiseau. Il emprunta un bus qui roula longtemps à travers champs. Au bout d'un moment, le bâtiment lui apparut. Il était tout entier entouré de clôtures et de haies. La ligne des toits évoquait des vagues ondoyantes, probablement un clin d'œil de l'architecte pour évoquer le concept d'onde magnétique.

Vincent pénétra bientôt dans une immense nef de verre où chaque pas résonnait comme dans une cathédrale. Une secrétaire le pria de bien vouloir patienter jusqu'à ce qu'un membre de l'équipe scientifique vienne l'accueillir. Vincent prit place sur une banquette entourée de végétation luxuriante. Dans un aquarium évoluaient des poissons exotiques. Finalement un homme jeune et athlétique, à la démarche décidée, vint à lui et lui serra la main vigoureusement.

— Damien Tréteau. Vous avez pu trouver sans problème?

— Aucun problème, merci.

— Suivez-moi jusqu'à mon bureau, dit l'homme. Je travaille dans l'aile nord-ouest du complexe, où je dirige une équipe d'imagerie moléculaire.

Dix minutes plus tard, Damien Tréteau poussait une porte donnant sur un bureau spacieux dont les baies vitrées découvraient les pelouses du campus. La vue était splendide.

— Café? Autre chose?

Souriant, la tasse de café fumant à la main, son hôte s'installa dans un fauteuil pivotant derrière un bureau encombré de documents et chercha un dossier, pour finalement y renoncer.

— Alors, dites-moi ce qui vous amène. Un doctorat, je suppose?

Vincent se dandina, gêné.

— Je... Hum... je suis dans le master de Serge Larcher, à Normale sup.

— J'ai suivi cette formation moi aussi, dit Tréteau. Serge Larcher est un type formidable, j'ai d'ailleurs un peu la nostalgie de son master. Non, ce que je voulais dire, c'est : l'année prochaine, vous faites un doctorat?

— Oui, bien sûr.

Tréteau continuait de lui sourire avec bonhomie.

— Est-ce que vous aimez le rugby?

Vincent regarda les bras musculeux du colosse. Les siens à côté faisaient figure de baguettes chinoises.

— Je suis demi de mêlée au Racing Club de Palaiseau. C'est pratique ici, pour s'entraîner. Polytechnique, Neuroland, Centrale... Il y a des stades partout. Si vous passez un moment chez nous, vous vous plairez!

Vincent esquissa un sourire timide. Son vis-à-vis ne semblait guère avoir plus de trente ans. La thèse de doctorat devait être un souvenir encore frais pour lui. Et déjà il trônait dans ce bureau immaculé au sein du plus grand centre d'imagerie cérébrale du monde.

— Bien. Je suppose que vous n'êtes pas venu ici pour entendre parler de mêlées ou de touches. Si j'ai bien compris, l'imagerie moléculaire vous passionne?

— Tout à fait, dit Vincent. En fait, j'ai construit un projet autour des biomarqueurs d'Alzheimer.

Tréteau hocha la tête.

— Super. Nous aussi, on veut faire ça. On travaille avec du gadolinium. C'est un élément chimique qui perturbe localement le champ magnétique. Les scanners le repèrent aussitôt quand on l'injecte en voie intraveineuse. Où que se trouve le gadolinium dans le cerveau, nos appareils le détectent. Pour l'instant, on l'a testé avec succès sur des biomarqueurs tumoraux. Tenez, jetez un coup d'œil là-dessus.

Il tira d'une pile de documents deux clichés d'IRM montrant des coupes de cerveaux.

— Regardez. Vous avez là des souris traitées avec des biomarqueurs au gadolinium. Ici, une souris avec une tumeur cérébrale, on remarque partout les petits points rouges agglutinés autour de la tumeur, ce qui permet de la localiser. Ce sont des atomes de gadolinium qui brillent, à proximité de la tumeur.

Vincent hocha la tête. La résolution du cliché était exceptionnelle. Voilà donc de quoi étaient capables ces fameux électro-aimants... Il demanda :

— Vos biomarqueurs se fixent sur les récepteurs tumoraux des vaisseaux sanguins, c'est cela ?

Tréteau haussa un sourcil étonné.

— Comment savez-vous cela ?

— Les biomarqueurs sont agencés selon des lignes qui évoquent la présence d'un réseau sanguin. Cela indique qu'ils s'accrochent à des récepteurs présents à la surface des vaisseaux entourant la tumeur. Selon toute probabilité, des récepteurs tumoraux.

Tréteau hocha la tête.

— Effectivement, dit-il, c'est cela.

— Par contre, poursuivit Vincent, je me demande comment vous avez incorporé du gadolinium dans vos peptides de reconnaissance.

— Ah ! Ça, c'est mon petit secret, reprit Tréteau. Je prépare des microgouttes de lipides qui enveloppent les atomes de gadolinium, puis je fixe à tout cela une ancre moléculaire qui va s'arrimer sur les tumeurs. Du coup, les tumeurs sont visibles au scanner.

Vincent trouva l'astuce savoureuse.

— Et évidemment, enchaîna Tréteau, on aimerait faire pareil avec Alzheimer... Cibler, non plus des tumeurs, mais des plaques amyloïdes. Seul problème : dès qu'on essaie, on ne voit rien en IRM. C'est comme si l'ancre moléculaire et le gadolinium n'étaient pas là. C'est à n'y rien comprendre.

— Peut-être qu'ils ne sont vraiment pas là, réfléchit Vincent.

Tréteau sourit gentiment.

— Écoutez, je ne sais pas ce que vous voulez dire, mais le problème n'est pas simple.

— Je suis sérieux. Ils ne sont peut-être pas dans le cerveau des patients. Peut-être que la molécule que vous avez construite n'arrive pas à se faufiler jusque dans le cerveau. Le montage moléculaire que vous fabriquez pourrait être trop gros pour traverser la barrière hématoencéphalique, le fin réseau de vaisseaux sanguins qui isole le cerveau du reste du corps.

Tréteau se frotta le menton, songeur.

— Vous pensez?

Vincent hocha la tête.

— Oh oui. Ce qu'il faudrait essayer, de mon point de vue, ce sont les USPIO.

— Hein? Les nanoparticules?

— *Ultra Small Particles of Iron Oxide*, dit Vincent, de minuscules particules d'oxyde de fer, d'une dizaine de milliardièmes de mètre d'épaisseur. Ça rentre à peu près partout. Ça fait partie du projet que j'ai présenté pour mon stage de master.

Une lueur d'intérêt apparut dans le regard de Tréteau.

— Est-ce que vous maîtrisez la technique de greffage USPIO?

— Je sais comment faire, dit Vincent. Il me faudrait sans doute un temps d'adaptation et quelques recherches bibliographiques. Mais j'ai bien réfléchi à la question. Disons qu'il me faudra sans doute quelques semaines de mise au point. Mais cela ne prendra même pas la durée d'un stage de master. Les résultats concrets pourraient alors être obtenus au cours de ma thèse, si je continue.

Damien Tréteau se leva et alla regarder par les fenêtres de son bureau. De cet observatoire, on voyait les longues silhouettes des peupliers osciller au vent qui balayait le plateau de Saclay.

— Allons chercher votre dossier, dit-il. Je crois qu'il se trouve dans la bibliothèque centrale.

Vincent suivit le chercheur à travers les couloirs, sentant son cœur battre plus fort. La chance était-elle en train de lui sourire ? Les chercheurs travaillant sur cette thématique étaient forcément intéressés par ce genre de projets. Mais, apparemment, l'idée des USPIO ne les avait pas encore effleurés. S'il jouait la bonne carte, peut-être une porte s'ouvrirait-elle devant lui.

— Combien d'équipes travaillent sur le dépistage d'Alzheimer ? demanda-t-il.

— Une seule, répondit Tréteau. Et encore, notre thématique générale est l'imagerie moléculaire au sens large... Pour l'instant, nous nous concentrons sur la visualisation des tumeurs et des accidents vasculaires cérébraux. Le volet Alzheimer n'est pas encore vraiment lancé. De toute façon, la grosse affaire de Neuroland, c'est le code neural.

— Le code neural ?

— Mais oui. Comment les neurones produisent-ils la pensée ? Pour le savoir, il faut être capable de mesurer leur activité avec une précision maximale. C'est une quête ultime, plus importante que le traitement des maladies !

— Vaste programme ! rétorqua Vincent. Et qui s'en occupe ?

— Xavier Le Cret, le directeur de Neuroland. C'est son Graal, il le poursuit depuis vingt ans. C'est lui qui a mis au point la méthode d'imagerie de diffusion qui permet de voir la forme des neurones in vivo chez une personne. C'est un véritable sorcier, le monde entier le vénère comme le pape de l'imagerie cérébrale. Mais s'il peut obtenir tous les crédits qu'il veut, il bute encore sur de gros obstacles.

Vincent et Damien venaient d'entrer dans une grande pièce aux murs d'un blanc immaculé. Des ordinateurs étaient alignés sur des rangées de tables en résine bleutée translucide. Tout au bout de la pièce, deux hommes étaient en grande discussion devant un tableau blanc couvert de signes tracés au marqueur.

Damien Tréteau baissa la voix.

— L'homme en costume deux-pièces est Xavier Le Cret, dit-il. L'autre, avec la blouse blanche de chercheur, est Phil Martens, notre ingénieur signal qui s'occupe des unités de traitement informatique qui fabriquent les images du cerveau à partir des données que nous livrent les scanners.

Vincent observa de loin le tableau et les symboles mathématiques qui le recouvraient. Il avait déjà vu ces équations dans un de ses cours d'électromagnétisme. Il y avait aussi un graphique composé d'un axe vertical, d'un axe horizontal et de points répartis plus ou moins au hasard entre les deux.

Tréteau venait de retrouver le dossier de Vincent dont il tournait les pages une à une. Il se mit à lire à voix basse.

— Vous êtes biologiste de formation... Licence de biologie cellulaire, option biochimie... Master de Normale sup. Dites donc, là vous faites le grand saut, théorie quantique des champs, supraconductivité, traitement du signal. Ça n'a pas été trop dur, en sortant de la filière bio?

Vincent essaya de garder son calme. Il avait montré à ce Tréteau ce qu'il valait en lui suggérant une stratégie prometteuse pour détecter les plaques amyloïdes de la maladie d'Alzheimer : les nanoparticules d'oxyde de fer.

Mais Tréteau se récria soudain :

— Vous êtes dix-neuvième de la promo!

— Quoi?

Gêné, Tréteau tripota les coins du dossier qu'il tenait entre les mains.

— Enfin, je veux dire... Dix-neuvième, ce n'est pas assez pour avoir une bourse, n'est-ce pas?

Vincent crispa les poings.

— Le nombre de bourses attribuées peut varier, dit-il. Et puis, de toute façon, je peux faire mon doctorat sans bourse.

— Non! s'exclama Tréteau. Ce n'est pas comme cela que ça marche. Pas avec Xavier Le Cret, pas à Neuroland. Nous ne travaillons qu'avec des boursiers. C'est une question de principe, cela a toujours fonctionné ainsi. Cela révèle la qualité du candidat et sa motivation. Vous ne pouvez pas travailler sans financement.

— Vous voulez dire que l'obtention d'une bourse est plus importante que la qualité d'un candidat et que le projet qu'il pourra vous apporter?

— Ce n'est pas seulement cela, dit Tréteau. Vous vous doutez que le classement au master n'est pas juste une question de notes.

Cela reflète aussi la compétence du candidat dans les domaines qu'il est censé maîtriser. Vous ne pourrez pas faire une thèse ici sans être sacrément calé en traitement du signal et en électromagnétisme.

La déception se lut sur le visage de Vincent. Tréteau mit fin au malaise en tapotant le dossier du bout de l'index.

— Écoutez, réfléchissons à tout cela à tête reposée. Je vais reprendre votre dossier, en parler à Xavier Le Cret et vous recontacter prochainement.

Et vous annoncer que le stage ne peut malheureusement pas vous être offert, songea Vincent.

— Écoutez, dit Vincent, je n'aurai peut-être pas de bourse, mais j'ai d'autres sources de revenus. Je fais des travaux de relecture pour un éditeur...

Il s'arrêta au milieu de sa phrase, conscient que tout cela était vain. Évidemment, Tréteau ne manquerait pas d'autres candidats mieux classés qui viendraient postuler pour un stage, et à qui il demanderait éventuellement de mettre en application l'idée que lui, Vincent, venait de lui souffler.

À l'autre bout de la salle, Xavier Le Cret et l'ingénieur travaillaient toujours devant le grand tableau blanc. Xavier Le Cret était en train d'expliquer à son ingénieur signal que les points du schéma étaient aberrants. À main levée, il avait tracé une ligne droite reliant certains points, mais cette ligne passait complètement à côté des autres. Quelque chose frappa Vincent. Pourquoi ne traçaient-ils pas deux lignes droites d'inclinaisons différentes ? De telles lignes auraient épousé sans problème tous les points de la courbe. Au lieu de cela, ils s'obstinaient à vouloir en dessiner une seule. Évidemment, cela ne collait pas avec l'ensemble des points.

— C'est un signal biphasique ! dit-il à haute voix.

Les deux hommes se retournèrent. Damien Tréteau, catastrophé, attrapa Vincent par le bras et essaya de l'entraîner hors de la salle. Mais Xavier Le Cret l'arrêta.

— Eh bien, que représente-t-il, ce signal biphasique ?

Vincent se dégagea de l'étreinte de Tréteau et fit quelques pas vers l'estrade. Il lui paraissait clair maintenant que les deux axes du graphique ne comportaient pas de graduation ni d'unités, mais qu'ils avaient tout l'air de représenter le déplacement des molécules d'eau dans un neurone. En fonction de leur vitesse de déplacement, les molécules d'eau renvoyaient un signal de résonance magnétique différent. Le fait qu'il faille deux lignes droites au lieu d'une suggérait qu'il y avait deux vitesses de déplacement différentes des molécules d'eau dans le neurone.

Comment cela était-il possible?

Les deux chercheurs commençaient à s'impatienter. Vincent laissa glisser sa main sur la surface du tableau, comme pour toucher du doigt la solution. L'eau. L'eau dans les neurones. L'eau qui devait s'écouler plus ou moins vite selon la distance par rapport aux bords. Comme les passants dans les couloirs du métro. Il se rappela les schémas du livre sur lequel il travaillait. «Des molécules d'eau soigneusement arrangées au-dessus et au-dessous de la membrane des neurones forment des couches relativement stables, moins mobiles que celles circulant plus librement à l'intérieur du neurone.»

— Vous avez là deux populations de molécules, dit-il finalement. Une première population, peu mobile, à faible diffusivité, est captive à proximité des membranes des neurones; et une autre, plus mobile, à l'intérieur, dans le milieu interne qu'on appelle cytoplasme.

L'ingénieur signal, en blouse blanche, eut une moue agacée. Mais l'intérêt de Le Cret semblait avoir été éveillé.

— Deux populations de molécules d'eau, avez-vous dit?

Le Cret saisit un marqueur et traça deux lignes droites qui passèrent cette fois parfaitement par les points du graphique. Il traça, juste à côté, un dessin de neurone en coupe avec des molécules d'eau organisées en tapis régulier à proximité de la membrane du neurone et d'autres circulant plus librement à l'intérieur.

— Un coefficient de diffusion rapide, murmura-t-il, et un autre coefficient de diffusion lente...

Il se retourna vers Vincent, reboucha lentement le capuchon du marqueur, sans détacher son regard du sien.

— Bien, dit-il. Brillant. Mais je ne vous ai jamais vu dans les couloirs. Je... Vous faites partie de quelle équipe?

Xavier Le Cret avait fait surgir Neuroland de terre, après avoir convaincu le président de la région, les dirigeants de l'Agence nationale pour la recherche, le ministre de l'Industrie et les partenaires étrangers de voter des crédits pour cette entreprise unique dans l'histoire de l'humanité, selon ses dires. Le Cret avait inventé la méthode d'imagerie cérébrale par diffusion, une approche qui était en train de révolutionner les neurosciences et lui vaudrait peut-être un jour le prix Nobel. Cet homme maniait aussi bien les équations mathématiques que les comptes de résultats. Il possédait cet air vif et acéré qui révélait la nature profonde de son être : créatif et passionné par la recherche de la vérité.

Pour Le Cret, signer une convention de stage pour un étudiant en master était aussi anecdotique que de chasser une poussière du revers de son veston. Ce qui l'intéressait, c'étaient les explications que Vincent pouvait lui donner sur ces mouvements d'eau dans les neurones. Il invita Vincent avec l'ingénieur signal au réfectoire du centre. Damien Tréteau fut chargé de préparer les documents pour l'admission du jeune homme dans une des équipes de recherche de Neuroland.

— Où avez-vous lu cette histoire d'eau liée aux membranes neuronales ? demanda Le Cret à Vincent alors qu'ils passaient à table.

— Je participe à la création d'un ouvrage qui centralise les données à ce propos, répondit Vincent. C'est de la chimie des ions en solution, des interactions lipides-ions, ce genre de choses.

— J'aimerais bien que vous me transmettiez ces données. Si je vous accepte pour un stage et ensuite pour une thèse de doctorat, il faudra que vous me formalisiez le signal de résonance magnétique des deux types de population de molécules d'eau.

Vincent ne sut s'il rêvait ou si c'était la réalité. Une thèse de doctorat à Neuroland. Le summum dans son domaine. Ce qui voulait dire aussi qu'il allait devoir passer plusieurs mois à débrouiller les équations d'électromagnétisme du mouvement des molécules d'eau dans les neurones. En d'autres termes, son cauchemar.

— Certainement, dit-il. Heu… Mais finalement, qu'est-ce que les mouvements de l'eau ont de si important pour vos recherches ? Quel est l'enjeu, exactement ?

Le Cret s'immobilisa, la fourchette en l'air. Passé un moment de stupeur, il reposa ses couverts de chaque côté de son assiette, attrapa sa serviette et s'essuya le rebord de la bouche. Il y avait donc encore des jeunes gens dans le milieu de la recherche qui ne savaient pas cela ?

— Nous sommes en train de mettre en service l'instrument le plus puissant pour détecter l'activité des neurones dans le cerveau, dit-il. L'électroaimant de quarante-cinq tonnes que je vous montrerai tout à l'heure envoie des champs magnétiques colossaux dans la boîte crânienne de tout être humain qui se trouve placé en son centre. Ma découverte, voici quelques années, a été de montrer que ces champs magnétiques sont légèrement perturbés par les molécules d'eau présentes dans les neurones. Ces perturbations dépendent du mouvement des molécules d'eau. Donc, si le mouvement de l'eau change dans un neurone, nous le voyons.

— Mais pourquoi le mouvement de l'eau dans un neurone changerait-il ?

— Par exemple, à cause de l'activité électrique du neurone. Il se pourrait qu'un neurone qui entre en activité modifie ses mouvements internes d'eau.

— Vous en êtes certain ?

— Pratiquement. Tout repose sur cette idée.

Vincent en était stupéfait.

— Vous… Vous avez misé toute votre carrière sur une hypothèse, sans savoir si elle était avérée ?

— Je suis presque sûr que c'est vrai. On ne réussit pas en science sans prendre de risques. Je me fie d'abord à mon intuition. Je le sens, au plus profond de moi-même.

92

Cet homme avait quelque chose de résolu que Vincent admirait.

— Je vois, dit Vincent. Et si tout repose sur cette idée, j'imagine que vous devez avoir réuni des indices pour l'étayer...

— Bien sûr. Nous avons commencé des expériences pour détecter l'activité de petits groupes de neurones qui correspondent à des pensées simples, comme lorsque nous nous rappelons nos dernières vacances. Nous espérons trouver une modification du signal de résonance magnétique qui trahit un changement des mouvements d'eau dans les neurones, correspondant à cette activité psychique. Nous restions bloqués sur ce projet, jusqu'à récemment.

L'ingénieur signal assis à la droite de Le Cret intervint.

— On ne comprenait pas la forme du signal électromagnétique. On est habitué à un signal à une seule phase. Vous suggérez qu'il pourrait y en avoir deux. C'est un changement important.

Le Cret se pencha en avant.

— Vous allez peut-être donner raison à mon intuition, Carat. Maintenant, il va falloir étudier ce qui change dans ces deux composantes du signal lorsqu'un neurone entre en activité. Si on y arrive, on disposera d'un scanner capable de photographier la pensée. L'activité de chaque neurone du cerveau sera détectée, en fonction de l'activité cérébrale du sujet. C'est cela, le code neural. La correspondance exacte entre l'activité de vos cellules cérébrales et votre activité psychique.

— Je suis peut-être naïf, hasarda Vincent, mais l'IRM fonctionnelle traditionnelle ne suffit-elle pas pour cela?

Le Cret eut un petit sourire condescendant.

— L'IRM fonctionnelle classique mesure l'afflux de sang à proximité des neurones actifs. Elle ne permet pas de savoir précisément quels neurones entrent en action lors d'une pensée. Elle ne donne qu'un aperçu flou de l'activité cérébrale. En plus, elle envoie un signal avec un décalage de plusieurs secondes, ce qui fait se chevaucher les pensées et interdit toute chronologie dans l'analyse du psychisme.

Le Cret se tourna de côté pour demander du café.

— N'allez pas croire que je vous propose ce job par philanthropie, dit-il. J'ai bien l'intention que vous m'apportiez ce dont je rêve, Carat. Je suis un pragmatique. Je pourrais utiliser votre idée et la faire mettre en œuvre par mes équipes, mais je sais par expérience que la personne qui a eu une idée est la mieux placée pour la mettre en pratique. Vous avez compris qu'il y avait deux phases dans ce signal qui correspondaient à deux types de mouvement d'eau : à vous de creuser ça et de me livrer les équations pour disposer d'un véritable outil de décryptage de l'activité mentale.

Des équations. À cette seule pensée, Vincent se sentit mal à l'aise. Pourtant ce n'était pas le moment de faire la fine bouche. Il avait conscience de la chance qui lui était offerte. S'il savait mettre le pied à l'étrier, il aurait une carrière fulgurante, un vrai salaire et il pourrait aider sa mère en difficulté. Est-ce que cela ne valait pas quelques nuits blanches ?

Une seule question le tracassait.

— Et mon projet de recherche sur les biomarqueurs de la maladie d'Alzheimer ? J'aimerais pouvoir le concrétiser. Cela va ouvrir des opportunités de recherche clinique, de dépistage et de thérapeutique inégalées.

— Vous faites ce que vous voulez, dit Le Cret sans paraître accorder d'importance à ce projet. Tout ce que je veux, c'est que vous me disiez ce qui se passe dans un neurone qui s'active, de façon à ce qu'on le détecte en résonance magnétique.

Vincent acquiesça. Il venait de décrocher un stage dans le laboratoire le plus convoité d'Europe en imagerie cérébrale, et voilà qu'il aurait en outre la possibilité de mettre en œuvre le projet qui lui tenait tant à cœur. Tout ça en même temps, c'était rêvé.

Le Cret en avait terminé. Il se leva.

— Une dernière chose, Carat. Un gaillard comme vous se doit de finir parmi les premiers de son master. Vous allez avoir besoin d'une bourse, croyez-moi. Je vous garde la place, mais d'autres candidats vont évidemment venir me la réclamer. Je vous réserve le poste si vous avez une bourse, mais dans le cas contraire, si vous êtes largué au classement, je vais avoir du mal. Serge Larcher est un ami, mais il doit lui aussi respecter les règles du jeu et je ne souhaite pas me brouiller avec lui. Vous m'avez compris : je vous veux à Neuroland mais n'allez pas me décevoir au dernier moment. Vous avez intérêt à finir dans les douze premiers. On est bien d'accord ?

Vincent sentit une goutte de sueur perler dans son cou.

— D... d'accord, dit-il. Les douze premiers.

Jacques Melvin sortit tôt du bureau et prit une douche avant de se servir un whisky et d'aller s'affaler dans le canapé du salon. Lui et Florence devaient se rendre dans la soirée à l'école de Morgane et Théo pour assister à une réunion d'une association de défense des familles en situation irrégulière. Des gens du voyage avaient scolarisé leurs enfants dans l'établissement et ils étaient menacés d'expulsion. Morgane avait sympathisé avec une de ces petites filles, une dénommée Putsha. Elles avaient plusieurs fois pris le goûter ensemble à la maison.

Lorsque les enfants sortirent de la salle de bains, les cheveux mouillés, ils ne pensaient d'ailleurs qu'à ça.

— Mon papa chéri, dit Morgane, tu vas sauver Putsha?

Jacques sourit avec tendresse.

— Peut-être... On ne peut pas faire tout ce qu'on veut avec la loi. Je sais que c'est ton amie et on va faire le maximum.

Comment expliquer à sa fille qu'il fallait des titres de séjour pour jouer à l'élastique ou aux billes dans une cour de récréation? Il préférait ne rien expliquer. Morgane croyait en lui.

— On revient tout à l'heure, dit Florence pendant que la baby-sitter préparait à manger. Soyez bien sages!

Tout en marchant dans la rue, elle récapitula à son mari les faits récents. Un arrêté d'expulsion avait été pris par le ministère de l'Intérieur. Les familles clandestines avaient été logées dans d'anciens locaux ferroviaires entourant la capitale, mais la SNCF avait récupéré les bâtiments et les familles se trouvaient désormais dans des bidonvilles en bordure de l'autoroute A9. L'école avait entamé des démarches auprès du ministère, mais cela ne se présentait pas bien.

Jacques et Florence arrivèrent parmi les derniers et prirent place au fond de la salle. Plusieurs visages se tournèrent vers eux, souriants.

Florence glissa à Jacques :

— Je crois que Morgane leur a dit que tu étais policier.

— Dieu du ciel...

Jacques écouta le délégué de l'association dresser un portrait alarmant de la situation. La famille de Putsha logeait dans un taudis en bordure du boulevard périphérique, du côté de Saint-Ouen. Leur demande de titre de séjour avait été refusée principalement parce qu'il était impossible d'obtenir un rendez-vous en raison de la réduction des effectifs et des moyens à disposition de l'administration. Sans compter des séries de mesures plus ou moins intentionnelles destinées à décourager les étrangers de faire les démarches. Un compte rendu serait rédigé, bientôt disponible sur le site de l'école. Des affiches placardées un peu partout sensibilisaient l'ensemble de l'établissement à cette situation déplorable. De toute façon, le délégué était d'avis qu'on avait épuisé la voie administrative et qu'il fallait maintenant aller manifester devant le ministère et se constituer en comité.

Jacques vit alors, contre les fenêtres du préau, la petite Putsha et ses parents. Il avait bavardé une fois ou deux avec son père en passant chercher sa fille à la sortie des classes. Quelque chose chez cette petite lui faisait penser à Morgane. Même attitude calme, même concentration, même regard sombre et mystérieux.

— Je suis le père de Morgane, dit Jacques à l'assemblée. Je suis fonctionnaire de police. Parmi mes collègues, nous sommes plusieurs à trouver cette situation honteuse. Les forces de l'ordre sont au service de l'État pour faire respecter la loi, et souvent ses représentants doivent mettre entre parenthèses leurs sentiments pour s'acquitter de leur mission. Mais nous sommes avant tout des êtres humains. Nous n'approuvons pas ce qui est en train de se passer. Si des fonctionnaires comme moi, réunis en collectif, défilent dans la rue en affichant leur soutien aux enfants menacés d'expulsion, cela pourra changer les choses.

Un silence médusé s'abattit sur la salle. Tous les regards étaient braqués sur Jacques.

— Voilà donc ce que je propose, dit-il. Si quelqu'un veut rédiger avec moi un communiqué pour leur expliquer qu'il n'y a pas de fatalité et qu'ensemble nous pouvons faire entendre notre voix, je suis votre homme.

Tout le monde se leva. Des applaudissements s'élevèrent. Jacques savait qu'il prenait de gros risques. Les fonctionnaires de son rang étaient tenus au devoir de réserve.

Mais que valait le devoir de réserve face au devoir d'entraide?

À la sortie, Florence s'accrocha à son cou, les yeux brillant de bonheur.

— Tu es le meilleur homme que j'aie connu. Si notre fille te voyait... Comme je suis fière!...

— Rien n'est joué, se contenta-t-il de dire en toussotant dans son poing. Je n'ai fait que lancer une idée.

— Au contraire! C'est l'impulsion initiale qui compte. Ces gens y croient de nouveau! As-tu vu l'espoir briller dans leurs yeux? Ils savent maintenant qu'ils ne sont pas seuls, que la police compatit, que tout cela n'est pas seulement une affaire de lois et de matraques. Tu as trouvé les mots qui pouvaient leur redonner espoir.

Jacques ne parvenait pas à se laisser emporter par le spectacle de son épouse accrochée à son bras et chantant ses louanges. Il ne se sentait pas à la hauteur du portrait idéal qu'elle brossait. Pendant que Florence allait voir si les enfants dormaient, il resta au salon, debout devant les fenêtres refermées sur la nuit.

Il n'arrivait pas à effacer de son souvenir ces trois mères anéanties par le destin. Leurs enfants étaient morts. Lui, Jacques Melvin, essayait de se donner bonne conscience dans des réunions en prenant un engagement qu'il ne pourrait peut-être pas tenir.

Dans l'aube pâle comme un ciel de cendres, Jacques attrapa son pantalon sur le dossier de sa chaise, fourra sa main dans la poche et en retira un morceau de papier plié en quatre. Le deuxième nom sur la liste était celui de Juliette Metzinger. Deuxième victime de son erreur.

Elle habitait un petit appartement du XVIIIe arrondissement. Le jour du drame, elle était allée faire les soldes dans des boutiques des Champs-Élysées avec ses deux filles de onze et sept ans. Les petites jouaient avec les rideaux des cabines d'essayage pendant que leur mère passait à la caisse pour régler les achats. C'est alors que sa vie avait volé en éclats dans une déflagration de fin du monde. Plus d'enfants, désintégrés, effacés à jamais. La poussière, le plâtre et le sang.

Melvin appuya sur le bouton de la sonnette. Un visage sépulcral lui ouvrit.

— Qui est-ce ?

Voilà donc son œuvre. Voilà ce qu'était une vie anéantie.

— Je... je fais partie de la police, dit-il. Pourrais-je vous poser quelques questions ?

Elle s'effaça et le laissa entrer. Assise sur un canapé, elle croisa ses mains sur ses genoux serrés.

— Le terroriste n'a pas parlé, dit-il. Il garde le silence. Et le procès n'aura pas lieu avant le mois d'octobre.

Jacques l'observa. Elle n'avait pas bougé.

— Madame, nous considérons que ce qui s'est passé n'est pas normal. Nous voulons changer les choses. Lorsque Ali Saleh a été admis dans les locaux de la sous-direction antiterroriste, il savait où les bombes devaient exploser. Il... il y a eu des dysfonctionnements lors de l'interrogatoire. Est-ce que dans ces cas-là, il faut torturer ?

Soudain, la lèvre supérieure de la femme se mit à trembler.

— Mes filles étaient tout pour moi. C'était le ciel et la terre, la mer et les arbres, l'eau et le pain, les fleurs, l'air qu'on respire. Tout cela n'existe plus. La question de la torture est insignifiante à mes yeux. Pour vous, elle a peut-être une importance – parce que vous raisonnez de manière théorique. Parce que vous êtes encore vivant. Si je pouvais revoir le ciel, si je pouvais respirer l'odeur de ce qui compte pour moi, je serais prête à tout donner. Tout, vous entendez. Les vies de dix, vingt, trente, mille criminels, seront toujours moins pour moi que l'odeur des cheveux de mes enfants. Si vous me posez franchement la question, je vous dirais que je serais prête à aller en enfer pour que cet individu parle. Et par tous les moyens. Et ceux qui ont failli devraient être en enfer à ma place.

Jacques sortit de l'appartement en titubant, cueilli de plein fouet par ces paroles. Elle avait parlé de l'enfer. Tout comme la première mère, Marianne Bonnelli. Il en sentait presque les flammes le lécher.

Il n'eut pas le courage d'aller voir Clara Mangot, le troisième nom de la liste.

Ce que lui avait dit cette femme n'était-il pas suffisant? Il n'y avait aucun scrupule à avoir.

En sortant de l'appartement, hagard, il retourna à la sous-direction antiterroriste. L'annonce était toujours là.

Renseignement de crise.

Il y avait un numéro de téléphone. Au diable Morzini, son destin se jouait maintenant.

Jacques Melvin avait pensé qu'il serait plus difficile d'obtenir un rendez-vous au ministère de l'Intérieur. Il avait agi à l'insu de sa hiérarchie. Persuadé que Morzini ne ferait pas suivre sa candidature, il avait adressé directement cette dernière par courrier interne. Or la réponse lui était parvenue sous forme de convocation trois jours plus tard...

Il présenta sa carte à l'entrée et fut conduit à travers la cour intérieure pavée où des voitures diplomatiques stationnaient contre le mur d'enceinte situé plein ouest. L'entrée d'honneur, juste en face, était réservée aux protocoles et aux cérémonies. Un garde républicain l'escorta jusqu'à une porte de service, puis à travers un dédale de couloirs et d'escaliers vers une salle d'attente avec parquet ciré, guéridons XVIIIe, magazines et musique d'ambiance.

Cintrée dans un tailleur à losanges, une jeune femme d'une trentaine d'années lui fit signe d'entrer. Elle s'attabla à son bureau et se mit à consulter un document.

— Capitaine Melvin... Ah oui. Votre dossier m'est parvenu par voie postale. Vous n'ignorez pas que ce type de demande doit passer par la voie hiérarchique.

Elle avait des mâchoires carrées et de petites lunettes en fer qui lui donnaient un air particulièrement froid et antipathique.

— Je travaille à la SDAT, expliqua Jacques. Je sais que les courriers hiérarchiques peuvent mettre du temps à arriver. Et je crois que nous sommes dans une situation d'urgence.

— C'est à nous d'en décider, rétorqua la jeune femme. Faire partie de la sous-direction antiterroriste ne vous autorise en rien à agir à la hussarde. Il me semble que le respect des procédures doit être encore plus strict à ce niveau, ne pensez-vous pas?

Elle referma le dossier et posa les coudes sur son bureau.

— Pourquoi postulez-vous à cette mission?

Melvin balaya la pièce du regard et nota la présence d'une caméra juste au-dessus de la fenêtre. Une petite lumière rouge clignotait à côté de l'objectif. Tout était probablement filmé et archivé dans les fichiers du ministère.

— Je suis persuadé que la question de l'interrogatoire va devenir brûlante dans les années à venir, dit-il. Nous sommes en retard. Il faut trouver de nouveaux outils techniques. Sinon, nous serons dépassés.

La jeune femme hocha la tête et prit un stylo pour griffonner quelques notes.

— Veuillez préciser, je vous prie.

— Dans l'affaire Saleh, j'étais aux premières loges. Quand un criminel peut se jouer de la police comme cela a été le cas, il y a de quoi s'inquiéter.

— Quelles sont vos sympathies politiques?

— Pardon? Je ne vois pas le rapport.

— Je vous ai posé une question. Quelles sont vos sympathies politiques?

— Je suis fonctionnaire. Je sers mon pays, un point c'est tout.

— Avez-vous une idée de l'objectif de la mission?

— Disons que si vous voulez développer de nouveaux outils de persuasion pour l'exercice de la garde à vue, je suis d'accord.

La femme croisa ses doigts et inclina son fauteuil en arrière.

— Pourquoi cette envie? Qu'est-ce qui vous anime?

Melvin haussa les sourcils. Cette personne était une psychologue et non un flic.

— Ce qui m'intéresse? La défense des concitoyens. L'amélioration des conditions de travail de la police. La lutte contre la criminalité.

— Tout le monde souhaite cela dans notre corps de métier. Mais vous, vous n'hésitez pas à passer par-dessus votre chef pour vous placer.

Melvin fixa la petite lumière rouge clignotante de la caméra. Qu'est-ce qu'elle était en train d'insinuer? Qu'il était une personnalité insubordonnée? Il préféra ne donner aucune réponse.

— Bien, voici des tests psychométriques que je vais vous demander de remplir. Vous pouvez vous installer à ce bureau, vous avez dix minutes.

Elle lui indiqua une petite table avec une chaise dans un coin de la pièce. Melvin souleva son imposante masse et alla s'asseoir dans cet endroit trop exigu pour lui.

Le formulaire comportait un questionnaire psychologique. La description de taches d'encre symétriques et une vingtaine de questions portant sur la connaissance de la réglementation de la mise en examen, de la garde à vue et des conventions internationales des droits de l'homme.

Melvin commença à remplir le formulaire. Mais tout à coup il se releva et se tourna sur sa chaise, dévisageant son interlocutrice.

— Qu'est-ce que c'est que ce petit jeu?

— Je vous demande pardon?

— Je viens pour vous proposer mes services. Vous croyez que je prends ça pour une plaisanterie? J'ai vu des théâtres d'intervention, des blessés, des morts. J'ai coffré des assassins.

La jeune femme fronça les sourcils. Melvin se leva. Il s'avança sur elle, tout en épaules.

— Vous me questionnez comme s'il s'agissait de passer un diplôme. Mais je fais ça parce que j'y crois et que je suis prêt à donner mon sang, vous comprenez? Je veux que les types qui menacent nos femmes et nos enfants n'arrivent plus dans les locaux de la PJ comme on entre dans un restaurant. Vous avez placardé une circulaire mentionnant l'urgence de la situation et vous me recevez avec des énoncés de brevet des collèges!

Melvin avait haussé la voix. Tout le bureau en résonnait. Il jeta un bref regard à la lumière rouge clignotante de la caméra. Au diable, songea-t-il.

— Quand le sang coule dans nos villes par la faute de lois trop protectrices des libertés individuelles, je veux donner mon dernier souffle pour que les criminels arrêtent de rigoler en nous prenant pour des dégonflés. Et qu'on leur fasse cracher ce qu'ils savent.

La jeune fonctionnaire s'était statufiée. Elle ne quittait plus des yeux le capitaine de police qui s'était mis à agiter les bras autour de lui, brassant l'air de la pièce. Jacques, pour une fois, déballait son sac.

— Je vais vous dire une chose, mademoiselle la psychologue ou je ne sais trop quoi. Moi aussi, j'étais soucieux des lois sur les libertés individuelles, les droits de l'homme, la présomption d'innocence et tout ça. Mais ce sont des textes, juste des paragraphes dans des codes légaux. La réalité, c'est pas ça. La souffrance des victimes, c'est pas ça. Là, je vais vous dire, on est en train de se faire bouffer par l'opinion, en plus de se faire entuber par les terroristes. Alors quand vous avez vu ça de près, vous revenez sur vos idéaux. Et moi j'ai cru que c'était du sérieux, votre affaire, mais c'est encore une commission de réflexion avec des avocats et des philosophes, et je me fiche bien que vous en référiez à la direction de la SDAT et que j'écope d'un blâme, parce que la vraie souffrance, c'est de se sentir impuissant face aux vrais salopards. Et je peux vous dire que, eux, ils ne se reposent jamais.

À cet instant, une petite porte s'ouvrit au fond du bureau. Un homme de haute taille, d'allure patricienne, un foulard de soie autour du cou et la chevalière au doigt, fixait Jacques avec une immobilité parfaite.

D'un geste de la main, il lui fit signe d'approcher.

Jacques s'avança. Derrière la porte s'ouvrait un bureau sans commune mesure avec le petit réduit où il avait été reçu. Un tapis brodé couvrait la pièce entière. Entre de hautes fenêtres trônait un bureau Louis XV tout en marqueterie. Partout, des dorures et des moulures. Un long rideau rouge courait le long du mur du fond.

Jacques se rendit compte qu'il était entré dans un lieu où peu d'hommes pénètrent. La gorge nouée, il contempla la personne qu'il avait en face de lui. Il lui fallut plusieurs secondes pour s'apercevoir que c'était le ministre de l'Intérieur en personne, Michel Levareux.

— Je viens de suivre votre petit numéro, lui dit celui-ci. Vous travaillez à la sous-direction antiterroriste ?

— Oui, monsieur.

— Et vous voulez faire quelque chose pour votre pays.

Le ministre ouvrit un coffret en ronce de noyer et fit apparaître une série de havanes de premier choix. Jacques déclina.

— Dans ce cas, venez donc par ici.

Le ministre appuya sur un interrupteur et le rideau rouge s'ouvrit instantanément, révélant une large vitre que Jacques identifia instantanément comme un miroir sans tain.

Derrière cette large baie vitrée, un ensemble de personnes, jeunes et âgées, les unes en veste et cravate, les autres en bras de chemise, siégeaient autour d'une table. Un attaché ministériel présidait la réunion. Michel Levareux enfonça les mains dans ses poches et déclara :

— J'aime observer les réunions que j'organise. Aujourd'hui, les gens que vous voyez ici sont des scientifiques. Et pas n'importe lesquels : des experts du cerveau.

Le ministre tira deux sièges près de la vitre et fit signe au capitaine de s'asseoir.

— Tous ces savants sont actuellement réunis pour créer un groupe de réflexion sur le fonctionnement du cerveau humain, dit-il. Le Président Dejaby souhaite qu'on explore cette voie. Il pense que l'avenir des techniques d'interrogatoire tiendra de plus en plus compte du fonctionnement de notre cerveau et que c'est en allant y chercher directement les informations que nous pourrons avoir accès aux renseignements sensibles, sans avoir recours aux méthodes coercitives condamnées par les traités internationaux. Mon directeur de cabinet – Pascal Bento, qui anime la conférence – a sélectionné certains des grands noms de la recherche en neurosciences pour faire le point sur ce qu'on sait là-dessus.

Melvin observa, sidéré, la mise en scène imaginée par l'équipe du ministre.

— On ne comprend rien à ce qu'ils racontent, dit Levareux. Ça fait déjà une heure et on n'a pas avancé. Ils parlent dans leur jargon. Vous disiez que vous vouliez débloquer la situation, alors je vous écoute.

Jacques Melvin se mit à suivre les débats. L'installation audiométrique était bien conçue : des haut-parleurs fixés au plafond transmettaient les propos tenus dans la pièce voisine. Un des professeurs invités parlait d'une voix pincée, en plissant les yeux, avec une expression de vague dédain sur le visage :

— Mes chers collègues, les communications neuronales font intervenir toute une panoplie de neurotransmetteurs qui régulent les états de conscience, d'excitation, la mémoire et toutes les fonctions cérébrales. C'est absolument crucial et d'ailleurs nous avons développé un modèle absolument remarquable pour rendre compte en termes mathématiques de ces aboutissements de l'évolution des systèmes nerveux. À l'ère des neurosciences, le *cogito* renouvelé doit tourner le dos au dualisme corps-esprit, mais nous aurons l'occasion d'en reparler.

Levareux était consterné.

— Nous leur avons présenté cette réunion de travail comme une sorte de séminaire, dit-il. On leur a dit que le but était de faire le point sur ce que la science sait. Pour nous, il s'agit d'obtenir des informations exploitables. Et moi, je ne comprends rien à ce que dit ce vieux macaque. Langage incompréhensible, vous n'êtes pas d'accord ?

Melvin ne put qu'approuver. L'attaché ministériel qui présidait la réunion semblait tout aussi perdu que lui. Il avait dénoué sa cravate et essayait pour la énième fois de reposer la même question.

— Et l'imagerie cérébrale ? Qu'est-ce qu'on sait faire actuellement en imagerie cérébrale ? Peut-on lire les pensées de quelqu'un, par exemple ?

Sa question provoqua une sorte de raidissement autour de la table. Dans l'enceinte du ministère de l'Intérieur, ce genre de question avait de quoi susciter une certaine méfiance, même de la part de ces doux rêveurs.

— Excusez-moi, se corrigea-t-il, je voulais dire plutôt : est-ce que l'imagerie cérébrale progresse vraiment ?

Les patrons d'unités de recherche se regardaient en chiens de faïence, se demandant qui pourrait prendre la parole sans empiéter sur les plates-bandes du collègue.

— Monsieur Liplitz, peut-être ? proposa l'attaché ministériel.

Jonathan Liplitz était un jeune chercheur en neuro-imagerie qui avait rédigé plusieurs articles faisant autorité dans les milieux spécialisés. Il avait la réputation de mener des recherches pointues en sciences fondamentales tout en fréquentant les centres hospitalo-universitaires où il cherchait à mettre en application ses théories sur des patients en chair et en os.

— La question du codage de l'activité cérébrale est en plein débat actuellement, dit-il. Certains protocoles ont permis d'identifier les scènes visuelles observées par un sujet, à partir de son activité cérébrale. L'IRM fonctionnelle, qui mesure l'oxygénation locale du sang dans le cerveau, a déjà permis de déterminer le contenu lexical de certaines pensées.

L'attaché ministériel semblait complètement dépassé.

— Attendez, dit-il. Reprenez, s'il vous plaît. Vous dites qu'il est possible d'«identifier les scènes visuelles observées par un sujet, à partir de son activité cérébrale». Est-ce que...

— C'est ce qu'ils disent chez Lowland, intervint un autre chercheur en lui coupant la parole. En fait, le taux de réussite est de l'ordre de soixante-dix pour cent. Et la phase d'échantillonnage est longue, il y a plus de deux cents items à remplir!

En haussant les sourcils d'un air vaguement méprisant, un professeur aux cheveux blancs et à la voix cassante intervint :

— Comment voulez-vous qu'ils fassent autrement? Heureusement que l'échantillonnage est long, sinon la phase de test n'aurait aucune valeur statistique!

Derrière le miroir, Levareux secoua la tête.

— Bande de macaques. Et dire que c'est à ça qu'on paye les chercheurs. On devrait faire voter une loi exigeant que les travaux d'un scientifique donnent lieu à une application concrète dans les deux ans qui suivent le vote de crédits à son laboratoire.

Le ministre coupa le son des haut-parleurs, fit demi-tour et alla s'asseoir derrière son bureau en marqueterie d'ivoire et d'ébène.

— Capitaine Melvin, votre ton m'a plu, tout à l'heure. J'ai aimé la façon dont vous avez volé dans les plumes de ma secrétaire. Nous voici bientôt en période électorale. Le Président a besoin d'avancer sur des dossiers chauds. Celui de la garde à vue, notamment. Nous avons un taux de crimes non élucidés beaucoup trop élevé. Marre de laisser repartir des types qui sont plongés jusqu'au cou dans des affaires crapuleuses. Alors, si vous avez de l'inspiration, c'est le moment de le prouver. Et mieux que cette bande de savants neurasthéniques.

Melvin se mordilla les lèvres. Il jeta un regard au grand miroir derrière lequel les savants gesticulaient, plongés dans le silence depuis que le ministre avait coupé la liaison sonore.

— Et si le Président avait raison?... murmura-t-il.

Levareux tiqua. Était-ce tout ce que Melvin était capable de lui dire...?

— Peut-être que cette réunion n'est pas absurde, poursuivit le capitaine. Simplement, nous n'y comprenons rien. Ces types se parlent entre eux, ils ne se préoccupent pas du tout des applications possibles de leurs découvertes. Ils ne cherchent même pas à en extraire ce qu'il y a d'important et d'exploitable.

Le ministre hocha la tête.

— Ce qu'il vous faut, enchaîna Melvın, c'est quelqu'un qui soit scientifiquement qualifié, mais qui soit capable de nous faire une synthèse claire de tout cela. Un esprit concis, puissant, motivé. Quelqu'un qui adhère à notre projet politique, qui ait l'esprit d'un flic mais qui maîtrise la science sur le bout des doigts. Pour transformer cette matière brute en projet réalisable.

Levareux acquiesça.

— Est-ce que vous connaîtriez un type comme ça? demanda-t-il.

Melvin secoua la tête.

— Mais vous pourriez nous en trouver un.

Le capitaine prit une large inspiration. Il fallait qu'il le trouve. Ce serait sa contribution au projet. Ce serait sa façon de se racheter.

— Je suis sûr qu'il existe quelque part, dit-il.

Vincent Carat arriva juste à temps pour le séminaire de RMN, une matière dont il avait horreur et qui parlait de mouvements de rotation des atomes d'hydrogènes présents dans l'eau du milieu cérébral, en fonction de leur positionnement dans l'espace, le tout afin de pouvoir ensuite reconstituer une image tridimensionnelle du cerveau en action... Un vrai casse-tête.

Les appareils de très haute technologie avaient quelque chose de fascinant. Le scanner était un sarcophage blindé d'acier renfermant plusieurs bobines électromagnétiques qui produisaient des champs d'intensité variable, et des antennes émettant des ondes radiofréquence, des oscillations du champ magnétique ambiant. Que faisaient précisément ces antennes et ces bobines ? Vincent n'en savait trop rien. Elles étaient le produit d'un tel savoir-faire collectif hérité de décennies de développements conceptuels et techniques, qu'il était pratiquement impossible à un esprit humain d'en avoir une perception claire et unifiée. Si tant est qu'une personne ait pu expliquer comment fonctionnait un tel scanner, encore aurait-il fallu que Vincent la trouve et qu'elle lui consacre du temps. Mais il allait bien devoir maîtriser ces questions un jour ou l'autre.

Vincent n'avait pas encore rencontré Serge Larcher et c'était ce dernier qui devrait valider son stage de master. Larcher avait une réputation de gourou dans les milieux d'étudiants. C'était un biologiste de renom, il avait écrit de nombreux ouvrages sur Darwin et Buffon. Mais, plus que cela, il s'investissait totalement dans la réussite de ses élèves. Des rumeurs prétendaient qu'il en avait extrait certains de situations très problématiques. Larcher venait particulièrement en aide aux élèves étrangers fuyant une situation difficile dans leur pays. Pour eux il remuait ciel et terre : il s'arrangeait pour leur obtenir un titre de séjour, les aidait à remplir leurs papiers et leur cherchait une chambre au CROUS, le Centre régional des œuvres universitaires et scolaires. Il les aidait aussi à réviser pour décrocher leur diplôme de fin d'année. Un bon nombre de jeunes chercheurs actuellement en poste au CNRS ou à l'INSERM étaient sans doute prêts à lui ériger une statue.

Serge Larcher approchait maintenant les soixante-dix ans. Physiquement, avec sa masse de cheveux blancs en pelote de laine, il avait des airs de gros matou au sourire énigmatique. Lorsqu'il enfilait une de ses vieilles vestes, il ressemblait un peu à un clochard sur son trente-et-un et quand il se contentait de passer un de ses vieux gilets de laine à boutons épais, on l'aurait vraiment cru sorti du lit.

Lorsque Vincent frappa à la porte de son bureau, le professeur était en train de corriger des copies.

— Tiens, le jeune Carat! Je me demandais quand vous passeriez me voir. Comment se passe cette recherche de stage?

— Professeur, je suis heureux de vous annoncer que je viens de trouver un laboratoire prêt à m'accueillir.

— C'est une excellente nouvelle. Et où se situe ce laboratoire?

— À Neuroland, à Saclay. Ils font de l'imagerie cérébrale en très hauts champs magnétiques. Un certain Xavier Le Cret m'a proposé de venir faire mon stage et un doctorat ensuite.

L'expression de Serge Larcher se métamorphosa.

— Neuroland?... Xavier Le Cret, nous parlons bien du même Xavier Le Cret?

— Tout à fait. Il m'a paru très ouvert. Il a déjà commencé à régler les formalités administratives pour mon admission.

Serge Larcher posa son stylo et demanda :

— Et... que lui avez-vous dit?

— Nous avons discuté de ses recherches. Je lui ai fait part d'une hypothèse qui l'a séduit. Du coup, il m'a affecté à une équipe travaillant sur le code neural.

L'air un peu déboussolé, Larcher se mit à fouiller dans un tiroir et en ressortit une fiche cartonnée de couleur jaune où il avait inscrit les principales informations du dossier scolaire de Vincent Carat.

— Pourtant, votre projet porte sur la synthèse de biomarqueurs de la maladie d'Alzheimer!...

— M. Le Cret souhaite me voir travailler sur le code neural, mais j'ai reçu l'autorisation de poursuivre mon projet sur Alzheimer en parallèle.

Serge Larcher reposa sa fiche en carton et jaugea Vincent Carat.

— Je suppose que Xavier Le Cret doit avoir décelé en vous des qualités particulières. Je ne peux que vous en féliciter. Mais maintenant, vous allez devoir maîtriser un peu mieux l'électromagnétisme, la théorie quantique des champs et la supraconductivité. Si vous allez chez Le Cret, vous ne pouvez pas vous louper.

Vincent hocha la tête. Bizarrement, le professeur avait l'air soucieux.

— Quelque chose ne va pas? demanda Vincent.

— Ce genre de situation n'est pas fréquente, dit le professeur. Un dix-neuvième du classement qui décroche le meilleur stage, ce serait bien la première fois. Ça m'embête un peu.

— Je devrais renoncer à aller Neuroland?

— Ce n'est pas ce que j'ai dit. De toute façon Le Cret ne permettrait à personne de vous empêcher d'y aller s'il a décidé de vous choisir. Et moi, vous savez que j'encourage les démarches personnelles d'étudiants qui prennent l'initiative d'aller frapper à toutes les portes. Dès lors que le courant passe entre un jeune et son maître de stage, c'est le plus important. Simplement...

— Simplement? s'enquit Vincent.

— Eh bien... cette situation est inédite. Le plus souvent, c'est le major de la promo qui décroche le meilleur stage. Vous avez vraiment dû faire quelque chose de spécial pour que Le Cret déroge à cette pratique.

Larcher examina encore un moment Vincent puis se frotta le menton.

— Je vous souhaite bonne chance, mon garçon. J'écouterai avec intérêt l'exposé de votre projet de recherche. J'ai vraiment hâte de savoir ce qui a bien pu tourner la tête à Le Cret...

Vincent mesura tout le poids des mots du professeur. Il le remercia et sortit.

En le voyant arriver, Thomas Langlois releva aussitôt l'expression d'euphorie sur le visage de Vincent.

— Hé! Vin', ça roule pour toi, ou quoi?

— Salut, Thomas. Tu prends un café avant le cours?

Thomas le suivit jusqu'au distributeur situé à l'entrée de la classe. Sous sa tignasse frisée, il avait l'air un peu penaud.

— Heu... Dis, je suis désolé à propos du bouquin. Je sais que je t'ai refilé un paquet un peu encombrant.

Vincent éclata de rire.

— C'est le plus fier service que tu m'aies jamais rendu, Thomas!

— Je ne comprends pas...

— Je t'expliquerai. Simplement, sache que j'ai trouvé mon laboratoire de stage.

— Vraiment? s'étonna Thomas. Tu ne peux pas savoir comme ça me fait plaisir.

— D'une certaine façon, c'est un peu grâce à toi si j'y suis arrivé.

— Génial. Et tu vas travailler où? L'Institut Montsouris? L'hôpital Robert-Debré?

— Un centre d'imagerie cérébrale dans le sud de Paris. Sur le plateau de Saclay. Neuroland, ça s'appelle.

Le visage de Thomas se figea.

— Non. Arrête.

— Je ne plaisante pas, dit Vincent en remuant la cuiller dans son gobelet de café. J'ai eu une discussion avec Xavier Le Cret.

— Tu me charries. Sans rire, qu'est-ce que tu leur as raconté?

— Secret professionnel. Je t'en dirai plus lorsque le projet sera bien engagé.

— C'est pas vrai, il va à Neuroland! Le truc de malade... Attends, mec, c'est le labo le plus convoité en France dans ce domaine!

Mine de rien, Ethan Grubler s'était approché dans le dos de Thomas.

— On peut savoir de quoi vous parlez?

— Vincent va à Neuroland! s'exclama Thomas. T'entends ça? Pour son stage! Le petit Vincent qui n'arrivait même pas à aligner une équation de Larmor!!

Une lueur mauvaise s'était allumée dans le regard de Grubler.

— C'est vrai, ça?

Vincent ne répondit pas. Il aurait préféré que l'affaire ne s'ébruite pas.

— Je disais juste ça pour blaguer, finit-il par répliquer. Tu m'imagines, moi, à Neuroland?

Les élèves commencèrent à regagner leurs places pour le cours. C'était de la RMN et le prof était un jeune maître de conférences de l'université Paris-6.

— La base de la RMN est l'établissement d'un gradient de champ magnétique, commença-t-il. L'effet de ce gradient est d'imprimer une vitesse de rotation différente à chaque atome d'hydrogène dans le cerveau en fonction de sa position suivant l'axe principal du scanner.

Le professeur dessina rapidement un axe horizontal, puis une autre ligne droite qui le croisait en son milieu et qui formait avec lui un angle de cinq degrés.

— Le gradient de sélection de coupe est appliqué au moment des impulsions radiofréquences. Celles-ci vont faire basculer le moment magnétique des protons dans le plan horizontal.

Tout ce que Vincent comprenait, c'est qu'un gradient de champ était une succession de champs magnétiques disposés du plus petit au plus grand, de la gauche vers la droite. Il savait aussi que la production de tels gradients était extrêmement difficile.

À part ça, il était complètement largué. Il allait devoir recopier bêtement ce que le prof écrivait au tableau. Il essaierait de comprendre plus tard. Impossible de redresser ses notes dans ces conditions.

Le prof était en train de débiter des infos incompréhensibles sur le «codage de fréquence» et le «codage de phase», lorsqu'une des jeunes filles avec qui Thomas Langlois discutait la veille posa une question.

— Pour l'imagerie de diffusion, quelle séquence applique-t-on?

Le professeur sembla hésiter.

— Hum... C'est une bonne question. Mais je propose qu'on voie cela dans le prochain module. Je vais essayer de me renseigner.

À ce moment-là, une voix s'éleva de l'assistance.

— Inversion du gradient de champ magnétique entre les deux impulsions. La première impulsion de gradient introduit une phase différente pour chaque atome d'hydrogène en fonction de sa position. Suit un laps de temps pendant lequel les atomes se déplacent, en fonction de leur vitesse dans le milieu aqueux. Application d'une seconde impulsion de gradient opposée à la première. Celle-ci a un effet opposé sur la phase des atomes. Ceux qui ne se sont pas déplacés entre les deux impulsions ont tous la même phase. Ceux qui se sont beaucoup déplacés ont une phase qui est très modifiée. On peut ainsi mesurer la vitesse de déplacement des atomes en fonction de leur déphasage final.

Le maître de conférences resta bouche bée. L'élève qui avait répondu était assis au troisième rang. Il venait de débiter cette explication comme s'il l'avait lue dans un manuel.

Sauf qu'il n'avait pas de manuel.

— Je... c'est cela, dit le professeur. C'est tout à fait cela, effectivement. Merci, monsieur... ?

— Corsa.

Franck Corsa reprit son stylo et attendit la suite. Il avait répondu uniquement pour ne pas perdre de temps. Que le cours reprenne au plus vite.

Ethan Grubler se pencha vers lui et lui glissa quelques mots à l'oreille. Corsa marqua un temps d'arrêt. Puis il reprit ses notes.

À la fin du cours, il quitta son siège et alla frapper à la porte du directeur.

Serge Larcher releva la tête de ses papiers lorsqu'il le vit entrer.

— Corsa ? Quel bon vent vous amène ?

Corsa promena un regard circulaire dans la pièce.

— Une simple question, dit-il. Comment se détermine l'affectation des stages dans le master ?

Larcher reposa son stylo et ôta ses lunettes. Il n'aimait pas tellement le ton que prenait ce Franck Corsa à chaque fois qu'il entrait dans son bureau. Ce n'est pas qu'il fût grossier, mais il y avait dans ses manières quelque chose d'inamical, de froid et d'insensible.

— Êtes-vous en train de me dire que vous avez déjà arrêté votre choix, Corsa ?

— Pas encore. Je pensais prendre le temps de la réflexion.

— Cela vous honore. Réfléchissez bien, le choix d'un stage a un impact sur celui de la thèse de doctorat.

— Il paraît. Je vais poser ma question différemment. À quoi sert le classement du master?

Larcher sourit d'un air paternel.

— Principalement, à attribuer des bourses. Vous n'avez aucun souci à vous faire de ce point de vue, Corsa.

Le visage de Franck Corsa ne trembla pas d'un millimètre. Physiquement, c'était un garçon plutôt élégant à la peau pâle et aux cheveux bruns légèrement ondulés. Il y avait toutefois quelque chose de violent dans le bas de sa figure.

— On nous a dit, au début de l'année, que le choix des laboratoires d'accueil dépendait du classement.

— En effet, concéda Larcher. Cela joue un rôle.

— Je ne suis pas sûr de comprendre. Voulez-vous dire que d'autres facteurs entrent en ligne de compte?

— Effectivement, dit Larcher, la bonne entente entre le chef du laboratoire d'accueil et le candidat compte aussi. La complémentarité des approches. La teneur du projet.

— De ce point de vue, dit Corsa, j'ai élaboré un projet sur l'identification des connexions internes au cortex préfrontal.

Larcher ne répondit rien. Franck enchaîna.

— Est-ce que Vincent Carat a fait une demande de stage à Neuroland?

Cette fois, Larcher se raidit. De quel droit cet élève se permettait-il de poser de telles questions?

— Cela ne vous regarde pas, dit-il franchement. Vous n'aurez qu'à exprimer vos préférences sur les formulaires prévus à cet effet en fin de trimestre, et le jury tranchera.

— Monsieur Larcher, êtes-vous gêné pour répondre à ma question?

Le professeur sentit que quelque chose lui échappait. Il chercha, en vain, à percer ce regard impénétrable.

— Écoutez-moi bien, Corsa. Le fait que vous soyez major de la promo ne vous autorise pas à me réclamer des comptes. Ni le fait que vous soyez le neveu du sénateur Olivier Corsa. Vous faites du bon travail, tout le monde est content de vous...

— Nuance, l'interrompit brusquement Corsa. Je suis *à peu près* satisfait du master. Et je dis à peu près, parce que certains enseignants ne semblent pas maîtriser tous les aspects théoriques de façon transversale.

Larcher, une fois de plus, préféra éviter l'affrontement direct.

— Continuez à travailler comme ceci et vous devriez réussir.

Pour la première fois, Corsa fit mine de s'étonner.

— «Devriez»?

— Mais oui, Corsa. Les cours ne sont pas tout dans la vie. Dans un laboratoire, ce sont parfois d'autres qualités qui sont requises. Par exemple, s'intéresser à ce qui n'est pas encore sur le papier. Ce que personne n'a jamais écrit. Des vérités qui n'existent pas encore.

Corsa fit une moue méprisante.

— Drôle de conception. Une vérité est ou n'est pas. Vous n'avez pas répondu à ma question. Une fois pour toutes, Vincent Carat a-t-il fait une demande de stage à Neuroland?

— Je n'ai pas à vous répondre.

Corsa posa brusquement sa main à plat sur le bureau du directeur.

— Écoutez-moi bien, monsieur Larcher. Si vous enfreignez les règles qui ont été énoncées pour l'ensemble des élèves qui concourent au mérite et dans l'égalité pour l'obtention des postes d'excellence, vous vous rendrez coupable de favoritisme et de pratiques népotiques.

— Vous devriez faire de la politique, Corsa.

Franck Corsa retira sa main du bureau, fit demi-tour et quitta la pièce.

Jacques Melvin tira de la poche de son smoking une invitation du ministère de l'Intérieur. Il se rendait à une soirée de commémoration de l'abrogation de la peine de mort. En présence de Robert Badinter.

Il s'engagea dans la cour intérieure du Sénat. Il était perplexe. Au moment où l'on fêtait les trente ans de l'abolition de la peine capitale, s'ouvrait le procès du tueur d'Oslo, un jeune homme qui avait tué soixante-dix-sept personnes à l'arme automatique pour «sauver la Norvège de l'islam». Le type s'en tirerait avec vingt et un ans de réclusion, la peine maximale en Norvège. Dans une prison grand luxe. Tout un sous-sol à sa disposition. Télé, ping-pong et muscu.

Décidément, il serait intéressant d'entendre ce que disaient les défenseurs des droits de l'homme. Jacques jouirait d'un point de vue unique pour cela : au cœur de l'hémicycle et des couloirs du Sénat. Cocktail, petits-fours et déclarations ronflantes.

Depuis quelques jours, Jacques se sentait beaucoup mieux. Sa rencontre avec le ministre Levareux l'avait remotivé. Le destin lui avait montré la voie. Jacques avait compris qu'au cœur du combat contre le mal il ne fallait pas avoir d'états d'âme. Sa rencontre avec les deux mères d'enfants décédés dans les attentats l'avait conforté dans cette idée.

Il avait essayé de joindre la troisième mère, Clara Mangot. Mais jusqu'à présent, il était toujours tombé sur son répondeur. Pauvre femme qui devait être abrutie de chagrin.

À présent, Jacques avait une mission : savoir ce que les neuro—sciences pouvaient apporter aux techniques d'interrogatoire policier.

Son principal handicap était qu'il ne maîtrisait ni le langage ni les concepts scientifiques. Du coup, ses quelques rencontres l'avaient désemparé.

Jacques savait ce qui manquait à leur projet : un homme doté d'une vision globale, exhaustive et précise des découvertes les plus récentes, mais aussi capable de faire le lien entre le monde de la recherche et celui de la police. Cette personne devrait, autant que possible, adhérer aux visées du projet, et comprendre clairement l'objectif poursuivi. Faute de quoi, on perdrait un temps précieux.

Face au Sénat, des limousines se garaient rue de Vaugirard ou pénétraient dans la cour d'honneur, déversant leurs cargaisons de dignitaires et de femmes lestées de perles et de diamants. L'intérieur de la cour était illuminé par des myriades d'ampoules bleutées et une file d'attente encadrée par un service d'ordre chic serpentait jusqu'à l'entrée principale, où des hôtesses en tailleurs courts et écharpes rouges distribuaient les programmes de la soirée.

Jacques ne pouvait s'empêcher de voir dans cette manifestation une mascarade, un rassemblement de privilégiés agitant leur bonne conscience mais se bandant les yeux et les oreilles devant l'horreur du crime.

Dans son smoking loué pour l'occasion, Jacques ressemblait à un judoka en tenue de gala. Au milieu de la foule, il passerait probablement pour un garde du corps.

Lorsqu'il entra dans le hall, le brouhaha des conversations se répercutait à travers le couloir circulaire dallé de marbre menant jusqu'à l'hémicycle. De l'intérieur de ces enclaves constitution-nelles, le monde paraissait plus rassurant. Nul ici ne pouvait entendre les cris et les pleurs de citoyens à la vie brisée par des lois iniques.

Le discours de l'ancien garde des Sceaux fut retransmis par des haut-parleurs dans tous les couloirs du bâtiment. Accoudé contre une boiserie, Jacques attendit que les applaudissements cessent et que les convives se déplacent vers la salle du cocktail. Un ballet de serveurs virevoltait entre les salles de conseil et les appartements d'honneur, les invités se pâmaient, le champagne à la main, évoquant les grandes avancées humanistes des années 1980.

Jacques pensa alors à Juliette Metzinger. Cette femme qui errait comme une ombre dans les limbes de son appartement.

Je serais prête à tout pour retrouver la vie que j'avais. C'était tout pour moi. C'était le ciel et la terre, la mer et les arbres, l'eau et le pain, les fleurs, l'air qu'on respire. Tout cela n'existe plus.

Il reposa sa coupe de champagne et entreprit de se faufiler entre les groupes d'invités.

Un petit cercle de notables devisaient face aux grandes portes vitrées donnant sur l'arrière du jardin du Luxembourg. Deux ou trois sénateurs septuagénaires y échangeaient des mondanités avec des attachés de cabinet et leurs épouses. Un vieux beau à la voix rocailleuse semblait tenir les rênes de la conversation. Il se flattait d'avoir assisté à la séance plénière de 1981.

— La partie était loin d'être gagnée, dit-il en toisant ses interlocuteurs de ses yeux azuréens. Nous avions déposé plusieurs amendements, mais ils furent tous rejetés. Finalement, la loi a été votée par 161 contre 126. Il ne faut pas revenir sur le passé. C'était inévitable. Cela dit, ça nous coûte cher aujourd'hui. La question de la réinsertion des criminels représente un gouffre pour le budget de l'État. Évidemment, cela ne se dit pas dans une soirée comme celle-ci. Mais la peine de mort nous faisait tout de même faire de sacrées économies.

— À ce propos, sénateur Corsa, intervint un homme bedonnant en veste de tweed, je pense qu'il est temps de convoquer une mission parlementaire sur cette question. Le devenir des détenus psychopathes n'est pas assez pris en compte.

— Vraiment? s'étonna le vieux sénateur. Vous voulez soigner les criminels?

— Ce n'est pas tout à fait ce que je veux dire. Les psychopathes sont déclarés pénalement responsables, ils ne sont donc pas malades psychiquement. Ils sont intrinsèquement dénués d'empathie. Toutefois, notre système pénal prévoit presque toujours leur libération à terme. La question est donc de savoir s'ils sont aussi mauvais en sortant qu'en entrant, ou s'ils ont changé!

Une beauté brune moulée dans un fuseau rouge, accrochée au bras d'un attaché d'ambassade, dodelina de la tête, à moitié ivre.

— Tout le monde sait que la prison fabrique des fous. Ils sont encore pires en sortant qu'en entrant!

— La psychopathie est un problème neurologique définitif et incurable, fit soudain une voix derrière eux.

Le cercle s'élargit. Un jeune homme d'allure impassible vint se placer à la droite du sénateur Corsa.

— Les études scientifiques sur le cerveau psychopathe, dit le jeune homme, montrent une rupture des connexions nerveuses qui relient entre elles les régions cérébrales où naissent les pulsions meurtrières et celles qui contrôlent ces pulsions. Chez un individu normal, de telles connexions permettent de juguler les élans destructeurs.

Le groupe observa ce nouvel arrivant, étonné.

— Mais chez le psychopathe, poursuivit ce dernier, ce contrôle est absent. On sait aussi que les parties frontales du cerveau fondent la capacité d'empathie. Des lésions cérébrales observées au scanner sur plusieurs meurtriers ont expliqué récemment pourquoi ils ne ressentent aucune empathie pour leur victime.

La brune en fuseau rouge s'exclama :

— Mais c'est terriiible, vous êtes en train de nous dire qu'ils ont juste un défaut de connexion dans le cerveau ! C'est un truc dans leur cerveau qui est abîmé et qui fait qu'ils voient les autres comme des choses, ce n'est pas leur faute, alors...

Le jeune homme lui adressa un regard méprisant. Le psychiatre à la veste de tweed semblait sceptique.

— Hum... Comment sait-on ces choses-là, mon jeune ami ?

— Les progrès de l'imagerie cérébrale ces dernières années ont principalement porté sur l'obtention d'images en temps réel de l'activité du cerveau. Toutefois, de nouvelles méthodes de mesure, comme l'imagerie de tenseur de diffusion, permettent de visualiser les structures anatomiques fines, les axones qui relient les différents territoires du cerveau. Sur un cliché, ces axones apparaissent comme des câbles très minces qui traversent le cerveau de haut en bas, de gauche à droite, d'avant en arrière. Ce sont eux qui permettent aux différentes parties du cerveau de fonctionner ensemble de façon équilibrée. Lorsque de telles communications nerveuses sont endommagées, que ce soit à la suite d'un traumatisme cérébral ou de carences affectives durant l'enfance, l'équilibre peut se rompre. Et cela s'observe au scanner.

Jacques Melvin s'approcha, intrigué.

— Mon neveu Franck est très doué, commenta le sénateur Corsa. Il est actuellement major de son master de neurosciences, l'un des plus cotés d'Europe !

— C'est intéressant, continua le psychiatre. Mais si l'on suit votre logique, à condition d'observer de plus en plus précisément le fonctionnement du cerveau d'une personne, il devrait être possible de savoir exactement comment fonctionne son psychisme et, pourquoi pas, d'accéder à la structure de ses pensées ?

Franck Corsa répondit, impassible.

— Les scanners d'IRM de nouvelle génération se dotent en ce moment d'une puissance nouvelle. Cette puissance permettra de voir toujours plus précisément ce qui se passe dans le cerveau. Observer les neurones en action, en quelque sorte. L'enjeu sera de créer des champs électromagnétiques de plus en plus puissants, car ce sont eux qui extraient l'information de l'intérieur du cerveau.

Melvin était captivé. En quelques instants, cet individu venait de répondre aux questions essentielles qu'il se posait. Les explications qu'il donnait étaient à la fois claires, nettes et précises. Le capitaine examina le jeune homme attentivement. Par son attitude et son élocution, il semblait toujours se placer au-dessus de ses interlocuteurs. Son regard noir ne trahissait aucune émotion. Il parlait comme s'il savait tout. Inscrit dans une formation universitaire d'élite, avait relevé Melvin. Ce serait facile à vérifier.

Dès que Franck Corsa se détacha du groupe pour se diriger vers le vestiaire, il le suivit.

Debout devant un urinoir, déboutonnant son pantalon, il se mit à lui parler.

— Monsieur Corsa ?

L'œil de Franck se plissa.

— On se connaît ?

— J'ai capté deux ou trois mots de ce que vous disiez tout à l'heure. Vous avez l'air sacrément calé en neurosciences.

Franck alla s'essuyer les mains au rouleau de tissu mural.

— Ça vous prend souvent de discuter de neurosciences avec les gens aux toilettes ?

— Nous pouvons en parler ailleurs, si vous voulez.

— Et puis quoi encore ? On se connaît ?

— Je travaille pour les services de lutte antiterroriste.

Melvin exhiba sa carte. Franck haussa un sourcil et affecta une attitude supérieure.

— Oui, je suis plus que sacrément calé en neurosciences, dit-il. Plus que pas mal de profs.

— Tant mieux, dit Melvin. Le ministère de l'Intérieur recherche des gens capables de nous expliquer des choses sur les neurosciences.

— Quel genre de choses?

— Tout. On part de zéro. On a besoin de quelqu'un pour un projet d'envergure. On a essayé avec des types de l'université, mais on ne comprend rien à ce qu'ils racontent. En fait, on se demande s'ils comprennent seulement quelque chose à ce qu'ils disent.

La lèvre de Franck se souleva et, l'espace d'un instant, Melvin vit ses dents briller.

— Là, vous me plaisez. Ces types sont des minables. Allons boire un coup quelque part.

Troisième partie

Maria n'avait sans doute jamais été aussi heureuse que ce jour-là. Une lumière caressait les rideaux tandis que le concert des oiseaux emplissait l'air. Elle sentait son corps fondre comme une cire chaude sous les draps pendant qu'Alexeï se levait et serrait sa ceinture autour de sa taille puissante. Le pantalon tombait parfaitement sur ses hanches et son torse taillé dans le roc avait la teinte légèrement ambrée des Russes de l'Altaï, parsemé d'une légère toison brune. Son cou massif évoquait les statues antiques de la légende de Gilgamesh.

La penderie de la chambre à coucher s'ouvrit, découvrant une dizaine de chemises impeccablement repassées. Alexeï en prit une et la boutonna. Puis il attrapa dans un tiroir de la commode deux lourds boutons de manchette en or massif et choisit une veste en soie assortie au pantalon.

Maria aimait le voir s'habiller. Il n'y avait pas de fausse pudeur entre eux. Alexeï se posta devant un immense miroir du designer Bergonzi acheté à une vente Sotheby's et trônant au-dessus d'une cheminée XVIIᵉ. Cet authentique miroir Louis XVI avait été acquis lors d'une vente à Genève, la cheminée monumentale ayant été conçue uniquement pour mettre cet objet en valeur. De façon générale, la demeure jouait des contrastes, mariant le classicisme à la française, la Renaissance florentine et les matériaux design.

Elle enfila un peignoir et pénétra dans la salle de douche dont le toit en coupole de verre laissait transparaître les ramures des bouleaux et des chênes sessiles se découpant sur un ciel limpide. Le quartier de Rublovka, à une dizaine de kilomètres du centre, était à l'abri de la pollution de la mégalopole moscovite. On y goûtait une qualité de vie qu'enviaient même les célébrités d'Hollywood. Leur maison n'était pas la plus grandiose de la rue – certaines, au cœur de parcs somptueux, étaient gardées par de véritables corps d'armée, appartenaient à des oligarques à la fortune colossale, abritaient des châteaux construits de toutes pièces en granit et en marbre, entourés de piscines ressemblant à des douves antiques. Mais Maria n'aurait jamais pu vivre dans de tels palais. Une maison de trois étages couvrant six cents mètres carrés, alliant les courbes modernes des designers italiens et les chèvrefeuilles grimpants, lui semblait amplement suffisante. Et puis de toute façon, elle n'aurait pu se résigner à épouser un homme âgé, aussi riche fût-il.

Alexeï était d'une vitalité et d'un charme irrésistibles. Sa voix, sa gestuelle et sa vigueur comptaient plus que sa situation et ses revenus.

Maria laissa glisser le peignoir de ses épaules sur les dalles de marbre poli. Ayant effleuré une cellule photoélectrique, des jets d'eau jaillirent des murs, du sol et du plafond. Les architectes, s'inspirant des thermes antiques, avaient composé une mosaïque inspirée de motifs romains qui recouvraient la voûte principale du plafond.

Au moment où elle terminait de prendre sa douche, Alexeï lui lança depuis la chambre :

— Je dois y aller. Tu t'occupes de Michka ?

Elle enfila son peignoir et l'embrassa avant qu'il ne descende l'escalier. Michka allait bientôt se réveiller, peut-être l'emmènerait-elle à l'école. Ou bien ce serait Grazyna, la domestique polonaise. En bas, Alexeï parlait à quelqu'un au téléphone.

— Au golf ? D'accord. J'y serai, attendez-moi.

Elle releva que ce n'était pas dans l'habitude d'Alexeï de passer au club de golf avant de rejoindre son bureau dans le quartier d'affaires au centre de Moscou, mais elle n'avait aucune raison de l'interroger à ce sujet et choisit une paire de collants dans le dressing.

Alexeï opta pour la Porsche. La Lamborghini était réservée essentiellement à leurs sorties du week-end sur la riviera. On parlait de la crise qui affectait les grandes places boursières. Cela ne concernait certainement pas Rublovka. L'argent coulait à flots à l'ouest de Moscou. Peu de gens avaient la chance de vivre comme Alexeï et

Maria. Elle avait conscience de cette bonne fortune où chacun de ses désirs semblait pouvoir se réaliser. Seules certaines heures de la journée lui semblaient plus longues. Alexeï étant le centre de sa vie, elle ne se sentait vraiment comblée qu'en sa présence. Avec lui elle aurait aussi bien pu vivre dans une datcha au fin fond de la Sibérie. Peu importait le décor.

Elle l'avait rencontré dans un défilé de mode lorsqu'elle faisait du mannequinat pour payer ses études. Cela avait été le coup de foudre. Quelques mois plus tard, il l'épousait, et un an après Michka naissait. Le tout sans un nuage ni une anicroche.

Alexeï impressionnait aussi grâce à son calme et sa détermination. Maria le croyait lorsqu'il disait pouvoir s'imposer dans n'importe quelle négociation, et obtenir des marchés que convoitaient les oligarques les plus expérimentés. C'était une force de la nature. Un soir, en traversant le tunnel du métro Paveletskaya à une heure tardive, un groupe de jeunes les avaient pris pour un couple de nantis faciles à détrousser. Alexeï avait d'abord essayé d'éviter la confrontation, mais lorsqu'un des jeunes sortit un couteau, Alexeï l'avait neutralisé en un clin d'œil et avait retourné l'arme contre lui. Sans l'intervention de Maria, cela aurait été un massacre. Elle avait alors compris que son mari n'était pas comme les autres.

Leur fils Michka lui ressemblait. Plus tard, il serait aussi fort que son père. Pour l'instant, l'enfant n'avait que cinq ans et fréquentait depuis la rentrée une des écoles les plus huppées de Rublovka. Ce qui laissait Maria seule à la maison à compter les heures. Aussi avait-elle sympathisé avec la voisine, Olga Youchkine, qui passait le plus clair de son temps à se dorer au bord de la piscine ou à regarder des DVD sur son home-cinéma. Malgré les apparences, Olga était loin d'être une écervelée. Psychiatre de formation, elle tenait autrefois un cabinet à Saint-Pétersbourg. Pour suivre son mari, un illustre chirurgien venu faire carrière à Moscou, elle avait dû revendre sa clientèle. Depuis ce jour, elle n'avait pas eu le courage de se reconstituer un carnet d'adresses et se contentait de profiter de la vie. « C'est terrible, avouait-elle. C'est la routine, la facilité, une sorte de cage dorée. Ne fais pas comme moi, Maria. »

Ce matin, Olga était installée devant sa télé quand Maria frappa à sa porte pour lui proposer d'aller faire des emplettes au

Komerzum, une nouvelle galerie marchande néoclassique tout en marbre en plein centre de Rublovka. À la première heure, il n'y avait pas trop de monde et on pouvait traîner chez Chanel ou Dolce Gabbana sans subir la cohue.

Dans la cuisine, la télé crachait un bulletin d'informations sur les élections. Des fraudes étaient signalées dans tout le pays, ce qui n'empêchait pas l'ancien Premier ministre d'être réélu avec une écrasante majorité.

— Des électeurs itinérants ont été trimballés en autocar de ville en ville pour voter plusieurs fois, nota Olga. Une blague d'un humoriste dit que même Anna Politkovskaïa aurait voté cette année, pour Poutine évidemment.

Maria ne s'intéressait pas trop à la politique. Elle voyait surtout en Poutine un homme à poigne qui avait rétabli une forte croissance économique dans le pays. C'était un peu grâce à lui que de nouveaux quartiers comme Rublovka avaient pu se développer si rapidement.

Le reportage diffusait une séquence d'un de ses meetings de campagne où il déclarait que les Russes s'en sortiraient toujours car ils étaient un peuple de vainqueurs, parce que la victoire était inscrite dans leurs gènes.

— Ça, en revanche, c'est n'importe quoi, corrigea Maria. La plupart des comportements de masse sont d'ordre culturel et ne sont pas déterminés génétiquement.

— Tu as une réaction d'intello, réagit Olga. Poutine parle à des moujiks. Les Russes ont encore des âmes de cultivateurs de pommes de terre. Lui, par contre, il a un vrai problème. Profil autoritaire par réaction. Probablement une angoisse de mort. Mais il se ficherait sans doute comme de sa première chemise d'apprendre cela.

Maria s'étonna. Elle commençait tout juste à connaître sa voisine et découvrait chaque jour des aspects surprenants de son discours.

— Laisse tomber, dit Olga. Allez, viens, on va se siroter une Baltika. On n'a que ça à faire, non ?

Maria eut un sourire amer.

— Arrête, tu vas de nouveau te faire du mal au moral.

— Bah ! s'écria Olga en se laissant tomber dans son canapé en cuir de nubuk. Tu sais quoi ? Ce qui me fait le plus chier, c'est que mon mari roule en Porsche et qu'il m'a acheté un Range Rover. Pour lui, une femme ne doit pas être vue au volant d'une voiture de sport. Parce que c'est un attribut masculin, la bagnole avec un gros moteur pour frimer, séduire, avoir le pouvoir. Ou alors il est intimement persuadé que Madame conduit comme une cruche et qu'il faut qu'elle soit protégée, elle et ses gamins, dans deux tonnes d'acier. Tu la conduis, la Lamborghini d'Alexeï, toi ?

— Je m'en fous, dit Maria. Les voitures ne m'intéressent pas. Pour moi, l'intellect passe avant. Si je ne savais pas lire les grands auteurs ou résoudre une équation du troisième degré, je m'ennuierais dans la vie. Je ne m'imagine pas un instant mannequin, par exemple. Quelle barbe.

— Pourtant avec tes fesses et tes yeux bleu lagon.. Et puis crache pas dans la soupe, t'y as bien trempé un peu, non ?

— Pas longtemps. J'ai vite compris. Si tu as le malheur d'avoir une cervelle, ce genre de job est tout simplement l'enfer sur terre. En plus, les mecs te traitent comme de la viande.

— Dis, on se fait apporter des chocolats de chez Godiva ? Ils viennent d'ouvrir une boutique au Komerzum, derrière le golf...

Olga demanda à la domestique de commander un coffret luxe. Celle-ci descendit aussitôt les marches de la propriété, un panier à la main.

— Hé Maria, continua Olga, tu me fais bien rire mais tu es demeurée une sorte de mannequin de luxe. Ben oui, c'est la vérité. Tu as un mec beau et riche qui t'entretient dans sa villa, des bagnoles de milliardaire, du personnel à domicile, et tu te tournes les pouces. Tu as bien laissé tomber tes études alors que tu avais des propositions pour aller étudier en troisième cycle dans les meilleures universités, non ?

— Et toi, t'as bien laissé ton cabinet de psy, non ?

— T'as raison. On est toutes les deux des dindes. Des dindes bien nourries, soumises à la loi des mecs. Je dois obéir à une sorte de pulsion de soumission. Bon, ta piscine ou la mienne ?

— La mienne. Mais pas longtemps, alors. Ma nounou doit revenir de l'école avec Michka à onze heures et je veux être là pour lui préparer à manger.

Les deux femmes sortirent par la porte latérale de la maison du chirurgien, et poussèrent la barrière séparant les deux jardins, entourée d'immenses massifs d'hortensias. Olga saisit un panier de plage avec un peignoir, une serviette et du matériel de protection solaire. En passant, elle dit au jardinier de s'occuper de la haie qui commençait à pousser et laissait tomber des feuilles dans la piscine.

— L'avantage, quand on est moche comme moi, c'est qu'on ne risque pas d'avoir des aventures avec le jardinier, dit-elle.

— Tss... tss..., la corrigea Maria. Arrête de te dévaloriser. Je te parie que ce brave Vadim délaisserait bien son râteau et sa cisaille pour te faire faire des galipettes. Tu ne connais pas les hommes, Olga.

— Pas tant que ça, c'est vrai. Ou plutôt, si. Je voyais en consultation des hommes qui fantasmaient sur d'autres femmes que la leur, qui avaient des comptes à régler avec leur mère, et qui voulaient sans arrêt se battre avec d'autres mecs. Voilà ce que j'ai appris en les écoutant.

Maria fit la moue en dégrafant son corsage sur la terrasse.

Malgré ses quarante balais et son hétérosexualité solidement enracinée, Olga ne put s'empêcher de ressentir une bouffée d'émotion en voyant sa jeune voisine ôter son chemisier et révéler le haut de son maillot de bain. À vingt-trois ans, Maria possédait un corps de rêve. Une peau magnifique, presque brillante, une poitrine qu'on devinait ferme et ronde. Après tout, l'explication était là : Alexeï était tout simplement raide dingue amoureux d'elle. Il ne fallait pas toujours aller chercher mille hypothèses tordues. Ce beau mâle rampait encore à ses pieds après cinq ans de vie commune parce qu'il aurait été difficile de trouver plus belle fille dans tout Rublovka. Et une tête aussi bien faite.

Près de la piscine, Maria laissa glisser son pantalon jusqu'à ses chevilles et fit quelques pas vers la surface miroitante de l'eau. Vénus sortie des flots. Olga en eut un pincement au cœur.

Le corps de la jeune femme fendit la surface et glissa, telle une fusée, sous l'onde transparente. Quelques secondes plus tard, elle émergeait, sa longue chevelure blonde plaquée le long de son dos et de ses reins.

— Oh! s'écria-t-elle en voyant une chaise longue sur le bord de la piscine. Alex a laissé sa sacoche...

Le petit sac en peau de crocodile posé sur une des chaises longues de la piscine contenait des documents concernant ses cotations en Bourse, deux téléphones portables et son agenda.

Alexeï devait avoir un autre téléphone sur lui, elle allait lui demander s'il fallait qu'elle lui apporte ses documents au travail. Elle l'appela mais n'obtint que le répondeur.

— Zut...

Elle hésita. Alexeï ne se séparait jamais de ce petit sac. Ce devait être important.

— Je reviens dans un instant, dit-elle à Olga.

Olga se laissa tomber sur un des immenses fauteuils en rotin couverts de larges coussins de la véranda tandis que Maria essayait de joindre le secrétariat d'Alexeï. La secrétaire lui répondit qu'il ne devait pas passer au bureau avant le début de l'après-midi. Les pensées de Maria fusèrent. Le golf. Ce matin, avant de partir, Alex avait donné rendez-vous à quelqu'un au golf.

— Je file rapporter ça à Alexeï, dit-elle en courant le long de la piscine. Je suis de retour dans une demi-heure. Tu m'attends, je fais apporter des jus de fruits!

Olga fronça les sourcils.

— Laisse tomber, dit-elle. Je fais encore deux longueurs et je rentre. Repasse à la maison tout à l'heure.

Maria lui fit signe de la main et courut dans le garage où elle tourna la clé de contact de la Lamborghini. Elle avait déjà conduit le bolide le long de la Moskova avec Alex, il y a encore deux semaines. Elle commençait à maîtriser la puissance des quatre cent cinquante chevaux de ce petit bijou. Le garage automatique s'actionna. Elle tourna à l'angle de la rue.

Le golf était la propriété privée de Vassili Georgieff, un homme à la fortune colossale établie dans le commerce du gaz en Sibérie. Gros, laid, il n'en était pas moins immensément respecté dans la jet-set moscovite. Il n'admettait dans son cercle que des connaissances choisies et tenait des réunions périodiques à la maison du club, en bordure de lac.

Le golf faisait partie d'un parc entourant le château que Georgieff avait fait bâtir selon les plans d'un manoir du pays de

Loire, en France, en pierre de taille. Avec des douves formant une gigantesque piscine en L.

La Countach s'arrêta devant des grilles équipées de caméras de surveillance. Maria appuya sur le bouton de l'interphone, mais n'obtint aucune réponse. À tout hasard, elle plongea la main dans la sacoche en croco. Elle y trouva la carte de membre du club d'Alexeï. Il suffisait de l'introduire dans la fente à piste magnétique du digicode. Sans un bruit, le portail s'ouvrit.

Le gravier crissa doucement sous les roues extralarges de la Lamborghini. Maria contourna un bosquet de cèdres avant de se ranger le long d'une balustrade en bois peint. Elle poussa la porte et se trouva face au comptoir du club, où s'alignaient les casiers des membres. L'ambiance était calme et feutrée. Ne trouvant personne, elle s'aventura dans l'espace bar-restaurant tout en acajou dont les baies vitrées donnaient sur les douves du château. Personne. Demi-tour.

C'est en sortant sur le perron du club qu'elle avisa au loin la Porsche d'Alexeï stationnée devant le hangar où on entreposait le matériel d'entretien des greens, à quelques dizaines de mètres.

Mais en s'approchant des portes du hangar, elle entendit soudain des voix. Instinctivement, elle ralentit le pas. Elle se glissa entre la haie et la paroi en tôle couverte de mousse de polyester, pour coller un œil contre la grille.

Là, elle sentit son sang se figer. Un homme était attaché à une chaise. Trois autres l'entouraient. Alexeï était l'un d'eux.

— Enlève-lui sa chemise, dit-il.

Un des sbires qui accompagnaient Alexeï, une force de la nature aux traits mongols, arracha les vêtements du prisonnier ligoté à la chaise.

Le visage de l'homme était tuméfié. Il semblait avoir perdu connaissance.

— Qui devais-tu voir au Nikita ? demanda Alexeï.

L'autre râla entre deux quintes de toux.

— Il n'a pas dit son nom.

Alexeï ramassa une serviette tombée au sol et en tira une liasse de documents.

— Tu veux que le patron voie ça ? As-tu la moindre idée de ce qu'il te ferait si tu divulguais ces documents ?

L'autre dodelina de la tête.

— Maintenant la meilleure chose que tu puisses faire est de nous donner le nom de ton contact au ministère. Je te laisse deux secondes.

— Alex, je te jure. Je ne sais pas...

— Tenez-le, vous autres.

Les deux sbires maintinrent le prisonnier par les épaules et Alexeï sortit de sa ceinture une lame d'une dizaine de centimètres extrêmement effilée.

Maria, tétanisée, était incapable du moindre mouvement. Lorsque la pointe s'enfonça dans le flanc du prisonnier, l'homme hurla comme un damné. Le couteau atteignit la poche du péritoine, Alexeï pratiqua une incision latérale en pressant l'arme contre l'intérieur de la paroi musculaire. Un mince filet de sang jaillit. Puis il plongea un doigt dans la plaie, fit glisser la lame vers le nombril et écarta les pans de l'abdomen, libérant les viscères. Lentement, il tira sur un gros bourrelet jaunâtre qu'il fit sortir de la cavité abdominale et le déposa sur le sol.

— Tu vas crever et ça va prendre un certain temps, lui dit Alexeï. D'après mes estimations, si on ne fait rien, entre quatre ou cinq heures, comme un sanglier avec les viscères à l'air.

Maria se laissa tomber à genoux. Le prisonnier haletait. La voix d'Alexeï continuait de lancer des ordres.

— Amène Skouratov, dit-il au Mongol. Je crois qu'il est dans la cellule numéro quatre.

Le Mongol se dirigea vers une enceinte contenant des râteliers. Il se baissa devant la cloison d'un chenil d'où s'échappa un chien massif qui huma l'air alentour. Le Mongol lui passa une laisse au collier.

— Il n'a pas encore mangé, dit-il.

— Parfait, viens par là, Skouratov.

Alexeï saisit la laisse des mains de son acolyte et retint le molosse quelques secondes.

— Hé, fils de truie! Tu sais que les chasseurs réservent les abats du gibier à leurs chiens pour les récompenser d'une bonne battue?

Alexeï fit un pas en avant. Instantanément, le chien se mit à dévorer les intestins répandus sur le sol. L'homme poussa un hurlement à vous glacer le sang.

Alexeï se tourna vers l'autre homme, un grand maigre au regard de furet.

— Tu vois, Boris, il ne faut jamais sectionner les viscères. Ils sont toujours innervés. C'est pourquoi ce porc sent ses tripes exactement comme s'il était en train de se les faire bouffer de l'intérieur. Suffit, Skouratov !

Il tira sur la laisse pour faire reculer le chien.

— Hé, connard. Maintenant, combien tu me donnes pour que je t'achève ?

Le prisonnier avait un teint de cadavre. Ses viscères libéraient un flot de sang noir qui coulait sur le béton.

— Pour l'amour du ciel, Alexeï, finis-moi... Je vais parler.

— Je t'écoute. À qui allais-tu remettre ces documents ?

— À un homme qui se fait appeler Caton... Je n'en sais pas plus.

Alexeï secoua la tête.

— Caton, ça ne me dit rien du tout.

Le prisonnier supplia.

— Je t'ai dit tout ce que je savais, tu avais dit que tu m'achèverais !

Le chien tira sur la laisse.

— Ce que tu m'as dit ne m'avance pas, rouspéta Alexeï. Et mon chien a encore faim.

L'homme se tendit comme un arc.

— Non, pas ça... Tu m'avais promis de me finir !

Alexeï fit la moue.

— Franchement, je ne crois pas que tu le mérites. Tu ne te rends pas compte de ce que tu as fait. Si tu savais ce que Georgieff te ferait subir s'il savait tout ça, tu me remercierais de te laisser à Skouratov. Avec un peu de chance, il te bouffera juste le foie et les reins et je reviendrai pour te tirer une balle dans la tête.

Les hurlements reprirent de plus belle. Maria, d'un seul coup, comme au sortir d'un songe, voulut bouger. Mais ses jambes ne répondirent pas. Une partie d'elle s'était déconnectée du monde environnant, comme anesthésiée. Elle aurait dû bondir, fuir. Cela lui était impossible.

Soudain, tout se débloqua. Elle agit par réflexe, portée par la peur et l'instinct de survie. Le talus fut dévalé en une seconde. Les cris dans le hangar couvrirent ses pas sur le gravier. Le moteur V12 de la Countach démarra du premier coup. Elle s'engagea sur la petite route menant à la grille.

— Tu as entendu? dit le grand maigre en demandant le silence.

— Skouratov! Tranquille! Quoi, qu'est-ce qu'il y a...

On entendait distinctement le bruit d'une auto qui rétrogradait en arrivant à la grille.

— Ivan, va voir à l'entrée...

Le Mongol ouvrit la porte en coup de vent et aperçut la grille qui se refermait. Quelqu'un venait de quitter la propriété.

— On nous aurait vus?

— Difficile à dire, estima le Mongol.

Alex réfléchit rapidement.

— Il n'y a que la route des Bouleaux pour rejoindre la nationale. Avec la Porsche, je vais lui filer le train. Toi, mate les vidéos de surveillance. Si quelqu'un a pointé son nez au hangar, il apparaîtra obligatoirement sur l'enregistrement.

Le Mongol hocha la tête. Le grand maigre demanda :

— Et lui, qu'est-ce qu'on en fait?

— Laissez-le avec Skouratov. Il aura le temps de maudire ses parents de lui avoir donné la vie.

Sans prêter l'oreille aux cris du prisonnier, Alexeï démarra en trombe sa Porsche 959.

Maria n'avait jamais conduit aussi vite. La Countach avalait le bitume à un rythme effrayant. Les pensées de la jeune femme fusaient. Son mari faisait sûrement partie d'une organisation criminelle. Ces types devaient bénéficier d'une totale impunité et avoir la police dans leur poche. Que fallait-il faire? S'enfuir? D'abord, récupérer son fils.

Au volant de la Porsche, Alex n'en revenait pas. L'intrus s'était volatilisé dans la nature. Le compteur affichait cent quatre-vingts sur la petite route des Bouleaux.

— Merde! Où il est ce pédé?

La nationale s'étendait maintenant des deux côtés du carrefour. On apercevait à peine, au loin en direction de Rublovka, un point qui allait bientôt disparaître.

— Bordel, qu'est-ce que c'est que ce plan foireux? Il tourna à droite et écrasa l'accélérateur.

Quelques instants plus tard, son téléphone portable sonnait.

La voix du Mongol était étrangement calme.

— Alexeï. On a les enregistrements de vidéosurveillance. On sait qui c'est.

— Super. Dans une minute, si vous me laissez tranquille, je lui mets la main au collet, lançait Alexeï contraint de conduire à une main.

— Alexeï. On va faire ça en douceur. On se retrouve chez toi.

Merde alors. Depuis quand le Mongol lui parlait-il comme s'il était le chef?

— Dis donc, Ivan, je trouve que...

— Ça vaut mieux, Alex. On se retrouve chez toi.

Quelque chose dans la voix du Mongol ne laissait pas de place à la contradiction. Dans ce milieu, Alexeï avait appris à reconnaître les accents de la vérité. De quelle vérité s'agissait-il? Il n'en avait aucune idée. Mais il savait que le Mongol avait raison; il fit un demi-tour serré et reprit la route qui conduisait chez lui.

Hors d'haleine, Maria poussa la porte de la maison et tomba sur la domestique en train de débarrasser la table de la cuisine. Elle gravit les escaliers quatre à quatre.

Elle trouva Michka occupé à jouer avec son circuit automobile dans sa chambre et le serra dans ses bras.

— Que se passe-t-il, maman?

Elle s'efforça de ne pas céder à la panique. D'abord, retrouver ses esprits. Elle était tout en sueur, essoufflée. Elle commença à rassembler quelques affaires, mais sursauta en entendant la porte du rez-de-chaussée s'ouvrir.

— Bonjour, Irina, fit la voix d'Alexeï. Ne bougez pas, je repasse juste prendre quelques affaires. Est-ce que Michka est là-haut?

— Oui, monsieur. Il va bientôt retourner à l'école.

136

Maria entendit les pas de son mari dans l'escalier. À ce moment, un coup de sonnette retentit et Alexeï fit volte-face.

— Ah, c'est vous... Allez-vous me dire ce que c'est que cette histoire ?

Deux hommes pénétraient dans la maison. Sûrement le Mongol et le grand maigre. Seule la voix d'Alexeï était distincte :

— Irina, allez donc vous occuper du linge à la cave. Je dois avoir une conversation importante avec mes collègues.

La servante s'absenta. Le Mongol s'assit sur un canapé.

— Alex, on a de mauvaises nouvelles. On a regardé les enregistrements des minutes précédant l'interrogatoire.

— Oui, bon, alors on va le coincer ce fumier ? C'est pas un gars du club de golf au moins ?

— Non, ce n'est pas un gars du club, Alex. C'est ta femme.

— Dites donc les mecs, si c'est une plaisanterie elle est mauvaise. Je n'apprécie pas du tout.

— Alex, si on te le dit, c'est que c'est sur la bande. Si tu veux, viens avec nous au club et on repasse le minutage.

Alexeï sentit ses tripes se nouer.

— Ne bougez pas, dit-il. Je vais lui parler.

— Non, tu ne vas pas lui parler, lui dit le Mongol.

De nouveau ce ton autœritaire. Comme si les rôles avaient changé.

— Laisse-moi t'expliquer, Alex, dit l'autre homme. Maria est étrangère à tout le business. Elle n'est au courant de rien. Tu ne lui as jamais rien dit, n'est-ce pas ? C'est bien ce que tu voulais, qu'elle ne sache rien de tout cela.

C'était vrai. Alex avait espéré que sa famille resterait étrangère à ses affaires et à ses crimes. Peine perdue.

— On sait ce qui se passe avec les femmes dans la situation de Maria, dit Boris. Le jour où elles découvrent ce genre de choses, elles perdent les pédales. C'est normal. Les autres gars annoncent la couleur dès le début à leur gonzesse. Ils les mouillent, elles protègent le secret. Mais Maria, elle va tout balancer. Le boss ne peut pas se permettre ce genre de réactions. On doit l'écarter, Alex. C'est un fait.

Quelque chose se brisa en Alex.

— Bordel, vous ne pouvez tout de même pas...

Le Mongol fit un geste de la main en dégainant son arme.

— Ne te mêle pas de ça. Ce n'est plus tes affaires.

Les deux hommes se dirigèrent vers l'escalier, plongeant leur main dans la poche de leur veste.

— Ne touchez pas au petit!

— Promis. On le laisse en dehors de ça.

Maria compta ses gestes. Elle entra en coup de vent dans la chambre de Michka. Le garçon ne posa pas de question. Elle le prit dans ses bras en lui demandant de se taire.

Comme la porte donnant sur le jardin d'Olga était restée entrouverte, elle passa par l'escalier extérieur.

En découvrant le visage de Maria au judas, Olga ouvrit aussitôt. La jeune femme se rua à l'intérieur. Olga comprit tout de suite que quelque chose n'allait pas. Maria ne lui laissa pas le temps de poser de question.

— Alex fait partie de la mafia. Ils veulent ma peau. J'ai vu quelque chose que je n'aurais pas dû voir. Fais quelque chose pour moi, prends la Lamborghini dans le garage et file le plus vite que tu peux, le plus loin que tu peux.

Olga prit aussitôt la mesure de l'événement.

— Passe-moi les clés.

— Je vais sortir par-derrière, attendre qu'ils te suivent et fuir de l'autre côté. Occupe-les une heure. Je pense que je peux rejoindre l'aéroport.

— L'aéroport? Et ensuite? Pour aller où?

— Là où des types comme Vassili Georgieff n'ont aucune influence. Quelque part à l'étranger. Ici, je suis morte.

Le Mongol crut d'abord que Maria était sous sa douche. Il perdit de précieuses secondes à s'approcher lentement du rideau et marqua un temps de stupeur en découvrant les nuages de vapeur qui s'élevaient de la cabine vide. Puis il fit le tour de la salle de bains avant d'inspecter la chambre. La voix de son comparse lui parvint.

— Le gosse n'est pas dans sa chambre!

Ils se rejoignirent sur le palier de l'étage.

— Qu'est-ce qui reste à nettoyer ? Une chambre d'amis, une salle de billard, deux toilettes, un salon d'agrément. On procède comme d'habitude.

C'est alors qu'ils entendirent le vrombissement d'un V12.

— Merde !

Ils coururent à la fenêtre, puis dévalèrent l'escalier.

— Alex ! Elle se taille avec le gamin ! Vite, en voiture, je rameute l'équipe !

Ignorante du danger, Olga était aux anges. Elle caressait une forme d'extase à l'idée de semer une bande de mafieux gonflés de testostérone à bord d'une des voitures de sport les plus rapides du monde.

La bagnole répondait du tac au tac. Un vrai bijou. Elle se dit qu'elle aurait plus de chance de faire durer le plaisir en s'engageant sur un terrain de jeux où elle multiplierait son avantage. Elle repéra la bretelle de l'autoroute A95 où elle pouvait les amuser pendant bien plus d'une heure tout en les éloignant de Maria. Sa mission était simple : tracer la route le plus longtemps possible. Ça lui allait tout à fait.

Les trois hommes quittèrent la maison. Le Mongol suivit Alex à bord de la Porsche. Le grand maigre monta dans sa Nissan, préférant filer chez Georgieff pour faire son compte rendu.

Dès que la maison fut vide, Maria entra chez elle et mit la main sur son passeport. Elle prit juste quelques affaires pour son fils. Ils sortirent par la porte de derrière et se rendirent à pied, par une petite ruelle, jusqu'à l'arrêt du bus 494.

Le car traversa les bourgades de Petrovo, puis le bois d'Istra avant d'aborder les faubourgs de la ville de Skhodnia, la localité la plus importante à proximité de l'aéroport Sheremetyevo. Le soleil brillait, Maria aurait presque pu se croire en vacances, quelque part avec son fils en train de rejoindre un parc d'attractions pour un après-midi de détente. Personne ne l'avait vue quitter son domicile. Elle serra son fils dans ses bras.

— Où on va, maman ?

— On part en voyage, mon chéri.

Michka mit son pouce dans sa bouche et serra sa peluche contre sa joue. Au bout d'un moment, il leva les yeux vers sa mère.

— Où ça, en voyage ? On s'en va un peu loin, très loin, ou pas trop loin ?

— Je ne sais pas, mon chéri.

Le petit retira son pouce de sa bouche.

— Moi, je voudrais bien aller à Paris, tu te souviens quand tu voulais aller à Paris, avant, pour habiter dans la tour Eiffel ?

Étudiante, Maria avait collaboré avec un professeur français, un monsieur d'un certain âge responsable d'une formation universitaire prestigieuse. Le souvenir qu'elle gardait de cet homme était celui d'un être simple et chaleureux. Elle avait gardé ses coordonnées dans son portable.

Félicia Carat entra dans la salle d'attente et se mit à feuilleter un magazine de mode. Vincent appuya ses coudes sur ses genoux, songeur. Il examina le ticket de passage qu'il avait pris à la borne automatique, puis se mit à tapoter du pied.

— Ne sois pas si nerveux, Vincent, lui dit-elle. Ce ne sera qu'un examen de routine.

On leur avait dit que c'était la procédure habituelle, dans le cadre d'un procès aux prud'hommes. L'employeur de Félicia, VKG-Thermicouple, voulait qu'un médecin l'examine pour établir si oui ou non elle avait été victime de surmenage.

— Ils savent très bien qu'ils t'ont poussée à bout, dit Vincent. Ils veulent simplement te décourager en faisant durer la procédure.

Félicia gardait le sourire.

— Eh bien, ils en seront pour leurs frais, dit-elle.

Oui, songea Vincent. Sauf que sa mère n'avait pas d'avocat, à la différence de Vernier représenté par le juriste de sa société. Félicia ne jouait pas dans la même catégorie qu'un gros industriel. En plus, ils étaient en terrain ennemi. La procédure voulait que l'examen médical soit pratiqué par la médecine du travail de l'entreprise où travaillait l'employé. Il fallait avoir confiance dans l'impartialité et le sens de la déontologie du médecin qui allait la recevoir!

Le docteur Ronzier était une petite femme rondouillette, serrée dans sa blouse blanche, avec une grosse frange qui tombait juste au-dessus de ses lunettes épaisses.

Elle dit à Vincent :

— Voulez-vous patienter à côté, jeune homme?

— C'est que...

— C'est juste un examen, je vous rends votre maman juste après.

Ne sachant que répondre, Vincent sortit et Félicia s'assit sur la banquette du médecin.

La femme s'adoucit immédiatement. Tout en enfilant son stéthoscope, elle déclara :

— J'ai lu votre dossier, madame. Trente ans d'entreprise. Ça a dû vous en faire, des heures. Respirez profondément.

La femme retira son stéthoscope.

— Vous êtes fatiguée, c'est le moins qu'on puisse dire.

Félicia hocha la tête. La femme passa cette fois un tensiomètre autour de son bras.

— La tension est un peu élevée, mais j'imagine qu'elle devait atteindre des sommets il y a deux semaines, lorsque vous faisiez treize heures d'affilée.

Voyant la mine surprise de Félicia, elle hocha la tête avec un sourire.

— Eh oui, madame. J'ai regardé les relevés de pointage. Arrivée à sept heures du matin, une pause de quarante-cinq minutes à midi, départ à vingt heures quarante-cinq. Et les jours suivants, ça n'a guère été mieux. Venez, on va faire des tests de fatigue oculaire.

Félicia se rhabilla et s'assit devant le bureau du docteur où trônait une sorte de microscope dont l'objectif double ressemblait à une paire de jumelles.

— Fixez la croix. Si elle dévie, c'est que votre centre de fixation n'est pas symétrique. C'est un signe de fatigue oculaire. Voyons cela... Fatigue résiduelle notable. Avez-vous retravaillé depuis l'arrêt de vos fonctions ?

Félicia secoua la tête. La femme nota quelque chose dans son dossier. Puis elle sortit des formulaires d'un tiroir.

— Nous allons faire quelques tests de fatigue cognitive.

Le docteur étala sur la table un dispositif où il fallait relier entre eux des objets ayant un rapport quelconque.

Félicia n'eut aucune hésitation au début mais au cinquième exercice son attention baissa et elle se trompa.

Le docteur marqua une pause, comme pour lui laisser le temps de se reprendre.

— Ce n'est pas grave, dit le médecin. Nous allons passer à autre chose.

Elle ouvrit un autre tiroir et en sortit des listes de mots.

— Essayez de mémoriser les termes de cette liste...

Félicia déchiffra les mots un à un, s'efforçant de les graver dans sa mémoire. *Bicyclette, ciseaux, otarie, amitié, cuisinière.* Cela ne devait pas être trop difficile. Le médecin fit glisser un autre questionnaire comportant des paires de nombres.

— Dites, le plus vite possible, quel nombre de chaque paire est plus grand que l'autre.

Félicia répondit sans difficulté.

— Très bien. Maintenant, pouvez-vous me citer de mémoire les mots de la première liste?

Félicia fouilla dans son souvenir.

— Otarie!

Le docteur continuait à l'observer attentivement. Félicia chercha s'il n'y avait pas un autre mot dont elle se serait souvenue. Étonnamment, cela ne revenait pas. C'était vraiment très étrange. Elle était persuadée d'avoir mémorisé une liste de cinq mots. Elle pouvait bien au moins s'en rappeler un deuxième! Elle n'aurait pas pu être assistante de direction si elle n'avait pas eu une excellente mémoire pendant toutes ces années.

Les secondes s'égrenaient. Félicia fouilla encore dans sa mémoire. Rien.

Quelques instants après la porte du bureau s'ouvrit et le docteur Ronzier tendit à Vincent une enveloppe.

— Faites pratiquer ces examens tout de suite et revenez me voir.

Dans le métro, Vincent examina alors l'enveloppe. C'était une ordonnance pour un examen d'IRM cérébrale, à faire dans un centre d'analyses du XVIIᵉ arrondissement de Paris. À la station de métro Wagram, ils longèrent l'avenue de Villiers jusqu'au numéro 114, un immeuble haussmannien très chic. Après un certain temps d'attente, Félicia fut appelée depuis une porte à double battant au bout d'un long couloir.

Félicia ressortit quelques instants plus tard, son manteau sous le bras.

— Ça a été ? demanda Vincent.

— Je suis restée allongée tout le temps, ce n'est pas bien difficile.

— Nous ne pouvons pas repartir tout de suite, ajouta Vincent. Il faut attendre que le neurologue rédige son rapport.

Le rapport fut glissé dans une grande enveloppe que Vincent dut rapporter immédiatement à la médecine du travail. À peine avait-il frappé à la porte du bureau du docteur Ronzier, que celle-ci le fit entrer aussitôt, décachetant déjà l'enveloppe.

— Asseyez-vous, dit-elle.

La femme avait commencé à regarder le cliché d'IRM à contre-jour, pour en observer les détails.

— Quel âge avez-vous, monsieur Carat ?

Vincent se sentit pris au dépourvu.

— Vingt-trois ans.

— Vous habitez chez... votre mère ?

Vincent l'observa avec méfiance.

— Pourquoi cette question ? Que se passe-t-il, docteur ?

Vincent sentit son cœur battre plus fort. Il aurait voulu dire quelque chose, mais ses mots ne sortaient pas de sa bouche.

— Votre mère présente des troubles de la mémoire. Ce sont ses fonctions exécutives qui sont touchées. Les tests que je lui ai fait passer ce matin ne sont pas bons. Sa mémorisation est très déficiente. Est-ce que votre maman présentait de tels signes, au cours des années précédentes ?

— Pas du tout. Elle a toujours eu une excellente mémoire.

— C'est donc d'apparition récente, murmura le docteur Ronzier... Ce qui expliquerait ces atrophies.

— Atrophies ?

Vincent se pencha par-dessus le bureau du docteur.

— Ces taches noires signalent une perte de volume cérébral dans certaines zones du cerveau de Félicia.

Elle prit un stylo et indiqua plusieurs points.

— L'hippocampe, le néocortex... Connaissez-vous un peu la structure du cerveau ?

— Oui, heu... je fais un master de neurosciences.

— Bien. Je ne vais pas vous apprendre que l'hippocampe est le principal centre de la mémoire. Pour être précise, c'est la porte d'entrée des souvenirs. Sa réduction dans certaines maladies neurodégénératives va de pair avec une réduction de la mémoire. Le rétrécissement du cortex entorhinal, qui lui est voisin, explique d'autres troubles de la parole, du repérage dans l'espace.

Vincent secoua la tête, complètement perdu.

— Oui, je vois. Et alors?

— Le rétrécissement des zones du cerveau est dû à une mort neuronale. On pense que certains agrégats de protéines toxiques, comme le peptide amyloïde, font mourir les neurones.

— Quoi! Mais... Où cela nous mène-t-il?

Elle secoua la tête en soupirant, preque exaspérée.

— Écoutez, vous connaissez cette maladie qui touche un million de personnes en France, généralement après soixante ans?

Des larmes jaillirent malgré lui au coin des yeux de Vincent.

— Mais ce n'est pas possible! De toute façon, Félicia n'a pas soixante ans!

— C'est une façon de parler. Pour des milliers de personnes, cela arrive avant.

Pas ça. Non, par pitié. D'ailleurs, ce n'était pas logique. Si les zones de la mémoire rétrécissaient dans le cerveau de sa mère depuis plusieurs années, comment se faisait-il qu'on ne l'ait pas vu plus tôt?

Le docteur Ronzier semblait lire dans l'esprit de Vincent.

— Souvent, le cerveau continue à bien fonctionner pendant des années, avant que les premiers symptômes de la maladie n'apparaissent. Les neurones meurent en silence et leurs voisins se donnent plus de mal pour compenser. Mais vient un moment où cela ne suffit plus. Alors surviennent les premières pertes de mémoire. C'est ce que j'ai cru constater avec votre mère lors du test de mémorisation de mots, tout à l'heure. C'est pourquoi j'ai demandé qu'une IRM soit pratiquée rapidement.

Elle prit un carnet à souches.

— Votre mère est encore quelqu'un d'intelligent et d'autonome. On va lui prescrire un traitement qui ralentira la progression de la maladie.

Ralentira. Vincent sentait son esprit se dédoubler. Horrifié, il se rendit compte qu'une partie de lui savait tout cela par cœur, pendant que le docteur Ronzier continuait, lente et méthodique.

— Les inhibiteurs de l'acétylcholinestérase fonctionnent assez bien lors des premières phases de la maladie d'Alzheimer. Ensuite, il sera toujours temps d'approfondir les examens. Je vais vous aider dans la mesure de mes possibilités. Il faut que vous commenciez à mettre en place des routines pour que votre mère puisse conserver le plus longtemps possible son autonomie. Je vous expliquerai tout ça. Les heures de réveil, l'organisation des repas, etc.

— Alors, soupira Vincent, c'est bien ce qu'on nous avait dit. Ce n'était pas du surmenage, cette histoire de rendez-vous manqués...

— Si. Que ce soit bien clair entre nous : votre mère a été surmenée. Elle a été soumise à des rythmes de travail qui ne pouvaient que nuire à ses performances. Et il faut qu'elle en soit persuadée pour défendre toutes ses chances au procès.

Vincent ouvrit des yeux ronds comme des soucoupes.

— Vous voulez dire que... ?

— Il est parfaitement inutile à ce stade de lui révéler ce diagnostic. En employée consciencieuse, elle hésiterait à se retourner contre son patron. Or elle a un besoin vital de ces indemnités. Il ne faut pas qu'elle ait le moindre doute.

Vincent, atterré, prit conscience de la vérité. En quelques minutes, il venait d'apprendre que sa mère était atteinte d'Alzheimer et qu'il allait devoir le lui cacher.

Serge Larcher écrasa sa cigarette devant l'immeuble du 47, rue Poliveau situé juste à côté du Jardin des Plantes. Il pianota sur le digicode, entra dans le hall, rajusta sa lourde sacoche sur son épaule et fit jouer la clé de sa boîte aux lettres. Il pesta contre l'éclairage, de nouveau hors service.

Lorsqu'il ouvrit la boîte aux lettres, une masse de prospectus, courriers administratifs, offres d'évaluation de biens immobiliers, plus quelques cartes postales d'étudiants étrangers dégringolèrent à ses pieds. Ses cheveux lui tombant sur le visage ne lui facilitaient pas la tâche.

Accroupi sur les dalles, sa sacoche posée à côté de lui, il s'affairait à ramasser les papiers éparpillés, quand il distingua une silhouette cachée dans la pénombre.

— Monsieur Larcher ? fit une voix.

Il se redressa, aux aguets. Il avait déjà entendu cette voix. Peu à peu, il commença à deviner les traits d'un visage.

— Ça alors... Maria... ?

Elle s'avança.

— Mon Dieu, Maria... Qu'est-ce qui vous amène ici ?

Quelle heureuse surprise de reconnaître cette si brillante élève qu'il avait rencontrée lors du forum de Lomonossov il y a plus de trois ans.

— Je vous présente mon fils Michka, dit-elle.

Le professeur Larcher sourit au petit bonhomme qui s'accrochait à la rampe.

— Incroyable. Mais ne restons pas là. Vous avez dû faire un long voyage et vous devez être très fatigués. Montons à mon appartement.

Il les fit installer dans son salon et servit des rafraîchisssements.

— Racontez-moi tout, dit le professeur. Comment va votre situation, là-bas ?

Elle eut une expression étrange, qu'il ne se rappelait pas lui avoir vue par le passé.

— Vous savez comment sont les choses en Russie. Beaucoup de talents, beaucoup de richesses, beaucoup de crimes.

Larcher déposa un plateau avec des tasses et ouvrit une bouteille de jus de fruits. Il s'assit finalement, le front soucieux.

— Vous êtes venue comme ça, à l'improviste ?

Maria écarta les bras.

— Je me suis acheté cette robe dans la boutique de l'aéroport Charles-de-Gaulle. Je n'ai rien d'autre. Mon passeport, mon téléphone et un peu d'argent.

Les yeux de Larcher se plissèrent. Il savait ce qui pouvait parfois arriver dans certains pays.

— Alors, j'imagine que si vous êtes venue sans un bagage, c'est que vous n'aviez pas le choix. Des ennuis ? Politiques ?

— Si on considère que la politique et le banditisme sont deux visages d'un même pouvoir.

Le vieil homme se leva et se mit à faire les cent pas près de la fenêtre du salon. Sa salle de séjour était jonchée de livres, il y en avait des piles sur la moquette et même sur la table où il était supposé manger.

— Je savais depuis plusieurs années déjà que ça allait se terminer comme ça ! dit-il. Déjà en 2003, quand j'étais venu pour le congrès, on sentait que le pouvoir était en train de passer dans les mains des grandes fortunes.

Il s'arrêta en plein milieu de sa déambulation.

— Mais vous n'avez pas chanté des chansons contre le régime ?

— Non... Non, ce n'est pas mon style.

— En Russie, marmonna-t-il, il y a deux gros problèmes. Le régime, et la mafia. Vous avez eu maille à partir avec eux ?

Maria le regarda sans ciller.

148

— Mon mari faisait partie de la mafia depuis des années. Voilà ce qui se passe.

Larcher dévisagea Michka, l'air interdit.

— Je n'ai rien vu venir. On dit que ça arrive, parfois. Vous voyez, on en apprend tous les jours, dans la vie.

Larcher secoua la tête en tous sens, comme étourdi.

— Ils ne me suivront pas ici, dit-elle. Tant que je ne rentre pas au pays, il ne m'arrivera rien.

Larcher fit quelques pas vers elle, resta planté au milieu de la pièce, puis écarta les bras.

— Je ne sais pas quoi te dire. Tu es chez toi, Maria. Désolé si je te tutoie... Je... vais vous préparer à manger.

Pendant que le professeur s'absentait, Maria entendit de loin des bruits de bouteilles qui s'entrechoquaient dans la cuisine, de placards qui claquaient. Serge Larcher n'était visiblement pas habitué à recevoir.

— J'ai toujours pensé que tu aurais dû persévérer en biologie moléculaire, dit-il depuis l'autre pièce. Tu avais de bonnes idées, je me souviens qu'en deuxième année de licence tu avais conçu des protocoles que certains de nos étudiants en thèse n'auraient pas imaginés. Enfin, tu as grandi.

— J'aurais préféré ne pas grandir pour voir ce que j'ai vu.

— Et le petit? Il sait...

— Dieu merci, dit-elle. Il n'a rien vu, rien entendu, il croit qu'on est en vacances.

— On va arranger ça. Il y a des solutions pour les étudiants étrangers. Je vais te trouver une chambre au CROUS pour étudiante et mère isolée, et te remplir des papiers pour un titre de séjour étudiant. Mais cela suppose que tu reprennes les cours...

Maria écarquilla les yeux.

— Vous voulez dire que vous m'accepteriez dans votre formation?

— C'est ce qu'il y a de mieux à faire, dit le professeur. Tu n'as pas de convention d'échange avec ta fac, je dois donc te couvrir et monter le dossier en franc-tireur. Je l'ai déjà fait pour un Sri-Lankais, il y a quelques années. Il faudra donc que tu sois inscrite dans mon master.

Maria ne savait pas quoi dire.

— Je travaillerai jour et nuit, monsieur Larcher, je vous promets...

— Tu n'as aucune obligation, Maria. Tu vas faire ce que tu pourras pour prendre le train en marche. L'année scolaire est déjà bien entamée. Mais entre nous, que tu aies de bonnes ou de mauvaises notes aux examens, je ne crois pas que ce soit le principal souci.

— Je vous garantis que je me montrerai à la hauteur, dit-elle avec fermeté.

— Je suis désolé, Maria. C'est petit, chez moi. Mais on va libérer de la place ici. Le canapé se déplie. Pour Michka, quelques coussins suffiront peut-être?

— Ce sera parfait. Je ne serai pas une charge. Je ferai les courses, la vaisselle, le ménage.

— Surtout pas... Je m'en occupe. En fait, les premiers jours il nous faudra être discrets. J'ai déjà hébergé des étudiants en difficulté, mais je me suis arrangé pour que cela ne se sache pas au sein du master. Cela m'aurait valu des ennuis.

Maria le gratifia d'un regard immensément respectueux.

— Vous êtes un homme bon, dit-elle. J'ai eu de la chance de vous avoir rencontré.

— Allez, allez, dit-il en balayant l'air de sa grosse main. Tu vas me faire rougir.

Maria regarda autour d'elle. Elle n'avait même pas une brosse à dents. Pas d'habits de rechange. Rien que des paquets de roubles dans un petit sac à main, raflés dans une armoire de sa maison à Rublovka. Mais elle était en vie. Avec son fils. Pour la première fois depuis vingt-quatre heures, elle se sentait en sécurité.

Maria dénicha un tailleur bon marché dans une boutique du boulevard Saint-Marcel et troqua ses tennis contre une paire de bottines en daim gris à talon mi-haut qui remontaient juste au-dessus de la cheville. Qu'elle le veuille ou non, elle avait l'apparence de ces mannequins d'agence négligemment apprêtés.

Un jour, elle revaudrait à Serge Larcher tout ce qu'il avait fait pour elle. Le professeur s'était fait envoyer par mail son dossier électronique par l'université Lomonossov pour disposer de son équivalence de diplôme. Ce n'était pas suffisant pour l'inscrire en toute légalité en master, mais le professeur avait simplement inscrit la mention «en attente» nécessaire pour faire le lien entre licence et master. Il n'était pas homme à s'encombrer de détails administratifs quand la sécurité d'un de ses étudiants était en jeu.

Dans la foulée, il avait fait une demande d'aide financière exceptionnelle au bureau des bourses de Paris-VI et réuni l'essentiel des polycopiés pour Maria. Enfin, il avait sorti sa botte secrète qui avait ému Maria jusqu'aux larmes : trois fois par semaine, la sœur de Larcher, habitant Le Plessis-Robinson, viendrait à l'appartement rue Poliveau pour garder Michka.

Vint le jour où elle se présenta pour la première fois dans le petit amphithéâtre de l'École normale un mardi matin, un bloc-notes sous le bras et quelques crayons dans son sac. Les élèves attendaient comme d'habitude devant les portes de la salle, non loin du distributeur de boissons. Le cours allait bientôt commencer.

— Hé! ho! Vise-moi la meuf, dit Ethan Gubler à Antony Lepalot en voyant passer Maria.

Comme à son habitude, Lepalot, un peu ahuri, rajusta compulsivement la bandoulière de son sac. Il tourna la tête et son front se dérida.

— Hein... Non mais j'hallucine ou quoi?

La jeune femme s'assit à l'écart, au premier rang à droite, dans une rangée de sièges vides. Peu de temps après, Serge Larcher fit son entrée sur l'estrade. Lorsqu'il lui fit signe, elle le rejoignit.

Il y eut un flottement dans la salle. Qui était cette fille? C'était sûrement une actrice. Angelina quelque chose ou Scarlett machin-truc. Une Américaine, une Suédoise, peu importe. On allait tourner un film dans l'université, ça allait mettre de l'ambiance.

Larcher corrigea bien vite leurs conjectures.

— Maria, que je vous présente, va rejoindre notre cours à partir de demain, dit-il. Elle vient de l'université de Moscou-Lomonossov. C'est une spécialiste en neurobiologie cellulaire, et plus particulièrement d'un type de cellules cérébrales que certains parmi vous connaissent bien, et qu'on appelle les astrocytes. Elle n'a pas exactement reçu la même formation que vous, mais cela peut être une source d'enrichissement pour tous. J'espère que vous lui réserverez un bon accueil.

La stupeur fut à son comble. Ce n'était pas une actrice, mais une étudiante. La perspective de lui adresser la parole, de l'inviter à boire des coups, de réviser ensemble ou d'organiser des fêtes de fin d'année devint d'un seul coup concrète. Lepalot se figea dans une pose extatique, un sourire niais sur les lèvres. Le faciès d'Ethan Gubler rappelait celui d'un chimpanzé libidineux. Corsa observa ses camarades : de toute évidence, cette fille les rendait dingues.

Lorsque Maria descendit de l'estrade pour rejoindre sa place, les têtes pivotèrent sur son passage.

— Venons-en aux choses sérieuses, dit Serge Larcher. Nous allons continuer aujourd'hui les évaluations de projets de stage. Je serai accompagné dans cette tâche par les docteurs Lemazière et Kurziel.

Deux chargés de cours firent leur apparition. Le premier, Lemazière, offrait un portrait presque caricatural du chargé de recherches au CNRS : veste polaire noire Quechua, barbe de trois jours et petites lunettes cerclées de fer. Il portait un jean et des Dr Martens, il lisait *Nature* au petit déjeuner et écoutait de la musique électro berlinoise. Son collègue Kurziel était un peu plus âgé, affecté d'un surpoids probablement dû à un dysfonctionnement endocrinien, cela lui donnait une voix de fausset. Les élèves avaient du mal à le prendre au sérieux quand il donnait son cours sur les facteurs de croissance cérébraux.

Larcher consulta son ordre de passage.

— C'est au tour de Vincent Carat, dit-il.

Vincent se leva, le cœur battant. Il chercha les feuilles volantes de son discours, fouilla désespérément dans son sac à la recherche de la clé USB contenant ses données. Lorsqu'il l'eut trouvée, il l'inséra dans le PC relié au rétroprojecteur.

— Hum... Bien. Je vais vous présenter mon projet intitulé «Identification d'une signature de l'activité neuronale en imagerie de diffusion à hauts champs», dit-il pendant que la première image s'affichait.

Xavier Le Cret lui avait imposé ce sujet au dernier moment, c'était une condition pour qu'il poursuive ses recherches à Neuroland. Mais du coup, Vincent n'avait pas eu beaucoup de temps pour préparer son exposé.

Il pressa un bouton et une deuxième image se projeta, montrant des molécules d'eau à l'intérieur d'un neurone.

— Le comportement des molécules d'eau est la base de l'imagerie de diffusion inventée par Xavier Le Cret, dit-il. Pour comprendre comment cela fonctionne, imaginez un instant de voir à travers le sol les galeries du métro. Vous observeriez une multitude de points se déplaçant en tous sens : les voyageurs dans les couloirs. En mesurant leur vitesse, vous sauriez quelles directions principales prennent les flux de voyageurs. Ce qui vous permettrait de retracer la forme des galeries souterraines.

Au fond de la salle, Maria avait redoublé d'attention.

— C'est ce que fait l'imagerie de diffusion, dit Vincent. Cette technique mesure la vitesse de déplacement (la diffusion) des molécules d'eau dans les neurones et en déduit la structure des grands axes de communication du cerveau, les axones, le câblage interne de notre cerveau.

Vincent se demanda si son explication était parlante. Il fallait poursuivre.

— Selon moi, il existe deux sortes de molécules d'eau dans les neurones, dit-il. Les unes se déplacent librement au milieu des neurones, elles vont vite car elles rencontrent peu d'obstacles. Les autres, plus proches des bords, sont retenues par la structure des membranes et les forces électrostatiques qui s'en dégagent. Ces molécules d'eau diffusent alors plus lentement.

Il se mit à illustrer son propos avec ses mains.

— Lorsque vous vous déplacez dans les couloirs du métro, peut-être avez-vous remarqué que c'est au centre que l'on avance le plus vite. Les marcheurs qui longent les murs ralentissent souvent à cause d'un angle, d'un étal d'épicier, d'un musicien ambulant, etc. Plus on se rapproche du centre, plus on avance vite. Plus on « diffuse » vite.

Maria trouva l'idée lumineuse. Elle griffonna hâtivement quelques notes sur son calepin.

— Il y a donc deux types de molécules d'eau dans le cerveau, conclut Vincent : une eau rapide et une eau lente. Or, d'après les travaux de Xavier Le Cret, la répartition de l'une et de l'autre change lorsqu'un neurone entre en activité. Ce changement est détectable en IRM, ce qui permettrait de visualiser avec une précision inédite quels neurones s'activent lorsque nous pensons. C'est de cela qu'il sera question au cours de mon stage. Je vous remercie de votre attention.

Vincent interrompit la projection. Lemazière, l'homme à la veste polaire et aux petites lunettes rondes, toussa dans son poing.

— Merci, dit-il. Une question : vous n'avez pas précisé la forme de l'équation de diffusion que vous comptez utiliser.

Vincent eut une moue embarrassée. Évidemment, il n'avait pas peaufiné les détails.

— Eh bien, bredouilla-t-il, cela pourrait être une équation de..., une..., je... heu... ou encore une...

Sans lui laisser le temps de répliquer, l'autre examinateur, Kurziel enchaîna de sa voix haut perchée.

— Xavier Le Cret est-il au courant de ces théories ? Je veux dire, c'est bien joli de postuler deux composantes de diffusion, mais cela repose sur quoi ?

— Eh bien, sur les données de biophysique des membranes, dit Vincent. Et puis aussi, sur les travaux de M. Le Cret lui-même. Ses courbes de diffusion sont biphasiques, nous en avons longuement parlé ensemble et il le confirme.

Un troisième enseignant, assis près des fenêtres, semblait plus âgé et portait une cravate ainsi qu'un costume très soigné. Il fut encore plus agressif que les deux premiers.

— Qu'est-ce que c'est que ce protocole ? Les étapes de votre projet ne sont pas du tout définies. Vous parlez de quantifier un rapport de diffusion, mais comment allez-vous faire, concrète·ment ?

Vincent sentit que cela allait tourner à la catastrophe. Heureusement, Serge Larcher vola à son secours.

— Je vous remercie, Carat, dit-il. Nous allons passer au candidat suivant.

Vincent prit ses affaires et regagna sa place. Franck Corsa, assis au premier rang, souriait avec mépris. Pour lui, cette présentation relevait d'un ridicule numéro de cirque.

Thomas Langlois attendait Vincent à la sortie, les cheveux en bataille, pour le réconforter. Ils s'apprêtaient à franchir les portes de la salle quand une voix les interpella.

— Heu... pardon, excusez-moi, vous savez comment ceci fonctionne ?

Vincent se retourna et vit la jeune Russe qui essayait d'obtenir une boisson dans le distributeur à café.

— Ah oui, ça ne marche jamais ce truc, dit Vincent.

Habitué à la machine, il prit la pièce des mains de Maria et l'inséra correctement.

— Et voilà ! dit-il.

— Oh ! Merci. À propos, votre conférence était très bien. J'ai étudié en biochimie des membranes à Moscou. Je ne savais pas cela.

— Ah... Merci. Vous êtes la seule à me dire ça. Enfin, on verra ce que ça va donner.

— Je vous souhaite bonne chance. C'est un projet original.

Elle ouvrit spontanément son sac.

— Vous voulez un café ? dit-elle.

Elle sortit une pièce d'un petit porte-monnaie rouge. Vincent jeta un coup d'œil à Thomas, qui s'éloignait déjà sur la pointe des pieds.

— Je vais en fumer une, dit-il. Tu me rejoins?

Maria avait déjà introduit la pièce dans le mécanisme.

— Je viens de Moscou. J'ai eu un voyage terrible. Je... excusez-moi, ce n'est pas facile, mais je suis tellement nouvelle ici. Vous êtes de Paris?

— Courbevoie, dit Vincent. Nord-ouest de Paris. C'est un coin pas très joyeux, mais bon, on fait comme on peut.

Elle sourit.

— On fait comme on peut. Vous l'avez dit. Moi-même je ne sais pas ce que je fais ici... Je suis partie de Russie en catastrophe et je ne connais personne.

Vincent demanda :

— C'est la galère, hein?

Maria hocha la tête.

— Ça va aller. Le temps de se remettre aux études. Vraiment votre exposé était très bien.

— Vous êtes gentille mais vous avez vu comme ils m'ont descendu? Mon projet était bancal, tout juste bricolé sur un coin de table. Et ils ne m'ont pas raté, ça non.

Il termina son gobelet puis lui tendit la main.

— Merci pour le café. Je m'appelle Vincent Carat.

— Moi, c'est Maria. On dirait que le cours va reprendre, n'est-ce pas?

— Je vous rejoins tout de suite.

Vincent traversa le hall et trouva Thomas en train de griller une cigarette sur le trottoir.

— Alors, c'est qui, cette nana?

— Je n'en sais pas plus que toi. Elle vient de Moscou.

— Arrête. Vous avez pris un café tous les deux, là. Comment tu as fait, dis, pourquoi elle t'a proposé un café à toi?

— Je n'en sais rien. Désolé.

Langlois s'approcha, soucieux.

— Hé, ho! Tu me caches quelque chose, toi.

— Passe-moi une cigarette, tu veux?

Vincent tira une bouffée. Il regarda longtemps la ligne des toits devant lui, avant de lâcher :

— Tu sais, je n'ai pas trop l'esprit à ça. Je viens d'apprendre que ma mère a la maladie d'Alzheimer, Tom.

Le visage de Thomas se décomposa.

— Mon pauvre vieux, je ne savais pas, je...

— Elle est au début du processus. Personne ne sait comment ça va évoluer.

— Je suis vraiment désolé. Vraiment...

— Viens, on rentre.

Lorsqu'ils se retournèrent pour ouvrir la porte, ils butèrent littéralement sur Franck Corsa.

Vincent sentit une pointe d'appréhension en rentrant dans la salle. Le nom de Corsa arrivait juste après le sien dans la liste alphabétique. Le contraste aller jouer en sa défaveur, Corsa avait sûrement préparé son topo comme un pro.

Franck, assis à sa place, avait déployé ses notes en éventail devant lui. Pas un muscle de son visage ne remuait. Son regard semblait suspendu à un point invisible du tableau noir situé deux mètres devant lui.

À l'annonce de son nom, il se leva et un détail frappa tout le monde . il avait mis une cravate. Corsa se planta sur l'estrade et actionna immédiatement le diaporama. Le projet s'intitulait : « Contribution à la connectivité anatomique au sein du cortex préfrontal chez le rat. »

Il expliqua que l'objectif du projet était de visualiser les connexions neuronales dans une partie du cerveau qu'on appelait le cortex préfrontal. Sa démonstration démarra sur les chapeaux de roue.

— Le cortex préfrontal est une zone du cerveau absolument cruciale. Elle permet de gérer les émotions, d'intégrer des normes sociales, de prendre des décisions complexes, de planifier des tâches, d'élaborer des stratégies.

La diapositive montrait une coupe de cerveau humain où chaque partie du cortex préfrontal était reliée à une fonction précise.

— Le but est ici de déterminer la topologie des connexions horizontales entre le cortex préfrontal ventromédian et le cortex préfrontal dorsolatéral.

Le langage devenait ardu, spécialisé à l'extrême. Les examinateurs avaient l'air d'adorer ça. Il y avait des références bibliographiques partout.

Vincent apprécia la maîtrise du major de la promo. Voilà comment il fallait procéder. Tout détailler, avec clarté et sans la moindre faille. La suite était du même acabit. Franck exposa sa feuille de route, semaine après semaine. Préparation des animaux, contrôle des lignées génétiques, standardisation des conditions d'élevage. Réservation des créneaux horaires pour l'IRM. La liste de tous les matériels requis, nom des modèles, coût des personnels d'ingénieurs, jusqu'au nombre de bons de commande à signer. Un maniaque du détail. Mais du boulot d'orfèvre.

À la fin, Corsa donnait même le plan prérempli de son mémoire. Il avait déjà rédigé l'introduction. Le reste était décomposé à l'alinéa près. Il ne restait qu'à remplir les blancs.

Ce projet ne laissait rien au hasard.

Pour montrer qu'il maîtrisait les théories de traitement du signal sur le bout des doigts, il tourna rapidement quelques pages d'équations. Des calculs de physique quantique à n'en plus finir. Ce gars était un mutant.

Il conclut :

— Évidemment, le projet devra être mis en œuvre au sein d'une structure disposant d'un scanner à très haut champ pour le rongeur, avec des intensités de 17 Teslas.

Il éteignit le rétroprojecteur avec un sourire. Tout le monde avait compris le sous-entendu. Cela devrait se passer à Neuroland.

Serge Larcher croisa les bras et interrogea ses collègues du regard.

— Des questions, messieurs ?

— Aucune de mon côté, dit Lemazière.

Le second examinateur fit saillir sa lèvre inférieure en faisant signe que non de la tête. Le troisième glissa :

— Ma foi, on dirait que votre projet n'a pas de faille.

Franck rétorqua :

— S'il en avait une, je pense que je l'aurais comblée avant de me présenter devant vous.

Pas d'autre question. Corsa descendit de l'estrade, les élèves du premier rang s'écartant respectueusement. Larcher déclara le cours terminé et les gens commencèrent à quitter la salle.

En sortant, Corsa vit passer la jeune Russe qui venait d'arriver dans le cours.

— Hep, toi!

Maria tourna la tête, surprise.

— Comment t'appelles-tu, déjà? Maria, c'est bien ça?

Elle observa le cercle des étudiants qui entouraient Corsa. Ils semblaient lui obéir au doigt et à l'œil.

— Toi qui viens de Russie, qu'est-ce que tu as pensé du projet? demanda Corsa.

— Je ne sais pas, dit-elle. Ce n'est pas ma spécialité.

— C'est quoi, ta spécialité?

— La physiologie des astrocytes.

— Je ne connais pas trop les astrocytes, dit Franck. Tu pourras peut-être m'en apprendre sur ce sujet.

Comme les autres étouffaient des rires goguenards, il leur imposa le silence.

— Suffit. Allez donc voir dehors quel temps il fait.

Tel un essaim d'oiseaux, les étudiants s'égaillèrent. Corsa s'avança vers Maria.

— Les astrocytes, ça a le vent en poupe actuellement, n'est-ce pas?

Il tendit le bras vers l'extérieur pour inviter la jeune femme à se diriger vers les portes de l'établissement. Elle sentit quelque chose d'autoritaire dans ce geste.

— Tu n'as rien d'urgent de prévu, j'espère, dit-il.

Maria l'observa avec circonspection. Ce garçon aimait à l'évidence contrôler les situations. De point de vue-là, Alexeï, son mari, était plusieurs crans au-dessus. Mais Corsa semblait plus froid, plus insaisissable. Ils arrivèrent à la terrasse du café qui faisait l'angle, le Joliot-Curie, et Corsa tira une chaise, ouvrant un pan de sa veste. Tout en s'asseyant, il dit simplement :

— Qu'est-ce que tu prends?

Maria jugea inutile de le froisser. La première fois, elle ne dirait rien. Dix minutes. Pas plus.

— Cognac, répondit-elle.

D'habitude, ce genre de commande suscitait l'étonnement. Mais Corsa ne broncha pas. Il embraya aussitôt.

— Tu as lu l'article de Lewis Han sur le rôle des astrocytes dans la plasticité synaptique ?

Voilà qu'il lui parlait vraiment de biologie cellulaire. Allons bon. Maria n'avait plus ouvert une revue scientifique depuis deux ans.

— Évidemment, que tu l'as lu, poursuivit-il sans lui laisser le temps de répondre, puisque tu es spécialiste des astrocytes. Du beau travail, n'est-ce pas ?

Maria prit son verre de cognac et le porta à son nez. Elle savait les gestes et les poses qui la dispensaient de répondre aux questions des hommes. Corsa ne faisait pas exception.

— Et cet article dans *Neuroscience* sur le rôle des astrocytes médullaires dans les douleurs provoquées par le cancer des os ? Bien construit, aussi. Surtout la partie «Matériels et Méthodes».

— Je vois que tu es aussi du domaine..., hasarda-t-elle.

Franck avala une gorgée de son martini.

— Pas du tout. Mon champ d'intérêt va plutôt vers le traitement du signal, la supraconductivité, les séquences spin-echo, ce genre de choses. Je suis physicien de formation, mais quand on maîtrise les sciences dures, on peut facilement aller vers le «mou» comme la biologie. Alors que les biologistes ne peuvent jamais correctement apprendre la physique. Les astrocytes, je n'en sais pas grand-chose. Mais quand même, intéressante cette étude de 2002 sur la contribution des astrocytes à l'irrigation sanguine des neurones. Le papier de Dan Winston, tu te souviens. J'apprécie particulièrement la discussion sur les artefacts que ça entraîne pour l'imagerie d'IRM fonctionnelle BOLD. Tu vois de quoi je veux parler ?

Bon Dieu, mais à quoi jouait ce type ? Il sait tout, ou quoi ?

— Alors comme ça tu viens de Moscou. Quels sont tes projets, je veux dire, par rapport à ce master ?

Maria jeta un coup d'œil rapide autour d'elle et repéra les trois tables où des étudiants se tordaient le cou pour la dévisager.

Apparemment, Corsa en avait parfaitement conscience et cela flattait son ego.

— J'aimerais intégrer une agence publique d'évaluation scientifique, dit-elle. L'Agence nationale pour la recherche, l'ANR. Les places sont chères, mais je crois que le master de Serge Larcher est bien coté.

Franck dodelina de la tête, l'air condescendant.

— Honnêtement, on s'y emmerde. Larcher est un administrateur correct, mais il choisit ses enseignants à la légère. Tu vois celui avec une polaire noire et une barbe de trois jours, il n'est même pas chercheur statutaire. Quand tu vois sa liste de publis sur le site Pubmed, il y a tout au plus un article dans *Cerebral Cortex*, mais c'est une revue de seconde zone, avec un facteur d'impact de 2 ou 3. Pas de quoi pavoiser.

Maria rajusta sa chaise.

— En tout cas, l'ANR, continua Franck, c'est un bon plan pour qui ne veut pas faire de recherche. Moi, je vais aller bosser chez Neuroland. Tu vois ce que c'est?

Elle secoua la tête négativement.

— Le grand centre d'imagerie cérébrale du sud parisien. Ils possèdent les électroaimants les plus puissants du monde. C'est La Mecque des imageurs. Le top. Tous les chercheurs se bousculent pour y aller.

— Et tu vas y aller? Je veux dire, comment peux-tu en être si sûr?

Franck porta son verre à ses lèvres et plissa les yeux.

— Si tu as un moment, jette un coup d'œil sur les classements à l'entrée de l'École.

Maria eut un hoquet et se retint de rire. Ce type était d'une arrogance!

— Bon, écoute, dit-elle, c'était sympa mais je dois y aller. On se revoit demain.

Elle donna un léger coup de talon qui fit reculer sa chaise et le planta là.

Franck Corsa se présenta à la sous-direction antiterroriste à neuf heures précises. Il tendit sa pièce d'identité au gardien et observa les alentours. Le bâtiment regroupait les locaux de la sous-direction et de la DCRI, la direction du renseignement intérieur. Des fonctionnaires en costume deux pièces et des hommes en uniforme se dirigeaient vers les ascenseurs, d'autres discutaient autour de tables installées entre des bacs de plantes vertes.

Le bureau du capitaine Melvin était situé au troisième étage. Franck se mêla aux policiers et attendit que les portes se referment. Au troisième étage, une secrétaire lui indiqua que le capitaine Melvin se trouvait actuellement au stand de tir, et lui remit un badge de visiteur pour se présenter au contrôle de l'armurerie.

Sillonnant un dédale de couloirs, il déboucha sur une coursive qui menait au club. Depuis des banquettes, on pouvait observer les tireurs derrière de grands panneaux de plexiglas. Franck aperçut plusieurs silhouettes qui pointaient des armes de poing sur des cibles situées à une dizaine de mètres, éclairées par des puits de lumière. À chaque détonation, une cible oscillait.

Le maître d'armes fit entrer Franck sur le pas de tir et lui remit un casque antibruit. Lorsque la fin du feu fut annoncée, les tireurs posèrent leurs calibres sur les tablettes et un homme à la carrure impressionnante tendit la main à Franck. Celui-ci reconnut l'individu qui l'avait abordé dans les toilettes du Sénat.

— Merci d'être venu, dit Melvin avec un sourire chaleureux. Vous avez trouvé sans problème ?

— Pas de problème, dit Franck en subissant la poigne puissante de l'homme.

— Ça vous tente d'essayer le tir au pistolet ? Peut-être un autre jour, vous verrez. C'est excellent pour les nerfs. Harald, je réintègre l'arme et je suis là tout de suite.

Melvin courut jusqu'au bout du pas de tir pour rendre son pistolet à l'armurerie. Le maître d'armes, resté à côté de Franck, leva les yeux vers le tableau de score.

— Alors c'est vous la perle rare ? dit-il. Jacques m'a parlé de vous.

— Ah bon ? Que vous a-t-il dit exactement ?

— Qu'il avait fait la connaissance d'un spécialiste du cerveau qui allait nous aider. En tout cas, on a retrouvé le vrai Jacques Melvin. Vingt sur vingt au tir à quinze mètres. Une métamorphose. Son traumatisme semble derrière lui maintenant.

Franck décida de bluffer.

— C'est vrai que ça n'a pas été facile pour lui, dit-il.

— Ce fichu interrogatoire, soupira Chris Sorensen. Jacques ne se l'est toujours pas pardonné. Si vous arrivez à lui remonter le moral de ce côté-là, vous aurez rendu un fier service à toute la section antiterroriste.

— Je crois qu'il est en bonne voie, dit Franck.

— Montons dans mon bureau, proposa Melvin tout juste revenu de l'armurerie. Je vous expliquerai tout.

Les deux hommes traversèrent le couloir de la sous-direction antiterroriste et Jacques fit pénétrer Franck dans une pièce spartiate dotée d'un portemanteau en PVC noir, d'un bureau en formica à gros tiroirs métalliques, de l'indispensable terminal informatique et d'une connexion téléphonique sécurisée.

— Nous sommes juste à côté de l'UCLAT, dit-il. L'Unité de coordination de lutte antiterroriste. Ce sont eux qui gèrent le centre d'écoutes téléphoniques. De vrais mouchards. Je suis sûr qu'ils savent à peu près tout ce que je raconte à ma femme en rentrant et ce que je vais manger au repas de ce soir. Ils peuvent épier n'importe qui sur le territoire. Mais ils ont assez à faire avec ces cinglés de terroristes qui se baladent un peu partout pour faire du mouchardage interne.

Le capitaine s'installa à son bureau.

— Vous avez un parcours brillant, Franck, dit-il. Nous, on a besoin d'un esprit synthétique avec des contacts dans le monde de la recherche. Nous sommes en train de développer un projet qui pourrait vous intéresser.

Franck rectifia légèrement la position de ses jambes et fit passer la gauche sur son genou droit.

— Je vous écoute, dit-il simplement.

Melvin poursuivit.

— D'accord. D'abord je dois vous informer que notre entretien sera enregistré et que la nature du projet que je vais vous exposer est classée secret-défense. Pas d'objection?

Franck plissa les yeux. Ça commençait à l'intéresser.

— Allez-y, faites.

— Voici de quoi il s'agit. Le ministre de l'Intérieur a décidé de la création d'une cellule prospective pour améliorer l'efficacité et l'innocuité des méthodes d'interrogatoire. Il a été décidé de mettre l'accent sur les sciences du cerveau. Le ministère souhaite se doter de techniques non invasives, ne laissant aucune trace, n'occasionnant aucune douleur, ne violant pas le code de la garde à vue ni les conventions internationales des droits du détenu, et permettant d'extraire des informations du cerveau de certains sujets représentant une menace pour l'ordre public. C'est bien les termes que je vous ai entendu employer lors de cette soirée au Sénat, «extraire les informations directement du cerveau». Confirmez-vous l'emploi de ces termes?

— Je le confirme.

Melvin nota quelque chose sur son bloc. Il avait l'air satisfait.

— Monsieur Corsa, voici donc ma proposition : voudriez-vous apporter votre concours à un tel projet?

Franck regarda le bout de ses ongles, affecta une pose distraite, puis releva les yeux vers son interlocuteur.

— Vous dites qu'il s'agit d'améliorer les méthodes d'interrogatoire?

— C'est cela, oui. En utilisant ce qu'on sait sur le cerveau.

Franck se rappela ce qu'il avait entendu tout à l'heure. Le capitaine Melvin avait raté un interrogatoire très important pour sa carrière et il en avait été quasiment traumatisé. Et maintenant, quelle coïncidence, il développait un projet sur de nouvelles méthodes d'interrogatoire? Cela ressemblait furieusement à quelqu'un qui cherchait à se rattraper.

Il répondit :

— Je crois effectivement qu'un interrogatoire raté peut avoir des conséquences très graves.

Il observa la réaction du policier qui baissait les yeux. Il avait touché quelque chose. On allait tout de suite être fixé.

— Rater un interrogatoire, dit Franck, c'est se faire le complice du criminel, ajouta-t-il.

Cette fois, Melvin pâlit. Pas de doute, ce gaillard avait un gros problème de conscience. Les choses se mirent en place dans l'esprit de Franck. Après tout, Melvin travaillait à la sous-direction antiterroriste et son traumatisme coïncidait avec le moment où un terroriste avait fait sauter des bombes dans le métro. Il n'aurait pas été étonnant que Melvin ait été chargé de l'interroger, et qu'il ait tout foiré. Encore une fois, on allait voir ça immédiatement.

— Je me souviens que lors de l'affaire des attentats de Châtelet, le cerveau de l'affaire était entre les mains de la police mais qu'on n'a pas jugé utile de le faire parler.

Sous les yeux de Franck, la silhouette du capitaine Melvin s'affaissa brusquement. Cette fois, Corsa sut qu'il avait mis dans le mille. Ce flic avait été impliqué dans l'interrogatoire du suspect arrêté dans le cadre des attentats.

— Il y a forcément eu quelqu'un qui a été chargé de faire parler ce terroriste, continua Franck qui ne lâchait plus sa proie. Et parce qu'il n'a pas su le faire parler, il me semble bien que des enfants sont morts. Leurs petits visages écrasés sur les murs du métro. Ce type, je ne sais pas où il est, ni ce qu'il fait, mais il doit avoir envie de se tirer une balle dans la tête.

Il vit Melvin s'efforçant de retrouver son souffle. Il marqua une dernière pause avant d'ajouter :

— Savez-vous ce que je pense de vous, capitaine Melvin?

Melvin était totalement à sa merci. En quelques instants, les capacités de résistance de cet homme avaient été annihilées. C'était fascinant. Le policier semblait maintenant attendre le coup de grâce. Franck tenait cet homme dans sa main, et c'était un sentiment exquis. C'était le moment de le gagner à sa cause.

— Je pense que vous êtes admirable de vous atteler à un tel projet pour faire en sorte que ce genre d'abomination ne se reproduise plus jamais, dit Franck.

Le policier poussa un profond soupir. Franck venait de l'innocenter et l'autre, malgré lui, lui en était reconnaissant.

Melvin saisit son stylo et s'efforça de prendre des notes pendant que Franck lui expliquait dans les grandes lignes ce qu'on savait sur les techniques d'imagerie cérébrale. Selon lui, l'état actuel de la science devrait bientôt permettre d'extraire des informations du cerveau d'un suspect. Visualiser l'activité du cerveau d'un terroriste ou d'un criminel au cours de sa garde à vue n'était probablement plus un objectif très éloigné. Et lorsqu'on savait observer l'activité du cerveau avec une précision suffisante, on pouvait en déduire quelles pensées il produisait.

Évidemment, Melvin était complètement dépassé par les concepts scientifiques sous-jacents. Cet individu faisait à Franck l'effet d'un tas de muscles totalement dépourvu d'intellect et obsédé par des remords ridicules. À chaque explication que Franck lui fournissait, Melvin hochait la tête avec enthousiasme. Parfois, il lui demandait de ralentir pour qu'il puisse tout noter.

Au bout d'un moment, le capitaine referma son bloc et déclara :

— C'est parfait. Je vais essayer de bien mettre en forme ce que vous m'avez dit. De votre côté, pensez-vous pouvoir étayer chacune de ces affirmations, preuves à la main, devant le ministre ?

— Cela va de soi.

— Il faudrait fournir les références des travaux scientifiques que vous venez d'évoquer...

— Monsieur Melvin. C'est mon métier. Je n'avance rien que je ne puisse prouver. Je suis un scientifique, ne l'oubliez pas.

De nouveau, Franck vit ce mélange d'admiration et de soumission dans le regard du flic.

— Donc, notre prochain rendez-vous, c'est au ministère ?

Melvin rassembla les feuilles de son dossier.

— Je l'espère. Je vous contacterai rapidement pour que nous puissions passer à l'étape suivante de la réalisation du projet.

Franck secoua la grosse main du colosse.

En retrouvant l'après-midi ses camarades de promo, il ressentit pour eux de la pitié. Ces adolescents boutonneux n'avaient aucun avenir. Alors que lui, Franck Corsa, se hisserait vers les plus hautes sphères du pouvoir. Il aperçut, légèrement sur la droite, le dos de la jeune Russe qui venait d'arriver au cours, Maria.

— Maria. Viens voir par là, j'aimerais te parler... Allez, je ne vais pas te manger.

Maria était cette fois en compagnie de Vincent Carat.

— Je te revois plus tard, dit-elle. C'est vraiment super sympa de ta part. À mercredi, alors.

Corsa poussa la porte vitrée donnant sur la rue. Il marchait à grandes enjambées.

— Qu'est-ce que tu fiches avec ce ringard ? lança-t-il. Il n'ira pas loin, tu sais.

Maria était tellement décontenancée qu'elle ne sut quoi répondre.

— Je tenais à m'excuser pour l'autre jour, lui dit Franck contre toute attente. J'ai été peut-être un peu trop direct.

Elle fit l'étonnée.

— Bon, dit-elle, d'accord ; mais j'ai très peu de temps.

— Les filles, vous êtes toujours comme ça. Jamais le temps. Mais je ne vais pas te le faire perdre, ton temps. Je voulais te parler de ton avenir.

Maria se sentit mal à l'aise. C'était carrément étrange, cette façon de parler aux gens, non ?

Franck se dirigea droit vers le Joliot-Curie. Il lui commanda d'office un cognac, mais elle n'y toucha pas. D'un ton assuré, il lança :

— Tu sais, je t'aime bien. Je ne sais pas d'où tu viens, mais une fille comme toi a besoin de quelqu'un de solide. Pas d'un minable comme ce Carat.

Non mais, qu'est-ce que c'était que ce cirque ? Pour qui se prenait ce gamin en costard qui exhibait ses notes aux partiels ?

— C'est gentil, Franck, mais j'ai ma vie, dit-elle simplement.

— Excuse-moi mais je n'y crois pas une seconde. Où il est, ton mec ? Qui vient te chercher à la sortie des cours ? Quand on a une nana comme toi, on la bichonne. On ne la laisse pas prendre un verre avec un inconnu. Et puis, tu viens d'arriver en France. Bon, je ne te demande pas de te décider tout de suite. Tu sais, je peux t'aider.

— Toi, m'aider? Et comment ça?

Franck fit un large geste de l'épaule pour poser son bras en travers du dossier de sa chaise.

— J'ai certains contacts haut placés. Je pourrais par exemple t'aider à obtenir un poste à l'Agence nationale pour la recherche.

— Pardon?

— C'est la vérité. Je ne suis pas n'importe qui, Maria.

Furtivement, il posa sa main sur son épaule. Elle sursauta, se décala brusquement sur le côté. Corsa sentit son estomac se nouer.

— Quoi? Je t'ai fait mal?

— Pas touche, dit-elle d'un ton glacial.

Franck se leva.

— Tu as dit pas touche.

— Oui, c'est que je...

— Tu as dit pas touche. J'ai bien entendu.

Franck posa la main à plat sur la table entre le cognac et le verre de martini.

— Écoute bien, ma petite. Tu crois peut-être que ce petit blanc-bec de Vincent Carat vaut mieux que moi, hein? Alors tu te fourres le doigt dans l'œil jusqu'au cervelet. Tu n'as pas encore compris une chose, Maria. C'est que je vais être puissant, je vais être quelqu'un d'important. Tu le crois, ça?

Elle était tellement abasourdie qu'elle resta muette. Franck ajouta, avec un air glaçant :

— Ce jour-là, on en reparlera. Mademoiselle «pas touche».

Vincent Carat déposa un quatrième carton au milieu du séjour. Le studio comportait une grande chambre avec un canapé pliant, une kitchenette d'un côté et des toilettes avec douche de l'autre. Ce n'était pas le grand luxe, mais tout de même nettement mieux que la plupart des chambres d'étudiant du CROUS.

— Comment as-tu fait pour avoir un logement si rapidement? demanda-t-il à Maria tandis qu'elle suspendait des cintres dans un placard.

— Serge Larcher s'est occupé de tout. Il a été formidable.

Vincent avait entendu parler de la réputation de Larcher et de son action en faveur des étudiants étrangers. En regardant Maria, il se dit qu'un esprit mal tourné aurait pu y voir une faveur intéressée. Mais il s'agissait de Larcher, c'était donc impossible.

Maria lui tendit une bière qu'elle venait de décapsuler.

— Ça fait du bien, expira-t-il bruyamment. Même si ce n'est pas le déménagement le plus difficile que j'aie fait de ma vie.

Maria n'avait que quelques caisses d'affaires généreusement offertes par la sœur de Serge Larcher.

— Comment vas-tu te sentir, ici? lui demanda-t-il. Ton pays ne te manque pas?

— Mais non, je crois que je vais être merveilleusement bien! Et toi, toujours chez ta mère?

Vincent avala une gorgée de bière. Son regard se voila.

— Quelque chose ne va pas? dit Maria.

Il secoua la tête. Sa voix s'était altérée.

— Ce n'est pas tous les jours facile, dit-il. Elle vient de perdre son emploi et elle est vraisemblablement atteinte de la maladie d'Alzheimer.

— Oh! Vincent, pardon... Je ne savais pas. Si je peux faire quoi que ce soit pour toi...

Vincent s'assit sur la moquette, le dos contre le mur, la bouteille de bière à la main.

— Elle est bien suivie. On lui a même fait des clichés d'IRM.

Il but une gorgée.

— Pas très encourageants, les clichés. L'hippocampe est fortement réduit. Tu vois ce que c'est, l'hippocampe?

— Bien sûr. Le centre cérébral de la mémorisation.

— Il est rétréci chez Félicia. Les noyaux gris centraux, qui régulent les mouvements et la mémoire des gestes, paraissent épargnés en comparaison. En somme, ma mère est encore un être humain à peu près autonome et capable d'interagir avec son entourage, d'aimer, de feuilleter des albums photo.

Maria prit un air grave. Elle posa le cintre sur le rebord du canapé.

— J'aimerais la rencontrer. Sérieusement.

— Si tu veux. On ira la voir. Ça lui fera du bien. Parfois je me dis qu'il faut en profiter. Que son esprit tient encore le coup, mais qu'en silence, il est rongé de l'intérieur. Et qu'un beau jour il s'effritera comme un château de sable. Les contours de sa mémoire s'arrondiront, puis des pans entiers s'abattront, ne laissant que des ruines éparses.

Vincent vit que les yeux de Maria brillaient. Son émoi n'était pas feint.

— Ne dis pas ça, répliqua-t-elle. Il y a des traitements.

— Quatre médicaments, en tout, dit Vincent. Les trois premières molécules thérapeutiques sont des inhibiteurs de l'acétylcholinestérase. Elles augmentent artificiellement le taux d'une molécule importante, l'acétylcholine, dans le cerveau. Du coup, les neurones de la mémoire carburent un peu mieux. Ils meurent toujours autant, mais disons que ceux qui sont encore là font mieux le travail. Ça ne fait que retarder l'échéance.

— Il y a aussi un médicament anti-glutamate, n'est-ce pas?

— Exact, tu es bien renseignée. Un composé qui bloque l'action d'un messager chimique naturel du cerveau, le glutamate, qui peut être toxique sur des neurones affaiblis. Du coup, cela ralentit la mort des neurones. Ralentit... Tu vois, rien de bien gai. Pour l'instant, Félicia en est au stade des inhibiteurs de l'acétylcholinestérase. Le stade le plus léger. Ensuite, ce sera le glutamate. Ensuite... C'est l'inconnu. J'ai repéré une dizaine de molécules pionnières au stade des essais cliniques. Parmi les pistes les plus prometteuses, il y a l'immunothérapie. Créer des sortes de vaccins contre Alzheimer. Des anticorps qui reconnaîtraient les plaques amyloïdes si toxiques pour les neurones, et permettraient au système immunitaire de les détruire.

— Ça marche ?

— Il y a quelques résultats encourageants sur des souris de laboratoire mais des réactions très négatives chez certains patients.

Maria contempla Vincent avec une commisération mêlée d'admiration. Il avait essayé de savoir ce qui se faisait dans les différents laboratoires de recherche du monde entier.

— Il y a encore la piste des anti-secrétases, poursuivit-il, des médicaments qui bloquent un processus de fabrication des plaques amyloïdes. Une méthode assez pointue et judicieuse, mais on n'a encore aucune idée de son efficacité. Cela vaut aussi pour les médicaments ciblant la synthèse par l'organisme des protéines Tau, d'autres protéines qui participent également à la dégénérescence neuronale.

Au milieu de cette tempête qui s'abattait sur sa famille, Vincent Carat gardait un esprit méthodique, comme si tout cet univers scientifique lui permettait de supporter sa douleur.

— Tu vois qu'il y a de l'espoir, lui dit-elle.

— Je ne dirais pas cela. Les résultats des essais cliniques arriveront dans cinq ou dix ans.

— Sauf s'il s'agit de travaux expérimentaux, rétorqua-t-elle.

— Travaux expérimentaux ? Tu veux dire que je devrais donner à ma mère des molécules expérimentales sans protocole clinique ? Ce serait sacrément culotté ! Et même à supposer qu'on le fasse, il faudrait encore attendre des mois pour savoir si un médicament test fonctionne...

Maria songeait à haute voix.

— Est-ce que je me trompe, ou tu avais un projet de recherche sur des biomarqueurs de la maladie d'Alzheimer qui permettait de voir les plaques amyloïdes en direct dans le cerveau ?

Le regard de Vincent s'éclaira.

— Mais tu as totalement raison, c'était mon projet de recherche... Je pourrais tester ces médicaments sur Félicia dans le scanner de Neuroland et avoir les résultats tout de suite!

Maria écarta les mains, comme pour lui dire que c'était l'évidence.

— Oui, soupira-t-il, mais encore faudrait-il que je sois admis à Neuroland... Avec tout ce temps passé à chercher ces informations, je n'ai pas révisé mon électromagnétisme. Les examens vont être une catastrophe. En plus de cela, la présentation de mon projet de recherche était un vrai fiasco! À tous les coups, c'est Corsa qui va décrocher le poste. Il est trop fort.

Maria le rassura.

— Mmmh... À mon avis, tu es bien plus fort que Corsa.

— Arrête. Ce n'est pas drôle.

— Je ne plaisante pas. Tu verras. Tu vaux beaucoup mieux que lui.

Vincent sentit comme une lueur d'espoir se raviver en lui.

— C... Comment tu le sais?

— Une sorte d'intuition. Je parierais plus sur toi. Est-ce que tu te souviens du troisième examinateur, celui qui portait un costume et une cravate, et qui se tenait un peu à l'écart des deux autres, pendant que tu présentais ton projet?

— Oui, ce grand type qui m'a pratiquement hurlé dessus en disant que ce n'était pas ainsi qu'on détaillait un protocole.

— Exactement. Je pense qu'il s'est énervé parce qu'il sentait que tu avais mis le doigt sur quelque chose de vraiment intéressant, et ça le mettait en rogne de voir que la partie pratique était un peu brouillonne...

— Tu crois vraiment ça? L'intuition féminine, c'est ça?

— L'intuition tout court.

Vincent lui sourit, sa bouteille vide à la main. Si elle pensait vraiment ce qu'elle disait, c'était flatteur. Et même si elle ne le disait que pour lui faire plaisir, c'était une gentille attention.

— Je dois y aller, dit-il en posant la bouteille sur la table.

En tendant la joue pour l'embrasser, il effleura son bras. Maria, sans réfléchir, passa une main sur son épaule. Ils restèrent un court instant l'un contre l'autre, immobiles. Finalement, elle s'éloigna.

— Merci de ton aide. Je t'inviterai à dîner quand j'aurai rendu le lieu présentable.

— Et toi, viens manger à la maison un soir. Je te présenterai ma mère, si tu veux toujours.

— J'y compte bien.

Maria demeura un moment devant son appartement vide. Elle avait aimé se sentir près de Vincent. Ce garçon avait quelque chose de touchant. Il y avait de la noblesse dans son attitude face à la maladie de sa mère et il possédait cette petite étincelle de créativité propre aux grands scientifiques. C'était, à n'en pas douter, un être rare.

Lorsqu'il arriva à l'École, Vincent sentit d'emblée qu'un climat étrange régnait dans le hall. Un cercle d'étudiants rassemblés autour d'Ethan Gubler et de Lepalot se tenait à l'écart. Une nuée de jeunes hommes et de jeunes femmes, dont Léa Philippe et Thomas Langlois, s'agitait devant les panneaux d'affichage des notes. Empressé, Langlois vint à la rencontre de Vincent et le prit par les épaules.

— ... Mec! Putain mec! Viens voir ça.

Vincent ne comprenait pas. On le saluait à mesure qu'il s'approchait des panneaux d'affichage.

— Quoi? Qu'est-ce qu'il y a?

— Ce qu'il y a, ce qu'il y a!

Au pied des grands panneaux en liège étaient affichés les résultats des évaluations de projets. Vincent vit son nom.

Il se demanda s'il n'avait pas rêvé.

— C'est une blague. Ils se sont trompés.

— Mais non, hurlait Langlois dans ses oreilles. Tu as eu dix-huit sur vingt en évaluation de projet!

Vincent dut reconnaître la réalité. C'était bel et bien écrit là, noir sur blanc, avec l'intitulé de son projet. Il avait eu dix-huit sur vingt en présentation de projet de recherche. Son projet était classé premier. Franck Corsa était deuxième, avec un seize sur vingt.

— Putain mec, putain mec..., n'arrêtait pas de balbutier Thomas Langlois derrière lui.

D'autres élèves l'entouraient, tout excités. Sa première pensée fut pour Maria. Elle lui avait dit que son projet était meilleur que les autres. Elle ne s'était pas trompée – l'intuition ! Il fallait partager cela avec elle. Ce succès lui appartenait aussi.

Il s'avança dans la salle.

Assis à sa place habituelle, Corsa semblait tout entier concentré sur le cours qui allait commencer. Rien n'avait changé dans sa posture et son expression. On aurait cru qu'il n'avait pas pris connaissance des résultats. C'était pourtant la première fois qu'il n'obtenait pas la meilleure appréciation à une épreuve de ce master.

Vincent savoura l'instant. Dès que le cours débuta, il se laissa aller à ce sentiment de bien-être qui l'envahissait, une sorte d'ivresse qui l'anesthésiait et le soulevait de terre.

Comment expliquer ce dix-huit sur vingt ?

Lorsqu'il avait exposé sa théorie devant le jury, l'attitude des évaluateurs lui avait paru hostile. Or, ils lui avaient attribué la meilleure note. Et ce que cela signifiait était très clair : il irait à Neuroland. Il venait d'obtenir son passeport pour un des meilleurs labos au monde.

À Neuroland, il allait enfin pouvoir mettre en œuvre un programme de recherche sur Alzheimer et en faire bénéficier Félicia. Tout allait changer.

La sonnerie retentit, annonçant la fin du cours. Vincent replia ses affaires et se dirigea vers la sortie. C'est là qu'il vit Maria. Dans le hall. Leurs regards se croisèrent.

Elle était radieuse de bonheur. Elle venait, elle aussi, de découvrir les notes.

Serge Larcher était en train de reporter les notes des élèves dans le dossier central du master quand Franck Corsa fit irruption dans son bureau.

— Eh bien, Corsa ? Que puis-je pour vous ?

Corsa sortit de sa sacoche un formulaire d'inscription au stage.

— Vous connaissez ce formulaire ?

Larcher haussa les sourcils.

— Bien entendu. Il vous faut inscrire des croix dans les lieux d'affectation de votre choix.

— J'y compte bien, répondit Franck. Je voulais être sûr qu'il n'y aurait pas d'embrouille.

Le front de Larcher se creusa.

— D'embrouille ? Qu'est-ce que cela signifie, Corsa ?

— Ne prenez pas cet air innocent, professeur. Carat a eu un dix-huit sur vingt avec son projet du niveau brevet des collèges. J'ignore à quoi vous jouez, mais j'espère que vous saurez vous rappeler que c'est le classement général qui compte pour l'attribution des stages.

Le visage éberlué de Larcher n'eut d'égal que la mine décomposée de son collègue Lemazière qui corrigeait des copies à côté de lui.

Le professeur retira ses lunettes et se massa les yeux.

— Corsa, je vous prierai de ne pas user de ce langage ici. Nous sommes les seuls juges de la qualité des prestations lors des examens oraux.

Franck Corsa afficha un rictus de mépris.

— Des juges? Eh bien, si vous avez des critères de jugement, je serais ravi de les connaître.

Larcher referma son stylo et le posa sur le bureau.

— Corsa, dit-il, je crois qu'il y a certaines choses que vous devez comprendre. Un projet de recherche doit comporter une part de risque. Si tout est verrouillé depuis le départ, on ne peut pas faire de découverte. Votre programme était effectivement sans faille. Or un chercheur en sciences doit savoir se mettre en danger. Sans cette part de risque, il n'y a pas d'innovation. Pour faire ce métier, il faut de l'imagination, et du courage. Il faut accepter une part d'incertitude sans quoi on ne trouve rien de nouveau.

— Attendez une seconde, s'insurgea Corsa. Vous voulez dire que mon projet n'a pas d'imagination?

— Je suis désolé, Corsa. Vous avez eu seize sur vingt parce que toutes les autres qualités requises étaient présentes. Mais ces deux points qui font la différence... Ce sont les points de la créativité.

Le rictus de Corsa se transforma en grimace.

— Vous êtes prêt à me soutenir, les yeux dans les yeux, que le projet de Carat faisait une place à l'imagination et à la prise de risque?

Lemazière sortit enfin de sa réserve.

— Monsieur Corsa, vous ne vous en rendez peut-être pas compte, mais l'intuition du projet de Carat est peu commune.

Le regard de Corsa parut se consumer de fureur. L'autre poursuivit.

— Des pointures de renommée mondiale comme Ronald Bloomington à San Diego ou Le Cret sont à la recherche d'une telle hypothèse depuis des années. C'est le chaînon manquant dans la découverte du code neural. C'est peut-être une fausse piste, mais à première vue l'idée a ses chances. Suffisamment pour que Le Cret la juge fondée et veuille embaucher ce jeune.

— Et c'est vous, avec votre petit article dans *Cerebral Cortex*, un article sans méthode ni imagination, qui essayez de me faire croire ça!

L'homme rougit.

— Je ne suis peut-être pas du niveau de Xavier Le Cret, mais c'est mon humble avis.

Serge Larcher tapa du poing sur la table.

— Et c'est aussi le mien, Corsa! Vous devriez mettre votre orgueil en veilleuse. Vous ne savez pas encore ce que c'est que le métier de chercheur, et si vous persistez dans cette voie, vous ne le saurez peut-être jamais.

Corsa toisa le professeur avec mépris.

— Vous, Larcher, je vous colle aux équations différentielles de champ quand vous voulez. Je pourrais vous en apprendre sur la totalité des chapitres des principales disciplines de neurologie et de physique des supraconducteurs. Je suis bien plus calé que vous sur toutes ces questions. Vous n'êtes aucunement qualifié pour me juger. Savez-vous ce que vous êtes? Vous êtes de petits esprits qui se réfugient derrière leurs privilèges, qui se protègent les uns les autres et préfèrent nommer à un poste clé quelqu'un d'aussi médiocre que vous, qui ne vous fera pas d'ombre. Mais vous allez vous en mordre les doigts.

— Vous avez perdu la tête, Corsa? Un mot de plus et je vous fais passer en conseil de discipline!

Franck Corsa écrasa sa main sur la pile de papier sous le nez de Larcher.

— Je vais vous dire une chose, à vous et à M. *Cerebral Cortex*. Si ça vous amuse de penser que Carat a de l'intuition, c'est votre problème de savants tordus dans leurs élucubrations. Mais je suis premier au classement du master. De votre master, Larcher. Et en dépit de toutes les combines que vous pourrez inventer pour gonfler les notes de vos petits protégés, je vous claquerai toujours des vingt en mécanique quantique, que cela vous plaise ou non. Et cela m'ouvrira les portes du stage que j'aurai décidé de choisir, en vertu des règlements d'une formation universitaire qui ont été fixés par décret. Est-ce que c'est clair?

— Vous êtes complètement cinglé, Corsa. Fichez-moi le camp d'ici.

— Je n'ai pas l'intention de m'attarder un instant de plus dans cet endroit qui sent le moisi et le manuel de physique d'avant-guerre. Mais mesurez vos actes, Larcher. Si vous refusez le stage de Neuroland au major de votre promotion, vous saborderez vous-même votre master. Cela voudra dire que les classements n'ont aucune valeur, qu'il suffit de bien s'entendre avec le directeur du labo qui doit vous accueillir pour pouvoir passer devant d'honnêtes types qui ont bûché sérieusement et ont fait la preuve de leurs qualités.

Il ouvrit la porte.

— Ce sera la fin de votre carrière. Larcher, le combinard. Larcher, les pots-de-vin. Réfléchissez-y bien avant de creuser votre tombe, l'ami.

Le soir même, Franck Corsa rapporta tout l'épisode à son oncle. Le sénateur Corsa fut choqué d'apprendre que le système des affectations reposant sur le classement au sein d'une formation universitaire allait être bafoué en défaveur de son neveu en vertu de quelques critères non formulables sur la qualité d'un prétendu projet de recherche. Cette affaire remettait en question l'égalité des chances et le principe méritocratique. Tout cela était fort inquiétant, et le sénateur promit de faire jouer ses relations.

André Vareski, directeur du CNRS depuis quatre ans, allait postuler pour un second mandat. Le sénateur Olivier Corsa et lui avaient fait partie d'une commission de consultation pour le vote de budgets spéciaux alloués au programme Recherche & Alzheimer, cinq ans plus tôt. La commission parlementaire avait recueilli l'avis d'éminents spécialistes, et le dossier technique avait été défendu par Vareski auprès du ministre de la Santé et du ministre de la Recherche. Corsa avait accepté d'appuyer la demande de fonds auprès de la commission pour des raisons électorales. Sa circonscription comprenait beaucoup de personnes âgées et, lors de ses allocutions dans son fief de l'Essonne, il insistait lourdement sur la nécessité d'investir dans la question nationale de la dépendance des personnes âgées. Chacun y avait donc trouvé son intérêt.

À sa demande, Vareski accepta de recevoir le neveu du sénateur. Au téléphone, Olivier Corsa lui fit part, à mots couverts, de son inquiétude à propos du mode d'affectation des stages dans certaines formations d'élite ouvrant sur les postes les plus importants au sein de la recherche. Son neveu se proposait d'apporter un témoignage personnel dont André Vareski saurait sûrement, d'après ses termes, tirer le meilleur profit. C'était du pur langage politicien mais Vareski avait appris à lire entre les lignes de ce registre si particulier.

Le jeune Corsa se présenta à l'heure exacte, impeccable dans un complet griffé cravate rouge sur chemise amidonnée. D'après son oncle, Franck occupait actuellement la première place du classement de son master de neuro-imagerie et en ressortirait probablement major. Il s'agissait sans doute encore d'une de ces têtes bien remplies et bourrées d'ambition comme la famille Corsa savait en produire.

— Ravi de vous recevoir, lui dit Vareski en lui indiquant un siège. Je me suis laissé dire que vous réussissez brillamment dans vos études. À quoi vous destinez-vous ?

— Je suis inscrit au master de neuro-imagerie de Serge Larcher à l'École normale supérieure.

— Excellente formation, dit Vareski. Créée pour relever le défi des neurosciences et fournir les meilleurs éléments à nos laboratoires. Un cours très sélectif mais avec une bonne dotation en bourses à l'arrivée.

— C'est précisément ce qui m'amène, monsieur. J'ai conscience que ma démarche est délicate, mais mon oncle m'a dit que vous souhaiteriez sans doute être averti de certains... hum... dysfonctionnements, si le terme est approprié.

— Vous m'inquiétez. Pouvez-vous préciser ?

— Certainement. Vous n'ignorez pas que le choix des stages de master dans ce type de formation est déterminé par le classement global aux examens et présentations de projets.

— C'est vrai, ce n'est pas un système parfait, mais c'est le moins mauvais.

— Voilà pourquoi je me suis efforcé de jouer le jeu. Je croyais, à tort ou à raison, que mon succès aux épreuves serait apprécié à sa juste valeur.

Vareski fronça les sourcils.

— Ce n'est pas le cas ?

— Je suis actuellement en tête de liste. Je me préparais depuis longtemps à décrocher le stage adéquat pour ma future carrière. Mais cela ne s'est pas passé comme je l'ai prévu.

— Que voulez-vous dire?

— Le stage va être proposé à un autre élève, actuellement classé dix-neuvième, même s'il pourrait remonter dans les prochains jours à la treizième place en raison d'un coup d'éclat... Je n'y comprends rien. Je suis complètement découragé. Je n'ose pas parler d'arrangements entre amis. Mon oncle pourrait diligenter une mission d'enquête sur les méthodes de la notation académique, mais je voulais d'abord connaître votre point de vue.

Vareski avait l'air embarrassé.

— Où doit avoir lieu ce stage? Qui est ce candidat hypothétique?

— Il s'agit, comme vous vous en doutez, d'un poste convoité. Le centre Neuroland à Saclay. Quant à l'intéressé, il s'appelle Vincent Carat.

— Neuroland? C'est le labo de Xavier Le Cret!...

— Vous le connaissez?

Vareski se renfrogna. Il avait travaillé souvent avec Xavier Le Cret sur les questions de demandes de fonds pour la finalisation des électroaimants de Neuroland et les partenariats de santé avec le réseau des consultations mémoire sur la France.

— D'après mes informations, un nouveau collaborateur doit effectivement être recruté prochainement dans les locaux de Neuroland. Le Cret attend beaucoup de lui pour mettre la dernière main à son projet de recherche sur le code neural. Je crois bien qu'il s'agit effectivement de ce jeune dont vous parlez.

— Mais c'est extrêmement gênant! se rebiffa Corsa. Le recrutement de cet élève enfreint tous les règlements.

— Je comprends votre préoccupation, lui dit Vareski. J'en toucherai donc deux mots à votre oncle. Mais sachez que le classement n'est pas le seul facteur à décider des affectations. L'appréciation du directeur de laboratoire d'accueil joue aussi un rôle. De même que les évaluations des enseignants du master quant aux qualités de l'élève qui sont directement liées à la conduite d'un projet de recherche, et qui ne sont pas forcément les mêmes que celles requises pour réussir un examen théorique. Il n'y aurait donc rien de fondamentalement immoral ou scandaleux à ce que ce jeune homme, ce Carat, fasse son stage chez Le Cret.

Corsa bouillit intérieurement. Il sentit que cet homme serait plus difficile à manœuvrer que Larcher.

— Je comprends ce que vous voulez dire, répondit-il. Hum... Simplement, si je suis votre raisonnement cela signifie que certains candidats seront choisis selon des qualités objectives, mais que d'autres pourraient jouer de leurs contacts, de leurs amitiés ou de faveurs diverses, voire de corruption. Le système des classements a précisément pour vocation d'empêcher de telles dérives.

— Encore une fois, monsieur Corsa, je comprends votre préoccupation. Mais comprenez à votre tour que je suis seul juge de la façon dont doit s'organiser le transfert de compétences entre l'université et le CNRS. Je prends bonne note de ce que vous me dites mais je n'ai pas le pouvoir de m'interposer entre M. Larcher et vous.

Le ton de Franck se modifia subitement, son regard se figea et sa voix devint métallique.

— Dans ce cas, qu'est-ce que je dois penser? Croire aux beaux discours? Travailler nuit et jour, me montrer le meilleur dans mon domaine, et finalement me faire doubler par un incapable qui aura eu les faveurs du professeur? Et encore, vous ignorez que ce Carat convoite ce poste pour des raisons personnelles, il cherche à favoriser sa famille : cela, personne ne le dit!

— Je suis désolé, je ne comprends pas ce que vous me dites.

— C'est pourtant clair. Sa mère est atteinte de la maladie d'Alzheimer. Je le sais, il le claironne assez haut dans les couloirs de l'École. Carat convoite Neuroland pour faire accéder sa maman à des traitements de pointe. Alors que d'autres malades meurent dans l'indifférence générale. Ce type roule pour lui, monsieur Vareski.

Le visage de Vareski se transforma.

— Quel est le terme que vous avez employé? demanda le directeur du CNRS. Ce type roule pour lui?

— Exact. Parfaitement exact. Rien que pour lui.

Un sourire étrange passa alors sur le visage de Vareski.

— Je vais être parfaitement clair avec vous, monsieur Corsa. Ce type – comme vous dites – m'est subitement très sympathique.

Franck sursauta.

— Je... pardon?

— Il y a une chose que vous ne voyez peut-être pas, monsieur Corsa, c'est que ce garçon roule pour nous tous. Quand j'entends que Xavier Le Cret recrute un jeune de chez vous qui a un programme capable de soigner ce fléau qu'est la maladie d'Alzheimer, je lui signe un très gros chèque. Cela ne vous viendrait pas à l'esprit qu'un garçon qui veut sauver sa mère soit aussi porteur d'un espoir pour des millions de personnes?

Franck resta interdit. Puis il afficha une moue dégoûtée.

— Vous marchez là-dedans, dit-il.

— Je vous prie?

— Vous marchez dans ce système. Le copinage. Le mépris des règles. Le favoritisme. Les intérêts personnels. Qu'un type passe devant tout le monde pour sauver sa maman en engloutissant l'argent du contribuable, et vous, vous lui faites un chèque. Le directeur du CNRS. Si on m'avait dit ça.

Vareski resta sans voix.

— Vous êtes complètement à côté de la plaque. Corsa, vous avez un problème.

— C'est vous qui avez un problème. Ou qui allez en avoir un. Ce système est donc pourri jusqu'à l'os.

— Sortez d'ici.

— Je décide quand je sors.

Franck se leva, autoritaire.

— Écoutez-moi, Vareski. Pour moi, vous n'êtes rien. Juste un bureaucrate au sommet d'une pyramide d'argile, un trublion qui ne comprend rien à rien et qui se croit à l'abri derrière le paravent de son administration. Vous allez voir qui je suis. Souvenez-vous bien de moi. La prochaine fois que nous nous reverrons, vous aurez une grosse surprise. Préparez-vous à avoir de sacrés ennuis. Vous ne savez pas à qui vous vous êtes attaqué, pauvre fiente.

Vareski vit, médusé, Franck Corsa tourner les talons et quitter le bureau en fermant soigneusement la porte derrière lui.

Il se demanda s'il n'avait pas rêvé.

Maria posa son mug de café fumant sur son bureau. Face à la porte vitrée coulissante donnant sur l'avenue de l'Observatoire, la vue était splendide. Devant elle se dressait la fontaine des Quatre-Parties-du-Monde. Les cimes des marronniers longeant le parc se profilaient jusqu'aux grilles lointaines des jardins du Luxembourg alors que, légèrement sur sa gauche, le restaurant de la Closerie-des-Lilas invitait les passants à venir se désaltérer sous sa tonnelle de lierre et de glycine.

Le studio avait beau être à la fois sommaire et minuscule, Maria ne regrettait pas Rublovka. Ce sommet du kitsch parvenu portait finalement en lui le ver qui le corrompait, et les criminels de la pire espèce y avaient pignon sur rue. À commencer par son mari.

Maria comprenait qu'elle s'était mariée trop tôt. Elle s'était jetée dans les bras d'un homme riche et viril, lui offrant sa beauté et sa jeunesse et sacrifiant par la même occasion les promesses de son intellect naissant.

Elle n'aurait sans doute pas aimé un homme comme Alexeï si elle l'avait rencontré aujourd'hui. Depuis qu'elle avait repris cette vie étudiante, elle se sentait revivre. Elle avait besoin maintenant d'un partenaire et d'un complice, de quelqu'un à qui elle ne serait pas assujettie.

Alexeï allait certainement tenter de la retrouver. Pour l'instant, elle se sentait en sécurité. Elle aurait voulu se connecter à son compte mail car elle s'inquiétait pour Olga. Mais ce serait mettre en péril sa sécurité et celle de Michka.

Elle ouvrit un gros classeur posé sur le bureau. Le programme du master allait être difficile à rattraper. Une heure par-ci, une heure par-là, ce n'était pas pratique pour réviser. Surtout avec Michka dans les pattes. De temps en temps, la sœur de Serge Larcher prenait le bambin chez elle, mais Maria ne voulait pas abuser de sa générosité.

D'abord, Maria devait se remettre à jour en biologie. Le module proposé par le master n'était pas trop difficile, elle constata qu'il lui restait encore de bons réflexes. Les disciplines plus proches de la physique étaient plus ardues, mais elle avait toujours été bonne en maths. En bossant dur tous les soirs, elle pensait pouvoir s'en sortir. Ces études, c'était son seul salut afin de retrouver une activité saine et stabilisante.

Pour autant, elle ne se faisait pas d'illusions. Elle n'aurait pas de bourse à l'issue de ce master. Elle finirait parmi les dernières du classement. On ne faisait pas de miracles en arrivant en cours d'année dans un module de ce niveau. Donc, inutile de viser un doctorat. Dans une situation comme la sienne, il fallait parer au plus pressé. Elle devait trouver une situation sûre, rémunérée, stable. Intégrer même à bas échelon une agence encadrant les projets de recherche. L'ANR ou une autre.

Elle tourna la tête vers la petite chambre située derrière la kitchenette. C'était bientôt l'heure de ramener Michka à l'école pour l'après-midi.

Elle alla se planter devant le lavabo des toilettes. Elle avait cinq minutes pour se faire une beauté. Il lui paraissait déjà loin le temps de Rublovka, quand elle passait une heure à se pomponner pour la moindre occasion.

Le tiroir inférieur de la petite commode contenait quelques nippes qu'elle avait dénichées pour trois fois rien dans une boutique du XVIIIe arrondissement mais qui n'étaient pas sans chic. Son pantalon de survêtement dévala de ses cuisses et elle hésita brièvement entre une robe fuchsia légèrement strassée et une jupe serrée arrivant au genou. Un moment, elle se demanda comment la mère de Vincent la trouverait.

Finalement, elle opta pour la robe fuchsia. Elle retira son T-shirt, se glissa dans la robe et chaussa des escarpins plats.

Elle traversa le salon à grands pas.

— Michka, tu es prêt? On y va...

Dans sa chambre, le garçon était en train de terminer un puzzle de Spiderman. Il était presque devenu trop sage depuis leur arrivée à Paris. Pas une fois il n'avait réclamé son père. Que pouvait-il bien se passer dans sa tête? Il avait changé de pays et commençait à peine à savoir dire bonjour à la maîtresse de la rue Henri-Barbusse où, par miracle, une école l'avait accepté. Mais il était là. Radieux.

Ils sortirent et Maria tourna la clé dans la serrure. Puis ils prirent l'escalier. Elle lui tint la main. Elle se sentait bien.

Michka embrassa sa mère puis se faufila dans la foule des gamins qui grimpaient sur les toboggans de la cour. La sœur de Serge Larcher lui fit un signe. Il était convenu qu'elle garderait le petit pour l'après-midi. Maria la salua puis fila.

Elle se mit à respirer l'air du boulevard Montparnasse. Il y avait tellement longtemps qu'elle n'avait pas marché seule dans les rues d'une grande capitale. Pour quelques minutes, elle se sentit une autre femme. Évidemment, les regards des hommes se tournaient vers elle sans qu'elle pût rien faire. Cela n'avait pas changé. Mais elle le vivait maintenant différemment. Elle était libre. Le bras d'Alexeï autour du sien lui manquait d'une certaine façon, mais l'idée de sa présence la révulsait, désormais.

Dès qu'elle apparut, Vincent se leva et tira une chaise.

— Maria, je te présente ma mère. Maman, voici Maria, qui fréquente le même master que moi à l'École normale. Nous avons fait connaissance voici deux semaines.

— Je suis enchantée, madame. Votre fils me parle sans arrêt de vous.

Félicia rougit.

— Il ne saura donc jamais tenir sa langue. Vous étudiez la biologie?

— Oui, mais j'ai surtout étudié à l'étranger. Je suis en train de découvrir le système d'enseignement ici, et le niveau est très élevé!

On fit apporter un grand cru et Vincent leva cérémonieusement son verre.

— J'ai tant de raisons de lever mon verre aujourd'hui que je ne sais pas par où commencer : d'abord à ma mère qui m'a aidé à devenir ce que je suis durant toutes ces années. Si les portes de Neuroland s'ouvrent devant moi aujourd'hui, c'est grâce à elle ; ensuite je bois à ce fichu bouquin qui m'a demandé des heures de travail mais qui est enfin terminé. Notez que c'est grâce à ce salaire que nous pouvons trinquer ainsi. Enfin, à Maria, que je ne connais que depuis peu mais qui est déjà une amie.

Ils burent avec recueillement.

— Alors comme cela, vous êtes russe? Vous parlez bien français, dit Félicia en reposant son verre.

Maria fit un geste de la main pour balayer le compliment.

— Oh! non, j'ai toujours cet accent! Je dois encore faire beaucoup de progrès. J'espère rester ici assez longtemps pour devenir une vraie Française.

— Vous y arriverez, vous verrez. Vous devez être très intelligente pour étudier toutes ces sciences très difficiles...

Maria se pencha vers Félicia pour lui murmurer à l'oreille.

— Je vais vous dire un secret, madame. Le génie, c'est lui...

Elle lança un regard oblique à Vincent. Félicia rosit d'aise.

— Vincent, est-ce que tu entends ce qu'on dit de toi?

— Bah! Elle se moque de moi...

Maria le coupa, catégorique.

— Pas du tout. Il a décroché le meilleur stage de la promotion. Grâce à une note de dix-huit sur vingt. Je le savais, je le lui avais dit. Ne me dis pas que ce n'est pas vrai, Vincent...

Vincent posa la carte du menu devant lui.

— Bon! On va commander, parce que là, avec deux femmes qui se renvoient la balle, je ne vais plus m'en sortir.

Félicia tapota le bras de Maria.

— Il ne sait pas que vous avez raison, mais vous avez l'œil. Bravo, ma fille.

Maria apprécia le contact de cette main souple sur son avant-bras. Ce n'était pas une malade qu'elle avait en face d'elle, mais une femme d'expérience, courageuse et pleine de générosité. Et cela ne l'étonnait pas du tout de la part de la mère de Vincent.

— Maman, tu as choisi?

— Que prenez-vous, Maria?

— J'aime bien les làsagnes, je vais choisir celles-ci.

— Et toi, maman?

Félicia se pencha sur la carte. Il y avait des spaghettis de toutes sortes, à l'ail et à l'huile, à la sauce bolognaise, à la crème, aux fruits de mer, à la sauce piquante... Des tagliatelle, également avec toutes sortes d'assaisonnements. Et puis ces viandes, ces entrées, ces poissons. Félicia retourna à la colonne des spaghettis, puis vit celle des pizzas. D'un seul coup, elle se tourna vers Maria, le regard dans le vague.

— Qu'avez-vous dit, Maria ? Que prenez-vous ?

— Les lasagnes, madame.

— Bien. Les lasagnes. Moi aussi, les lasagnes. C'est ça, voilà, les lasagnes.

Félicia regarda par-dessus la balustrade délimitant l'espace de la terrasse. Elle ne s'était rendu compte de rien. Tout au plus cette petite sensation de vide, devant le menu. Cette incapacité à choisir, ces possibilités trop nombreuses. C'était peut-être cela, le plus étrange, de ne se rendre compte de rien.

À la fin du repas, Félicia insista pour rentrer seule en métro. Elle leur assura avoir passé un merveilleux moment et fit des adieux chaleureux à Maria.

Vincent et Maria remontèrent ensemble le boulevard vers Port-Royal.

— Tu as de la chance d'avoir une mère comme elle, dit Maria. Je trouve qu'elle s'en sort admirablement.

— Elle a tout pris en main à la mort de mon père. Elle a dû mettre les bouchées doubles au travail, passer douze heures par jour au bureau. Maintenant ces années d'usure la rattrapent.

— Il ne faut pas baisser les bras. Elle a des ressources que nous ne soupçonnons pas.

— Elle t'apprécie, tu sais ?

Maria s'assit sur le rebord de la fontaine.

— Viens, dit-elle. Regarde comme la lumière est belle.

Il s'assit à côté d'elle.

— Je ne pensais pas que je retrouverais autant d'insouciance et de joie de vivre ici, dit-elle finalement.

— Pourquoi dis-tu cela ? Tu n'étais pas bien, en Russie ?

— Pas vraiment, non.

Un moment, son regard se perdit à travers les gouttes des jets d'eau. Puis elle secoua la tête.

— Je ne vais pas te raconter toute mon histoire, dit-elle. Dis-moi, est-ce que ça t'embête si je reste un peu près de toi ?

Vincent sembla étonné par la question.

— Bien sûr que non... Mais je pensais que tu avais cours cet après-midi ?

— Ce n'est pas ce que je voulais dire. Je voulais parler de se revoir de temps en temps. Tu pourrais venir dîner à la maison. On s'entend bien, non ?

Vincent se sentit déstabilisé.

— Oui, bien sûr. On s'entend bien.

Spontanément, elle appuya sa tête sur son épaule. Le garçon sentit aussitôt l'odeur de ses cheveux chauds et le contact de sa joue. Il n'osait pas bouger. Et puis la tête de Maria se tourna vers lui. Elle approcha ses lèvres.

Il se sentit envahi par la présence de la jeune femme. C'était un sentiment indescriptible. Elle avait quelque chose d'unique, de tendre et d'enivrant. Il trouva ses lèvres douces et sensuelles. Rapidement, le désir le gagna tout entier.

Il but son baiser. Maria se sentait elle aussi emportée par un tourbillon puissant. Le contact de la bouche de Vincent n'avait rien à voir avec la mâchoire puissante d'Alexei. C'était plus doux, plus profond aussi. Elle en fut surprise. Son cœur battait à tout rompre. D'un seul coup, elle se redressa et interrompit le baiser.

— Viens, dit-elle. Allons-nous-en.

— Où ça ? questionna Vincent, étourdi.

Quelque chose en elle prenait feu, montait et se propageait. Elle savait qu'elle était en train de perdre la tête. Tout cela pour un petit baiser. Quelque chose ne se passait pas comme prévu. Elle voulait sentir le corps de Vincent plus près, plus fort. Mon Dieu, se dit-elle, elle n'allait tout de même pas faire monter ce garçon dans sa chambre ! Pas maintenant. Elle était en train de perdre les pédales ! Non, malgré la tentation, elle ne devait pas céder à son désir.

— Je dois penser à Michka, murmura-t-elle...

— Pardon ? Que dis-tu ?

— Rien. Viens, continuons la promenade.

Vincent, abasourdi, la suivit dans les allées.

— Tu... Tu ne veux pas poursuivre, c'est ça ?

Elle souriait, bienheureuse, les yeux levés vers les branches des arbres.

— Au contraire. J'en suis tellement sûre que je veux prendre **tout mon temps.**

Franck Corsa se contempla dans le miroir. Ses chaussures italiennes cousues main renvoyaient des reflets ambrés et crissaient sous le pied. Le pli du pantalon en laine et soie était fin comme une lame. Entre les pans de sa veste, une boucle de ceinture en buffle en imposait discrètement. Sa cravate rouge sang fendait son torse blanc comme une cicatrice.

Comment s'habillait Carat, déjà? Il portait généralement un jean ou un pantalon en velours élimé, un T-shirt et des chaussures aux semelles usées, quand ce n'étaient pas des baskets bon marché. Carat n'avait aucune classe, aucune allure, c'était un paysan mal dégrossi. Il était insupportable que Maria lui donne la préférence.

Maria savait pourtant bien que Corsa fréquentait les sphères du pouvoir, celles où l'on prend des décisions au plus haut niveau. Un monde de couloirs feutrés, de grands bureaux où des hôtesses triées sur le volet vous apportaient le café. Elle le savait. Alors que demandait-elle de plus? Qu'y avait-il de mieux en face? Rien que des Langlois, des Carat, des enseignants miteux portant de vieilles vestes polaires récupérées dans de sordides marchés aux puces. En face, des chargés de recherche de seconde zone dont la principale occupation était de se demander s'il fallait mettre plus ou moins de sel d'agarose dans un pot en verre pour préparer un gel d'électrophorèse en se persuadant que c'était la chose la plus importante du monde.

En face, il y avait les ordures aussi. Larcher, Vareski. Ceux qui l'avaient méprisé. Qui l'avaient traité comme le tout-venant, qui l'avaient pris de haut, pour la simple raison que l'université leur avait octroyé, voilà bien des années, un petit bureau au fond d'un couloir, d'où ils corrigeaient des partiels sur du papier rose recyclé, s'imaginant dispenser une connaissance uniquement réservée à la future élite de la nation. Pauvre élite, inculte, technocratique et bornée, sans vision ni ambition, besogneuse et rampante. Ces médiocres ne voyaient le monde qu'à travers le petit bout de la lorgnette. Ils n'avaient même pas remarqué que lui, Franck Corsa, était appelé à réaliser de grandes choses. Qu'il était non seulement plus calé en sciences que tous les enseignants de l'École, mais aussi capable d'interroger la science au-delà de son petit domaine de spécialité, de son sérail stérile et étriqué. Leur horizon était borné par des œillères, et leur unique préoccupation était d'entretenir un système qui leur avait fourni une situation confortable au sommet de la pyramide des incapables. Tant d'incompétence était coupable. En tant que telle, elle devait être punie.

Franck bomba le torse devant la glace. Un jour, et ce jour était proche, ils devraient reconnaître sa valeur, admettre leurs errements et le respecter enfin... L'admirer...

Ce jour-là, il leur rappellerait comment ils l'avaient mal jugé.

La sonnette d'entrée retentit. Franck alla ouvrir : c'était Jacques Melvin, lui annonçant qu'un taxi les attendait. Le ministre était déjà en possession du rapport et acceptait de les rencontrer.

Avant de partir, Franck fit un détour par le salon, souleva le panneau d'un secrétaire et découvrit un étui en ivoire contenant un jeu de cinquante-deux cartes. Il le glissa dans la poche de sa veste, puis rejoignit Melvin.

À l'arrière de la voiture, le capitaine semblait nerveux et n'arrêtait pas de rajuster son col de chemise ou le pli de son pantalon.

— Avez-vous bien toutes les données en tête ? demanda-t-il à Franck.

— Je connais chaque ligne de ce dossier par cœur, lui rétorqua Franck.

À côté de lui, le capitaine n'en finissait plus de donner des signes de nervosité, Franck trouvait cela insupportable.

— Savez-vous combien d'heures de travail il y a là-dedans ? Lisez la liste de références bibliographiques. Si, lisez.

Melvin remua sur son siège, mal à l'aise. Il ne savait pas au juste de quelle manière répondre à cet homme. Franck enchaîna.

— Vous pensez peut-être que d'autres ont fait ce travail avant moi ? Figurez-vous que des spécialistes mondiaux ont tenté épisodiquement des synthèses fragmentaires de toutes les techniques que je mentionne dans ces pages. Mais aucun ne l'a fait de manière exhaustive. Le document que vous avez là est unique en son genre.

En arrivant dans la cour de la place Beauvau, Melvin fit une dernière tentative pour glisser quelques mots au jeune homme.

— Monsieur Corsa, j'ai remis votre rapport au ministre en début d'après-midi. Je ne sais pas s'il l'aura lu entièrement. Il a beaucoup de dossiers à régler. Je... Vous savez comment sont les hommes politiques.

— Je croyais que c'était lui qui vous avait commandé ce rapport !

— Oui, bien sûr, mais voyez-vous... les ministres commandent des rapports tous les jours. Après, ils font le tri. La dernière fois que nous avons parlé de ce projet d'amélioration des interrogatoires, il avait l'air emballé. Mais il a dû participer entre-temps à un conseil des ministres et prendre des décisions importantes au sujet de la Commission nationale de l'informatique et des libertés.

Dans un petit salon où on les fit entrer, Melvin tenta de se distraire en feuilletant des magazines, mais Corsa restait raide comme la justice, serrant ses phalanges à les faire blanchir. Lorsque la porte s'ouvrit, le capitaine se leva, happé par la lumière du grand bureau. Franck lui emboîta le pas, tous les sens en alerte. La première chose qu'il vit fut un tapis persan ancien, puis tout au bout de la pièce qui lui sembla interminable, au milieu des boiseries et des tentures, un grand bureau Louis XVI à dorures et pieds bombés bordé de marqueterie. Le ministre y était assis, un foulard bleu ciel plongeant dans le col de sa chemise. L'huissier referma soigneusement la porte derrière eux.

Sans paraître les remarquer, Michel Levareux poursuivit son travail de rédaction. Au bout d'une minute environ, il fit un geste bref pour indiquer à ses invités de prendre place. À aucun moment il ne releva les yeux de son travail. Finalement, au moment de parapher son document, il lança d'un air distrait :

— Oui, monsieur Corsa ?

Les mâchoires de Franck se serrèrent. Cet homme le traitait comme un larbin.

— Voyons ce rapport, dit le ministre en se mettant à chercher au milieu d'une pile de dossiers. Oui, le voilà. Vous êtes le fameux spécialiste des neurosciences.

Franck se sentit bouillir intérieurement. Mais il fit un effort pour se maîtriser.

— Je dois avouer que c'est un domaine que je découvre entièrement, déclara Levareux. Je n'aurais jamais imaginé que des recherches aussi poussées fussent menées sur le cerveau humain.

Franck vit que Melvin se mordillait la lèvre inférieure. Ce balourd était probablement en train de jouer sa carrière. Levareux ouvrit un dossier et en fit tourner rapidement les pages, l'air maussade.

— De quoi parle donc ce rapport... De scanners, je crois. Ah, voilà. Je lis : « Scanner à IRM : appareil destiné à examiner l'activité ou la structure du cerveau, notamment pour en mesurer l'activité. » Et plus loin : « L'activité du cerveau est le reflet exact de la vie mentale du sujet. »

Il referma le dossier, s'adressant à Franck.

— Donc, en captant l'activité du cerveau, on doit pouvoir capter les pensées d'une personne. J'ai compris, hein ?

Franck se demanda si cet individu était simple d'esprit, ou bien s'il jouait un rôle. En fait, la réponse devait être plus simple encore. Comme tous les politiques, il aimait les raccourcis.

— Ce n'est pas tout à fait aussi simple, dit Franck.

— Eh bien, vous allez me le rendre simple. Je vous écoute, mon ami.

Franck se sentit mis au défi. D'accord. Va pour les explications.

— Il est effectivement question de scanners, dit-il. Pour la plupart d'entre eux, les scanners utilisent une technique appelée IRM fonctionnelle, qui leur permet de prendre des clichés relativement précis du cerveau humain en activité. Ces clichés font apparaître les zones du cerveau responsables de divers aspects de l'activité mentale : mémoire, désir, émotions, planification, vision, audition, etc.

Le visage de Levareux restait impassible. Celui de Jacques Melvin était travaillé par l'angoisse.

— Peut-être désirez-vous savoir ce qu'est l'IRM fonctionnelle ? demanda Franck.

Silence de l'autre côté du bureau.

— Très bien, dit Franck. L'IRM fonctionnelle est une méthode qui consiste à observer les zones actives du cerveau en mesurant le signal magnétique renvoyé par l'hémoglobine oxygénée du sang. Celle-ci afflue à travers le réseau sanguin dans les endroits où le cerveau est actif, par opposition aux zones de moindre activité. On obtient ainsi des cartes d'activité du cerveau en action.

Voyant que l'autre ne sourcillait pas, il continua.

— Les scanners livrent, grâce à cette technique, des images du cerveau en action. Que faire de ces images ? C'est toute la question. La base de notre réflexion, c'est que tout état du cerveau correspond à un contenu mental. Qu'il s'agisse d'une pensée, d'un souvenir, d'une perception. L'ensemble des liens entre les états mentaux et les états du cerveau forment ce qu'on appelle le code neural. Ce code permet de savoir par quelle activité cérébrale se traduit chacune de nos pensées.

— Heu..., dit Melvin. Vous pourriez peut-être prendre une exemple concret ?

— Si vous y tenez. Voici donc un exemple. Lorsqu'on demande à quelqu'un de se remémorer un moment de ses vacances, on suscite en lui une pensée. Cette pensée se manifeste par un état bien particulier de son cerveau que l'on peut observer au scanner. La pensée du sujet est alors codée en activité cérébrale. Maintenant, si l'on veut réaliser la démarche inverse, c'est-à-dire deviner à quoi pense cette personne uniquement en observant des clichés de son cerveau, il faut réaliser ce qu'on appelle un codage inverse, c'est-à-dire une manipulation qui consiste à remonter de l'image du cerveau en action jusqu'à la pensée qui lui a donné naissance. En somme, à voir l'activité du cerveau et en déduire à quel moment de ses vacances cette personne est en train de penser.

Levareux s'adressa à Melvin.

— C'est ce codage inverse qu'il nous faut, non ?

— Je crois, monsieur, dit Melvin.

Le ministre approuva du menton.

— Dites-nous en plus sur ce codage inverse, Corsa.

Franck se rendit compte que ce type ne voulait rien d'autre qu'un truc, une méthode, une recette qu'il puisse appliquer rapidement et efficacement pour atteindre ses objectifs politiques. C'était méprisable du point de vue de la science, mais viable du point de vue du pouvoir.

— Soit, dit-il. Le codage inverse fait appel à des techniques mathématiques complexes qu'on appelle des algorithmes. Deux ou trois équipes de recherche dans le monde travaillent actuellement dans ce domaine. L'une d'elles est celle de Jack Gallant à Berkeley en Californie. La méthode qu'ils emploient est assez simple et astucieuse. Êtes-vous familier de la magie, monsieur Levareux?

Michel Levareux n'aimait pas qu'on lui pose des questions comme à un élève. Il s'abstint de réagir.

— Je vais choisir trois cartes dans ce jeu, dit Franck tout en tirant de sa poche l'étui d'ivoire et le petit jeu de cartes. Une dame de cœur, un as de pique et un huit de carreau. Vous les voyez? Observez-les bien.

Le ministre regarda Franck étaler les cartes sur son bureau. Il nota les valeurs des cartes et glissa:

— Je vous signale qu'un magicien m'a déjà fait le coup à la garden-party de l'Élysée.

— Je ne suis pas un magicien, dit Franck. Je suis bien plus que ça. Je vais me retourner et le capitaine Melvin va vous montrer une des cartes parmi les trois. Toujours dos tourné, je vous dirai laquelle vous êtes en train de regarder.

— C'est impossible, dit le ministre.

— Sauf s'il y a un miroir, précisa Melvin.

— Exact, dit Franck. Sauf s'il y a un miroir. Ou mieux. Sauf s'il y a un APPAREIL QUI LIT DANS VOTRE CERVEAU.

Il se retourna et fit face aux deux hommes.

— Vous croyez peut-être qu'il s'agit de science-fiction. Mais ce petit jeu que nous faisons, des neuroscientifiques y consacrent leurs journées dans des laboratoires de recherche sur le cerveau. Pendant que vous observiez les trois cartes que je vous ai données, ils ont mesuré l'activité de votre cerveau. Ils obtiennent un cliché d'imagerie cérébrale pour la carte représentant la dame de cœur, un autre pour l'as de pique et un troisième pour le huit de carreau. Chaque carte est codée à travers sa propre empreinte dans votre cerveau. Ensuite, ils font comme moi : ils vous tournent le dos mais ils observent votre activité cérébrale transmise par un scanner. Et ils savent quelle carte vous êtes en train de voir.

Le regard de Levareux s'éclaira. Là, il avait compris.

— C'est ça, le code neural. Lorsqu'on veut savoir quelle carte un individu est en train de voir, on lit ce code à l'envers, pour remonter de l'activité de son cerveau à la carte qu'il est en train de voir. On fait du codage inverse. Lire dans les pensées, c'est faire du codage inverse.

Voyant que le ministre le suivait, Franck enchaîna.

— Par souci de simplification, je vous ai fait la démonstration avec trois cartes. Mais l'équipe de Gallant en Californie fait ses expériences sur des centaines de cartes. Ils peuvent deviner quelle image vous êtes en train de regarder parmi une collection de centaines d'images.

Le ministre hocha la tête.

— D'accord. Et comment procéderait-on avec un terroriste comme Ali Saleh ?

— C'est simple. Ali Saleh connaissait l'emplacement des bombes. Vous pourriez lui montrer des photographies de différents lieux dans Paris, enregistrer l'activité de son cerveau associée à chacune de ces images, puis lui demander où les bombes étaient cachées.

— Et s'il s'efforçait de ne pas y penser ?

Franck s'enfonça dans son siège, l'air malicieux.

— Essayez voir de ne pas penser à un ours blanc.

Le front du ministre se plissa.

— Je pense à un ours blanc.

— C'est irrépressible, dit Franck. On appelle cela l'effet rebond. Essayez d'éloigner une pensée, elle revient encore plus fort, comme si elle rebondissait contre un mur. Si Saleh décide de ne pas penser à l'endroit où sont les bombes, il y pensera forcément.

Le ministre observa un profond silence. Ce qu'il venait de constater lui semblait la démonstration la plus implacable de ce que Franck avançait.

— Nous avons donc entre les mains un instrument pour extraire les pensées d'un suspect, dit-il.

— Presque, dit Franck. Car tout de même, si on n'a aucune idée de l'endroit où Saleh aurait pu cacher les bombes, on est bien embêtés. Les bombes pouvaient se trouver n'importe où dans Paris. On ne va pas lui montrer des photos de tous les monuments, de tous les centres commerciaux et de toutes les rues pour savoir à laquelle correspond sa pensée. Il faut un appareil pour convertir n'importe laquelle de ses images mentales directement en image visuelle.

— Et sur ce point, où en est-on?

Franck rajusta sa position sur son siège.

— Un des collaborateurs de Gallant, un certain Thomas Naselaris, a trouvé la parade. Après avoir montré des centaines d'images au sujet, il obtient un code neural pour ces centaines d'images, puis utilise ce code pour généraliser à des millions d'images du monde réel. En comparant cette banque élargie à l'activité cérébrale du sujet, on peut localiser l'image qui s'en rapproche le plus.

— C'est compliqué.

— Peu importe, dit Franck. Ça marche. Vous permettez?

Franck posa une main sur le bureau du ministre, près de son ordinateur. Le ministre se raidit en voyant cette main posée sur son bureau Louis XVI. Franck tira de sa poche une clé USB.

— Vous allez avoir un aperçu des expériences de Naselaris et Gallant. Veuillez cliquer sur le fichier intitulé «Videocode»...

Levareux déplia une petite tablette tactile et y introduisit la clé. La vidéo démarra. Sur une image très floue, on distinguait un visage en train de remuer les lèvres, comme s'il était en train de parler. Juste après apparaissait une ombre sur un fond clair, comme deux ailes en train de battre. Puis, de nouveau un visage.

— Ce que vous venez de voir, dit Franck, est une vidéo extraite du cerveau d'un être humain par codage inverse. Au cours de cette expérience, le volontaire regarde un film sur un écran, ce qui déclenche chez lui une activité cérébrale mesurée par un scanner. En se basant seulement sur cette activité cérébrale, les logiciels de codage inverse recréent ce que le sujet a vu. Le résultat est-il le bon? Je vous laisse juger par vous-même. Voici la vidéo originale que le sujet a visionnée.

Un second fichier démarra. Les images montraient successivement une personne en train de parler, puis des images d'un aigle volant dans le ciel. Comme sur la vidéo obtenue par codage inverse, mais en plus précis.

— Ces résultats ont été publiés dans une grande revue internationale de recherche en neurosciences, il y a moins d'un an, dit Franck. Il est de plus en plus clair que l'on peut aujourd'hui capter le film des pensées d'un individu et les convertir en images. Même s'il faudra surmonter l'obstacle de la résolution des images.

Le ministre s'affala dans son fauteuil.

— Pas mal. Quand pourra-t-on disposer d'une machine à décrypter les pensées ?

— J'aimerais que ce soit tout de suite mais les images sont encore trop floues pour être réellement exploitables. Il faut affiner le procédé, et différentes équipes dans le monde travaillent sur des techniques appelées « catégorisation sémantique » et « décryptage lexical ».

— Est-ce que nous ne pourrions pas mettre ces techniques ensemble ? demanda Levareux. Histoire d'obtenir un instrument plus puissant ?

— Certainement, dit Franck, et le résultat serait prodigieux. Nous pouvons être les premiers à le faire.

Levareux fit tourner son stylo entre ses doigts et déclara :

— Alors combien de temps faudrait-il pour monter un scanner dans des locaux sécurisés et se doter de ces logiciels de façon opérationnelle ?

— Ah, pour ça, tout dépendra du dernier obstacle : la résolution du scanner.

Levareux jeta son stylo sur la table.

— Comment ! Que me dites-vous ?

— Mais je vous l'ai bien dit tout à l'heure lorsque nous avons regardé la vidéo. J'ai été clair sur le fait que le procédé avait encore une précision limitée. Les scanners doivent extraire l'information du cerveau et ça ce n'est pas de l'informatique, c'est de la physique quantique !

Sentant le ministre s'irriter, Franck cliqua de nouveau sur l'icône du fichier appelé « Videocode ».

— Regardez cette image. C'est flou, c'est sombre, on n'aperçoit que des masses informes, d'accord ? Donc si vous demandez à un type comme Saleh où des bombes vont exploser, et si vous observez ce qui se passe dans sa tête, vous ne verrez rien que des tas de matières informes, rien de distinct. Pour l'identification des mots auxquels il pense, c'est le même problème. Trop d'imprécisions.

Levareux laissa éclater sa colère.

— Et merde! Vous faites chier, Corsa, avec vos histoires de neurones! Parfois, on se dit que ce serait moins fatigant de torturer un type sans se poser de questions...

— Vous avez entièrement raison, répondit Franck en refermant son attaché-case. Il est beaucoup plus simple de torturer quelqu'un et c'est nettement moins cher. Je vous souhaite bien du courage, surtout avec le spécialiste des interrogatoires que vous avez à côté de vous. Désolé de vous avoir fait perdre votre temps.

Voyant Corsa se diriger vers la porte, Michel Levareux se leva.

— Hep! Attendez, pas si vite... Ne le prenez pas comme ça. Admettez qu'il est frustrant d'entendre qu'à cause d'un problème technique on ne pourra pas réaliser ce projet.

Franck le toisa, sa valise à la main.

— Si je me posais la question de ce qui est fatigant et de ce qui ne l'est pas, monsieur, vous n'auriez pas en ce moment entre les mains un rapport qui est sans doute le premier du genre dans l'histoire des sciences. Et ce, deux jours après me l'avoir commandé.

Levareux respira profondément et se dirigea vers le fond du bureau. Il ouvrit les battants d'un placard et en sortit une boîte de noix de cajou sous vide qu'il décapsula. Il piocha quelques noix et les fourra dans sa bouche en inclinant la tête en arrière. Puis il revint vers le bureau en mâchonnant.

— Je blaguais, dit-il. On ne va torturer personne. Et vous avez raison, c'est pour cela que vous êtes ici. Simplement, Corsa, j'ai les neurones en compote avec vos équations. J'ai faim. Je vous propose d'aller continuer tous les deux cette conversation autour d'une bonne table.

Il jeta un coup d'œil à la ronde. Jacques Melvin était dans ses petits souliers. Bon, pensa Franck. L'affaire était bien emmanchée.

Que de chemin parcouru depuis ce jour de septembre 2008, où Franck Corsa était arrivé à la gare de l'Est avec pour tout bagage son dossier d'inscription en licence de physique, une paire de chemises repassées et une brosse à dents. Il avait pris le train à Saverne, non loin du petit bourg de Aarwiller où habitaient ses parents, sur les contreforts des Vosges. Le train régional l'avait d'abord conduit à Strasbourg, d'où il avait pris un TGV pour Paris. Il était très excité.

Il avait attendu ce moment depuis des années.

Son oncle se tenait au bout du quai. Il l'avait emmené déjeuner à la brasserie La Strasbourgeoise. Franck vit comment Olivier commandait aux serveurs et se déplaçait au milieu des tables. Le frère de son père était apprécié et respecté. Il était agréable de se retrouver à ses côtés.

— Bienvenue à Paris, lui dit son oncle. Es-tu content d'être ici ?

— Très, lui répondit Franck. J'espère pouvoir enfin réussir dans le domaine que j'ai choisi.

— Ta mère me dit que tu as eu de très bonnes notes au bac, en effet.

Olivier Corsa demanda des menus et conseilla à Franck la choucroute de la mer. Elle était presque aussi bonne qu'à la maison Kammerzell de Strasbourg.

— Tu pourrais faire un MBA et prendre les rênes de la maison Corsa à Aarwiller, lui dit Olivier. Peut-être même à Saverne ou à Strasbourg.

— Je n'ai pas le moindre intérêt pour les meubles, mon oncle. Pas plus que vous, je suppose.

Olivier Corsa laissa la serveuse déposer les plats.

— Oui, mais la propriété familiale rapporte, dit-il. C'est l'héritage de ton père. Tu seras quelqu'un d'important à Saverne, avec des poches bien remplies et pourquoi pas, un jour pour faire de la politique cela peut être un atout.

Franck secoua la tête.

— Je m'intéresse à ce qu'il y a dans le cerveau, dit-il.

— Pourquoi?

— J'ai besoin. C'est comme ça.

Olivier Corsa observa son neveu, étonné.

— Qu'est-ce qui t'intéresse tant dans le cerveau?

Franck se tut. Son oncle renonça à en savoir plus pour l'instant.

— Bon, dit-il. Je t'ai trouvé un appartement. C'est pour faire plaisir à ta mère. Elle a beaucoup insisté pour que je t'accueille à Paris.

Franck commença à manger. Il relevait de temps en temps le visage de son assiette, pour jeter des regards furtifs à la ronde. Cette ville grouillait de monde, des gens allaient et venaient dans un ballet incessant, cela n'avait rien à voir avec Saverne ni même avec Strasbourg. Franck allait avoir besoin de temps pour s'y habituer.

— Grâce au parc immobilier du Sénat, tu seras bien logé, lui dit son oncle. Heu... Écoute, il y a quelque chose qui me chiffonne. Mon frère n'aurait jamais accepté que tu te lances dans une carrière scientifique en crachant sur la propriété d'Aarwiller. Nous sommes une famille unie, l'héritage est sacré chez nous. Cette fabrique vaut des millions. Qu'est-ce qui l'a décidé à te laisser partir?

Franck haussa les épaules.

— Il faut croire que mon père a changé d'avis.

Olivier contempla son neveu, désemparé. Quelque chose lui échappait.

— Oncle Olivier, je suis content d'être ici, dit Franck. Je ne vais pas te gêner, je serai un locataire paisible. Tu ne sais pas ce qui se passe dans ma famille. Je suis beaucoup mieux ici.

Le serveur apporta la bouteille de pinot gris que le sénateur avait commandée. Olivier Corsa ne se sentait pas à son aise. Au téléphone, la mère de Franck avait tellement insisté pour qu'il fasse venir Franck à Paris, qu'il avait trouvé cela préoccupant. Comme si elle avait voulu voir son fils s'éloigner au plus vite.

— Franck, que s'est-il passé, dans la propriété?

— Je crois, si tu le savais, que tu me demanderais de me taire. Disons que j'ai vu des choses que je n'oublierai jamais.

Olivier sentit sa poitrine se serrer. Son neveu l'inquiétait subitement. Il allait lui prêter main-forte, cela ne faisait pas de doute. Mais une question lui brûlait les lèvres.

— C'est aussi à cause de ce que tu as vu?

— Oui, c'est à cause de cela.

À peine entré dans le hall de l'hôtel Crillon, Franck nota que le personnel d'accueil se trouvait aligné sur le tapis rouge, formant une haie d'honneur qui menait tout droit à un salon privé.

Le ministre se dirigea vers deux battants en chêne ornés de dorures. Ses mocassins vernis foulèrent la moquette bleu sombre. Des éclats de lumière tombaient d'un lustre en cristal de baccarat.

Franck savoura l'instant. Quelqu'un comme Levareux avait dû se démener pendant des années pour obtenir son poste et l'accès à ces écrins du pouvoir. Lui, Franck Corsa, franchissait cet obstacle d'un bond, uniquement grâce à ses capacités intellectuelles.

Michel Levareux commanda un apéritif. Il déboutonna sa veste et invita Corsa à faire de même. Diverses pensées traversèrent son esprit. Ce jeune avait l'air d'avoir bigrement potassé son dossier. Rares étaient les individus à ce point passionnés par leur besogne. Pour autant, le ministre de l'Intérieur n'arrivait pas à savoir jusqu'où il pourrait se servir de ce nouveau venu.

Levareux avait bien connu le sénateur Olivier Corsa, un bon soldat de la majorité. Mais son neveu semblait sorti d'un autre moule. Il avait une tournure d'esprit particulière. Levareux ne pensait pas avoir encore rencontré de personnalité comparable. Le jeune Corsa détenait des connaissances mais également une capacité de planification et de synthèse tournée vers la réalisation d'objectifs concrets.

Surtout, il avait presque réponse à tout.

— Apportez-moi des noix de cajou. Apéritif, Corsa?

Le moindre kir était facturé trente euros. La note devait tout bonnement être envoyée place Beauvau. En soi, c'était parfaitement normal, pensa Franck. Les gens qui s'asseyaient à cette table prenaient des décisions qui concernaient des millions de personnes. Ils avaient droit à un minimum d'égards.

Pour la première fois, Franck se sentit à une position digne de son rang. La foule s'écartait devant son passage, et c'était normal. Ce n'était pas ce vieux macaque de Serge Larcher, ni l'usurpateur Vareski, qui auraient été véhiculés dans la voiture personnelle du ministre. Finalement, il y avait une justice. Non pas celle des classements, obsolète et foulée aux pieds par ceux-là même qui étaient censés la faire respecter, mais celle du mérite sans intermédiaire. Il ne devait sa place à cette table qu'à sa seule compétence, qui était irremplaçable. Il ne faisait partie d'aucune hiérarchie militaire ni administrative, et c'était le ministre lui-même qui était en position de demandeur. Franck pouvait traiter avec lui d'égal à égal.

Michel Levareux commanda un verre de sancerre et, tout en piochant dans le bol de noix de cajou, se décida pour un menu composé d'une aumônière de sandre puis d'un parmentier de queue de bœuf à la truffe noire, le tout arrosé d'un riesling millésimé de la Moselle allemande. En reposant le menu, il allongea sa main sur la nappe et se tourna vers Franck.

— Vous avez livré une bonne prestation, Corsa. Il nous faudrait plus de gens comme vous dans les grands projets de l'État. Aujourd'hui, il faut des gens qui vont droit au but.

Il tendit à Franck les noix de cajou. De la part de Levareux, c'était un geste fort. Franck avait noté que cet ingrédient un peu vulgaire devait constituer comme un noyau de sa personnalité. La face cachée de son intimité, un rien mesquine malgré les fastes du salon.

Il décida que Levareux avait été correct avec lui et qu'il pouvait bien lui renvoyer un petit compliment.

— La science ne sert pas à grand-chose sans volonté politique, dit-il. On peut faire mieux avec des gens décidés comme vous qu'avec une flopée d'universitaires indécis.

Levareux goûta son sancerre. Il ne lui échappait pas que Corsa portait un jugement sévère sur sa propre corporation. Lui-même avait longtemps eu cette tendance à juger la classe politique comme saturée d'incapables. Ce point commun les rapprochait-il ?

— Avançons, dit-il. Nous étions restés sur l'idée que les méthodes de codage inverse étaient prometteuses, mais souffraient encore de certaines limitations. Alors, dites-moi ce qui manque et ce qu'on peut faire pour aller plus vite.

Franck reprit où il en était.

— Les scanners actuels ne sont pas assez précis : et si la mesure de l'activité du cerveau est imprécise, vous aurez un résultat nécessairement imprécis. Pour visualiser les pensées d'un individu, il faut une photo détaillée de son cerveau. Vous me suivez ?

Levareux hocha la tête.

— Chaque représentation mentale est sous-tendue par un réseau neuronal unique, dit Franck. Un tel réseau se présente un peu comme une sorte de toile d'araignée en trois dimensions, avec des fils microscopiques dont la disposition précise détermine le type de représentation. Quand ce réseau (et pas un autre) entre en activité, la représentation de cette salière par exemple est activée. Vous pensez alors à une salière.

— C'est aussi simple que ça ? dit Levareaux pendant qu'un sommelier venait lui suggérer de goûter le château-laffite 1974 prévu pour accompagner le parmentier de truffes. La représentation d'une salière ne serait qu'une sorte de toile d'araignée microscopique dans mon cerveau...

— Parfaitement. Ce qui change entre une représentation et une autre, c'est seulement le réseau de neurones. Ainsi, il suffit de modifier les connexions de quelques neurones pour passer de la représentation d'une salière à celle d'un Airbus A380. C'est pourquoi la précision en ce domaine est essentielle.

Levareux porta le verre à ses narines et huma l'arôme du vin.

— Les scanners actuels, poursuivit Franck, ne voient pas les neurones de manière assez précise pour faire la différence entre deux représentations. Pour qu'ils voient cette différence, il faudrait que leur pouvoir de résolution soit de quelques micromètres. Ce qui est loin d'être le cas actuellement.

— Encore vos ennuis techniques, râla Levareux en reposant son verre. Dites-moi tout de suite quelle est votre solution et passons à autre chose.

— Il faut utiliser des champs magnétiques plus intenses qui améliorent la résolution des scanners. Et par chance, nous disposons en France d'un centre de recherche à la pointe de ce domaine.

— Et où se situe ce centre?

— À Saclay. Il s'agit d'un consortium d'imagerie cérébrale qui s'appelle Neuroland.

Levareux posa sa fourchette.

— Franck. Vous permettez que je vous appelle Franck. Si vous êtes d'accord, votre première mission sera de réunir les compétences humaines et techniques sur le site de Neuroland afin de développer un scanner de haute résolution et une interface informatique de décodage inverse des pensées.

Corsa acquiesça.

— C'est comme si c'était fait, monsieur le ministre. En tout cas pour ce qui est de trouver les types compétents pour la partie informatique. Si vous me donnez des fonds, pas de problème. Mais pour le scanner, cela va être une autre paire de manches.

Franck tendit son verre au sommelier.

— Pour se doter d'un scanner de haute résolution, poursuivit-il, il faut changer de technologie. Les techniques actuelles sont médiocres. Elles ne font que mesurer le débit sanguin dans le cerveau. Ce qui donne des indications grossières sur son activité. Qui plus est, il existe un décalage de plusieurs secondes entre le moment où le cerveau s'active et celui où le scanner recueille le signal. On se retrouve avec une double imprécision, donc : spatiale et temporelle.

— Mais c'est insupportablement compliqué votre histoire, Corsa! Vous faites chier avec votre science!

Le ministre avait jeté sa serviette par-dessus la table, faisant sursauter le sommelier.

— Désolé que ce soit un peu difficile à suivre, répliqua Corsa plein de morgue. Si ça ne vous intéresse pas, je peux m'en aller.

Levareux piocha compulsivement dans le bol de noix de cajou et les mâcha avec dépit.

— Tout de même, vous admettrez que c'est rageant, non? Dès que vous me parlez d'une prouesse technique, c'est pour ensuite me dire qu'il y a un obstacle.

— C'est en identifiant les obstacles qu'on les surmonte.

— Eh bien, surmontons, surmontons! Développons une nouvelle méthode. Vous avez sûrement des idées pour cela, n'est-ce pas?

Franck prit son temps.

— Oui. Le «big boss» de Neuroland, un certain Le Cret, travaille actuellement sur une nouvelle méthode de détection.

— Quand obtiendra-t-il les résultats?

— C'est l'affaire de quelques grosses semaines. C'est un jeune nommé Vincent C...

Franck se rendit compte soudain qu'il allait devoir laisser Carat faire le boulot. C'était la pire chose qu'il aurait pu imaginer, mais il était coincé. C'était Carat qui était censé trouver le code neural. Eh bien soit. Carat irait. Mais il le paierait cher. Quand Franck aurait atteint le poste qu'il convoitait, il le démolirait.

— Contactez donc ce jeune homme, dit le ministre. De mon côté, je vais faire signer au Président un décret pour que Neuroland soit rattaché au ministère de l'Intérieur et que des locaux de police judiciaire soient installés à proximité des scanners.

— Et qui seront les chercheurs et les ingénieurs qui feront fonctionner les machines?

— Des personnels du ministère.

— Ils n'ont aucune qualification, dit Franck. C'est de la science très pointue. Sans Le Cret et son équipe, sans Carat, nous n'aurons jamais cette machine à lire dans les pensées. Il nous faut leur concours et il va falloir jouer finement.

— Ah bon? Et comment comptez-vous procéder? demanda Levareux dont l'orgueil avait été piqué au vif.

— Le truc intéressant, dit Franck, c'est que la Commission européenne de Bruxelles s'apprête à interdire l'utilisation des champs magnétiques très intenses sur l'être humain.

— Ce n'est pas intéressant, c'est carrément la tuile vous voulez dire. Sans champs magnétiques, comment voulez-vous fabriquer votre satanée machine? Et d'où sortent-ils leur interdiction, vos fichus bureaucrates?

— Principe de précaution. Ça vous étonne? Vous savez très bien que dès qu'on peut faire quelque chose d'intéressant il y a neuf chances sur dix qu'on vous sorte que c'est potentiellement dangereux.

— Putain, ces connards de Bruxelles vont encore nous mettre des bâtons dans les roues...

— Au contraire. Ils vont nous aider. Car pour Le Cret et son équipe, cette interdiction est leur pire cauchemar. Le Cret a créé Neuroland de ses mains, il ne pense qu'à ça du matin au soir, si on lui dit que ça va s'arrêter il va faire une syncope. Alors vous allez vous présenter comme son sauveur.

— Hein ? Comment...

— Tout simplement, en leur annonçant que le gouvernement français passera outre la directive de la Commission européenne. Dites-lui que vous ne voulez pas que l'orgueil technologique de la France soit sacrifié au caprice de bureaucrates constipés. Dites que c'est important pour la recherche sur Alzheimer, ils apprécieront. Et quand Le Cret et Vareski seront à vos pieds, vous dicterez vos conditions, à savoir que ce sauvetage a un prix, que l'État va prendre le contrôle des projets de recherche de Neuroland, et des résultats qui en découlent. C'est nous qui prendrons alors les rênes de Neuroland. À ce moment, ils devront choisir entre se soumettre ou mourir.

Levareux prit le temps d'apprécier l'audace de Corsa. Sa stratégie était pratiquement imparable. Elle était à la fois rusée et méthodique, utilisant la psychologie et la politique sans aucun scrupule ni considération pour les personnes. Il fallait se rendre à l'évidence : Corsa irait loin.

— Juste votre histoire d'Alzheimer, dit-il... Vous voulez vraiment que Neuroland perde du temps à cela ?

— Bien sûr que non. Alzheimer est un leurre, dit Franck. Un hochet qu'on agitera devant les pontes du CNRS, et qui sera bien vu de l'opinion. En réalité, les fonds prétendument alloués à la maladie d'Alzheimer seront détournés vers le projet de décodage des pensées.

Levareux attrapa un cigare. Corsa était peut-être futé, mais un bleu en politique. Il y avait plein d'obstacles qu'il ne voyait pas.

— Passer outre la directive européenne coûte trop cher au niveau international, objecta-t-il. C'est un risque énorme. Je ne peux pas me le permettre.

— C'est comme cela que vous voyez les choses maintenant, rétorqua Franck. Mais que diront vos homologues ministres de l'Intérieur des autres États membres de l'Union lorsque vous leur proposerez d'utiliser notre plate-forme d'interrogatoire cérébral, en toute discrétion ?

Levareux venait d'arrêter son cigare à deux doigts de sa bouche. C'était génial. Vendre au Premier ministre britannique, flanqué du directeur de Scotland Yard, ce nouvel outil technique. C'était le top. Le Premier ministre néerlandais, le suédois, tous avaient besoin de ça.

Levareux imagina le pitch : « Venez chez nous à Saclay avec vos prisonniers politiques et passez-les dans nos scanners, vous saurez tout ce que vous avez toujours voulu savoir sur les réseaux islamistes, la cybercriminalité ou la fraude fiscale. Forfait interrogatoire ou abonnement à la plate-forme, au choix. » Interpol allait adorer. Il faudrait en parler au Président Dejaby et monter une campagne de lobbying, convaincre quelques parlementaires européens réticents, moyennant finances. Manœuvres habituelles mais délicates en raison de la sensibilité de l'opinion publique sur le sujet des ondes électromagnétiques. Avec l'appui des gouvernements nationaux concernés par le projet, cela devrait passer. C'était du bon, du très, très bon.

Quatrième partie

Vincent Carat ouvrit d'un coup de cutter le cube en polysty-rène qu'il avait commandé à la société Beckstein. De la vapeur de glace carbonique s'échappa du bac, révélant des blocs de dioxyde de carbone à moins quatre-vingt-dix degrés. Il y avait aussi un petit sachet en plastique avec deux flacons transparents. Vincent les saisit à l'aide d'une pince métallique et les déposa sur un râte-lier afin qu'ils dégèlent progressivement au contact de l'air ambiant.

Tout en dépliant les instructions du protocole expérimental, il vérifia son matériel : un flacon de mercaptoéthanol, un tampon au chlorure de sodium, une colonne de désalinisation. Une centrifu-geuse portable.

Il y avait longtemps qu'il n'avait pas réalisé d'expérience concrète en laboratoire. Théoriquement, il maîtrisait chaque étape de son projet de recherche ; mais passer de la théorie à la pratique était une autre affaire.

Damien entra dans la pièce et observa les étiquettes des échan-tillons posés sur le ratelier.

— On dirait que tout est là, dit-il. Il ne reste plus qu'à ajouter les USPIO.

Ces nanoparticules d'oxyde de fer reliées à des atomes de gado-linium avaient la particularité d'être très visibles dans le scanner à IRM. Avec l'aide de Damien, Vincent allait les greffer, par réaction chimique, à des sortes d'ancres moléculaires capables de se fixer elles-mêmes sur les plaques amyloïdes qui infestaient le cerveau des personnes malades d'Alzheimer.

Pour choisir le type d'ancres moléculaires le plus adapté à cette opération, Vincent avait consulté des articles scientifiques que lui avait fournis Damien et qui proposaient mille solutions techniques toutes aussi compliquées qu'onéreuses. Finalement, il avait eu une idée plus simple : si les plaques amyloïdes étaient constituées par un seul et même type de molécule (le peptide amyloïde), c'est que ce dernier avait une très forte tendance à se fixer sur ses semblables. On pouvait donc utiliser tout simplement le peptide amyloïde comme ancre moléculaire, car il y avait fort à parier que cette ancre irait se coller tout naturellement aux plaques qu'on cherchait à localiser.

L'astuce avait dérouté Damien Tréteau. Ce Vincent Carat était une mine à idées.

Vincent s'était ensuite fait envoyer un microgramme d'une souche de bactérie *Escherichia coli* modifiée génétiquement par un ami travaillant à Cologne. Il possédait une bactérie renfermant une séquence d'ADN lui permettant de synthétiser le fragment de peptide amyloïde qui les intéressait. Vincent les mit en culture dans une pièce à trente-sept degrés, les bactéries se multiplièrent. Au bout d'une journée il y avait assez de peptide amyloïde pour fabriquer des dizaines de tubes de biomarqueur comme celui-ci.

Damien regarda Vincent faire, intimidé. Traitement aux ultrasons, extraction au phénol... Sans s'affoler, Vincent récupéra le peptide amyloïde et le mit en présence d'un catalyseur pour qu'il se lie aux USPIO.

— Il reste deux heures à attendre pour que le biomarqueur se synthétise, dit-il. Ça nous laisse le temps d'aller déjeuner.

Le repas était toujours un moment de détente privilégié. Les menus proposés au restaurant d'entreprise n'avaient pas grand-chose à voir avec le restaurant universitaire de l'École normale supérieure.

— C'est l'avantage d'avoir un boss comme Le Cret, affirma Damien en poussant son plateau sur les rails du self. Il a obtenu des crédits pharaoniques pour Neuroland, et tout le monde en profite !

— J'imagine que l'essentiel de ces crédits est consacré à la construction et au fonctionnement des aimants, dit Vincent.

— Tu l'as dit. Le Cret vendrait sa maison et sa famille pour terminer son programme de scanners à très hauts champs magnétiques. Le tout, pour découvrir le code neural. C'est pour ça qu'il t'a embauché. Cela te donne une idée de ta responsabilité.

Vincent ne répondit pas. Il se demandait surtout quand Le Cret allait se rendre compte qu'il consacrait en fait l'essentiel de son temps à son projet sur Alzheimer. Il jouait avec le feu.

— Tu sais, dit-il, je ne suis pas sûr que le code neural soit un objectif bien raisonnable.

Damien éclata de rire.

— Crois-moi, si Le Cret croit que tu vas trouver le code neural, tu vas le trouver. Même si tu ne le sais pas encore. Après, je ne sais pas trop ce qui va arriver...

Damien piocha allègrement dans ses spaghettis bolognaise. Même quand le menu proposait du canard à l'orange et des bavaroises à la passiflore, il prenait toujours spaghettis bolognaise et mousse au chocolat.

Vincent l'observa un moment puis demanda :

— Que veux-tu dire par : «Je ne sais pas ce qui va arriver»?

— Si tu trouves le code neural, il peut t'arriver deux choses. Le prix Nobel, ou bien la vie avec Le Cret.

— Comment ça, la vie avec Le Cret?

— Même si tu trouves le code neural et que ça débouche sur le Nobel, il y a peu de chances pour que Le Cret partage le gâteau avec toi. Ce sont toujours les grands patrons qui vont à Stockholm. Le génial étudiant regarde la cérémonie à la télé. Ou alors, il fait le voyage avec lui, mais il reste à l'hôtel.

— Je me fous du Nobel, dit Vincent.

— C'est bien ce que je pensais, dit Tréteau en haussant les épaules. Tu es un génie.

— Et «vivre avec Le Cret», qu'est-ce que ça veut dire?

— C'est le sort des étudiants qui travaillent avec un patron qui a décroché le Nobel. Ils dépendent de lui. Ils s'attendent à une carrière mirobolante, mais ils ont besoin de ses recommandations. Et, parfois, ils se battent pour faire reconnaître leur contribution à son œuvre.

— Ce ne sera pas mon cas. J'ai passé un marché avec Le Cret. Ma récompense, ce sera de développer mon programme de recherche sur Alzheimer.

— Ouais. C'est ce que je disais. T'es un génie.

Damien avait tout le pourtour de la bouche badigeonné de sauce bolognaise. Il secouait la tête en mangeant et attrapa sa mousse au chocolat comme un ours affamé. Et dire que ce garçon manipulait pendant toute la journée des substances chimiques toxiques et radioactives.

— Où est Le Cret actuellement?

— Probablement à Bruxelles, dit Damien en engloutissant la moitié de sa mousse. Il y passe de plus en plus de temps. On dit qu'il y a des problèmes avec la législation européenne. Il t'en parlera peut-être. La Commission a fait voter une directive qui interdit l'utilisation des très hauts champs magnétiques chez l'être humain. Ils disent que c'est trop risqué.

Vincent déglutit.

— Mais alors ça veut dire que toute la recherche à Neuroland est menacée!

— Pas de panique. La directive est votée depuis 2004 et jusqu'à présent Le Cret et les autorités de la recherche française sont toujours arrivés à en repousser l'application. Cela dit, des lobbies anti-IRM se font de plus en plus pressants à Bruxelles et ces tractations prennent un temps précieux à notre boss adoré. Je ne pense pas que l'État français soit prêt à sacrifier le fleuron de sa recherche pour satisfaire les angoisses d'un quarteron de bureaucrates bruxellois. Cela étant, en ce moment il vaut mieux ne pas croiser Le Cret lorsqu'il rentre du Parlement. Il n'est pas d'humeur à plaisanter.

Damien racla le fond de sa mousse et se leva en s'essuyant la bouche.

— Le biomarqueur doit être prêt. On passe à l'étape suivante?

Vincent suivit Damien à travers les couloirs.

— On va traverser le bâtiment des aimants. La première salle abrite un aimant de 3 teslas, ce qui représente 5 000 fois le champ magnétique terrestre. On l'utilise pour des études cliniques et des examens.

Quelques mètres plus loin, Damien s'arrêta devant une seconde porte.

— Ici, c'est du sérieux. Un aimant de 7 teslas. Il génère 120 000 fois le champ magnétique terrestre. Il a fallu l'entourer d'un blindage d'acier de 450 tonnes.

— Pourquoi? demanda Vincent.

— Sans l'isolation magnétique que représente ce blindage, le champ traverserait les murs et attirerait chaque boucle de ceinturon, chaque pièce de monnaie dans tes poches et chaque plombage de tes dents au point de les arracher.

Damien continua son chemin vers le bout du couloir. Les deux hommes passèrent devant une porte marquée d'un sigle de haute sécurité.

— Derrière cette paroi se trouve le plus gros électroaimant jamais construit, Vincent. Cinq mètres de diamètre, un monstre où une personne disparaît entièrement, la tête encerclée de 60 tonnes de bobinage de niobium-titane, lui-même baigné dans une circulation d'hélium superfluide à $-271\,°C$. Il a été impossible de créer un blindage contre un tel champ. Il aurait fallu pour cela des milliers de tonnes d'acier. Les techniciens ont donc opté pour un blindage actif, un contre-champ magnétique opposé au premier, qui en annule les effets à l'extérieur du scanner.

— Quelle est sa puissance?

— L'equivalent de 200 000 champs magnétiques terrestres. 12 teslas.

Vincent suivit son ami jusqu'à une petite porte tout au bout du couloir.

— Voici le petit dernier de la famille, lui dit Damien en lui montrant un bloc d'acier blanc cylindrique de la taille d'un baril de lessive. Un scanner pour souris. Il n'a l'air de rien mais il produit 17,5 teslas.

— Mais je croyais que l'autre, énorme, était le plus puissant?

— Oui, mais il est plus facile de produire des champs puissants avec des bobines plus étroites. Produire 17,5 teslas pour une souris est bien plus facile que de produire 12 teslas pour un être humain.

— Ah...

Damien dévisagea Vincent.

— Ils ne t'apprennent pas ça dans tes cours d'électromagnétisme?

Damien préféra parler d'autre chose et tira vers lui un gros chariot en aluminium. C'était une sorte de desserte avec des cages constituées d'un bac en plastique et d'une partie grillagée. Par-dessus les ouvertures, on voyait de petites souris fureter dans la sciure.

— Celles-ci sont des souris génétiquement modifiées. Leur cerveau produit des excès de plaques amyloïdes, tout comme celui des malades. Nous allons leur injecter le biomarqueur, puis les passer au scanner. Ensuite, on fera pareil avec des souris saines, pour observer la différence. Normalement, on devrait voir apparaître le biomarqueur fixé sur les plaques amyloïdes, particulièrement chez les souris génétiquement modifiées qui le produisent en grandes quantités.

En vieillissant, ces souris développaient des symptômes comparables à la maladie d'Alzheimer : troubles de la mémorisation de l'environnement visuel, difficultés de repérage, problèmes d'interaction sociale. Elles constituaient donc un bon modèle d'étude de la maladie.

Damien disposa sur le plan de travail à côté de l'aimant une série de tubes à essai et ouvrit une petite trousse comportant des seringues. Il décapsula une seringue et plongea la pointe dans la préparation de biomarqueur.

— Il faut injecter en même temps du mannitol pour perméabiliser le cerveau. Une fois injecté dans le sang, le mannitol remonte jusqu'aux méninges et provoque une rétraction des cellules chargées de protéger le cerveau contre les agents extérieurs.

Damien éleva la seringue verticalement et en fit jaillir une minuscule goutte.

— Pourquoi le mannitol ? demanda Vincent.

— On s'est aperçu que cet alcool fait rétrécir les cellules gardiennes du cerveau pendant quelques minutes, ce qui permet à des médicaments ou à d'autres agents externes de pénétrer à l'intérieur de celui-ci. Ce composé est très utile dans l'administration de certains traitements en chimiothérapie.

Une fois anesthésiée, la souris reçut l'injection au niveau de la carotide. Le mélange de substances commença à circuler dans son sang.

Damien sangla l'animal sur une petite plate-forme et immobilisa sa tête. Il fit coulisser la plate-forme dans le conduit étroit du scanner expérimental. Il s'installa devant le clavier de contrôle et commanda l'exécution d'un programme de résonance magnétique classique. Le scanner se mit à émettre un bourdonnement, puis une série de petites décharges correspondant à l'acquisition des données.

— Il faudra attendre dix minutes pour obtenir les résultats. Je vais demander au stagiaire de nous faire un cliché sur un animal sain à titre de comparaison. Ça nous laisse le temps de prendre un café.

Dans le hall d'entrée, Vincent et Damien s'installèrent parmi les plantes en pots, à côté d'un aquarium qui contenait des poissons exotiques.

— C'est tout de même formidable de pouvoir bénéficier d'une telle plate-forme technique, dit Vincent. Quelle chance de pouvoir accéder à ces appareils aussi facilement : il suffit de passer de la pièce de synthèse biochimique aux scanners, en traversant un hall...

— L'essentiel de cet argent est dédié à l'élucidation du code neural, dit Damien. Tu as de la chance de faire partie de ce projet.

Vincent fit la moue.

— Je crois plus aux avancées sur la maladie d'Alzheimer.

— C'est marrant, dit Damien songeur... Je veux dire à ton âge, être aussi engagé sur ces questions. J'admire. Moi, j'ai commencé à faire de l'imagerie moléculaire par intérêt scientifique, puis j'ai découvert les problématiques des accidents vasculaires cérébraux, des tumeurs, les patients et tout ça. Mais ce n'était pas ma démarche initiale.

Vincent fit tourner sa cuiller en plastique dans son gobelet. C'était normal de s'y intéresser quand on avait une mère malade d'Alzheimer.

Damien consulta sa montre.

— Ça devrait être fini, dit-il. On y va?

Il jeta son gobelet et prit le chemin du local à 17 teslas. Il s'installa devant l'écran et observa les clichés du cerveau de souris. Des petits points lumineux de couleur rouge et jaune se répartissaient un peu comme des paillettes dans la nuit.

— Pas mal, dit-il. Voyons le contrôle.

Damien enfonça une touche et Vincent vit apparaître le cliché obtenu avec une souris saine, sans plaques amyloïdes dans le cerveau.

— Mince alors, dit Damien. Je m'attendais à quelque chose de positif, mais pas à ce point!

Vincent approcha son visage de l'écran.

— Tous les points lumineux qu'on voit sur le cerveau de la souris malade, ce sont des plaques amyloïdes? questionna-t-il.

— Oui, ce sont les biomarqueurs fixés à des plaques amyloïdes. La différence est flagrante entre les deux clichés. Notre méthode semble efficace...

C'était effectivement une réussite, songea Vincent. Si cela se confirmait, on pourrait faire passer Félicia dans un scanner, voir les plaques amyloïdes, tester des traitements.

— Hé, Einstein! l'interrompit Damien. Première expérience à Neuroland, première réussite! Tu peux être content!

Le téléphone sonna. Damien décrocha et écouta en silence, puis posa la main sur le combiné et fit une moue embarrassée en regardant Vincent.

— C'est Le Cret. Il veut te voir.

Fébrile, Vincent traversa l'allée centrale menant à la section des bureaux administratifs. Il allait avoir son premier rendez-vous avec le big boss. Car, en dehors des cinq minutes où ils avaient bavardé au moment de son accueil dans les locaux, Le Cret et lui ne s'étaient pour ainsi dire pas parlé.

En pénétrant dans le bureau du directeur, Vincent découvrit un intérieur tout en verre, bois de cèdre et acier dépoli. Une moquette en laine d'un bleu profond, deux canapés en cuir luxueux, une table basse avec des magazines. Un grand écran de télévision, un ordinateur PC dernier cri, des livres partout. Le Cret était assis dans un immense fauteuil derrière un large bureau. Sa blouse blanche était entrouverte sur un costume de marque.

— Bonjour, Carat. Asseyez-vous. Comment vont nos équations de diffusion?

Plutôt que d'inventer mille excuses, Vincent décida de jouer franc jeu.

— Je suis en retard sur le cours du master, monsieur. Je n'ai pas les outils actuellement pour aborder ce problème. La fin des cours d'électromagnétisme arrive dans une semaine, j'entamerai alors mes révisions. J'aurai à ce moment les concepts pour aborder le problème sérieusement.

Le Cret parut s'accommoder de cette réponse.

— Très bien. J'imagine que vous vous consacrez à votre projet personnel en attendant?

— En effet, dit Vincent. Je... je crois que cela vaut la peine. Nous avons mis au point une bonne technique. Cela pourrait profiter à la recherche sur les accidents vasculaires cérébraux, les tumeurs et... Alzheimer.

Le Cret eut un petit sourire.

— Facile à dire, tant qu'on n'a pas de résultats concrets.

Vincent tenait les clichés d'imagerie cérébrale visualisés sur l'ordinateur.

— Nous sommes parvenus à voir les plaques amyloïdes in vivo chez la souris.

La bouche de Xavier Le Cret se plissa quand il vit les photos.

— C'est bien, dit-il. Mais n'oubliez jamais une chose : on ne peut pas courir plusieurs lièvres à la fois en recherche. Votre priorité demeure le code neural et vous devez vous concentrer dessus. Vous avez de bonnes intuitions dans l'investigation neuronale, alors même si ça ne vous plaît pas, développez-les. Vous avez une responsabilité vis-à-vis de la science. Sans compter les intérêts que j'ai dans cette histoire.

— Et notre responsabilité vis-à-vis des malades?

Le Cret soupira.

— Ce n'est pas comme cela que ça se passe, Carat. Notre budget est bouclé. J'ai une enveloppe pour l'imagerie moléculaire, prise en charge par le groupe de Damien Tréteau. Et cette enveloppe est répartie entre la recherche sur les accidents vasculaires cérébraux et les tumeurs. Pour Alzheimer, on a les miettes de ce qui reste de ces enveloppes principales. On ne va pas monter un dossier de financement auprès du CNRS et du CEA maintenant, parce que vous avez fait une manip sur des souris.

— Monsieur Le Cret, cette manip sur les souris est peut-être en train de nous donner un outil pour franchir un palier dans la recherche sur les médicaments d'Alzheimer.

Le visage de Le Cret se durcit. Un moment, Vincent eut peur qu'il prenne la mouche et le flanque à la porte. Pourtant, le patron sembla se dominer.

— Je comprends ce que vous ressentez, Carat. Pour moi aussi, ces résultats sont positifs. Ils me confirment que je ne me suis pas trompé en vous embauchant, que vous avez la trempe d'un chercheur. Mais vous allez devoir accepter la chose suivante : l'orientation d'un groupe comme Neuroland ne ressemble pas au pilotage d'un voilier léger. Il s'apparente plutôt à celui d'un pétrolier géant. Une fois le cap fixé, on ne peut plus en dévier. Les budgets sont votés. Allez voir Jacqueline à la comptabilité, si vous ne me croyez pas. Pour Alzheimer, c'est clos. Il ne reste que quelques milliers d'euros. De quoi reproduire votre expérience sur les souris et obtenir un coup de scanner supplémentaire à 17 teslas. Neuroland n'est pas sur les listes de l'Agence nationale de la recherche dans ce domaine. Si vous vouliez de l'argent pour Alzheimer, il fallait aller à la Salpêtrière.

Vincent avait péché par naïveté. Il était encore jeune.

Félicia n'était pas jeune.

Vincent sentit qu'il serait contreproductif de s'aventurer plus loin dans cette direction. Il ne pouvait plaider sa cause en invoquant des arguments affectifs. Le Cret le prendrait mal. La seule chose qui le motivait, c'était le code neural. Cet homme était prêt à vendre son âme pour le code neural. Eh bien soit, songea Vincent. Il reviendrait dans une semaine avec les premières équations qui répondraient à cette obsession. Il serait alors en mesure de négocier.

Décidément, il allait devoir apprendre ce foutu cours d'électromagnétisme.

Michel Levareux regarda à travers le hublot du Falcon 50 et vit se dessiner la baie de Swansea à marée basse. Le jet de l'armée de l'air affrété par le ministère de l'Intérieur avait quitté l'aéroport de Villacoublay une demi-heure plus tôt. La météo clémente laissait paraître le trait de côte sablonneux, d'un gris vaseux, qui ourlait le sud du pays de Galles. Le secrétaire du département britannique de l'Intérieur, William Goldwood, avait défini avec Scotland Yard un lieu de rendez-vous discret pour la réunion des chefs des polices d'Europe occidentale. À côté de Michel Levareux, sur les sièges en cuir crème de l'avion supersonique, l'attaché ministériel Pascal Bento pianotait sur son ordinateur.

— Nous avons insisté pour qu'il n'y ait pas de cérémonie d'accueil, dit-il. Le ministre britannique nous attendra à Penrice Castle. Deux véhicules sécurisés de Scotland Yard nous prendront en charge, pour un trajet de dix minutes environ.

Levareux jeta un coup d'œil furtif à Franck Corsa.

— Corsa, vous avez vos documents sur vous ?

— Ils sont stockés sur deux clés USB, rétorqua Franck. L'une est dans la poche de ma veste, l'autre dans la mallette de Bento. Ne stressez pas, Michel, je connais mon topo.

Facile à dire. Corsa pouvait prendre l'air décontracté, il ne savait pas ce que représentait ce type de réunion à huis clos. Un comité restreint, quelques traducteurs, des collègues plus tendus qu'en réunion officielle, et une entrée en matière directe sans round d'observation. Ni soirée de gala ni conférence de presse. On disposait de quelques heures pour prendre des décisions de la plus haute importance. En gros, il fallait être bon.

Le ministre attacha sa ceinture pendant que le Falcon amorçait sa descente. Le ciel était dégagé et l'on voyait des barques de pêcheur échouées dans la vase, des barrières de cyprès protégeant la lande et les maisons en granit et ardoise de la bourgade de Swansea. L'avion roula un moment avant de s'immobiliser. Pascal Bento remballa aussitôt son ordinateur, attrapa deux autres attachés-cases et jeta un imperméable en travers de son avant-bras. Il était plus tendu qu'une corde de piano. Corsa lui jeta un regard méprisant. Comme tout frais diplômé d'école d'administration, il perdrait tous ses moyens dès qu'il serait bousculé.

Sur le tarmac, Franck repéra un homme raide comme la justice, accompagné d'un général quatre étoiles. Probablement le délégué du département de l'Intérieur chargé de les conduire à Penrice. Des policiers en civil entourèrent la petite délégation dès qu'elle pénétra dans le hall d'honneur de l'aéroport. Deux Bentley blindées attendaient au sous-sol et démarrèrent avec lenteur.

La route sinuait au milieu des bocages. Ian Firmley, le directeur de cabinet de l'Intérieur, prononça quelques mots en français puis passa à l'anglais, un interprète à ses côtés. Les haies défilaient de part et d'autre des vitres dans un décor de carte postale. Franck jubilait. La presse était absente, le public n'attendait pas d'annonce tonitruante pour lutter contre le chômage ou l'insécurité. On allait faire du vrai travail. Ceux qui se retrouvaient ici n'entendaient pas faire de la figuration. Ils étaient là pour conclure des accords, des deals lourds comme le plomb.

Penrice Castle était un château du XIIIe siècle dont les ruines s'étageaient sur des tertres de verdure plantés de chênes centenaires. Le manoir bordait la route, avec ses vieux murs en pierre de taille, son corps principal de trois étages en granit brut et un petit pavillon attenant de facture plus raffinée, datant du XVIIIe siècle. On devinait, un peu plus haut, sur une éminence bâtie en terrasses, les ruines du château de Penrice huit fois centenaire. Le manoir avait cependant la capacité nécessaire pour recevoir d'importantes délégations de diplomates.

Un portail en fer forgé s'ouvrit automatiquement et les voitures blindées firent crisser le gravier jusqu'à une série de box installés dans une aile de longère couverte de chèvrefeuille. Les chauffeurs d'autres délégations y devisaient avec les agents de sécurité.

Les portes de la Bentley s'ouvrirent et un homme descendit les marches du perron, se dirigeant vers Michel Levareux qu'il accueillit d'une poignée de main cordiale. Franck Corsa devina qu'il s'agissait de William Goldwood, le secrétaire du Home Department, le ministère britannique de l'Intérieur. Goldwood passa une main dans le dos de Levareux et l'attira vers les marches du manoir. Corsa et Bento suivirent, entourés de militaires chargés de la sécurité.

Dans le salon médiéval, un feu brûlait dans un âtre sculpté aux armes de la famille Penrice. Des canapés de cuir étaient disposés sous un ensemble de tableaux de connétables, d'épées et de tapisseries. Au fond de la pièce, non loin d'une verrière circulaire donnant sur le parc, un piano à queue était surmonté d'un buste de Churchill.

Deux autres personnages étaient installés devant la cheminée. Le premier, une femme élégante d'une cinquantaine d'années, était Dita Mornheim, la ministre allemande de l'Intérieur. À côté d'elle, un homme avait retiré sa cravate et déjà bien entamé un large verre de whisky des Highlands. Franck nota son accent néerlandais, peut-être suisse. Goldwood fit le tour des convives en touchant les épaules, serrant les avant-bras et adressant un mot aimable à chacun. Franck entendit soudain une voix dire à son oreille :

— Qu'est-ce que ce sera ?

Derrière lui, un domestique en costume d'un autre âge désignait une table roulante encombrée de bouteilles de sherry, de porto, de scotch ou de gin.

— De l'eau, répondit Franck froidement.

Le domestique s'écarta pour laisser paraître un immense choix d'eaux minérales, plates ou gazeuses.

— Nous devons encore attendre Sveig Haroldsson et Inge Müller dont l'avion se pose à l'instant, déclara sir William Goldwood. Si vous voulez bien vous asseoir pour l'apéritif, nous dînerons vers vingt heures et nous disposerons ensuite de toute la soirée pour évaluer nos différentes options.

Son visage se fit plus grave.

— Je ne veux pas vous gâcher l'apéritif, dit-il en s'asseyant sur le rebord d'un canapé, mais vous savez que le temps nous est compté. La situation est problématique. L'alternance politique en Italie et en Espagne remet en question un certain nombre d'accords de lutte antiterroriste sur le pourtour méditerranéen.

Tout cela semblait connu de tous.

— L'Italie va retirer ses troupes d'Afghanistan, précisa Dita Mornheim. C'est une quasi-certitude.

— L'Italie, mais pas nous! trancha Goldwood du plat de la main. Nous n'avons pas le choix.

Il prit une gorgée de whisky. En quelques secondes, sa bonhomie s'était évaporée.

Franck nota que l'homme au col déboutonné faisait un geste en direction du majordome pour qu'il remplisse son verre de sherry. Goldwood reprit, plus calmement.

— Mon assistant vous a préparé des dossiers pour présenter la coordination des mesures d'écoute téléphonique et internet, de suivi et d'enquête pour parer à des menaces sur le territoire britannique. Vous avez tous reçu ces dossiers avant la réunion et j'aimerais que nous tombions d'accord sur des mesures d'harmonisation. Michel, vous avez regardé ce document : qu'en pensez-vous?

Levareux buvait à petites gorgées un whisky Askaig de vingt ans d'âge en contemplant les araucarias du fond du parc. Il revint vers les convives et posa son verre sur le piano, avant de s'essuyer le coin des lèvres.

— Je suis d'accord avec les analyses de vos services, William. Nos cellules de lutte antiterroriste aboutissent à des conclusions similaires. La nature des réseaux est en train d'évoluer. Il y a une fragmentation des circuits d'action avec de plus en plus de cas d'individus isolés prêts à commettre des actions suicides ou des actes meurtriers. Nous en avons encore eu la preuve il y a deux mois sur notre territoire.

Dita Mornheim et les deux autres hommes approuvèrent.

— Nous avons en partie réglé ce problème aux Pays-Bas avec notre politique intégrative, dit l'homme au col déboutonné. Cela n'a pas si mal fonctionné jusqu'à présent. Pourquoi n'expérimenteriez-vous pas notre programme?

Franck nota que Goldwood faisait un effort pour garder son calme. Un contentieux affleurait manifestement entre ces deux hommes.

— Jouke, soyez honnête, dit Goldwood. Cette politique, nous l'avons nous-mêmes expérimentée. Nous avons cru pouvoir éviter les fanatismes en relâchant la pression de l'État sur les communautés ethniques. Mais c'était un mauvais choix et nous en sommes revenus.

— Peut-être avez-vous frustré vos minorités sur d'autres plans?

Goldwood poussa un soupir.

— Tout cela est très difficile à démêler.

— Je n'en suis pas si certain, dit le Néerlandais. Le terrorisme prospère sur le terreau de la rancœur, de la haine, de la pauvreté, de la frustration. Une population heureuse n'a aucun intérêt à se lancer dans la lutte.

Il tendit son verre, de nouveau vide, par-dessus son épaule. Le majordome fit un pas en avant et le remplit.

— Davantage de justice sociale, voilà ce qu'il faut, dit le Hollandais avec une élocution douteuse.

— Évidemment, glissa pour la première fois Dita Mornheim. Je suis d'accord avec Jouke, mais il y a un élément que nous ne maîtrisons pas : le malheur à l'échelle planétaire. La rancœur existera toujours, en tout cas pour longtemps, dans certains foyers sensibles du globe. Et de nos jours, ces conflits s'exportent, voilà la grande nouveauté. Vous pouvez faire régner toute la justice sociale que vous voulez chez vous (et encore, ce n'est pas gagné), vous n'empêcherez pas la haine d'une partie des Afghans ou des Pakistanais envers les Britanniques.

— Bon, dit Goldwood en se levant. Je vous propose de passer à table, je crois que Inge et Sveig sont arrivés.

L'assistance se leva lorsque furent annoncés la ministre de l'Intérieur du Danemark et son homologue suédois. Goldwood leur livra le résumé des premiers échanges, pendant qu'on servait les entrées.

À ce moment, Franck Corsa et Pascal Bento furent invités à rejoindre un salon où se trouvaient les attachés des autres ministres, déjà attablés. Franck les observa avec soin. Ils semblaient tout droit sortis de grandes écoles comme Cambridge ou Harvard.

— Nom d'un chien, murmura-t-il à Pascal Bento sans desserrer les dents, pourquoi est-ce qu'on nous relègue à l'arrière-cuisine?

Ils croient qu'ils vont refaire le monde en réformant le code du travail ?

Bento prit aussitôt un air affolé.

— Corsa, s'il vous plaît, pas de vagues. C'est notre première mission à ce niveau.

— Et ce sera peut-être aussi votre dernière si ces gens-là ne sont pas capables de s'entendre.

Bento hoqueta en regardant Corsa d'un air outré. Franck réfléchit. Il n'avait aucune envie de faire des ronds de jambe en compagnie de sous-fifres allemands et néerlandais. Il devait s'inviter dans le débat à la table des grands. Il n'avait pas encore vu les ministres suédois et danois, mais les spécimens qu'il avait croisés dans le grand salon lui semblaient beaucoup trop raisonnables. Ils étaient empêtrés dans leurs habitudes politiques et ne voyaient pas se dessiner l'évidence.

— Vous avez lu ce dossier concocté par le Home Department ? demanda ouvertement Corsa à Bento.

L'assistant du ministre britannique de l'Intérieur, assis juste en face d'eux, releva les yeux de son assiette. Bento poussa du coude Corsa pour le faire taire. Mais Franck se rebiffa.

— Qu'est-ce que vous avez à me flanquer des coups de coude, gros malin ? Vous croyez qu'on est encore à l'école à se faire des messes basses ?

La lueur d'intérêt grandit dans le regard du Britannique.

— Qu'avez-vous lu dans ce dossier, mon ami ? demanda-t-il dans un français irréprochable.

— Plein de choses. Moi, ce qui m'intéresse, c'est le renseignement.

— Oh. Très bien. Et à ce propos ?

— J'ai lu dans ce rapport pas mal de propositions qui font appel à des techniques de pointe aussi bien dans le domaine de l'électronique que dans celui des infiltrations de réseaux.

Corsa s'arrêta. L'autre fronça les sourcils, attendant la suite.

— Et alors ?

Franck avait sorti de sa poche son téléphone portable et pianotait sur le clavier.

— Ahem..., glissa l'Anglais. *Excuse me*, mais puis-je savoir ce que vous faites ?

— J'envoie un texto à un ami.

Mines ahuries de tous les attachés parlementaires.

Dans le grand salon, la conversation s'était enlisée, aboutissant à la formation de deux camps. Le premier réunissait Goldwood, Levareux et la Danoise Inge Müller, tous partisans d'une intensification de la lutte antiterroriste sur le territoire national et de la mise en place de lois visant à améliorer les écoutes et la surveillance de réseaux islamistes. L'autre, représenté par Jouke Minstra, Sveig Haroldsson et dans une moindre mesure Dita Mornheim, envisageait une action politique internationale de plus grande ampleur visant à réguler le trafic d'armes au Moyen-Orient et à créer les conditions d'une vie prospère précisément dans les foyers traditionnels du terrorisme pour en fragiliser les fondements idéologiques et passionnels.

Levareux observait les débats sans plus trop savoir que penser. Il ne pouvait prendre ouvertement parti pour Goldwood et sa politique répressive sans se mettre à dos Dita Mornheim, dont il avait besoin pour convaincre la chancelière allemande de renouer le dialogue autour du pacte européen avec le Président Dejaby. Et il ne pouvait évidemment soutenir Dita Mornheim sans saborder les chances du projet qu'il était en train de monter.

Levareux sentit son téléphone portable vibrer dans sa poche. Il interrompit la vibration en tâtonnant sur le clavier. En jetant un coup d'œil sous le repli de la nappe, il vit un message affiché sur l'écran lumineux.

Il réprima un sursaut.

TERRORISME = RENSEIGNEMENT

Lentement, le regard de Levareux remonta de ses genoux aux battants de la lourde armoire galloise frappée de l'écusson de la famille Penrice, située juste derrière l'épaule de Inge Müller, la ministre danoise. Il resta ainsi suspendu dans le vague, réfléchissant à toute vitesse.

— Michel semble avoir quelque chose à nous dire, dit Goldwood, la fourchette en suspens au-dessus de son *Irish stew*.

Levareux cligna des paupières.

Quel abruti, ce Corsa, avec ses textos !

Le portable vibra de nouveau. Levareux tira très rapidement l'appareil de sa poche en faisant mine de l'éteindre, mais eut juste le temps d'apercevoir le message qui s'y était affiché.

RENSEIGNEMENT = DÉCODAGE

D'un seul coup, il comprit. Il mit son poing devant sa bouche, toussota :

— Je vous prie de m'excuser. Cet appel ne venait pas de l'extérieur. Il s'agissait d'un mémo. J'avais pris des notes sur des points essentiels que je comptais aborder quoi qu'il arrive au cours de cette réunion, et on ne prend jamais assez de précautions pour ne rien oublier.

Le visage de Goldwood sembla exprimer qu'il lui accordait le bénéfice du doute.

— Que comptiez-vous nous dire, alors, Michel?

Levareux se redressa très légèrement sur sa chaise. Il rehaussait ainsi sa stature qui lui conférait une autorité distinguée.

— Il me vient à l'esprit que le démantèlement des grands réseaux terroristes dépend de notre capacité à obtenir de bonnes informations.

— Voyons, c'est une évidence, Michel...

Levareux jeta un regard en coin à Dita Mornheim, qui semblait en parfait accord avec sa prémisse. Il était important de partir d'un consensus sur certains points.

— Les meilleures informations s'obtiennent auprès des personnes qui les détiennent. Et, bien souvent, auprès des prisonniers suspectés d'appartenir à de tels réseaux.

— Alors là, vous rêvez, Michel. Allez donc demander à Donald Rumsfeld comment ils s'en sont tirés sur ce plan, à Guantánamo. La prison a dû être fermée. Je ne vais pas vous raconter ce que nous avons fait avec nos prisonniers à nous, c'était pitoyable. Un désastre humain, le tout pour une information très douteuse à l'arrivée.

Levareux lissa sa serviette, bien repliée à côté de son assiette.

— Je sais tout cela. Mais il n'y a rien d'irréalisable en la matière. Je suis contre toute forme de torture. La torture est honteuse, inhumaine et vaine.

Décidément, Goldwood ne comprenait pas.

— Mais alors, qu'est-ce que vous êtes en train de nous raconter?

— Nous avons en France... Comment dire. Un programme

À ce mot, les postures des convives se modifièrent de manière perceptible. Le terme «programme» produisait toujours son effet.

— Vous n'avez pas pu entendre parler de ce programme, reprit-il, car il en est encore au stade de projet. Je vais essayer de vous en dire deux mots, mais je vais avoir besoin de toute votre attention pour exposer quelques notions d'ordre... comment dire... scientifique.

— Je ne savais pas que vous étiez féru de science, Michel, dit Goldwood.

— En effet, je ne le suis pas.

Dans le petit salon, Pascal Bento venait de s'étrangler à moitié avec un morceau de pain au sésame.

— Bon sang, Corsa, ce n'est pas comme cela qu'on se tient lors d'un sommet diplomatique!

— Ah bon? Parce qu'il y a un code inscrit dans votre manuel du parfait petit porteur de serviette?

L'attaché britannique, assis juste en face d'eux, hésitait entre irritation et amusement. Ces Français étaient tous pareils. Capables de se battre entre eux et de se ridiculiser en présence de leurs homologues étrangers.

— Je ne vous autorise pas à me parler sur ce ton, Corsa, pesta Bento. Éteignez ce téléphone et tenez votre rang! Nous sommes en présence de gens éduqués, et les communications avec l'extérieur sont interdites pour des raisons de confidentialité. Un officier de Scotland Yard ne va peut-être pas tarder à venir vous interroger quand leur Wi-Fi aura détecté un appel dans ces murs.

— Catastrophe, je vais avoir une contravention pour usage de texto.

Le diplomate anglais éclata de rire. Corsa continua.

— N'aie pas peur, Schtroumpf à lunettes, cet appel n'était pas dirigé vers l'extérieur.

— Il était pour qui, alors?

— Il était destiné à Levareux.

Bento faillit tourner de l'œil.

— Mon Dieu... Vous lui envoyez un texto en plein déjeuner au sommet? Vous êtes malade?

Corsa lui fit brusquement face.

— Vous avez dit que je suis malade.

Bento sembla soudain terrorisé. Le visage de Franck était devenu terrifiant.

— Je... Je ne sais pas, je...

— Si. Vous avez dit que je suis malade.

Il se tourna vers les autres convives.

— Hé, les autres. *He said I'm sick.* Alors écoutez : moi, je vous dis que les grosses têtes d'à côté vont nous ouvrir cette porte et me demander de leur expliquer quelque chose qu'ils ont envie de savoir. Qui veut parier?

Le reste de la tablée partit d'un grand éclat de rire.

— Moi, je parie, dit l'Anglais.

— Combien? Oh! j'ai une idée. On parie la tête de Bento. Si la porte s'ouvre, je le fais radier du ministère de l'Intérieur. D'accord?

Les rires s'arrêtèrent subitement. La porte venait de s'ouvrir. C'était Michel Levareux.

— Corsa, vous pouvez venir un moment, on a besoin de vous pour que vous nous expliquiez quelque chose.

Franck nota que deux nouveaux convives étaient arrivés. L'une, une femme d'une soixantaine d'années, ressemblait à une sorte de momie aux yeux gris métalliques. L'autre était un homme blond, élégant, au charme scandinave. Sans doute suédois ou norvégien.

Michel Levareux présenta Franck comme le chef du projet qui les intéressait. Il précisa que M. Corsa était un des tout meilleurs chercheurs sur le cerveau humain. Depuis plusieurs mois, il travaillait sur une synthèse passionnante et se proposait de leur en donner un résumé.

À son signal, un membre de l'équipe logistique de Scotland Yard déplia un ordinateur au bout de la table et brancha une connexion avec un projecteur dissimulé dans le plafonnier. Franck introduisit sa clé dans l'ordinateur, dévisagea l'assistance et commença.

— Voici une image du cerveau humain tel que peut le montrer un scanner à IRM. Notre cerveau est constitué d'environ cent milliards de neurones connectés chacun les uns aux autres par dix mille synapses. La circulation de l'information électrique et chimique entre ces neurones est la base de notre conscience, de notre perception, de nos intentions, de nos jugements et de nos souvenirs.

Il passa à l'image suivante.

— Aujourd'hui, les techniques de mesure permettent de repérer les neurones qui s'activent lorsqu'une personne se représente un objet, un lieu, un visage, un concept ou un mot. Par exemple, nous voyons ici des points de couleur qui représentent les zones cérébrales actives lorsqu'une personne pense à une arme à feu.

Il projeta l'image suivante, qui montrait les dernières générations de scanner à hauts champs magnétiques.

— En augmentant la puissance des champs magnétiques, il devient possible de localiser les réseaux de neurones actifs lors de n'importe quelle représentation mentale. Cette tâche est réalisée par des logiciels dits de «codage inverse» : ils captent l'activité des neurones, puis reconstituent l'image mentale qui l'a suscitée, la reconvertissant en objet, image, visage, n'importe quoi qui est à la source de cette activité cérébrale.

Levareux observa les réactions de ses collègues. Ils étaient accrochés. Il fallait néanmoins les amener au cœur de la thématique. Il se tourna vers Franck :

— Franck, pouvez-vous nous dire pourquoi ces systèmes commettent encore des erreurs?

— Oui, le problème est que les scanners qui photographient le cerveau sont encore trop imprécis. Les techniques actuelles photographient le débit sanguin dans les zones du cerveau actives, alors qu'il faudrait mesurer directement l'activité électrique des neurones. Les méthodes usuelles sont également limitées par la puissance et la précision des appareils.

— Peut-on imaginer d'augmenter la précision des scanners dans les années à venir?

— Pour nous, c'est une question de semaines.

Franck appuya de nouveau sur le bouton de sa télécommande, révélant une photo panoramique du plus gros aimant de Neuroland.

— Le scanner le plus puissant au monde vient d'être mis en service en France, dans un centre d'imagerie cérébrale au sud de la capitale. Cet appareil mesure cinq mètres de diamètre, pèse plus de cinquante tonnes et est muni de trois mille kilomètres de bobinage électrique d'un alliage plus précieux que l'or. Il est plongé dans de l'hélium superfluide, à une température de − 271 degrés, proche du zéro absolu. À cette température, l'alliage devient supraconducteur, ce qui veut dire que des intensités électriques colossales peuvent le traverser et générer un champ magnétique plus de deux cent mille fois supérieur au champ terrestre. Ce champ est si puissant que les scientifiques sont obligés de mettre en place un contrechamp qui le neutralise à l'aide d'un bobinage en sens inverse qui fait en sorte que les ondes ne se propagent pas à l'extérieur de l'habitacle, sans quoi elles soulèveraient toute pièce de métal environnante, la transformant en obus meurtrier qui perforerait tout sur son passage. Ces champs sont tout simplement les plus élevés jamais créés. Ils pénètrent dans le cerveau et en extraient la moindre information. Les pensées elles-mêmes sont capturées.

Franck décida d'arrêter là ses explications pour laisser les esprits galoper. Les ministres ne disaient pas un mot. Ils se jetaient des regards obliques. Franck évalua la situation. Minstra serait par principe opposé à ce type de projet, à en juger par ses prises de position précédentes. Inge Müller et Sveig Haroldsson étaient probablement neutres, ou du moins leurs positions n'étaient-elles pas figées. Goldwood serait pour. Tout allait donc dépendre de Mornheim.

Pour l'instant, l'Allemande restait sur sa réserve.

— Si j'ai bien compris, dit-elle, vous êtes en train de nous dire que ce programme de recherche sur le cerveau devrait nous offrir une avance décisive sur nos adversaires dans la lutte contre le terrorisme, en améliorant le résultat de nos interrogatoires?

— C'est ce que nous proposons en effet, dit Levareux. Cette technique devrait nous permettre, en interrogeant quelques suspects clés, de tout connaître sur les principaux réseaux qui menacent nos pays. Ils n'auraient guère plus de secrets pour nous. Effectifs, infrastructures, matériels, actions programmée nous saurions à peu près tout. En fait, ce serait un coup d'arrêt pour l'action clandestine. Mais bien sûr, nous pouvons aussi réfléchir à l'option politique dont vous parliez il y a un instant, et œuvrer à une amélioration des conditions de vie dans les foyers sensibles de la planète, en espérant que les frustrations et les désirs de vengeance s'estompent naturellement.

Minstra soupira, exprimant clairement son désaccord. Müller et Haroldsson s'échangèrent des regards soucieux. Finalement, Dita Mornheim prit la parole.

— Il faudra œuvrer discrètement, dit-elle. C'est la condition absolue pour aller plus loin.

Franck se retint d'exulter. Elle était d'accord. Goldwood faisait des efforts à peine dissimulés pour contenir son enthousiasme. Il s'adressa directement à Franck.

— Mon garçon, vous comprenez qu'à ce stade, il est très important de savoir si les informations que vous nous délivrez sont totalement fiables.

— Je vous ferai parvenir toute la documentation nécessaire pour vous en convaincre. Les travaux engagés à Neuroland engloutissent près de cent millions d'euros annuels issus du consortium franco-germano-néerlandais. Ce ne sont pas de petites expérimentations sur un coin de table.

Goldwood avait maintenant de plus en plus de mal à tenir en place. Ces nouveaux éléments changeaient tout. L'art du renseignement allait être révolutionné. Le bond en avant serait colossal.

Brisant le silence, le Suédois toussota.

— J'imagine que ce centre d'imagerie cérébrale est un consortium semi-privé...

— Tout à fait exact, répondit Franck. Les recherches qui y sont menées concernent l'imagerie médicale, avec des applications dans le domaine des cancers ou des accidents vasculaires cérébraux, ainsi qu'un volet de recherche fondamentale sur le fonctionnement des neurones.

Haroldsson se tourna vers Michel Levareux, en haussant les sourcils d'un air interrogateur.

— Cela peut être gênant pour la mise en œuvre du projet, non?

— J'ai déjà réfléchi aux moyens de faire passer une partie des activités de Neuroland sous contrôle de l'État français, dit Levareux d'une voix rassurante. Il faudra évidemment que nous puissions y implanter une plate-forme judiciaire bien séparée des activités de recherche scientifique fondamentale.

— Il serait peut-être alors préférable que Neuroland devienne une entreprise nationale, suggéra Haroldsson.

— Sveig soulève un point important, appuya Dita Mornheim. Pour l'intérêt de nous tous, ce projet doit être placé à un niveau de secret très élevé.

— Nous sommes parfaitement d'accord, dit Levareux. Et pour tout vous dire, j'avais anticipé ce point Il se trouve que j'ai un moyen assez sûr de faire en sorte que Neuroland passe sous notre contrôle.

Michel Levareux se leva. Après ce préambule scientifique, on entrait dans le domaine de la politique, son domaine à lui.

— Voyez-vous, le drame est que le centre de recherches de Neuroland va peut-être devoir stopper ses activités. C'est l'Europe, notre chère bonne vieille Europe, qui fait peser sur lui cette épée de Damoclès. La Commission européenne a fait voter une directive interdisant l'utilisation de très hauts champs magnétiques. L'argument est de pure rhétorique juridique. Principe de précaution. On ne sait pas quel effet peuvent avoir ces ondes sur le cerveau humain, donc on arrête.

Haroldsson écarta les mains, comme s'il ne comprenait pas.

— Les risques existent-ils?

Levareux se tourna vers Corsa qui réagit au quart de tour.

— Toutes les études épidémiologiques sur l'impact des champs magnétiques intenses jusqu'à 3 teslas montrent une absence d'effet sur le fonctionnement cérébral ou les processus oncogènes. L'idée qu'un changement se produise pour des intensités supérieures à 7 teslas est aussi absurde que si l'on disait qu'il ne faut pas construire de tables à six pieds sous prétexte qu'on ne sait pas ce qui pourrait advenir si on en rajoutait deux à celles qui en ont déjà quatre. Non, scientifiquement, il n'y a pas de risque.

Levareux enchaîna.

— Le plus important est que Neuroland est menacé. Et que nous pouvons le sauver en dictant nos conditions.

— Habile, apprécia Minstra avec un sourire. Ils vous devront tout. Mourir ou se soumettre. Il reste simplement à sauver Neuroland de la directive européenne sur les très hauts champs.

— Nous avons la majorité parlementaire à Bruxelles grâce aux groupes représentés par les partis de nos majorités respectives, fit remarquer Goldwood.

— Parfaitement exact, souligna Levareux. Si nous persuadons la Commission d'accorder à la France une dérogation spéciale pour ce site d'expérimentation, le projet pourrait livrer ses premiers résultats rapidement. Et Neuroland passerait sous contrôle de l'État français, avec toutes les garanties de confidentialité que cela offrirait.

Inge Müller était à son tour en train d'examiner la question. Elle se mordillait les lèvres.

— Les élus de la Commission sont très sourcilleux, fit-elle remarquer. À mon avis, si l'on veut que les eurodéputés avalent la pilule, il faut leur présenter les choses d'une façon attrayante, ou du moins justifiable sur un plan éthique.

Minstra se resservit du café.

— Ces fichus très hauts champs magnétiques doivent bien pouvoir servir à quelque chose, à part torturer les gens sans douleur?

Levareux les observait, fasciné. Ce n'était pas la grossièreté de Minstra, manifestement trop alcoolisé pour occuper dignement son siège, qui captivait son attention, mais le fait qu'ils étaient en train de se rallier, sans le savoir, à l'idée originale de Corsa.

— C'est vrai, dit Goldwood. Est-ce que ça ne peut pas permettre de soigner des maladies... Des maladies du cerveau, qui concernent tout le monde?

— Alzheimer, par exemple? hasarda Haroldsson.

— Excellente idée, songea à haute voix Inge Müller. Nous pourrions plus facilement convaincre les eurodéputés de notre parti de concéder une dérogation à la France pour l'utilisation des très hauts champs magnétiques dans la recherche sur Alzheimer. Cela passerait beaucoup mieux, non?

Michel Levareux regarda Franck. Il y avait pensé depuis le début et il les avait laissés y arriver tout seuls. Maintenant, ils y adhéraient d'autant mieux. Une belle leçon.

— Eh bien, puisque tout le monde est d'accord, dit Levareux en écartant les bras, je propose que nous options pour cette stratégie.

Tous opinèrent du chef. Seule Dita Mornheim restait repliée sur elle-même. Ce n'était pas trop le genre de la ministre allemande de contourner les directives euroénnes en mentant sur les objectifs d'un programme scientifique multinational. Mais elle était en train de rendre les armes. Levareux le voyait à son visage tendu, crispé, au bord de la rupture. Comme tout le monde, elle apprenait qu'il fallait savoir faire des concessions.

Finalement, elle hocha la tête à son tour.

— Parfait, dit Goldwood. Monsieur Corsa, à votre avis, dans combien de temps pourrions-nous compter sur une technologie opérationnelle, de votre côté?

Franck réfléchit. Les logiciels de codage inverse pourraient sans doute être développés en quelques semaines ou quelques mois, à condition de faire venir sur place quelqu'un comme Milton Rajiv, un des chercheurs les plus doués de sa génération pour les analyses informatiques non bayesiennes. Pour le scanner, c'était le gros point d'interrogation. Tout dépendait des travaux de Vincent Carat. Si celui-ci mettait au point ses équations sur le code neuronal dans les semaines à venir, c'était gagné. Sinon, qui sait combien de temps il mettrait à accoucher de ses fichues intuitions ? Même Le Cret n'aurait su le dire. Eh oui, c'était Carat, le petit génie. Et un petit génie, ça ne se commandait pas comme un autocuiseur.

Mais les hommes et les femmes attablés ici avaient besoin d'une réponse.

— Deux mois, répondit Franck.

Goldwood jugea le moment venu de détendre l'atmosphère. Maintenant que le plus dur était fait, il fallait donner à ces ministres la possibilité de penser à autre chose. Si on les laissait seuls avec leur conscience, ils étaient fichus d'éprouver des remords et de changer d'avis.

— Je vous propose que nous nous dirigions vers le salon pour prendre un digestif, lança-t-il gaiement. Vous n'avez aperçu que notre collection de whiskies, mais je puis vous assurer que notre réserve de liqueurs est tout aussi intéressante !

Dans le brouhaha, Goldwood se leva pour aller serrer la main de Levareux. Il avait de la peine à contenir sa joie.

— Extraodinaire, *my friend*... Vous ne m'aviez pas prévenu de ce coup-là. My God, vous rendez-vous compte de ce que cela signifie ? Tout va changer dans les services de renseignement. Combien d'années nous faudra-t-il pour adapter nos pratiques ?

Levareux accueillit ces louanges tout en gardant un œil sur Franck Corsa. Celui-ci était occupé à déconnecter la prise de son ordinateur et à en retirer sa clé USB. Les ministres qui avaient assisté à sa présentation s'étaient rassemblés autour de lui et le félicitaient. Franck sentit une bouffée de bien-être l'envahir. Il accédait enfin à une reconnaissance digne de son rang.

Pascal Bento pianotait en silence sur son ordinateur. À côté de lui, Levareux et Corsa planchaient sur l'accord interministériel qu'ils comptaient rédiger, et dont Corsa semblait déterminer le contenu presque autant que le ministre.

Bento se rappelait encore leur altercation dans le petit salon du manoir de Penrice. Corsa n'était pas du genre à oublier les menaces proférées. S'il demandait sa tête à Levareux, celui-ci n'hésiterait pas à la lui donner.

— Bento, combien de réponses avez-vous reçues pour notre comité scientifique de la semaine prochaine ? lui demanda Corsa.

— Je vais vous dire cela tout de suite, monsieur Corsa.

Levareux leva un sourcil.

— De quoi s'agit-il ?

— Des cycles de réunions que j'ai planifiées et qui devraient nous éviter bien des ennuis. Je vous en dirai plus à notre arrivée.

L'avion se posa dix minutes plus tard sur l'aéroport de Villacoublay et la berline du ministre regagna la place Beauvau sous escorte une demi-heure après.

À quinze heures, Franck passa dans son bureau et demanda à la secrétaire combien d'invités avaient répondu présent à la réunion du comité scientifique.

— J'ai compté vingt personnes, répondit-elle.

Franck hocha la tête, les mains enfoncées dans ses poches.

— Bento, venez voir par là !

Le jeune homme accourut.

— Avez-vous potassé les fiches que je vous ai données ?

— Oui, monsieur Corsa.

— Ne vous plantez pas, Bento. On vous aura à l'œil, Michel et moi.

Bento n'arrivait toujours pas à s'habituer au fait que Franck appelle son patron Michel, et non « monsieur le ministre ».

À cet instant, Levareux passa la tête par l'entrebâillement de la porte.

— Corsa, vous avez un moment?

Franck le suivit dans son bureau et s'installa dans un fauteuil face à lui.

— Allez-vous m'expliquer de quoi il retourne? lui demanda Levareux.

— C'est simple, j'ai pensé que nous pourrions avoir des problèmes avec le monde de la recherche. J'ai donc imaginé de surveiller ce petit monde par des réunions.

Levareux ouvrit un coffret à cigares et attrapa un outil tranchant en argent.

— Vous craignez que les dirigeants de Neuroland ne se laissent pas faire?

— Ce n'est pas ma crainte principale, répondit Corsa. Je pense que nous pouvons avoir des problèmes avec les chercheurs en général.

— Que voulez-vous dire?

— Le monde de la recherche est constitué de deux types d'individus. D'un côté, de très nombreux hommes d'appareil assis sur leurs privilèges, régnant sur des armées de thésards ou de techniciens, dépourvus d'esprit d'initiative et uniquement préoccupés par leur gloriole personnelle. Ces gens-là sont les plus méprisables mais ils peuvent, par leur masse, leur inertie et leur mauvaise foi, se révéler dangereux. Pour eux, il est hors de question de se compromettre avec l'action politique. Ils font de leur frilosité une qualité, se drapent dans leur indécision et peuvent faire capoter bien des projets.

Levareux alluma son cigare. Cela correspondait effectivement à l'image qu'il se faisait des savants et, étonnamment, d'une partie de la classe politique. Bien entendu, il ne se mettait pas dans le même sac, et il avait le sentiment, en écoutant Franck Corsa, de se trouver en présence de quelqu'un qui partageait le même sens du devoir que lui.

— Ce type de chercheurs, continua Corsa, s'ils ont vent de notre projet, peuvent s'indigner par pure coquetterie ou par jalousie. Ils peuvent écrire des tribunes baveuses dans les journaux. En fait, ils cherchent à se mettre en avant auprès de leurs confrères ou dans les médias en s'érigeant en «bonne conscience».

— Et les autres?

— Les autres, ce sont les bons. Ceux qui cherchent, qui trouvent et qui sont prêts à s'engager dans des projets concrets.

— Et vous avez l'intention de faire le tri.

— J'ai demandé à Bento d'envoyer des invitations à une sélection de patrons de labo et de professeurs d'université. Officiellement, pour les inviter à participer à la création d'une cellule de prospective sur les progrès des neurosciences baptisée Transparence, sous l'égide du ministre de l'Intérieur. Devant eux, on va évoquer un certain nombre d'avancées, envisager leurs applications possibles dans le cadre de politiques publiques, et voir comment ils réagissent. Cela devrait permettre de repérer les brebis galeuses. Il y en aura qui trouveront tous les prétextes pour condamner notre projet.

— Transparence. N'est-ce pas trop explicite?

— C'est le but. Qui s'opposerait à des méthodes de transparence? À un moment ou un autre, il faudra bien choisir un terme sémantiquement fort plutôt qu'un obscur nom de code.

— Je ne sais pas, hésita Levareux. Nous verrons.

Corsa le considéra, amusé. Levareux essayait juste de montrer que c'était lui qui décidait.

— Peu importe, passa Franck. Milton Rajiv, un des meilleurs spécialistes des logiciels de codage inverse, a répondu présent. Il a été formé chez Jack Gallant, et est actuellement invité à donner une série de séminaires à l'École normale supérieure. J'aimerais le voir réagir au cours de cette session du comité. Et lui faire une offre. De cette manière, il pourrait se mettre au travail rapidement chez Neuroland.

— S'il faut un budget pour le convaincre, n'hésitez pas.

— J'ai oublié de vous parler d'un troisième type de chercheur.

Levareux tira sur son cigare. Ce Corsa était décidément intarissable.

— Ils ne sont pas nombreux, dit Franck, mais ils sont intelligents. Il est difficile de lire dans leur jeu. Je les appelle les fouines.

Une fouine est, par exemple, un directeur de formation universitaire qui a des contacts nombreux avec des étudiants étrangers, qui les envoie dans des congrès de par le monde pour récolter des informations sur des projets concurrents. Une fouine peut aussi vendre à l'étranger les résultats de recherches menées dans son propre laboratoire ou dans celui d'un collègue. Vous vous souvenez peut-être de ce biologiste célèbre, passionné de voitures de collection, qui possédait plusieurs villas sur la côte alors qu'il ne percevait qu'un modeste salaire de directeur de recherche de seconde classe ? C'était une fouine. Il menait la grande vie jusqu'à ce qu'un quotidien publie un article révélant qu'il jouait le rôle de courroie de transmission entre un laboratoire de génétique moléculaire de l'Institut Pasteur et une série de « clients » à qui il envoyait des informations sur les travaux menés dans son propre laboratoire. Il piratait tout le monde, les thésards, les stagiaires post-doctoraux, les chercheurs, jusqu'au grand patron. Une façon d'arrondir ses fins de mois.

— Éclairant, dit Levareux. Et inquiétant. Qu'une telle fouine vienne à débusquer notre projet Transparence, et je ne donne pas cher de notre peau. Vous pensez pouvoir repérer ce genre d'individu ?

Franck releva que Levareux avait employé le nom Transparence.

— Vous comprenez maintenant pourquoi j'ai créé ce comité de réflexion, dit Franck. Ces cellules de prospective et autres bureaux d'analyse sont l'endroit idéal où ces fouines aiment se fourrer. La raison en est évidente : il afflue dans ces comités toutes sortes d'informations encore confidentielles qui constituent le véritable gagne-pain de parasites de cette espèce. Si une fouine a eu vent de cette petite réunion, soyez sûr qu'elle s'y joindra.

Il se tourna vers le calendrier mural.

— Elle doit avoir lieu dans une semaine. J'espère que vous pourrez y assister à mes côtés.

Franck Corsa s'étira dans son fauteuil devant les vitres du ministère place Beauvau. La secrétaire de Levareux venait de lui confirmer la présence des vingt scientifiques.

Ce miroir sans tain était une vraie petite merveille. Quand on observait les gens derrière la vitre, ils avaient l'air de cobayes soumis à des expérimentations. C'était particulièrement jouissif quand il s'agissait de profs de l'université.

Franck tira son fauteuil vers la glace et invita Michel Levareux à faire de même. Les savants s'installaient déjà autour de la table. Des hôtesses distribuaient des boissons et des prospectus rapidement frappés du logo du CRAN, Comité de réflexion sur l'avenir des neurosciences.

Pascal Bento accueillit tout le monde en expliquant que le but de la réunion était de réfléchir ensemble au développement de la recherche en neurosciences, aussi bien sur le plan de la santé que de la recherche fondamentale ou des enjeux sociétaux. Chacun était libre de s'exprimer à propos de chaque enjeu, de donner son sentiment, d'encourager la communauté à aller de l'avant dans cette voie, ou au contraire d'en minimiser la portée ou de mettre en garde contre des recherches dans un domaine trop risqué d'un point de vue éthique.

Corsa promena son regard autour de la table. Il reconnut Liplitz, un jeune chercheur en vogue, Fourest, le vieux ponte à la retraite qui arrivait encore à intimider son monde. Mais pas trace de... Si! Son cœur bondit dans sa poitrine en le voyant. Avec ses cheveux de père Noël et son gros nez. La fouine par excellence.

Serge Larcher, Larcher-les-coups-tordus. Larcher-qui-contournait-les-règlements. Larcher-le-pourri. Il avait répondu présent à l'invitation.

Le jeune Milton Rajiv, considéré comme l'étoile montante des programmes de codage inverse, était venu lui aussi. On lui aurait donné à peine trente ans.

Corsa montra la liste des invités à Levareux.

— Ce Bento m'a fait un travail de cochon, dit-il. Il a oublié d'envoyer le mail à un tiers des personnes qui sont vraiment à surveiller. Sans indiscrétion, où avez-vous trouvé ce type?

— Bento m'a été conseillé par Charcot-Dumas qui l'employait pour des missions parlementaires.

— Charcot-Dumas, celle qui a complètement foiré sur l'affaire Saleh?

— C'est vrai. J'aurais dû faire le ménage..., dit Levareux, songeur.

— Attendez quand même pour virer Bento, temporisa Franck. Il est en possession de certains de mes listings. Je lui remonterai les bretelles, on verra s'il est capable de s'amender.

Bento continuait à mener les débats de l'autre côté du miroir. C'était au tour du jeune Jonathan Liplitz de prendre la parole. Liplitz avait donné un nombre incalculable de conférences sur l'utilisation de l'imagerie cérébrale pour évaluer les états de conscience du cerveau.

— L'imagerie cérébrale est un thème d'avenir, c'est clair! dit-il. On est encore loin d'avoir atteint une fiabilité suffisante pour faire admettre que cette technique s'impose comme un vrai détecteur de mensonge en cour d'assises, mais on progresse.

Franck glissa en aparté à Levareux :

— Dans mon classement, Liplitz est un chercheur de type B. Compétent, direct, mais malheureusement pas dans le domaine qui nous intéresse.

Face aux savants, Bento poursuivit son tour de table.

— Professeur Fourest, qu'en pensez-vous?

— Fourest : chercheur de type A, glissa Corsa au ministre. Un dinosaure juché au sommet d'une pyramide d'incompétents. Encombrant, inutile, mais finalement pas trop nuisible en tant que tel. S'intéresse plus à sa collection de tabatières anglaises qu'à mettre des bâtons dans les roues de ses collègues.

Sylvie Dalloz, une jeune chercheuse à l'Institut Montjoie, fit une remarque plus judicieuse :

— Le problème est qu'on n'a pas du tout la certitude qu'il existe dans le cerveau une zone du mensonge. Les résultats dans ce domaine sont contradictoires. On peut continuer à chercher pendant dix ans sans être sûr d'obtenir de réponse. Pour ma part, je ne miserais pas trop sur cette thématique.

Franck fit la moue.

— Mmouais. Le genre de chercheuse emmerdante. Elle va prendre des précautions oratoires à chaque phrase, sans obtenir de résultat probant. Elle confond honnêteté intellectuelle avec intelligence.

Depuis quelques minutes, Serge Larcher écoutait les débats en rongeant son frein. Tous les scientifiques qu'il avait entendus s'exprimer jusqu'à présent ne se focalisaient que sur la faisabilité technique sans se rendre compte que cette question soulevait des enjeux éthiques majeurs. Il se décida à intervenir.

— Avec votre permission, dit-il, je voudrais dire un mot. Nous sommes en train de nous demander s'il est possible d'utiliser l'imagerie cérébrale pour fabriquer des détecteurs de mensonge. Mais à aucun moment nous ne nous sommes demandé si c'était souhaitable.

Franck tapota sur l'avant-bras de Levareux.

— Écoutez-le, lui. Ma main à couper que c'est une fouine.

Serge Larcher poursuivit :

— La liberté de mentir est essentielle. Chez un jeune enfant, le développement de l'esprit passe par ce stade essentiel où il a le choix de dire la vérité ou de la dissimuler. C'est là que se fonde la morale. Dans une société où plus personne n'aurait ce choix, la vérité ne serait plus une vertu, mais une fonction physiologique comme la respiration ou la défécation. Sans aucune valeur morale.

— Mais une société sacrément plus efficace et sûre! tonna Levareux en tapant du poing sur l'accoudoir de son fauteuil. Franck Corsa jubila.

Larcher s'était levé de son siège et rajouta :

— Comprenez-moi bien, chers collègues. Loin de moi l'idée qu'il faille encourager le mensonge. Mais quand je dis la vérité à quelqu'un, je fais le choix d'être transparent. Monsieur l'attaché, je vous suis extrêmement reconnaissant d'avoir pris l'initiative de telles réunions. Pour moi, il est urgent de créer un comité d'éthique spécialement consacré aux neurosciences. Par exemple, il serait avisé de dresser la liste des laboratoires qui sont les plus avancés dans ce domaine des détecteurs de mensonge et d'organiser des auditions. Je peux apporter mon concours, si vous voulez.

— C'est ici que la fouine se démasque..., susurra Corsa à l'oreille de Levareux. La règle numéro un d'une fouine est de ne jamais repartir les mains vides. Lui, je le connais. Il a ses réseaux à l'étranger. L'an dernier, il a fait venir un étudiant chinois dans sa formation doctorale, et deux Iraniens. Croyez-vous que l'Iran ne soit pas intéressé par un certain nombre d'expériences réalisées en France sur des composés neurotoxiques?

Levareux fixa Serge Larcher.

— Ce type pourrait nous causer grand tort.

Il se leva, perplexe.

— Que faisons-nous de lui?

— Personnellement je serais enclin à ne pas prendre de risques et à le faire mettre sur écoute, dit Franck. On pourrait ainsi savoir s'il projette une action dans les milieux académiques pour contrer nos recherches, ce qui serait un bon moyen de savoir si un projet comme Transparence serait menacé par les activités de ce monsieur.

— Vous avez raison. Nom d'un chien. Si ça se trouve, il y en a plein d'autres comme lui et on ne les connaît pas.

— C'est pour cette raison que nous allons continuer ces réunions. Avec votre permission, monsieur le ministre.

— Sûr. C'est le meilleur moyen de les contrôler.

Levareux s'enfonça dans le dossier de sa chaise. Franck, lui, semblait infatigable.

— Il me reste à vous parler du plus important, Michel.

— Corsa, vous ne pensez pas qu'on en a assez fait pour aujourd'hui?

Franck secoua la tête négativement.

— J'ai dit aux ministres de la zone euro qu'on aurait une plate-forme opérationnelle d'ici deux mois. La réalisation de cet objectif dépend d'un jeune chercheur, un dénommé Carat, qui planche actuellement sur la meilleure façon de détecter l'activité des neurones dans un cerveau humain. C'est grâce à ce code neural que nous pourrons lire dans les pensées, et grâce à rien d'autre. J'aimerais savoir, au jour le jour, où ce jeune en est de ses travaux.

Levareux prit une grande inspiration.

— Ça, c'est votre job, Corsa. C'est à vous de faire en sorte que la partie scientifique fonctionne.

— Je suis parfaitement au courant. Je vais m'occuper de ce cas particulier.

— Vous voulez le mettre sur écoute ?

— Si possible.

— D'accord, allez-y.

— Parfait, dit Franck. Heu... vos opérateurs d'écoute téléphonique sont-ils formés en neurosciences ?

Levareux secoua la tête.

— Vous rêvez ou quoi... Pas du tout !

— Dans ce cas, si ça ne vous ennuie pas, j'irai personnellement auditionner les enregistrements.

— Si ça vous amuse. Voyez ça avec Jacques Melvin. Il est loyal. Il se placera sous vos ordres.

Bien. C'était exactement ce que Franck escomptait.

Maria avait laissé l'ordinateur à la maison pour que Michka puisse regarder des DVD et se connecter aussi à Musikid, une chaîne internet de musique. Le petit garçon se dandinait sur sa chaise au son d'airs entraînants dont ceux de Tokio Hotel, il connaissait les paroles par cœur et reproduisait déjà quelques bribes de chorégraphie.

À l'école, un garçon, Lucas, lui avait montré comment entrer dans une application, se connecter à Google ou lancer iTunes. En quelques clics, ils étaient allés sur un site de jeux vidéo où on pouvait télécharger des versions de basse résolution ou jouer en ligne avec d'autres jeunes. Rapidement, les gamins avaient lancé une session de Mario Kart. Puis Lucas réussit à se connecter à un site de jeux avec un drôle de nom : Mafioso.

Ils avaient vu apparaître cette inscription :

VEUILLEZ CLIQUER ICI POUR CERTIFIER QUE VOUS AVEZ 18 ANS

Les gamins étaient restés un moment sans réaction, hésitant sur la conduite à tenir. Puis, l'un d'entre eux avait cliqué sur l'icône et ils avaient vu s'afficher la page de présentation du jeu, où l'on pouvait choisir plusieurs personnages. Lucas opta pour un chef de cartel de la drogue régnant sur une armée de 4×4 dans un pays constitué essentiellement de jungle et de bidonvilles. La première scène avait lieu dans une cave où des prisonniers étaient assis, pieds et poings liés, sur un sol en béton, entourés de miliciens armés. Certains avaient le bras ligaturé, d'autres les yeux gonflés par les coups.

À ce moment, Mme Laslo, la maîtresse de CP, avait fait irruption dans la pièce. Depuis ce jour, les enfants n'avaient plus jamais eu accès à cette partie du couloir.

Doté d'une très grande mémoire, le petit Michka avait pourtant retenu le moyen de pénétrer dans ce monde. Mafioso lui trottait dans la tête. Une des versions se passait en Russie.

Le mercredi, il n'avait pas école. La sœur de Serge Larcher le gardait. Il choisit un moment où sa mère prenait sa douche pour aller se connecter.

La belle inscription Mafioso apparut sur l'écran. Michka chercha des yeux le titre en russe. Il cliqua sur l'icône.

On sonna à la porte. Maria enfila un peignoir et alla ouvrir.

— C'est Mme Larcher...

À peine avait-elle fait rentrer sa visiteuse dans l'appartement qu'un vacarme monta de la chambre. Le générique de Mafioso toutes guitares hurlantes. Michka sentit son cœur faire un bond et, d'un geste instantané, rabattit le couvercle de l'ordinateur.

— Qu'est-ce que c'était que ça, mon chéri ?

— Je... J'écoute Tokio Hotel.

— Viens dire bonjour à Valérie.

Michka attrapa son nounours et rejoignit les deux femmes. Maria donnait ses dernières recommandations.

— Il faut juste qu'il déjeune à midi et qu'il fasse sa sieste ensuite, expliqua-t-elle. Je vous ai laissé ce qu'il faut pour son goûter à côté de la kitchenette. Sinon, le mieux est que vous alliez faire un tour au jardin du Luxembourg, il va faire beau, hein mon Michka ?

Michka fit la moue.

— Si on le laissait faire, dit Maria, il ne regarderait que des DVD tout l'après-midi. Aujourd'hui, tu as de la chance que Valérie soit là, alors tu vas être bien sage et faire des puzzles.

Michka sentit le désespoir s'abattre sur lui. Cet appartement était minuscule. Il n'avait même pas la place d'installer un train électrique dans sa chambre. Le comble fut d'entendre sa mère débrancher l'ordinateur portable et le glisser dans sa serviette. C'était souvent comme ça, lorsqu'elle partait au travail. Elle l'emportait avec elle.

Eh bien, il attendrait. Il y aurait bien un moment où la chance lui sourirait.

Maria s'engouffra dans la bouche du RER Port-Royal et rejoignit le siège de l'Agence nationale pour la recherche, rue de Bercy près de la gare de Lyon. Elle avait répondu à une annonce pour un poste de chargé de mission scientifique affecté aux programmes transnationaux. La mission proposée consistait à recueillir des informations sur la programmation de la recherche des grandes agences internationales, à être en relation avec des agences de financement étrangères, à participer à la logistique, organiser des réunions, rédiger des accords de coopération internationale, répondre à des appels d'offres et renseigner les futurs porteurs de projets sur les étapes du financement.

C'était un boulot dans ses cordes. Les qualités requises lui correspondaient : être liant, intelligent, rigoureux, à l'aise dans plusieurs langues et au point sur les avancées technologiques. Et l'avantage avec ce type de poste, c'est qu'une fois posé un pied dans la place, la sécurité de l'emploi était assurée.

Maria s'annonça à la réception puis prit l'ascenseur jusqu'au quatrième étage. Dans la salle d'attente, quelques sièges entouraient une table basse couverte de magazines. Elle feuilleta distraitement un numéro de *Newsweek* consacré aux nouveaux milliardaires russes qui achetaient des clubs de football en Europe. Quand elle découvrit qu'on parlait de la riviera moscovite, Rublovka, elle sentit ses mains devenir moites. Le reportage montrait des photos de la rue Lyssenko, l'artère principale avec toutes les boutiques de luxe. Combien de fois était-elle allée dépenser de l'argent chez Hermès, Louis Vuitton, Chanel... De l'argent de la drogue.

Elle reposa la revue sur la table. Elle alla faire quelques pas pour consulter les annonces de concours, appels à participation et résumés de projets punaisés sur les murs. Plusieurs de ces projets concernaient la biologie moléculaire.

— Intéressant...

L'un d'eux proposait d'utiliser des récepteurs biologiques de l'odorat sur des nanotubes en carbone pour détecter des substances illicites dans des contrôles de douane. L'idée était de remplacer les chiens flaireurs de stupéfiants par des dispositifs électroniques.

D'autres projets n'étaient que de la poudre aux yeux. Par exemple une technique appelée optogénétique, très utile en recherche fondamentale mais inapplicable concrètement pour le traitement des malades car cela consistait à moduler l'activité des neurones du cerveau en leur envoyant de la lumière – or la lumière ne traverse pas la paroi du crâne. Tout le monde aimait ajouter un volet d'optogénétique dans ses projets de recherche car c'était la mode, mais on allait déchanter du côté des applications thérapeutiques.

Une porte s'ouvrit à cet instant précis.

— Madame Svetkova?

Maria traversa un long couloir avant d'entrer dans un bureau occupé par une femme qui devait approcher la cinquantaine, les cheveux noir de jais, arborant un chemisier orange satiné avec une broche représentant un scarabée en argent. Distinguée et sobre.

— Asseyez-vous, lui dit cette dernière. Je suis Patrizia Benedetti, chef de mission Sciences du vivant.

La femme avait un léger accent étranger. Maria fut prise d'un espoir : peut-être saurait-elle comprendre les difficultés qu'une étrangère peut rencontrer pour trouver du travail?

Maria prit le siège qu'on lui indiquait. Tailleur gris et chemisier blanc, cheveux en chignon, elle avait opté pour une tenue stricte pour augmenter ses chances d'être embauchée. L'objectif numéro un : éviter qu'on la prenne pour une potiche.

— Nous allons procéder simplement, dit son interlocutrice. Pouvons-nous reprendre les principales lignes de votre CV? Ensuite, vous m'expliquerez les raisons qui vous ont amenée à postuler à cet emploi.

Maria parvint à résumer son parcours en quelques mots. Biologiste de formation, elle souhaitait mettre à profit ses compétences dans le domaine relationnel pour intégrer le secteur de la gestion de projets à un échelon international. Avant de terminer, elle insista sur la complémentarité de la recherche russe et de la recherche française, synonyme selon elle de belles opportunités bilatérales.

— Vous avez connu trois ans d'interruption, se borna à noter son interlocutrice. Dans une carrière, c'est long, surtout pour une personne si jeune. Serge Larcher vous a acceptée malgré tout dans son master?

252

— Sans hésitation, dit Maria. Quand nous nous sommes rencontrés la première fois à Moscou, mes recherches l'intéressaient et il m'a fait une offre de stage à l'École normale. À l'époque j'étais retenue par mon fiancé. Mais nous nous sommes revus plus tard à Paris. J'avais envie de recommencer quelque chose, plutôt dans l'organisationnel. Organiser des rencontres, des forums, monter des projets collaboratifs. Je crois que cela me conviendrait.

Benedetti feuilleta encore le CV.

— Vous êtes mère célibataire, à ce que je lis.

Maria hocha la tête.

— Mon fils a cinq ans. Une amie le garde pendant la semaine. Cela ne pose pas de problème, nous avons un fonctionnement bien rodé.

Patrizia Benedetti prit le temps de la réflexion. Indiscutablement, cette candidate avait des atouts. Séduisante, polyglotte, ouverte et à l'aise dans les rapports humains. Mais inexpérimentée sur le plan scientifique. Il y avait à peine deux mois qu'elle s'était replongée dans l'univers de la biologie moléculaire.

Elle décida de la tester.

— Si je vous donnais dix projets de biotechnologie à étudier, avec pour mission d'en sélectionner trois d'ici la fin de la semaine et de me planifier trois réunions avec les porteurs de projet pour la fin de la semaine suivante, comment procéderiez-vous?

Maria n'hésita pas un instant.

— Je commencerais par faire le tri entre les projets où l'on sent une vraie compétence et ceux qui sont purement opportunistes. Puis je miserais sur les personnes qui poursuivent une idée originale depuis des années, et qui n'ont jamais lâché le morceau. Ceux qui ont une vraie idée, une idée que personne n'a jamais eue. J'en connais. Des jeunes qui montent.

Patrizia Benedetti se mordilla les ongles. Une jeune mère débarquée au master de Larcher après une interruption professionnelle de deux ans, du genre Miss Monde, polyglotte et maligne comme pas deux. Elle n'avait pas l'air de bluffer.

Débarquée au master de Larcher.

Patrizia reprit le CV de Maria et tourna les pages à toute vitesse. Elle s'arrêta.

— Vous êtes arrivée en avril! Vous allez avoir un retard terrible sur le programme du master. Comment allez-vous récupérer le temps perdu dans toutes les matières?

— C'est simple, dit Maria. Si je n'ai pas le diplôme en juin, Serge Larcher me fournira les polycopiés et j'apprendrai mes cours le soir chez moi. Je rattraperai mon retard l'année prochaine, ce qui ne m'empêchera pas d'être efficace au poste que vous me proposerez.

— Hélas, mademoiselle, je crois que vous n'avez pas bien compris. Le diplôme de master est une condition a priori pour postuler à cet emploi. Cela fait partie des règlements de l'ANR. Les recrutements se font au niveau national, les CV sont passés au crible par une unité centralisée. Vous ne pourrez pas avoir votre master en quelques mois.

Maria sentit des larmes poindre au coin de ses yeux. Elle serra les dents.

— Vous n'allez pas me prendre uniquement pour une question de détail administratif?

— Ce n'est pas un détail. Les autres candidats se plient à cette règle et je ne...

Maria sentit la hargne monter en elle.

— Est-ce que vous avez la moindre idée des sommes d'argent que vous dépensez en dépit du bon sens? J'ai regardé les projets qui sont affichés dans les couloirs de vos locaux. Celui qui propose de soigner la maladie de Parkinson avec de l'optogénétique. C'est du vent et vous le savez! Simplement, parce qu'il y a le mot «optogénétique», tout le monde trouve ça fantastique. Vous allez engloutir l'argent du contribuable pour rien avec ce genre de projet. Et tout ça, pour un résultat nul.

Patrizia Benedetti resta bouche bée. Le projet dont parlait Maria avait été mis en suspens au début de l'année en raison de l'absence de résultats expérimentaux précliniques. Il avait représenté un gouffre financier sans fond avant qu'on ne s'aperçoive qu'il ne déboucherait sur rien. La chose, heureusement, était restée secrète.

— En revanche, dit Maria, si vous voulez investir vos sous intelligemment, je vous conseillerais de miser sans crainte sur la chercheuse de l'INRA qui propose de greffer chimiquement des récepteurs biologiques de l'odorat sur des nanotubes de carbone. Donnez-lui 500 000 euros d'entrée de jeu pour la mise au point du prototype. Vous pensez qu'elle veut juste faire des détecteurs de drogue pour les services douaniers? Mais ce qu'elle prépare, c'est le premier nez électronique. Avec une bonne plate-forme d'ingénierie moléculaire, elle pourra synthétiser des biosenseurs capables de flairer des molécules libérées par des cellules cancéreuses. Et un jour, vous aurez un brevet pour un appareil permettant un diagnostic rapide de toute une série de cancers, uniquement en faisant souffler le patient dans un tube du genre éthylotest. Ça vaudrait le coup, non?

Patrizia Benedetti la contempla, ébahie. En début d'année, l'ANR avait donné 100 000 euros à la fille de l'INRA. En quelques mois, cette chercheuse avait réussi à monter un banc de synthèse pour ses biosenseurs et l'affaire était en discussion pour un deuxième investissement de 500 000 euros. Elle était maintenant en passe de réussir son pari, et son projet venait de s'enrichir d'un nouveau volet consacré à la détection de molécules odorantes caractéristiques dans l'haleine des patients cancéreux.

Ce ne sont pas des heures de travail que cette fille me ferait gagner, songea Benedetti, *mais des mois.*

Elle s'efforça de dissimuler son trouble. Même si l'envie lui prenait d'embaucher cette candidate, elle n'en avait pas le droit matériellement. Elle se contenta de répondre froidement.

— Je vous remercie de vos appréciations, madame Svetkova. J'ai été ravie de vous rencontrer. Nous vous ferons part de notre décision ultérieurement.

Lorsque Valérie vit arriver Maria chez elle, elle comprit aussitôt que quelque chose s'était mal passé. Après lui avoir rapidement résumé la journée de Michka, elle quitta l'appartement. Maria resta seule, laissant son fils devant son dessin animé préféré.

Devant le miroir de la salle de bains, elle effaça les traces de rimmel et essaya de penser à autre chose. C'est à ce moment que le téléphone sonna.

— C'est moi. C'est Serge. Valérie m'a tout raconté. Vous êtes rentrée de votre entretien dans tous vos états. Dites-moi ce qui n'a pas marché.

— La personne qui m'a reçue était ouverte, compréhensive, dit Maria. Nos objectifs convergeaient. Et puis il y a eu cette histoire de diplôme. Je ne peux pas lui en vouloir, je ne pourrai pas décrocher les minima aux examens, vous le savez aussi.

Larcher prit le temps de réfléchir.

— Tout cela n'est pas dirigé contre vous, Maria. Les fonctionnaires qui occupent ce genre de poste n'ont pratiquement aucune marge de manœuvre sur des dossiers administratifs. De quoi avez-vous parlé, à part cela?

— De mon parcours, répondit Maria, du trou dans mon CV. J'ai dit que j'avais été interrompue par ma grossesse, voilà tout.

— Vraiment, c'est tout?

— Plus quelques grandes idées sur la situation de la recherche en Russie, les opportunités de collaborations.

— Hum... Comment s'appelle cette dame?

— Patrizia Benedetti. Je crois qu'elle doit être italienne.

Elle entendit Serge Larcher prendre des notes.

— Avez-vous cours cet après-midi?

— Oui, en biologie cellulaire. Il faut que je me dépêche. Je... Qu'allez-vous faire?

— Je vais parler à cette dame et voir s'il n'y a pas quelque chose qu'on puisse faire.

Maria raccrocha, mais sans se faire d'illusion. Maintenant, il lui fallait trouver un travail. Dans la salle de bains, elle dénoua ses cheveux avant de passer un jean et un débardeur. Elle pensa à Vincent. S'il avait été là, il l'aurait écoutée. Il aurait sûrement trouvé une solution, lui qui avait réussi à forcer les portes de Neuroland, malgré ses difficultés aux examens. Maria avait envie de sentir sa présence réconfortante. Elle n'avait pas oublié ce moment de communion totale et de plénitude qu'ils avaient partagé près de la fontaine. On ne retrouvait pas cela facilement dans la vie.

Le lendemain, comme le temps était beau, Maria décida de descendre à pied le boulevard de Port-Royal. Lorsqu'elle arriva rue Lhomond, elle entendit quelqu'un appeler son nom.

— Maria! Par ici!

Elle tourna la tête en tous sens mais ne vit personne. Elle poursuivit son chemin.

— Ici! Je suis là.

Elle tomba alors nez à nez avec Franck Corsa. Le jeune homme était installé à la terrasse du Joliot-Curie. Dans un complet de ministre.

— Assieds-toi. Je tenais à m'excuser pour l'autre jour.

— Les cours commencent dans un quart d'heure, prétexta-t-elle.

— Assieds-toi, je te dis. Je ne vais pas te manger. Ou préfères-tu que je te suive en classe?

Surtout pas. Elle s'assit rapidement sur un coin de chaise.

— Tiens, lui dit-il en lui tendant une petite boîte en velours noir. Je tiens à me faire pardonner.

Un cadeau? C'était saugrenu. Quelque chose lui conseilla de ne pas accepter.

— Je ne peux pas, dit-elle, je...

— Je te dis que c'est pour m'excuser. J'ai été imbuvable, non? Je te dois bien quelque chose.

Vu comme ça... Maria dodelina de la tête, comme pour lui signifier qu'effectivement il avait été odieux.

Lorsqu'elle découvrit l'anneau étincelant dans la boîte, elle sentit son sang se glacer. La bague était splendide.

— Écoute, Franck, il doit y avoir un malentendu, je ne peux...

— Je suis venu te dire que je vais être beaucoup plus sympa. Si tu as besoin de quelque chose, tu me le dis. Si quelqu'un t'embête, tu me le dis. Si tu veux faire un tour en voiture, tu me le dis. Par exemple, que dirais-tu d'aller au concert ce soir? Je peux avoir des places pour *La Traviata* à l'Opéra-Bastille. Qu'en penses-tu?

Passer une soirée à l'opéra avec ce genre de garçon? Tout, sauf ça. Elle fit un geste pour repousser l'écrin sur la table.

— Non... Non...

— Maria, réfléchis. Qu'est-ce que je t'ai fait? Est-ce que je ne suis pas assez bien pour toi?

— Ce n'est pas cela. Franck, les sentiments ne se commandent pas.

— Tss! Tss! Je veux bien croire que tu es une fille super. D'accord, vraiment canon. Mais honnêtement, je ne suis pas de la merde non plus. Crois-moi si tu veux, mais je suis copain avec des types qui font la pluie et le beau temps. Hé ho! tu sais, Maria, tu sais quoi?

Elle n'osait pas répondre. Elle ne comprenait plus du tout à qui elle avait affaire.

— Pour une fille comme toi, la vie n'est pas facile. Les gens ne pensent qu'à te faire des misères. Forcément, tu attires les regards, les convoitises. Avoue-le, c'est un fait.

Elle sentit une indescriptible nausée l'envahir.

— Il te faut quelqu'un pour te protéger, Maria. Je peux être très gentil, tu sais. Et puis, ne fais pas trop la difficile. Quand on fait la fine bouche, on peut se retrouver sans rien.

Elle trouva enfin la force de se lever. Jamais encore elle n'avait éprouvé un tel sentiment.

— Je... Je suis désolée, Franck. Je crois qu'il y a quelque chose que tu ne comprends pas.

— Quoi? C'est l'autre minable, là? Carat, le petit Carat? Ne me dis pas que c'est pour le petit Carat que tu en pinces. Non, ne me dis pas ça.

— Si, c'est exactement ça. Tu as compris.

Franck avait l'air réellement stupéfait.

— Mais enfin Maria, tu ne peux pas dire ça! Tu ne te rends pas compte à quel point je suis au-dessus de ce gosse! Tu ne t'en rends tout simplement pas compte... Ce morveux n'est rien, je peux... Je peux le broyer comme je veux, c'est la vérité! La stricte vérité!

— Vincent vaut bien mieux que toi, Franck.

Elle réalisa qu'elle n'aurait probablement pas dû dire cela. Mais il était trop tard. Franck se leva ivre de rage, écrasant un doigt tremblant sur la table.

— Tu m'as déjà fait subir un affront, Maria. J'ai passé l'éponge, je suis venu avec un cadeau pour lequel la plupart des pétasses coucheraient avec le premier venu. Et tu me traites comme un minable. Alors, tu vas voir. Tu n'as pas reçu suffisamment de leçons dans la vie. Il est grand temps que quelqu'un t'en donne une, et c'est moi qui vais m'en charger.

Un sentiment de panique envahit Maria. Elle se leva, affolée, et descendit le boulevard en courant. N'avait-il pas suffi de quitter la Russie? Non, cela recommençait ici.

C'était l'enfer.

Le commissaire Morzini présenta son badge au poste de garde et passa le premier sas de détection. Il aurait pu se contenter de faire un signe de la main au garde. Tout le monde le connaissait au 84 de la rue de Villiers.

— Le commissaire Gervais est-il déjà arrivé ?

— Oui, commissaire. Il vous attend.

Morzini reprit son chemin vers les ascenseurs. André Gervais était le patron de l'UCLAT, l'Unité de coordination de lutte anti-terroriste. Avec le temps, les directeurs des deux principales institutions du renseignement intérieur avaient appris à s'apprécier. La sous-direction antiterroriste se chargeait des interventions, filatures et interpellations, pendant que l'Unité de coordination de lutte antiterroriste gérait principalement les écoutes.

La veille, Gervais lui avait passé un coup de fil lui demandant de venir le voir dans son bureau le lendemain à onze heures et quart. C'était en soi assez insolite. S'ils désiraient discuter entre quatre yeux, les deux hommes se donnaient plutôt rendez-vous au bistrot du coin. Un horaire aussi précis, onze heures et quart, vraiment ce n'était pas le style de la maison.

Les portes de l'ascenseur s'ouvrirent. Le planton annonça que le commissaire Gervais était dans son bureau. Morzini le trouva attablé devant son poste de travail.

— Salut, Pierre, soupira-t-il. Désolé pour cette drôle d'invitation. Je ne pouvais pas t'en dire plus au téléphone.

Il resta un moment immobile devant son ordinateur.

— Je ne vais pas participer à la réunion, dit-il finalement. C'est à côté. Je te laisse y aller.

Il se contenta d'ouvrir la porte donnant sur le bureau de réunion. Morzini y vit deux hommes installés autour de la grande table ovale. L'un d'eux était Jacques Melvin. En voyant l'autre Morzini se mit aussitôt au garde-à-vous.

— Asseyez-vous, commissaire, lui dit le ministre de l'Intérieur Michel Levareux.

Morzini prit un siège.

— Commissaire, j'ai une demande à vous faire.

Morzini chercha le regard de Melvin, mais celui-ci l'évitait. Son capitaine avait-il manœuvré dans son dos pour être affecté à cette nouvelle mission? Il n'aurait donc écouté aucun des avertissements que lui avait lancés son chef...

— Je vous écoute, dit Morzini. De quelle mission s'agirait-il?

— Vous le savez très bien, puisque le capitaine Melvin est venu lui-même naguère vous en faire la demande par le passé.

Morzini fut mortifié. Melvin était donc passé par des voies détournées pour arriver à ses fins. La mission en question était forcément liée à la création de cette nouvelle cellule de réflexion sur les méthodes d'interrogatoire. Comment Melvin avait-il réussi à convaincre le ministre de l'Intérieur? Il fallait le dissuader de l'embaucher.

— Si je peux me permettre, monsieur le ministre...

— Oui?

— Le capitaine Melvin a été considérablement déstabilisé par les attentats du métro et des Champs-Élysées. Ses performances dans les différents secteurs d'intervention ont été affectés par cet épisode. Je pense qu'il doit régler ces affaires-là avant de s'engager sur un terrain opérationnel.

— Nous avons discuté de tout cela avec le capitaine Melvin, répondit Michel Levareux. Nous vous remercions de votre concours, commissaire. Nous devons maintenant aller de l'avant.

Michel Levareux donna rendez-vous à Melvin au ministère le lendemain, puis se leva et laissa les deux hommes face à face.

Morzini se tourna vers Melvin.

— Jacques, qu'est-ce que tu fous!?

Au lieu de lui répondre, Melvin se leva à son tour, reprit son manteau et se dirigea vers la porte.

— Hé! Je te parle, lui dit Morzini en l'attrapant par l'avant-bras.

Melvin se dégagea.

— Laissez-moi, dit-il. Je dois y aller.

— Non, bougre d'âne, tu vas m'écouter, car tu es encore sous mes ordres.

— Erreur, chef, je ne suis plus sous vos ordres.

Melvin retira son bras, jeta son manteau sur ses épaules et attrapa la poignée de la porte. Morzini travers la pièce et alla voir si André Gervais était toujours dans son bureau.

— Qu'est-ce que c'est que toutes ces histoires? Melvin prétend que je ne suis plus son patron!

Gervais secoua la tête.

— Je n'en sais rien, Pierre. Je ne fais qu'obéir aux ordres. Jacques Melvin va effectivement être affecté à l'UCLAT. Il sera en charge d'une cellule d'écoutes téléphoniques. D'un strict point de vue officiel, tu ne peux plus lui donner d'ordre.

— Ça alors. Pourras-tu veiller à ce qu'il ne fasse pas de conneries? J'aurai peut-être besoin de lui, et dans ce cas pourras-tu le détacher à mon service?

— J'aimerais bien, Pierrot. Mais moi non plus, je ne pourrai pas donner d'ordres à Melvin.

Morzini ne comprenait plus rien. Quelque chose lui échappait.

— Mais alors, à qui obéira-t-il?

Gervais écarta les bras dans un geste d'impuissance.

— Apparemment, il relèvera d'une personnalité civile que je ne connais pas. Son nom n'apparaît pas dans l'ordre ministériel. À mon avis, ce personnage doit avoir le bras long.

Les postes d'écoute étaient de simples ordinateurs compatibles reliés par des lignes sécurisées à l'IGPN, l'Inspection générale de la police nationale, ainsi qu'à tous les opérateurs téléphoniques publics et privés, aussi bien les lignes fixes que les portables et les connexions internet. Le service déclenchait en moyenne quatre cents écoutes par semaine sur le territoire national, soit deux dossiers quotidiens par personnel technique.

Le matin même, Melvin avait reçu l'ordre du ministère de l'Intérieur de mettre deux individus sur écoute. Le caporal Vernieuwe, placé sous ses ordres par Levareux, remplit une demande de mise sur écoute adressée à l'IGPN.

— Demande d'accès aux données techniques de connexions passées par le dénommé Serge Larcher. Identification de ses téléphones fixes ou mobiles, adresses IP et moyens informatiques. Identification des abonnements associés. Relevé des numéros contactés, horaires, destinataires ou émetteurs d'appels phoniques, SMS, mails ou tweets. Adresses postales et internet des correspondants, sites consultés, horaires et durée des connexions, câble ou Wi-Fi. Géolocalisation des connexions par téléphone portable.

Melvin parcourut le texte avec attention. Cela lui paraissait exhaustif. La demande était de pure forme, l'IGPN ayant reçu l'ordre au plus haut niveau d'autoriser la demande sans délai. Il fallait simplement respecter la procédure pour se couvrir. Melvin déplia un morceau de papier sorti de sa poche.

— Il faut aussi faire une autre demande pour un dénommé Vincent Carat.

— Oui, mon capitaine.

Nouveau raccourci clavier. Melvin trouva le caporal Vernieuwe parfait dans son rôle. Son CV précisait qu'il était jeune diplômé de l'École des Telecoms, embauché dans la gendarmerie au titre du concours d'ingénieur radio pour la fonction publique, qu'il avait suivi les cours de renseignement de la DST ainsi que des formations de perfectionnement aux techniques d'espionnage électronique par des experts nord-américains dans le cadre des collaborations internationales de lutte antiterroriste. Le caporal tapa le patronyme dans le corps du texte. Melvin hocha la tête. Il ne connaissait ni Serge Larcher ni Vincent Carat. Il avait simplement reçu l'instruction de superviser l'opération et de faciliter l'accès d'un civil, Franck Corsa, aux enregistrements. Il baissa les yeux sur une deuxième ligne de son billet.

— Il y a un deuxième code à entrer.

Le caporal Vernieuwe pencha la tête pour observer ce qui se trouvait inscrit sur le papier. Il haussa les sourcils.

— Ho! C'est spécial, ça...

Melvin ne dit rien. Le caporal entra la ligne de code sur le cartouche de sa fenêtre.

— On envoie une demande de complément à la Commission nationale de contrôle des interceptions de sécurité. On va avoir la totale.

— Comment ça la totale?

— Ce code demande les rapports techniques de connexions et le contenu verbal. C'est rare. Depuis un an que je fais de l'écoute, je n'avais jamais introduit de demande pour du contenu.

Le caporal Vernieuwe poussa une petite exclamation.

— L'autorisation de l'IGPN est accordée!

Il regarda son capitaine avec des yeux écarquillés.

— Normalement, la procédure prend plusieurs heures, au minimum! s'étonna-t-il. Parfois, l'IGPN s'accorde des jours entiers pour étudier la demande.

Il se retourna vers son écran.

— Et voilà une réponse positive de la CNCIS. Allons bon. Une double écoute autorisée en cinq minutes. J'ai fait ma journée, mon capitaine!

Melvin lui sourit.

— Allons prendre un café, lui dit-il, votre collègue prendra le relais.

— Entendu. Juste le temps de passer les consignes à Orange et aux opérateurs privés.

— Vous aurez le temps de le faire juste après. Allez, c'est moi qui vous l'offre.

Melvin était apprécié de ses hommes, justement à cause de cette capacité à faire resurgir à tout instant l'esprit de camaraderie militaire.

Avec un sourire, le caporal repoussa son fauteuil à roulettes du bureau et se leva.

Quelques minutes plus tard, les deux hommes revenaient d'humeur joyeuse dans le bureau. Ils jetèrent leurs gobelets dans une corbeille et Vernieuwe s'attabla devant l'ordinateur. D'un simple clic, il choisit l'option : « Tout sélectionner » et confirma.

— Et voilà. C'est automatisé, en principe d'ici cinq minutes tout ce que dira votre homme aboutira ici. Je vous montre les fichiers ?

Melvin suivit du regard la navigation du caporal. Les écoutes étaient devenues un jeu d'enfant depuis l'avènement du numérique. Plus de câbles à raccorder manuellement, rien qu'un pilotage sous Windows. Il avait quand même une petite inquiétude.

— Vous n'êtes pas autorisé à consulter les fichiers, je suppose ?

— Bien sûr que non... D'ailleurs, mon capitaine, vous allez entrer un mot de passe ici et le confirmer à deux reprises. Vous serez seul habilité à pénétrer le contenu. Pour l'auditionner, vous avez des casques disposés ici, ou alors vous pouvez vous isoler en salle insonorisée.

Melvin marqua un temps d'arrêt pour réfléchir à un code d'accès. De toute façon, ce code ne serait que temporaire, puisque Corsa allait rapidement le remplacer par le sien.

Franck Corsa arriva au bureau d'écoute à dix-huit heures précises. Il venait de l'École normale supérieure et était dans une colère noire. Pendant tout le cours d'électromagnétisme, Carat et la jeune Maria n'avaient fait que se tenir la main et se faire les yeux doux. Ils n'avaient aucune discrétion, aucune pudeur, ils le narguaient ! Au moment de la pause, ils avaient fait quelques pas le long du trottoir et Vincent avait enroulé son bras autour de la taille de la jeune femme, qui avait l'air parfaitement consentante. Franck l'avait même vue rire. Ensuite elle avait passé ses deux bras autour du cou de Vincent et l'avait embrassé.

Cette fille aurait dû lui tomber dans les bras. Franck avait fait tout ce qu'il fallait pour. Les femmes ne devaient-elles pas revenir aux hommes les plus méritants, les plus habiles, les plus influents? Se promener au bras d'une belle femme était le signe qu'on était au-dessus des autres! À l'inverse, si elle vous rejetait, cela constituait un affront.

Maria le mettait dans une situation intolérable. Elle lui refusait un certificat de réussite qu'il avait plus que mérité. Franck dictait leur politique étrangère à des gens aussi puissants que William Goldwood, Michel Levareux et Dita Mornheim. Et *elle*, elle se permettait de lui dire non.

Mais enfin pourquoi les gens étaient-ils trop stupides pour se rendre compte qu'ils avaient affaire avec Franck Corsa à un individu de premier plan? Cette greluche moscovite le mettait en balance avec un sans-grade comme Vincent Carat, cela n'avait pas de sens. N'importe qui ayant un peu de jugeote devait voir en lui quelqu'un d'exceptionnel. Et elle, avec sa cervelle de limace, n'était pas fichue de s'en rendre compte. Ou alors, elle ne le savait que trop bien. Et elle le provoquait.

Dans les deux cas, c'était le même tarif.

En arrivant au bureau d'écoute de la sous-direction antiterroriste, Franck demanda à voir le rapport relatif à la demande de mise sur écoute. Il parut satisfait en parcourant la sortie papier du fichier renseigné par Vernieuwe. Puis il demanda si des appels avaient été passés sur les lignes surveillées. Melvin lui expliqua que le fichier contenant les enregistrements était accessible au moyen d'un code qu'il était libre de modifier. Il pénétra lui-même dans le fichier et laissa la fenêtre libre pour que Franck puisse entrer son propre code.

— C'est bon, Melvin. Vous pouvez y aller.

Melvin resta planté devant lui.

— Vous n'avez plus besoin de moi?

— Vous avez peut-être l'impression de ne pas avoir fait grand-chose, mais je peux vous dire que c'était important. Et l'essentiel est que cela ait été bien fait. Soyez certain que je referai appel à vous à la première occasion.

Instinctivement, le colosse esquissa un geste de garde-à-vous.

— Pas de ça, Melvin. On ne joue plus aux petits soldats, ici. Gardez votre énergie pour plus tard. Je dirai à Michel que vous avez bien travaillé.

Melvin tourna les talons et tira doucement la porte du bureau d'écoute derrière lui.

Franck se tourna vers le caporal Vernieuwe.

— Dites donc, c'est vous qui êtes affecté à cette mission?

— Affirmatif, monsieur.

— Dans ce cas, vous allez avoir des problèmes. Je vois que la demande a été rédigée à 14 h 37, que la réponse de l'IGPN et celle de la CNCIS vous sont parvenues à 14 h 39 et 14 h 40 respectivement. Mais ensuite je vois que l'ordre de transmission passé aux opérateurs de téléphonie et d'internet est parti à 14 h 47. Que s'est-il passé pendant ces sept minutes?

Vernieuwe resta sans voix.

— Je... Je ne sais pas.

Corsa jeta un œil vers la corbeille où traînaient les gobelets de café.

— Vous êtes allés bavarder comme des commères devant une machine à café alors que l'IGPN se décarcassait à la vitesse de l'éclair pour faire passer une demande en niveau prioritaire parce qu'il s'agit d'une affaire qui concerne la sécurité de l'État.

— Je... heu, je ne pensais pas...

— Avez-vous conscience que votre négligence peut avoir des conséquences à l'échelle nationale? Nous effectuons une mission de surveillance dans laquelle deux minutes d'appels téléphoniques peuvent avoir une importance vitale, selon qu'on les intercepte ou non. Et vous, vous accordez un répit à notre cible pour aller boire un café?

Le caporal Vernieuwe n'en menait pas large. Il lui aurait été trop facile de rejeter la faute sur Melvin en disant que ce dernier avait insisté pour faire une pause.

— Depuis combien de temps travaillez-vous à l'UCLAT, caporal ?

— Deux ans, monsieur.

— Quel dommage. Deux ans... Votre brillante carrière pourrait très bien ne pas aller beaucoup plus loin. Car je vais devoir en référer au ministre.

Franck vit le visage du jeune caporal perdre ses couleurs. Commencer sa carrière dans les services secrets par un blâme ministériel était une catastrophe dont on ne se relevait pas.

— S'il vous plaît... Je vous jure que je ne voulais pas...

Franck prit un air goguenard.

— Melvin vous a entraîné, n'est-ce pas ?

Nouveau silence.

— Vous êtes jeune et il y a déjà deux ans que vous gérez des écoutes dans cette unité. Je crois que vous êtes fiable. Je vais vous donner une chance de sauver votre poste. Désormais, vous agirez sous ma responsabilité directe. Et sachez que je reçois mes ordres du ministre lui-même.

Vernieuwe baissa la tête, comme assommé.

— Vous allez adresser une demande de mise sur écoute. Écrivez. Identité de la personne concernée par l'écoute. Nom, Melvin. Prénom, Jacques.

Le caporal sursauta et lança un regard désemparé à Corsa.

— Hein... Mais c'est...

Corsa demeura impassible.

— Voyez vous-même. Le capitaine Melvin peut être relevé de ses fonctions dès ce soir, alors que je serai sur votre dos pendant encore longtemps. Choisissez.

Le jeune homme fit ce que Corsa lui demandait.

— Bien. Et maintenant, indiquez-moi un poste où je puisse consulter les fichiers d'écoute en toute tranquillité.

Franck choisit de s'isoler dans le local insonorisé séparé du local informatique par un quadruple vitrage. Un ordinateur muni d'une connexion sécurisée à l'intranet y était en veille vingt-quatre heures sur vingt-quatre et permettait de se relier à toutes les bases de données de l'unité.

Il entra son code confidentiel et commença par consulter le fichier des écoutes réalisées chez Serge Larcher.

— Rien sur son portable, maugréa-t-il. Ce vieux croûton ne doit pas l'utiliser souvent.

En revanche, il y avait eu deux appels à son domicile, tous deux sortants. Franck passa le casque sur ses oreilles et cliqua sur l'icône du fichier audio.

Ses pupilles se dilatèrent lorsqu'il reconnut la voix de Maria.

«... J'ai dit que j'avais été interrompue par ma grossesse, voilà tout.»

À l'autre bout de la ligne, c'était Serge Larcher.

«Vraiment, c'est tout?

— Plus quelques grandes idées sur la situation de la recherche en Russie, les opportunités de collaborations.

— Hum... Comment s'appelle cette dame?

— Patrizia Benedetti. Je crois qu'elle doit être italienne.»

On entendait Serge Larcher prendre des notes.

«Avez-vous cours cet après-midi?

— Oui, en biologie cellulaire. Il faut que je me dépêche. Je... Qu'allez-vous faire?

— Je vais parler à cette dame et voir s'il n'y a pas quelque chose qu'on puisse faire.»

Franck n'en revenait pas. Maria avait donc eu un gosse! Ça, c'était le pompon... Elle s'était bien gardée de le montrer, celui-là. Un petit agneau qu'elle devait chérir comme la chair de sa chair. Ce renseignement valait de l'or.

Franck continua à réfléchir. Qui était donc cette Patrizia Benedetti dont il était question sur l'enregistrement? L'explication se trouvait peut-être dans l'appel suivant. Larcher avait dit qu'il lui téléphonerait et ce vieux débris était bien du genre à tenir ses promesses. Parions?

Dans le mille! La voilà, la Patrizia...

«Je souhaiterais parler à Mme Benedetti, disait cette fois la voix de Larcher.

— C'est moi-même, répondait la voix d'une quinquagénaire.

— Je suis Serge Larcher, directeur du master de neurosciences de l'École normale supérieure.

— Ah... Je vois. Vous appelez certainement pour Mme Maria Svetkova?

— Oui. Mais ce n'est pas elle qui me l'a demandé. J'ai pris cette initiative quand je l'ai vue en larmes, désespérée. Elle ne comprend pas ce qui n'a pas fonctionné entre vous. »

Patrizia Benedetti soupira.

« Rien, dit-elle finalement. Elle est la personne qu'il me faut. Simplement, je ne peux pas la prendre. C'est une question de diplômes pour les critères d'admissibilité.

— Maria est une pépite, dit Larcher. Vous l'avez remarqué, madame Benedetti. »

Silence. La voix de Larcher se fit plus lente.

« Maria peut avoir son diplôme. Je peux le lui accorder de mon propre fait, au titre d'auditrice libre. Est-ce que cela arrangerait les choses ? »

Nouveau silence.

« Peut-être, répondit Benedetti. L'énoncé du poste n'est pas très précis sur ce point. Mais vous savez fort bien que ce serait un diplôme de complaisance. Pour vous comme pour moi, c'est quelque chose de peu recommandable. Vous êtes quelqu'un d'honnête, professeur. Pourquoi feriez-vous une chose aussi périlleuse au regard de la profession ? Le master de l'ENS est réputé...

— Je sais pourquoi je le fais. Si je vous raconte tout, me promettez-vous que Maria n'en saura rien ?

— Vous avez ma parole. »

Franck apprit alors que Maria était en danger de mort. Si elle retournait en Russie, elle était pour ainsi dire condamnée, elle et son enfant. De toute évidence, elle était mêlée à des affaires qui ne la concernaient pas et certaines personnes avaient intérêt à ce qu'elle disparaisse. Sachant cela, Serge Larcher avait pris la décision de la retenir en France en l'inscrivant à son master. Maintenant, il voulait qu'elle décroche un emploi pour obtenir une carte de séjour, et il était prêt à lui donner son diplôme par complaisance afin qu'elle puisse avoir ce poste à l'ANR.

C'était répugnant. Larcher le dégoûtait. Il bradait les diplômes de son master. Pour les beaux yeux de cette fille. Et à la fin, la recruteuse de l'ANR acceptait.

Franck reposa le casque. Maria était une usurpatrice. Une tricheuse. Une élève médiocre qui jouait de son charme pour emboiner de vieux professeurs à la morale douteuse.

Avec cet enregistrement, il pouvait clouer Serge Larcher au pilori. Et sceller le sort de Maria. Cette petite garce s'apprêtait à obtenir un diplôme d'État par les bonnes grâces de ce porc qui devait lorgner sur son cul. Larcher était une brebis galeuse. Il ne pensait qu'à privilégier des jeunes mal classés au master, ou à brader le diplôme en l'offrant carrément à des étrangères incompétentes. Et le pire, c'est que d'autres agents administratifs marchaient dans ses combines. Cette Benedetti, Franck l'aurait bien coincée elle aussi, mais sa faute était moins lourde : elle demandait juste à ce que la candidate ait le diplôme requis. Et Franck ne pouvait tout de même pas faire le ménage dans toute l'administration. Du moins pas pour le moment.

Il fallait réfléchir efficacement. Si Maria se voyait accorder un diplôme de master par complaisance, elle avait pu procéder de même par le passé. Avait-elle les diplômes requis pour s'inscrire en master à son arrivée en France? D'après le premier enregistrement, elle avait été obligée d'interrompre ses études à cause de son enfant. Il fallait savoir quand cela s'était passé.

Il regarda à travers la vitre de la salle insonorisée.

— Vernieuwe!

Il fit signe au caporal. Celui-ci se leva et alla se présenter dans l'encadrement de la porte.

— J'ai écouté les enregistrements. J'ai une mauvaise nouvelle pour vous. Le suspect était en communication au moment où la surveillance a été enclenchée. Cela devait faire plusieurs minutes, parce qu'il mentionne avec son interlocuteur des éléments essentiels qui ont manifestement fait partie de la conversation quelques instants plus tôt. Ils ont dû en parler pendant que vous preniez votre café. Par votre faute, nous avons perdu des renseignements de grande valeur.

Le jeune homme voulut bredouiller quelque chose, mais Corsa le coupa net.

— Pouvez-vous vous introduire dans les fichiers de l'université? Le contact de notre suspect y a un dossier.

Vernieuwe précéda Franck jusqu'à son poste de travail. Cette manœuvre n'était pas régulière. Les moyens informatiques du bureau étaient largement suffisants pour pénétrer dans le serveur universitaire, notamment pour obtenir leurs diplômes ou coordonnées personnelles, mais une telle opération devait faire l'objet d'une autorisation par l'IGPN.

— Qu'est-ce que vous attendez? siffla Franck Corsa. Que notre suspect nous file une deuxième fois entre les doigts? Vous n'avez pas l'impression d'avoir causé suffisamment de dégâts par votre négligence? Je vous offre l'occasion de vous racheter, alors si j'étais vous je me dépêcherais de la saisir. Car il va de soi que si j'obtiens le renseignement que je cherche, je n'aurai plus de raison sérieuse de vous tenir pour responsable de ce qui s'est passé.

Le caporal Vernieuwe se mit à pianoter sur son clavier.

— C'est bien, dit Corsa. Essayez de trouver le dossier d'une certaine Maria Svetkova.

Le clavier crépita. Quelques secondes plus tard, un tableau à lignes claires sur fond vert apparut. C'était bien le dossier de Maria. Les renseignements disaient que Larcher avait rempli son dossier d'inscription à l'université Paris-VI. Qu'elle avait bien vingt-cinq ans. Son domicile était une chambre du CROUS, la numéro 47. Elle avait arrêté son cursus au bout d'une année de fin de cycle à l'université Lomonossov. Pas de diplôme de licence. Elle ne pouvait pas légalement s'inscrire en master.

— Voulez-vous que je vous imprime ce document?

— Effacez-le de l'écran et faites disparaître tout l'historique de recherche.

Sans diplôme de master, plus de poste à l'ANR. Plus de travail, plus de permis de séjour. Direction la Russie, et là-bas ce n'était visiblement pas le comité d'accueil le plus chaleureux qui l'attendait. Franck pouvait faire expulser Maria. Surtout avec ses appuis dans la police. Elle n'avait aucune chance.

Quelques minutes plus tard, sa décision était prise. Une décision qui allait sceller une vie. Il commanda un taxi qui se présenta rue de Villiers.

— Amenez-moi à la station de RER Port-Royal.

Il allait retrouver la femme qui l'avait défié. Une femme à qui il avait fait une proposition honnête, et même flatteuse, et qui avait refusé cette offre. Une femme qui avait préféré un autre homme, un moins-que-rien qui lui avait pris son poste à Neuroland et qu'il méprisait.

Elle allait payer.

La chambre 47 était au troisième. Franck regarda sa montre. Il était vingt-deux heures. Elle ne devait pas encore être couchée. Il sortit silencieusement de l'ascenseur.

Maria ferma le robinet de la douche et sortit, nue comme Vénus, en chantonnant. Deux heures plus tôt, l'appel de Serge Larcher lui avait annoncé qu'elle aurait le poste de l'ANR. Elle aurait eu envie de lui sauter au cou. Larcher lui avait donné rendez-vous lundi dans son bureau de l'École normale pour évoquer plus en détail l'avenir. Elle allait donc obtenir son master! Oh, comme sa vie allait changer... Enfin, elle serait indépendante financière-ment et occuperait un poste lui permettant de donner toute la mesure de son talent. Elle obtiendrait un titre de séjour définitif, qui ferait disparaître définitivement la menace d'être renvoyée dans son pays. Elle emménagerait sûrement dans un plus grand apparte-ment. Elle pourrait employer une garde d'enfants pour s'occuper de Michka quand elle serait au travail. Et elle pourrait envisager sa vie avec Vincent... en toute sérénité. Car lorsqu'elle s'était sentie si seule, si fragile et si désespérée après l'entretien avec Patrizia, c'est dans les bras de Vincent qu'elle avait retrouvé le sourire. C'est autour de son cou qu'elle avait passé ses bras, et c'était lui qu'elle avait eu envie d'embrasser. À présent qu'elle avait décroché ce nou-veau poste et que l'horizon se dégageait, c'est de nouveau vers lui qu'elle voulait aller.

Elle passa un peignoir bleu et lissa ses cheveux tout en déambu-lant dans le petit studio. Michka dormait depuis au moins une heure, elle avait tout le temps pour savourer ce sentiment si déli-cieux.

Un bruit retentit à la porte. Comme un frottement, ou un soupir. Elle tendit l'oreille, puis reprit son activité.

Le bruit recommença. Elle fit quelques pas et regarda par le judas. Une forme était affalée sur la moquette. Et une voix presque inaudible.

— Au secours. Ouvrez-moi...

L'individu poussait un râle tellement pitoyable qu'elle ne put s'empêcher d'ouvrir. Face contre terre, l'homme s'effondra sur son tapis d'entrée. Maria fit instinctivement un pas en arrière et resta pétrifiée en le voyant se traîner vers l'intérieur.

— Monsieur, vous... vous allez bien?

Tout se passa très vite. L'homme repoussa d'un seul coup la porte de l'appartement du talon et se redressa. Il releva alors la tête.

C'était Franck.

Maria voulut crier, mais ce fut à peine si un hoquet inaudible sortit de sa gorge. Le temps d'un éclair, Franck aperçut la courbe de son sein dans l'échancrure du peignoir. Il se rua sur elle si violemment qu'il la projeta sur le canapé où elle se heurta la tête et resta étourdie.

Il plaqua une main sur la bouche, l'empêchant pratiquement de respirer.

— Imagine que le petit se réveille et arrive maintenant. De quoi tu aurais l'air? Alors, sois sage.

Maria ferma les yeux. La pensée de Michka sortant de son lit et faisant irruption dans le salon la glaça. En outre, Franck la maîtrisait avec une force étonnante. Ses mains avaient quelque chose de dur et de froid, sa chair était moite et glissante comme celle d'un animal. Il la renversa à demi nue sur le canapé et déboutonna son pantalon.

— Je t'avais prévenue, lui murmura-t-il en approchant son sexe blanc comme de la cire presque sans veinures. Ce qu'on ne me donne pas, je le prends.

Il plaça ses deux mains autour de son cou et serra. Maria sentit l'air lui manquer. Un moment, elle crut qu'il allait la tuer. Avec l'énergie du désespoir, elle balaya l'air devant elle en tentant de lui griffer le visage. Mais il la frappa et elle en perdit presque connaissance. Elle le sentit qui la retournait, la plaçait sur le ventre, le visage enfoncé dans les coussins du canapé. Elle perçut des mots comme dans un brouillard. «Tenir tranquille... Mieux comme ça...»

Pendant qu'il la tenait fermement immobilisée par la nuque, elle sentit son membre glacé s'enfoncer en elle.

C'était comme d'être pénétrée par un cadavre. Hagarde, agitant les bras des deux côtés des coussins comme des moignons, ne voyant que les motifs à fleurs rouges du canapé plaqués contre son visage, elle se sentit emmenée comme à bord d'un bateau en perdition ballotté par une tempête glaciale et déchaînée. Franck donnait de grands coups à travers tout son corps, à en faire craquer ses os. Et sa voix chuchotait, à quelques centimètres de son oreille :

— Écoute bien ce que je vais te dire, pour que tu ne l'oublies jamais, salope. Je travaille pour la police. Je sais que tu es ici illégalement. Ton statut d'étudiante est frauduleux. Même si Larcher te file ton diplôme, celui-ci est invalide. Un mot de moi aux services d'immigration, et tu repars à Moscou. Et là-bas, tu sais aussi bien que moi ce qui t'attend. Toi... et ton petit.

Là-dessus, il écrasa sa tête sur le coussin et accéléra la fréquence de ses va-et-vient. Quelques secondes après, Maria sentit sa semence s'écouler en elle, comme une mort insidieuse qui se serait faufilée dans chaque recoin de ses cellules.

Il se détacha d'elle et se rhabilla.

— Voilà comment je traite les connasses. Je t'avais prévenue, minable. Si tu avais accepté mon cadeau, tu serais en ce moment même dans un palace en train de boire du champagne. Maintenant, tu vas être traitée comme un sac à viande et tu l'auras bien cherché. Je vais te laisser aller à ton boulot lundi. Reprends des forces, car je vais revenir. J'ai bien aimé te baiser, alors tiens-toi prête.

Il serra sa ceinture et tira sur les pans de son pantalon. En quelques gestes, il avait retrouvé une allure respectable.

— Je reviendrai te prendre quand je voudrai, cochonne. Si tu veux fuir, je te pisterai. J'en ai les moyens. Je bosse avec des gens qui ont un pouvoir considérable. Tu ne l'as pas compris, c'est ton problème de base, tu es stupide. Tu as juste assez de jugeote pour te faire pistonner en bougeant ton cul, mais pas pour comprendre qui est le vrai chef. Mais tu vas l'apprendre. Ton cul va l'apprendre, même si cela doit prendre le temps qu'il faudra. Le chef, c'est Franck. Franck Corsa.

Franck vérifia qu'il n'avait rien oublié. Avec une mine satisfaite, il quitta la pièce et tira la porte derrière lui.

Vincent Carat déposa le carton contenant ses affaires personnelles sur le bureau qui lui avait été attribué dans une des ailes du bâtiment de Neuroland. En vidant son contenu, il trouva une photo de son père. À l'époque où celui-ci dirigeait le service de neurologie fonctionnelle de la Salpêtrière.

Que penserait Henri Carat s'il le voyait aujourd'hui dans ce bureau de Neuroland ? Vincent lui avait promis de poursuivre ses études au moins jusqu'à la thèse. Il allait maintenant probablement commencer cette thèse ici. Mais le prix à payer était élevé. Encore et toujours l'obstacle de ces matières « dures » pour lesquelles il n'était pas armé.

Sans beaucoup d'entrain, il ouvrit le manuel de résonance magnétique rapporté dans ses bagages. Le premier chapitre parlait de l'eau. Il se plongea dans la lecture.

Soudain, il décrocha son téléphone et appela Damien Tréteau.

— Damien, peux-tu venir un moment ?

Son collègue arriva quelques instants plus tard et s'assit sur une des chaises du bureau.

— Tu connais Xavier Le Cret, lui dit Vincent. As-tu pratiqué l'imagerie de diffusion, sa méthode révolutionnaire ?

— Pas personnellement, répondit Damien. Mais je connais les principes de base. L'imagerie de diffusion sert à mesurer les mouvements de l'eau dans les neurones, ce qu'on appelle leur diffusion. Elle a tendance à se diffuser plus vite le long des câbles neuronaux, ce qui permet de mieux la visualiser.

— OK, opina Vincent. Heu... Comment est-ce qu'on mesure leur diffusion?

— Là, tu m'en demandes trop. Je peux seulement te dire qu'il faut créer des gradients de champ pour cela. Autrement dit, un champ magnétique dont la puissance varie le long de l'axe du scanner. J'ai entendu dire que les gradients de champ repèrent la vitesse de diffusion d'une molécule d'eau dans n'importe quel recoin du cerveau.

— C'est ce qu'il me faut, dit Vincent. Avec cette méthode, je peux montrer qu'il y a deux vitesses de diffusion dans les neurones. L'une rapide, l'autre lente. Des molécules qui ralentissent, d'autres qui accélèrent.

— Parfait. Et alors?

Le regard de Vincent se perdit au-delà des fenêtres du bureau. Le graphique sur le tableau de Le Cret lui revint en mémoire. La partie supérieure du graphe, avec sa pente raide, représentait l'eau rapide. La partie inférieure, en pente douce, représentait l'eau lente. Que pourrait-il se passer lorsqu'un neurone s'active quand nous pensons? Le graphique changerait d'allure... La partie du haut raccourcirait, celle du bas s'allongerait. Cela voudrait dire que ce neurone augmente sa part d'eau lente et diminue sa part d'eau rapide. À quoi cela correspondait-il?

Davantage d'eau lente, cela voulait dire plus d'eau accrochée aux parois du neurone. Cela voulait dire un neurone plus large. Un neurone qui gonfle.

Un neurone qui gonfle?

Vincent se leva d'un coup et alla à la bibliothèque. Il se connecta au serveur du campus. Aux bases de données de biologie cellulaire. Les titres des publications défilèrent. *Swelling, neuron, activated.* Gonflement. Gonflement neuronal.

En 1985, des scientifiques anglais et américains auraient observé que des neurones gonflaient quand on les stimulait électriquement. Ils appelaient ça le *swelling*, le gonflement. Apparemment, leurs canaux ioniques s'ouvraient et de l'eau entrait, ils se gonflaient comme des outres. Ça collait avec son modèle.

Vincent imprima furieusement tous les articles qu'il put trouver. La coïncidence était trop énorme. Il tenait peut-être la théorie unificatrice qui fondait le code neural. L'activité neuronale provoquait un gonflement qui changeait la surface des membranes des neurones et modifiait le rapport de l'eau lente et de l'eau rapide. Le tout devait être observable en imagerie de diffusion.

Il fallait maintenant retranscrire cette chaîne causale en termes mathématiques. C'était une torture. Il voyait l'arrivée, mais pas le chemin. Même Damien Tréteau n'avait pas réellement essayé de comprendre l'imagerie de diffusion. Comment allait-il faire ?

À ce moment, le téléphone sonna.

— Vincent ? dit la voix de Damien. Si je ne te dérange pas dans tes réflexions, j'ai les résultats des souris qu'on a injectées avant-hier avec le biomarqueur. Tu ne veux pas venir voir ?

Vincent avait complètement oublié ces souris. Deux jours plus tôt, lui et Damien avaient injecté à des souris malades d'Alzheimer des anticorps ciblant les plaques amyloïdes. Les anticorps étaient censés agir comme un vaccin et éliminer les plaques. Pour observer si cela fonctionnait, on avait photographié au début de l'expérience le cerveau des souris avec l'aimant à 17 teslas, et maintenant, Damien avait dû refaire une séance d'IRM avec les mêmes souris pour voir si la quantité de plaques amyloïdes avait diminué entretemps.

Damien était installé devant l'ordinateur du poste de contrôle du scanner.

— J'ai l'impression qu'il y a eu une diminution des plaques amyloïdes entre les deux dates, dit-il. Mais j'ai du mal à en être totalement certain. Qu'en penses-tu ?

Vincent s'approcha pour mieux voir. Il était difficile d'apprécier la différence au premier coup d'œil.

— Pourrais-tu afficher sur la même fenêtre le cliché pris trois jours plus tôt ?

Aussitôt, ils virent les clichés mis côte à côte, et la différence était criante. Cette fois, entre les deux dates, on voyait que la masse de plaques amyloïdes avait nettement diminué.

— Je crois que c'est assez clair, dit Vincent.

Damien hocha la tête.

— Très net, dit-il. En deux jours, on voit le résultat à l'œil nu.

Vincent rassembla ses idées.

— Il faut reproduire les résultats et monter un essai clinique sur l'être humain.

Le visage de Damien changea d'expression.

— Heu... Justement, je voulais te dire.

— Quoi?

— J'ai fait la manip sur cinq souris seulement, parce qu'il ne nous restait que 762 euros sur le compte du département Alzheimer. Notre compte a été débité de 750 euros, il nous en reste 12.

Les yeux de Vincent s'agrandirent.

— On avait seulement 762 euros? Tu veux dire qu'il nous reste 12 euros pour continuer à faire des manips?

Damien hocha la tête. Vincent leva les yeux au ciel.

— Douze euros dans un centre comme Neuroland pour faire des recherches sur Alzheimer!

Damien s'abstint de toute réponse. Sous ses yeux, l'écran continuait d'afficher les résultats si encourageants de leur étude préliminaire.

— Du calme, tempéra finalement Damien. Ce sont des souris, pas des êtres humains. Et en plus, ce sont cinq souris, pas vingt ou trente. J'ajoute que notre manip utilise un traitement par anticorps, ce qui est absolument exclu chez l'homme.

— Faiblard, ton argumentaire, lui rétorqua Vincent. Tu sais très bien que c'est pour montrer la faisabilité de la chose, que j'utilise ce traitement par anticorps.

— Ne me dis pas que tu vas parler de ça à Le Cret.

On n'entrait habituellement pas dans le bureau de Xavier Le Cret sans avoir préalablement pris rendez-vous. La secrétaire voulut protester mais Vincent ne lui en laissa pas le temps. Il entra en coup de vent et se retrouva face au patron en grande conversation avec un invité. Les deux hommes étaient installés dans des fauteuils dans l'espace de réception à l'arrière du bureau, autour d'une table basse couverte de boissons. Lorsque Vincent fit son entrée, ils levèrent la tête, interloqués.

— Carat! s'écria Le Cret. Qu'est-ce que vous fichez là?

Vincent resta un moment interdit.

— Je... Je suis désolé monsieur le directeur. Je... Je voulais juste vous montrer...

— Je n'ai rien à fiche de vos salades, Carat! pesta Le Cret en lui arrachant le document qu'il tenait à la main. Vous avez un programme de recherche et vous avez sacrément intérêt à vous y atteler! On reparlera de ça, et maintenant, fichez-moi le camp. Je suis en rendez-vous avec le directeur du CNRS!

Le visage de l'homme assis à la droite de Le Cret exprima, contre toute attente, une forme de curiosité.

— Excusez-moi mais de quoi s'agit-il?

Vincent regarda successivement son patron, puis le directeur du CNRS.

— Je... Eh bien... Il s'agit d'une nouvelle méthode pour observer à l'échelon microscopique les plaques amyloïdes in vivo et observer leur évolution en fonction des traitements expérimentaux, sur une période de quelques jours. En très hauts champs, bien entendu.

André Vareski, le directeur du CNRS, tendit le cou vers le cliché que Le Cret tenait entre ses mains.

— Et ceci : ce sont les plaques amyloïdes visualisées?... Avec un agent de contraste?

— Tout à fait, répondit Vincent. Un biomarqueur que j'ai mis au point avec Damien Tréteau.

Vareski se penchait de côté pour mieux voir et pointait du doigt certaines zones de la photographie.

— Je vois un chiffre, là, en haut à gauche. La durée du traitement est de deux jours?

— Exactement. C'est cela.

Vincent voyait la mine furieuse de Xavier Le Cret.

— Carat, filez maintenant, trancha Le Cret. Franchement, pour qui vous prenez-vous?

— Je suis désolé, monsieur, je ne savais pas que vous étiez en réunion.

— Plus un mot.

· Vincent fit demi-tour et posa la main sur la poignée de la porte. La voix de Vareski l'arrêta.

— Ne seriez-vous pas Vincent Carat?

— Si, c'est cela, monsieur.

Vareski posa le cliché sur la table basse.

— Votre intérêt pour la recherche sur la maladie d'Alzheimer est en partie motivé... par des raisons personnelles, n'est-ce pas?

Vincent baissa les yeux.

Le Cret fulminait de rage. Vareski se tourna vers lui et dit à voix basse :

— Xavier, si je peux me permettre, ces résultats sont extrêmement prometteurs. Je ne sais pas si tu te rends compte...

— Ce n'est pas la question, s'emporta Xavier Le Cret. Ce jeune a été embauché pour un projet sur l'imagerie de diffusion, et il n'en fait qu'à sa tête!

— Toutes mes excuses, dit Vincent Carat. Quand je vous avais parlé de ce projet sur Alzheimer, vous m'aviez dit que je pourrais mener les deux entreprises de front.

Vareski renchérit.

— Xavier, du calme, est-ce que je peux inviter ce jeune homme à s'asseoir un moment avec nous?

Prudemment, Vincent prit une chaise.

— Neuroland traverse une situation un peu délicate en ce moment, dit Vareski. La Commission européenne s'apprête à voter une directive interdisant l'utilisation des très hauts champs magnétiques sur l'être humain. Le gouvernement français souhaite présenter un amendement pour y échapper, mais il nous faut un volet thérapeutique. Alzheimer est notre chance. Cela pourrait nous sauver la mise. Sinon, les hauts champs pourraient tout simplement s'arrêter à Neuroland.

Le Cret avait croisé les bras sur sa poitrine. Vareski regarda tour à tour ses deux interlocuteurs.

— Que pourrait-on trouver comme solution? Xavier Le Cret est à l'aube de la consécration – peut-être le Nobel un jour –, et il ne m'a rien caché de votre apport dans la réalisation de cet objectif. Ne pouvez-vous pas consacrer une part importante de vos forces à la découverte du code neural?

Vincent acquiesça.

— Bien sûr. J'ai déjà les premiers résultats.

— Alors, Xavier, tu vois. Ne nous précipitons pas. Je propose que tu laisses un peu de liberté à notre jeune ami pour ce projet de biomarqueurs d'Alzheimer. Nous pourrions insérer un volet Alzheimer dans l'infrastructure de Neuroland, ce qui sauverait les très hauts champs de la directive 2004/40. De toute façon, nous n'avons pas le choix. Et puis j'ai l'assurance que Carat va nous sortir le grand jeu pour le code neural. On est d'accord?

Le Cret releva la tête.

— On peut toujours essayer.

Le Cret poussa un long soupir.

— Allez, Carat. Vous pouvez nous laisser, maintenant. Vous avez encore réussi à tirer votre épingle du jeu. Mais c'est la dernière fois.

Vincent n'en revenait pas. Il aurait dû se prendre la plus belle déculottée de sa carrière, et il repartait avec une rallonge budgétaire. L'horizon se dégageait.

Un court instant, Félicia Carat ne sut pas où elle était. Elle ouvrit les yeux dans le noir, cherchant à capter une odeur, à faire surgir un souvenir de la veille.

Rien.

Elle sentit une angoisse monter du fond d'elle-même.

Où suis-je ?

Son corps se retourna dans le lit. Un sentiment de panique monta, progressif.

Qui suis-je ?

Elle se leva, tâtonna, trouva la poignée de la porte, la lumière du salon.

Là. Des meubles. Une fenêtre. Un tapis. Ses meubles. Son tapis. Elle était chez elle.

Félicia, Félicia Carat. Elle se souvenait. Et elle était chez elle, à Courbevoie. Il était six heures du matin.

Elle s'habilla lentement. Elle avait un fils qui s'appelait Vincent. Il avait dû partir au travail, c'est lui qui avait laissé du café qui tiédissait sur le rebord de la fenêtre et quelques toasts. Il n'avait pas voulu la réveiller.

Elle se sentait faible. Vulnérable. Pourquoi avait-elle perdu son travail ? Pourquoi devait-elle passer des examens médicaux pour un procès dont elle était la victime ?

Sur le balcon illuminé par les premiers rayons du soleil, elle étala du beurre sur les toasts. Peu à peu, les choses se remettaient en place. Elle allait faire le marché. Elle passerait plus de temps auprès des commerçants, rencontrerait ses amies du quartier, choisirait les meilleurs produits, profiterait du temps libre.

Un homme en complet gris faisait les cent pas sur le trottoir depuis le petit matin. Elle passa devant lui sans le voir. L'air était frais. Les employés avaient déjà quitté la ville, engloutis par les bus et les trains. L'homme au complet gris la suivit.

Félicia tourna à droite au bout de l'allée Gagarine, aperçut les platanes du boulevard Auriol et le terre-plein couvert d'échopes et de tentures. Les fleuristes, les maraîchers, les odeurs de rôtisseries, les cris des poissonniers, tout cela lui était familier.

L'homme au complet gris se faufila entre des enfants qui essayaient de toucher les carapaces de tourteaux dans des bacs à glace. Félicia s'arrêta devant l'étal du boucher. Des merguez en promotion, du porc. Rôti de porc ou merguez? Quand elle vit des côtes d'agneau, elle hésita de nouveau.

L'homme au complet gris s'approcha. Félicia repartit en direction du poissonnier. Elle posa un doigt sur ses lèvres. Dorade ou cabillaud... Elle regarda dans son porte-monnaie. Presque plus rien. Tant pis, elle prit deux maquereaux et décida de les préparer avec du riz et une sauce au beurre.

Elle s'éloigna à petits pas. Les bruits du marché s'estompèrent.

L'homme complet gris l'aborda.

— Madame Carat? Un instant, s'il vous plaît.

Félicia se retourna. L'homme devait être âgé d'une cinquantaine d'années. Il avait un visage quelconque, était à moitié chauve et portait une cravate bordeaux. Il aurait pu être représentant de commerce ou agent immobilier.

— Je représente la société VKG-Thermicouple, dit-il.

Félicia agrippa la poignée de son cabas. L'homme glissa une main dans la poche de sa veste.

— Nous pourrions peut-être arriver à un arrangement, dit-il. Je vous propose de retirer votre plainte et de notre côté, nous considérerions l'affaire comme close.

Félicia cligna des yeux. Elle avait du mal à comprendre ce que cela voulait dire. Retirer sa plainte, pour quoi faire?

— Je ne comprends pas, dit-elle. Que me proposez-vous en échange?

— Par exemple, nous pourrions ne pas vous poursuivre en dommages et intérêts.

— Des intérêts ? Vous plaisantez ?

— Pas le moins du monde. La liste est longue. Perte de marchés pour une entreprise en plein développement. Atteinte au prestige de son dirigeant. Important manque à gagner pour l'entreprise VKG-Thermicouple.

— Ce n'est pas vrai..., balbutia Félicia. Vous avez sérieusement étudié cela ?

— Écoutez, madame Carat, vous m'avez l'air d'une brave femme. Peut-être ne vous êtes-vous pas rendu compte que le chiffre d'affaires de l'entreprise que je représente a été lourdement affecté par ces épisodes malheureux. Ce sont des centaines de milliers d'euros qui sont en jeu.

Félicia sentit le sol vaciller sous ses pieds. Mon Dieu... S'ils avaient raison ? Cet homme était sûrement avocat. L'affaire des échangeurs thermiques avec les Chinois représentait effectivement une sacrée perte. Le rendez-vous manqué de Vernier au ministère de l'Industrie avait peut-être eu des suites au plus haut niveau.

Comment savoir si cet homme disait vrai ?

L'idée d'être condamnée à verser des centaines de milliers d'euros de dommages et intérêts la paralysait. Que faisait-on lorsqu'on ne gagnait pas un sou ? Vos parents ou vos descendants étaient-ils redevables de votre endettement ?

Si elle disparaissait maintenant, Vincent n'aurait peut-être rien à payer... Ce serait simple. Leurs ennuis prendraient fin...

L'air lui manqua. Un vertige la saisit. Elle se dirigea vers le banc le plus proche. L'homme jetait des coups d'œil à la ronde.

— Voulez-vous que j'appelle une ambulance ?

Elle tentait encore de reprendre son souffle.

— Bon, s'impatienta l'autre. Alors, que pensez-vous de ma proposition, madame Carat ?

Quelque chose malgré tout intriguait Félicia. Si l'entreprise voulait lui demander des dommages et intérêts, pourquoi se déclaraient-ils prêts à y renoncer, moyennant un ajournement de la plainte aux prud'hommes ?

— Je ne retire pas ma plainte, dit-elle. VKG m'a éreintée. Le médecin qui m'a examinée saura le prouver.

L'homme sortit alors une enveloppe de la poche intérieure de sa veste et déclara :

— Dans ce cas, voici une convocation pour un examen complémentaire. Le médecin chargé de le conduire sera dorénavant le docteur Borak. Présentez-vous sans faute. La convocation vous sera adressée parallèlement par le juge.

Félicia prit l'enveloppe. Pendant de longues minutes encore, elle resta incapable de se lever.

Après un moment, elle regarda autour d'elle et se demanda où elle se trouvait. Elle n'avait pas repris l'allée Gagarine, mais une autre de ces artères bordées de marronniers et dominées par des barres d'immeubles. Maintenant, dans quel sens aller ?

En s'aventurant à droite, elle se retrouva aux abords d'un quartier résidentiel. Revenant sur ses pas, elle s'égara. Finalement, elle s'adressa à un monsieur africain de haute taille, vêtu d'une longue robe en coton, qui passait par là.

— S'il vous plaît, pouvez-vous m'indiquer le meilleur moyen de rejoindre l'allée Gagarine ?

L'homme se frotta le menton.

— Ce n'est pas la bonne direction. L'allée Gagarine, je crois que j'y suis déjà allé, mais... Non, je ne suis pas sûr, je vais vous dire une bêtise. Euh... où voulez-vous aller exactement ?

— Chez moi, je viens du marché des halles Gagarine

— Et où habitez-vous ?

Félicia s'arrêta, désemparée.

Elle se rendit compte, paniquée, qu'elle ne savait plus sa propre adresse.

Franck Corsa héla un taxi et remonta le boulevard de Port-Royal en contemplant les lumières de la ville. Maria mettrait peut-être du temps à réellement comprendre qui il était, mais elle finirait par y arriver. Il en faisait son affaire, il était même prêt à lui donner des cours particuliers pour que ça rentre. Le seul point noir était Carat : Franck devait mettre sur pied une campagne de lobbying pour convaincre le Parlement européen de voter un amendement autorisant l'utilisation des très hauts champs magnétiques sur le sol français. Tout cela pour que ce petit morveux puisse mener ses recherches. Avec en prime un programme sur Alzheimer pour sa petite maman. Parfois, Franck avait envie de prendre la tête de Carat dans ses mains et de la fracasser contre les murs. Chaque affront que Vincent lui faisait subir, chaque insulte à son amour-propre, chaque méprise et chaque injustice venaient noircir la liste des comptes qu'il lui faudrait rendre. La vengeance était un plat qui se mangeait froid.

Le lendemain matin, Franck se rendit dans une élégante boutique des Champs-Élysées et acheta trois complets de marque en lin, soie et laine à pochettes et cravates assorties. Plus loin, on proposait des boutons de manchette en or et des lots de cravates qui permettraient de varier les tons. Pour payer, il utilisa la carte du ministère.

Il se trouva beau. Il ne voulait ressembler pour rien au monde aux étudiants qui fréquentaient son master. Tout ce qui révélerait qu'il s'était hissé au-dessus d'eux devait être cultivé avec soin et mis en évidence aussi clairement que possible.

Une fois dans le TGV Paris-Bruxelles, il déplia son ordinateur portable et introduisit son code sécurisé qui lui donnait accès aux fichiers d'enregistrement de l'UCLAT. Si Larcher, Carat ou Melvin racontaient des choses intéressantes sur les ondes, il allait le savoir dans quelques minutes.

À côté de lui, Bento regardait le paysage. Malgré le mépris que ce fonctionnaire lui inspirait, Franck se félicita de l'avoir emmené avec lui. Bento connaissait mieux que lui les procédures de vote des amendements aux directives européennes par la voie parlementaire. Or, c'était la voie choisie par Levareux pour soustraire Neuroland à la directive 2004/40.

— Expliquez-moi un peu comment les choses vont se passer, dit Corsa.

— L'adoption de l'amendement se fera en deux temps, répondit Bento. Tout d'abord doit avoir lieu le vote au Conseil. Celui-ci nous est acquis car il est composé de membres des gouvernements de Levareux, Goldwood, Haroldsson, Minstra, Mornheim et Müller. La deuxième étape sera le vote au Parlement.

Franck écoutait d'une oreille tout en pianotant son code d'accès aux fichiers d'écoute.

— Comment se déroulera le vote au Parlement ?

— Il aura lieu au sein d'une commission parlementaire, dont un tiers des membres nous appuieront car ce sont des députés issus de notre majorité parlementaire et de celle de nos alliés dans les États membres. Il restera juste à convaincre deux députés allemands, un Grec, une Irlandaise, deux Espagnols et un Belge.

— Que sait-on sur ces gens ?

Bento tourna une page de son dossier.

— Un des Allemands a des ennuis avec le fisc. On sait qu'il a employé au noir des ouvriers nord-africains sans permis dans sa villa des Canaries. J'ai eu ce tuyau par Levareux, via le ministère espagnol du Travail. On le tient.

Franck nota que Bento se décidait enfin à employer des méthodes efficaces.

— Le second député allemand n'a aucune tache sur son dossier, poursuivit l'attaché ministériel. C'est une sorte de chevalier blanc de la politique à l'échelon européen et, un bon point pour nous, il milite pour une couverture santé élargie à toute la zone euro, et il a même préfacé un bouquin sur les maladies neurodégénératives. Alzheimer devrait donc l'intéresser.

Franck nota l'information, puis posa le casque sur ses oreilles. Il venait de se connecter au rapport des écoutes téléphoniques sur Carat, et elles étaient croustillantes. Vincent avait contacté Maria plusieurs fois pour la revoir, mais elle avait décliné l'offre, invoquant un mal de tête.

— Ha! ha! ha!

Bento observa Franck. Celui-ci était aux anges.

— Mal à la tête... Elle a mal à la tête...! Hé Bento, vous connaissez l'histoire de la nana qui a mal aux fesses et qui dit qu'elle a mal à la tête!

Bento plongea le nez dans ses notes.

Franck se frotta les mains. La peur et la honte empêchaient visiblement Maria de toucher le moindre mot à Vincent de ce qui lui était arrivé. C'était exactement ce qu'il escomptait. Que sa victime n'ose parler à personne de sa mésaventure.

Quant à Carat, il était ridicule au téléphone. Il suppliait Maria de bien vouloir lui répondre! Le voilà moins fringant, le petit génie des neurosciences. Celui qu'on avait envoyé à Neuroland à sa place n'était finalement qu'une limace rampant devant une blondasse traumatisée.

Dans un deuxième fichier téléchargé de l'UCLAT, Franck vit une liste d'appels passés par Jacques Melvin. Il constata que certains noms apparaissaient pour la première fois dans l'historique des appels donnés par Melvin. Parmi eux : Marianne Bonnelli et Juliette Metzinger. Ces deux femmes habitaient Paris.

Il rechercha leurs noms sur internet. Surprise, elles étaient toutes deux mères d'enfants décédés dans les attentats de Châtelet... Melvin cherchait donc à les revoir. Ce musclor restait visiblement hanté par leur souvenir et voulait obtenir une sorte d'absolution. Lamentable. Un quintal de muscles et toujours besoin qu'on lui dise qu'il était un bon garçon.

Le train arriva enfin à Bruxelles. Franck alla directement au Parlement et s'inscrivit sur le registre des lobbies. Bruxelles accueillait vingt mille lobbyistes rattachés à mille quatre cents groupes de pression cherchant à défendre leurs intérêts auprès de la Commission. En fait, on y trouvait plus de lobbyistes que de personnel parlementaire. Régions, fédérations, entreprises d'électricité, d'automobiles, d'agroalimentaire, chacun cherchait à se faire entendre et c'était une pratique devenue courante. Michel Levareux avait décidé d'inscrire Franck sur la liste de l'Alliance for MRI, une association de parlementaires européens, de groupes de patients, de scientifiques européens et de la communauté médicale, dont l'objectif était de s'opposer à la menace que faisait peser la législation européenne sur l'utilisation de l'IRM clinique et sur la recherche en IRM.

L'avantage de faire partie d'un groupe de pression était de pouvoir rencontrer les parlementaires dans des espaces et à des horaires prévus à cet effet. Présenté comme un étudiant du master de l'École normale supérieure, Franck se vit attribuer un badge établi sur la base des données transmises par le ministère de l'Intérieur via le groupe Alliance for MRI.

Installé dans un canapé en cuir bordeaux, il déploya son ordinateur et se connecta au registre public des agents de lobbying accrédités. Les experts scientifiques de l'Alliance for MRI comptaient des centaines de chercheurs, de personnels hospitaliers, de fabricants d'électroaimants, d'associations de patients ou de psychiatres. Parmi eux se trouvait Xavier Le Cret et c'était bien naturel. Qui, plus que lui, avait intérêt à défendre l'utilisation des champs magnétiques dans la recherche scientifique et médicale? En parcourant l'agenda des consultations à venir, Franck vit que Xavier Le Cret avait rendez-vous le lendemain matin avec des représentants d'une commission parlementaire. Probablement pour les convaincre de retarder l'application de la directive 2004/40. Le Cret serait donc dans les parages demain au plus tard.

À dix-huit heures, Franck se prépara pour son rendez-vous le plus important de la journée. Il se rendit dans les toilettes du hall, se passa de l'eau sur le visage, ajusta le nœud de sa cravate et tira sur les pans de sa veste. Puis il se rendit à l'agence centrale de la Caïman Trust à Bruxelles. Sur les ordres du ministère de l'Intérieur, un important montant en liquide lui fut remis en mains propres sur présentation d'une pièce d'identité. Les fonds avaient transité par une chambre de compensation intraçable qui devait mettre l'État français hors de portée de toute investigation.

Grâce à la recommandation de Levareux, Franck fut reçu comme un client de marque. Dans le bureau du directeur, il eut droit à une coupe de champagne avant de prendre la mallette en cuir de nubuck noir qu'il rapporta à l'hôtel.

Voir ces billets étalés par liasses de 10 000 euros ne lui faisait pas d'effet particulier. À côté de lui, Bento ouvrait des yeux écarquillés.

— Tout ça ? Ce n'est pas un peu trop ?

— Le projet Transparence coûtera beaucoup plus cher si l'amendement n'est pas adopté, rétorqua Franck.

Le lendemain matin, les deux hommes se retrouvèrent au rez-de-chaussée de l'hôtel autour d'une assiette de croissants et d'un pot de café noir.

— Récapitulons les forces en présence, dit Franck. Vous m'avez parlé de ces deux députés allemands. Je crois que cela ne devrait pas poser trop de problème. À part ceux-là, que reste-t-il ?

— Un Grec, deux Espagnols et une Irlandaise.

Franck croqua dans un croissant en marmonnant.

— Le Grec ?

— Cela fait vingt et un ans qu'il est élu, dit Bento. Il ne vient presque jamais siéger. Il touche ses indemnités et ça l'arrange pour faire de la politique locale chez lui.

Le profil idéal d'un corrompu, pensa Franck. Ce type menait probablement la grande vie à Athènes et renouvelait ses mandats sans rencontrer la moindre opposition depuis des lustres. Il devait forcément être sensible à l'argent. Aucune difficulté, Bento s'en chargerait.

L'Irlandaise avait l'air plus coriace. Elle avait monté un gros dossier sur les ondes électromagnétiques en recueillant des témoignages de personnes électro-hypersensibles, ces mabouls qui faisaient une crise d'urticaire dès qu'on allumait un portable ou qui se réfugiaient dans le Vercors pour fuir les ondes.

Franck décida de s'occuper de cette Sarah Brennan et de laisser les deux députés espagnols à Bento. L'un d'eux avait des démêlés avec la justice pour des affaires de rétrocommissions sur un chantier d'aéroport, l'autre était un vieil homme fréquemment dispensé de session parlementaire pour raisons de santé.

— C'est tout?

— Attendez, dit Bento. Il y a le Belge. Le député belge.

Franck se rassit.

— Un certain Joël Boesmans, précisa Bento. Jeune, marié avec trois enfants. Impliqué dans la vie des institutions, se rend à toutes les séances plénières. Un vrai débutant. J'imagine que ce petit nouveau feuillette toutes les revues de l'hémicycle.

— Parfait, dit Franck. Je récapitule : vous prenez un Allemand, deux Espagnols et un Grec, je me tape cette Irlandaise et sa phobie des ondes, plus un Allemand et le jeune Belge. Ça vous va?

Franck saisit sa mallette et se dirigea vers le bureau du premier député sur sa liste, Hans Biedermann. L'homme, la carrure athlétique, approchait la soixantaine. Il avait un sourire chaleureux, des cheveux blancs taillés en brosse et le teint bronzé par des séances d'UV.

Bureau à moquette blanc cassé et équipement informatique high-tech. Livres de médecine, traités de droit. Franck avait bien flairé le gaillard. Médecin de formation, il devait être au courant des réformes de santé menées dans les différents États membres.

— Que me vaut votre visite, monsieur Corsa? lui dit-il d'un ton amène.

— J'aurais souhaité avoir avec vous une discussion à propos de la recherche sur le cerveau, et voir ce qu'on peut faire pour optimiser l'instrumentation dans le cadre des lois européennes.

Franck décida d'engager la conversation sur les bases de l'IRM et le développement des neurosciences. Il aborda ensuite la question de la sécurité pour les personnels soignants, rappelant à son interlocuteur que les champs magnétiques étaient inoffensifs jusqu'à 8 teslas. Au-delà, ils pouvaient provoquer l'apparition de courants induits dans les neurones des personnes se déplaçant à proximité. Il pouvait en résulter des fourmillements dans les membres, parfois même des douleurs voire des flux de protons au niveau de la langue entraînant un goût métallique, mais il fallait pour cela que la personne se déplace à une certaine vitesse dans la zone d'influence du champ. L'oreille interne pouvait également être affectée, occasionnant des vertiges.

Hans Biedermann avait été médecin et gardait suffisamment de notions de biologie pour saisir ces aspects.

— Mais Herr Corsa, que se passe-t-il au-delà de 8 teslas? Le nouvel aimant de Saclay, je crois, avoisine les 12 teslas...

— C'est juste, concéda Franck. Les courants induits chez le personnel chargé de manipuler ces instruments sont causés par le déplacement de la personne dans la sphère d'influence du champ. Donc, si l'expérimentateur reste immobile ou s'il se déplace très lentement, ces courants seront nuls ou très faibles. C'est pourquoi le rapport recommande un certain nombre de pratiques liées à la sécurité : rester immobile pendant l'émission des champs, s'approcher le moins possible de l'aimant, et lorsqu'on est en zone de haute intensité, ne pas dépasser des vitesses de déplacement de l'ordre de trente centimètres par seconde, soit un kilomètre-heure. Il faut avoir des gestes ralentis.

Biedermann semblait d'accord. Il n'était pas partisan d'un retour à l'âge des cavernes. La technologie, à ses yeux, devait être manipulée intelligemment pour soulager les souffrances de l'humanité.

— Je me pose seulement la question du rapport bénéfice-risque, dit-il. Le risque peut être réduit de façon acceptable. Mais quels bénéfices derrière tout cela? On nous parle d'un programme de lutte contre Alzheimer mais, concrètement, que viennent faire les très hauts champs là-dedans?

— L'intensité des champs magnétiques détermine la précision avec laquelle on peut observer les modifications délétères des neurones dans la maladie. Les très hauts champs permettront de visualiser les plaques amyloïdes directement dans le cerveau des patients atteints d'Alzheimer in vivo et de guider les traitements expérimentaux.

Hans Biedermann se leva.

— Je me rends compte que j'étais mal informé de ces aspects technologiques, Herr Corsa. Ce que vous venez de me dire change beaucoup de choses. Je vais demander à mon attaché de se documenter sur cette question, mais la question me semble entendue.

— Allez-vous nous accorder votre voix?

— Je ne vois pas ce qui s'y opposerait. De toute évidence, il est temps de passer à la vitesse supérieure sur la maladie d'Alzheimer. Je prendrai la peine de lire le rapport du comité consultatif qui doit rencontrer des représentants de la recherche d'Alliance for MRI, bien sûr, pour m'imprégner de toutes les données du problème.

Franck estima que Biedermann était de son côté. Il aurait été contre-productif de lui proposer une compensation. Il agissait pour la bonne cause.

Franck s'engagea dans le couloir menant au bureau de la députée Sarah Brennan. Il dut patienter dans une salle aux murs couverts de tableaux représentant des paysages de montagne et des prairies verdoyantes. Sur une table basse, des prospectus en papier recyclé vantaient les mérites du végétarisme et les moyens de se protéger contre les ondes magnétiques ainsi que les perturbateurs endocriniens présents dans l'eau du robinet. La vitrine écologiste dans toute sa splendeur.

Dans le bureau de la députée, c'était une tout autre affaire. Le local était équipé de matériel électronique de premier plan. Apparemment, la haine proclamée par Brennan pour les opérateurs de téléphonie et les antennes relais ne s'appliquait pas dans son entourage immédiat.

— Monsieur Corsa, quel plaisir! dit-elle en souriant. Je ne crois pas que nous nous soyons déjà rencontrés?

— En effet, dit Franck. Je suis ravi.

— Prenez un siège, je vous prie.

Sarah Brennan s'enfonça dans un fauteuil de direction luxueux.

— Je suppose que vous venez me parler de la directive 2004/40? commença-t-elle.

— Surtout pour dissiper quelques malentendus techniques. Je...

Brennan le coupa aussitôt.

— Je dois admettre que vous ne manquez pas d'un certain toupet. Je n'ai rien contre vous personnellement, mais l'association que vous représentez est une collusion d'intérêts dont le but principal est d'écouler des produits de haute technologie qui empoisonnent des millions de malades et tous leurs personnels soignants.

Vous le savez. Ces engins causent des vertiges et des douleurs chroniques à cause des ondes toxiques produites par ces alliages de titane et qui traversent les cervelles, qui rongent les cellules et provoquent des cancers. Les risques de développer des tumeurs après une exposition à ces champs magnétiques sont multipliés par dix.

Franck ne répondit pas. Le discours de la députée était bien rodé. Trop bien. Elle devait l'avoir répété mille fois devant tous les auditoires possibles, depuis le militant de terrain jusqu'au président de la Commission européenne. Plutôt que de s'attarder sur ces aspects, il accorda une attention particulière au fait que le bureau de Sarah Brennan comportait deux écrans d'ordinateur dont l'un en connexion Wi-Fi, que deux téléphones portables étaient allumés pendant qu'elle parlait, l'un sur le bureau et l'autre sur une étagère avoisinante. Une personne véritablement effrayée par les champs électromagnétiques et les ondes de radiofréquences aurait certainement pris plus de précautions.

Il n'y avait qu'une conclusion raisonnable. Sarah Brennan avait juste trouvé le créneau écologiste pour se hisser vers les plus hautes responsabilités. Dans son agenda politique, il lui fallait simplement atteindre une certaine visibilité au sein du Parlement. Son moteur était l'ambition, comme toujours.

Par conséquent, on pouvait l'acheter. À condition, toutefois, d'épargner son image de pasionaria. C'était son fonds de commerce. Elle suait l'hypocrisie par tous les pores.

— Je n'ai pas d'opinion précise sur ces questions, fit mine de concéder Franck. Si je viens vous voir, c'est parce que j'ai besoin que cet amendement passe. Nous avons tous nos petits besoins. Vous aussi, peut-être.

Le regard de la femme se modifia. Elle rajusta sa position sur son siège.

— Dites-m'en plus. Pourquoi avez-vous besoin que cet amendement soit adopté, monsieur Corsa ?

— Je pourrais vous dire que c'est pour lutter contre la maladie d'Alzheimer. Ce serait sans doute l'argument officiel. Mais l'argument officiel est-il vraiment si important ?

Sarah Brennan sourit.

— Je devine que la question de la maladie d'Alzheimer vous est relativement indifférente, dit-elle.

Franck lui rendit son sourire.

— Et je constate de mon côté que vous possédez les dernières versions des applications de géolocalisation sur mobile, ce qu'on cherche plutôt à éviter quand on est allergique aux ondes.

Elle fit reculer son fauteuil d'un petit mouvement.

— Jouons franc jeu, monsieur Corsa. Comme vous le savez peut-être, je suis bien placée pour être nommée membre permanent de la Commission. Mais pour arriver à cela, j'ai besoin de pouvoir communiquer plus activement auprès de quelques conseillers.

— J'imagine que cela coûte cher, dit Franck.

— Certainement plusieurs millions.

Franck était certain qu'elle bluffait et qu'elle forçait la dose. Mais peu importe, il avait de quoi la satisfaire. Il ouvrit sa sacoche et lui tendit une enveloppe. Sarah Brennan glissa un regard à l'intérieur. Elle referma le rabat avec un sourire.

— C'est bien. Vous devriez réussir assez vite en politique, monsieur Corsa, dit-elle en se levant.

Il retourna au bar du hall et commanda un café. Il repensa à Brennan. Sale ordure corrompue. Vraiment le genre d'éléments pourris dont il fallait débarrasser la société. Un instant plus tard, il vit les portes de l'ascenseur s'ouvrir et la députée en sortir. Elle alla à la rencontre d'un homme d'allure négligée, jean et blouson de cuir, sacoche en bandoulière, l'allure type des journalistes, pensa Franck.

— Bonjour, Dick! s'écria-t-elle. Quelle joie que vous ayez pu venir!

Ils s'assirent sur des canapés et Franck les vit entamer une discussion animée. Brennan claironnait à tout-va :

— Évidemment que les défenseurs du lobby des scanners à haute puissance vont essayer de bloquer la loi sur les champs magnétiques! Mais on va se défendre, la santé des citoyens est en jeu!

Franck ricana en descendant de son tabouret. Cette Irlandaise était une pourriture sur pattes. Grâce au système du vote à bulletin secret, elle allait pouvoir voter en faveur de l'amendement, tout en se donnant le rôle de la Jeanne d'Arc boutant les électroaimants hors d'Europe.

Le journaliste s'appelait Dick Vardel et il travaillait pour un journal en ligne appelé *L'Églantine*. Encore un de ces innombrables sites internet qui prétendaient faire éclater des vérités que les journaux officiels taisaient. Ce Vardel devait sûrement enquêter sur les risques d'exposition aux ondes électromagnétiques. Franck consulta sa montre. Brennan lui adressa un large sourire, qu'il lui rendit.

Salope.

Il prit la direction des ascenseurs.

Il lui restait à rencontrer le député belge Joël Boesmans. D'après Pascal Bento, Boesmans faisait partie de la jeune garde des eurodéputés, était nourri au biberon du droit communautaire et exerçait son tout premier mandat. Bento avait eu un mot amusant pour le décrire : «puceau de la politique».

De fait, Boesmans ne paraissait guère plus de trente-cinq ans. Blond, le regard acéré, il portait une chemise blanche à col ouvert et une paire de lunettes rectanglulaires. Son bureau semblait plutôt désordonné mais les piles de documents annotés, les onglets et les intercalaires entrecoupant les liasses d'imprimés dénotaient une activité soutenue. Il indiqua un siège à Franck.

— Asseyez-vous... Café ?

— Je vous remercie. J'en ai pris un au bar tout à l'heure.

L'homme croisa ses bras derrière sa nuque et examina Franck.

— Le vote doit avoir lieu demain, déclara-t-il. Je peux vous faire part de ma position, si vous le souhaitez. J'ai parcouru attentivement le rapport d'Alliance for MRI et je trouve leur argumentaire sur les effets au-delà de 8 teslas quelque peu imprécis. Êtes-vous familier de l'imagerie cérébrale, monsieur Corsa ?

— Plus ou moins.

— Pour ma part, je ne suis pas du tout du domaine, dit Boesmans. J'ai donc pris conseil auprès de personnels hospitaliers en Belgique. Il en ressort qu'en principe, il faudrait que le personnel de maintenance, les médecins ou expérimentateurs ne se déplacent pas plus rapidement que 15 centimètres par seconde dans la zone de niveau 3, la plus proche de l'aimant. Cela correspond à du 0,5 kilomètre-heure. Personne ne se déplace comme cela, personne ne marche à 0,5 kilomètre-heure. Les gens risquent de ne pas se conformer à ces règles.

Franck fut contrarié. Boesmans semblait avoir repris le dossier de façon rigoureuse.

— Nous pouvons très bien mettre en place des protocoles dans lesquels la mise en action des aimants serait automatisée, répliqua Franck. Cela se ferait dans le cadre de procédures expérimentales très standardisées. Pour l'expérimentateur, aucun mouvement ne serait nécessaire. Quant à la personne testée en IRM, elle n'a bien sûr aucun besoin de faire le moindre mouvement.

Le Belge se redressa, posant ses mains sur le bureau.

— C'est extrêmement contraignant, vous en avez conscience.

— Je suis d'accord que cela ne serait pas réalisable à l'échelle de tout un système de santé. Mais nous parlons ici d'une dérogation qui se limiterait à un lieu d'expérimentation unique, où des dispositifs spéciaux peuvent être construits et surveillés.

L'autre concéda ce point.

— Et le but de tout cela, dites-vous, est de faire franchir un cap aux recherches sur les maladies neurodégénératives. Écoutez, monsieur Corsa, je ne suis ni scientifique ni médecin, et donc ce que je vais vous dire n'a aucun lien avec le bien-fondé de ces recherches, que je ne conteste pas. Vous devez prendre en compte l'obstacle juridique.

— Pardon ?

— Cet amendement sera totalement anticonstitutionnel. Je veux dire par là qu'on s'en rendra compte avec le recul, à l'usage, quand un certain nombre de plaintes auront été déposées. Il va créer un précédent, et je me demande comment mes collègues ne s'en sont pas encore aperçus. En effet, qu'est-ce qui justifiera que ce site en France, plutôt qu'un autre, bénéficie d'une dérogation ? Comment croyez-vous que vont réagir les autres grands centres de neuro-imagerie de la Communauté ? Ne croyez-vous pas qu'eux aussi militent pour obtenir le droit de poursuivre leurs recherches ? Nous allons nous trouver entraînés dans une spirale de procès que nous devrons trancher en nous basant sur la version modifiée de la directive, c'est-à-dire en opposant aux demandants une dérogation parfaitement discriminatoire.

Franck serra les mâchoires. Ce type avait un aplomb qui lui déplaisait fortement. Il chercha à déceler dans son regard une forme de ressentiment, mais Boesmans ne faisait qu'exposer une situation juridique problématique, il devait avoir une formation d'avocat et les avocats étaient habitués à s'opposer à leurs semblables frontalement mais sans animosité, ce qui était pour lui un véritable mystère.

— En fait, poursuivit le Belge, il faudrait proposer une version entièrement remaniée de la directive non pas au bénéfice d'un centre de recherche en particulier mais fondée sur une liste d'organisations habilitées à mettre en place les procédures de précaution que vous citiez il y a un instant.

Franck cligna des yeux. Tout cela serait beaucoup trop long. Il fallait que l'amendement soit adopté demain. Le projet Transparence ne pouvait attendre. Et puis, rien ne disait qu'il pourrait prouver la non-dangerosité des très hauts champs.

Le député balaya la surface de son bureau du plat de la main avant d'ajouter :

— En outre je suis étonné de la voie d'adoption choisie pour cet amendement. Tout se passe comme si vous étiez convaincu que le Conseil allait suivre la recommandation de la commission parlementaire. Mais comment les ministres des États membres pourraient-ils être d'accord, au vu des dispositions prises précédemment pour la transposition de la directive dans leurs États respectifs, pour accorder d'un seul coup une dérogation à la France et plus particulièrement au centre Neuroland de Saclay ? Il faudrait qu'ils se soient préalablement concertés pour cela, et je ne vois pas quel motif pourrait les y avoir incités.

Cet homme était intelligent, songea Franck. Mais il ne faisait que suivre un raisonnement hypothétique, à la manière d'un mathématicien. D'un foutu mathématicien qui ne comprenait pas que la réalité était matérielle et pouvait vous sauter à la figure avant que vous vous en rendiez compte.

— Très bien, monsieur Boesmans. Je ne conteste pas ce que vous dites sur un plan juridique. Alors je vais seulement vous poser une question. Savez-vous combien de neurones meurent dans le cerveau d'un patient atteint de la maladie d'Alzheimer pendant le temps que vous et moi avons parlé ?

L'autre parut déstabilisé.

— Je... Heu...

— Vingt mille neurones. En quinze minutes. Autant de souvenirs partis en fumée. Le temps d'un café, d'une conversation, des liens entre pères et fils se dissolvent. Des vies s'écroulent.

Franck laissa planer un silence.

— Les gens ne pensent pas toujours à cela, monsieur Boesmans. Mais lorsqu'on y pense, tout change. Qui pourrait s'opposer à un processus qui permettrait à ces gens de conserver les souvenirs de leur existence? Même avec tous les arguments juridiques du monde, on ne le peut pas.

Joël Boesmans l'observa sans ciller.

— Monsieur Boesmans, dit Franck, des millions de gens de par le monde sont suspendus à votre décision. Ces gens n'hésiteraient pas une seconde à vous exprimer toute leur gratitude, s'ils en avaient la possibilité.

Puis il continua.

— Malheureusement, ils ne le peuvent pas, mais nous pouvons le faire à leur place. C'est le sens de ma démarche. Tenez. Ce n'est pas grand-chose par rapport à leur souffrance, mais les symboles comptent.

Franck tira de la poche de sa veste une enveloppe dans laquelle il avait placé trois cent mille euros. Il la tendit à Joël Boesmans. Le Belge en examina le contenu.

— C'est tout?

— Nous pouvons aller bien au-delà. Ce n'est qu'une proposition.

— Un amuse-gueule, vous voulez dire.

— C'est cela, un amuse-gueule. Un apéritif. Comme vous voulez.

— Pourriez-vous me filer plutôt deux millions? J'en ai besoin pour me bâtir une villa près de Nice. La Belgique me déprime à la longue.

— Deux millions... Voyons voir. C'est gourmand quand même.

— Bien. L'idée du baratin sur Alzheimer, c'est de vous? Parce que c'est pas mal, hein? Pas mal du tout.

Soudain l'homme se leva et rendit son enveloppe à Franck.

— Voyez-vous, monsieur Corsa, la France est un grand pays, mais je commence à comprendre pourquoi elle a perdu son rôle d'inspiratrice et de guide pour les autres nations. À cause de gens comme vous. Vous n'avez aucun idéal. Vous ne voulez que le pouvoir. Vous n'avez pas de morale, vous n'avez pas d'âme. J'ai pitié de vous. Vous venez me parler de gens qui perdent nonante mille neurones à l'heure, et vous n'hésitez pas à venir tenter de corrompre un représentant du peuple.

Franck sentit son sang se glacer.

— Débarrassez-moi le plancher, dit Boesmans. Vous n'avez rien à faire ici. Je vais vous faire radier de la liste des personnes accréditées sur les listes de lobbying. Et ne m'approchez plus, ou je me ferai un plaisir d'expliquer à quelques amis journalistes comment un dénommé Corsa est venu me proposer de l'argent pour bloquer la mise en application d'une directive européenne censée protéger les droits de millions de travailleurs sur le continent. Reparaissez devant moi et je ferai en sorte que vous dégagiez de la scène politique pour laisser les gens honorables faire leur travail.

Franck serra les poings.

— Vous ne savez pas ce que vous dites, gronda-t-il. Personne ne me dit quand je dois sortir d'un bureau.

Joël Boesmans décrocha son téléphone.

— Dick? Dick Vardel? J'ai un bon tuyau pour toi. Oui, sur la directive 2004/40. Tu es prêt à noter?

Franck se leva, la gorge serrée. Boesmans posa sa paume sur le combiné. Il fronça les sourcils en regardant Franck.

— Ne faites pas cette tête. Trouvez-vous simplement un autre métier. Laissez les honnêtes gens travailler. Allez, fichez-moi le camp, et j'en resterai là.

Franck ravala sa salive. Parvenu de l'autre côté de la porte, il sentit un goût métallique sur sa langue. C'était la première fois qu'il sentait cette saveur. Un goût puissant. Quelque chose d'âcre et de délicieux à la fois, d'effrayant et de délicieux.

C'était le goût de tuer.

Maria se leva avec un profond sentiment de dégoût. La lumière du jour tombant à travers les rideaux lui semblait grise et visqueuse. À grand-peine, elle se dirigea vers la douche. Elle ne sut pas combien de temps l'eau tiède coula sur son corps. Elle avait perdu la notion de la durée. La notion de tout. Mourir n'aurait pas été pire.

Il lui fallait trouver de l'aide. Elle ferma le robinet, enfila un peignoir, vérifia que la porte était fermée à clé et s'assit devant son ordinateur.

Elle se mit à écrire.

« Chère Olga,

Je suis désolée de ne pas avoir écrit plus tôt. Les choses ont été un peu précipitées depuis mon départ. J'ai été débordée. Finalement, je me suis trouvé un point de chute... »

Elle hésita. Devait-elle tout lui expliquer ? Si Franck surveillait son compte internet ? C'était impossible. Nul ne connaissait son identifiant ni son mot de passe.

« Je suis à Paris depuis trois semaines à peine. Je me suis inscrite à l'université. Et maintenant je suis dans une situation très difficile. Je me demande presque si je ne vais pas revenir à Moscou. »

En lisant cela, Olga comprendrait aussitôt qu'il lui était arrivé quelque chose de terrible en France.

« Je suis la cible d'un malade mental qui a décidé de me rendre la vie impossible. Un élève de ma promotion à l'université. Il est venu dans ma résidence, dans ma chambre, il m'a agressée pendant que Michka était dans la chambre à côté. Heureusement le petit ne s'est pas réveillé. Mais j'ai dû le laisser faire tout ce qu'il voulait de moi. Maintenant, je ne suis plus qu'une épave humaine, Olga. Je suis anéantie. Il dit que si j'en parle, il me fera renvoyer dans mon pays. Il sait ce qui m'attend là-bas. Que dois-je faire, pour l'amour du ciel?»

Elle relut son message et, les larmes aux yeux, appuya sur la touche d'envoi.

Maria ne s'était pas attendue à recevoir une réponse immédiatement. À cause du décalage horaire, Olga ne devait pas être encore réveillée. Et pourtant, la réponse lui parvint aussitôt.

TU DOIS PORTER PLAINTE!!! C'EST ABSOLUMENT VITAL. NE RÉFLÉCHIS PAS. SI TU HÉSITES, TU ES FICHUE!

Maria contempla, atterrée, le message de son amie. Quelque chose dans sa résolution la remplissait d'effroi. Olga semblait avoir saisi d'un seul coup l'aspect dramatique de la situation, au-delà de ce qu'elle-même pouvait pressentir.

Mais prévenir la police l'exposerait à de terribles représailles. Elle le savait. Franck avait menacé de la faire expulser en révélant que sa promesse d'embauche était caduque, à cause de l'invalidité de ses diplômes. Ce serait atroce, surtout pour Michka qui serait probablement confié à son père et happé par la mafia. Olga était sa seule chance.

Le commissariat le plus proche était celui de l'avenue du Maine dans le XIVe arrondissement. Elle s'y rendit avec Michka. Ces quelques minutes allaient sceller son destin.

En entrant dans le commissariat, elle retira un ticket à une borne tactile. Trois autres personnes attendaient sur des bancs, leur ticket à la main. La première régla une infraction de stationnement, la deuxième déposa une main courante pour tapage nocturne. La troisième était une femme noire qui pleurait sans discontinuer en faisant sa déposition.

Le numéro de Maria s'afficha enfin sur l'écran de passage. Le fonctionnaire de police, un jeune homme d'une trentaine d'années, lui demanda l'objet de sa plainte. En ravalant sa salive, elle répondit :

— Je viens signaler un viol.

L'homme lui jeta un coup d'œil rapide.

— Qui est la victime?

— Moi-même.

Après un temps d'arrêt, l'homme pianota sur son clavier.

— Quand cela s'est-il passé?

— Hier soir, vers minuit. À mon domicile.

— Connaissez-vous l'agresseur?

Comme Maria acquiesçait, l'homme termina de saisir les informations, puis se leva.

— Restez ici, vous allez être reçue dans un instant.

— Mon garçon pourra-t-il rester dans la salle d'attente?

— Il pourra attendre ici, on gardera un œil sur lui.

Quelques minutes plus tard, on lui indiqua une porte au bout d'un couloir. Maria prit place derrière un bureau où un cube gris faisait office d'ordinateur. Son interlocutrice, une femme officier d'origine maghrébine, devait avoir entre quarante et cinquante ans. Plutôt en chair, son visage aux traits harmonieux inspirait confiance.

— Racontez-moi comment cela s'est passé, lui dit-elle.

— Hier soir, vers minuit, j'étais chez moi...

— Où habitez-vous?

— Au CROUS de Port-Royal. Je suis étudiante en master. Chambre numéro 47.

La femme tapait au clavier à une vitesse suffisante pour suivre la déposition orale.

— Continuez, je vous écoute.

— Vers minuit, donc, j'ai entendu un bruit à la porte, comme un craquement. Je me suis levée pour aller voir, il y avait un homme effondré au pied de la porte.

Les touches cliquetaient dans le petit bureau.

— Quand j'ai ouvert la porte, l'homme est entré, puis s'est jeté sur moi. J'étais en peignoir de bain. Il m'a projetée sur le canapé.

La policière examina le visage de Maria. Elle continua à pianoter sur son clavier.

— Il m'a frappée, puis violée...

— Je sais que ce n'est pas agréable, mais je suis obligée de vous demander des détails anatomiques. L'expertise médicale devra ensuite confirmer votre déposition, et il est important que vous fassiez une déclaration en ce sens.

— Il m'a pénétrée... vaginalement. Je ne pouvais pas me défendre car il était plus fort que moi, j'étais nue et mon fils de cinq ans dormait dans la chambre voisine, je ne voulais pas l'affoler.

Le cliquetis du clavier reprit. La policière releva les yeux vers Maria.

— Vous avez dit connaître votre agresseur : pouvez-vous préciser son identité, et me dire depuis combien de temps vous le connaissez ?

— Oh, oui je le connais ! Il s'appelle Franck Corsa. Il est élève au même cours que moi, le master de neurosciences de l'École normale supérieure. Je le connais depuis deux mois environ. Il a plusieurs fois essayé de sortir avec moi, mais je n'en avais pas envie. Il s'est montré très autoritaire, m'a menacée puis insultée. Je ne pensais pas qu'il irait plus loin.

La policière s'interrompit enfin.

— Certains hommes ne supportent pas qu'on leur dise non. Nous allons enquêter dans un premier temps pour savoir si cet individu dispose d'un alibi pour ce soir-là. Si ce n'est pas le cas, nous prendrons ses empreintes génétiques et les comparerons avec les prélèvements effectués sur votre personne.

— Et si les deux correspondent ?

— Il encourt une peine minimale de quinze ans de prison.

Maria accusa le coup. Elle n'avait pas imaginé cela.

— Cela a l'air de vous étonner ? lui demanda la policière.

— Ce matin, je n'arrivais toujours pas à croire à ce qui m'était arrivé. Maintenant que vous me dites cela, je commence à réaliser...

— Vous avez bien fait de venir déposer. Vous avez eu du courage.

— Dites-moi, qui va être chargé de l'enquête ?

— Moi-même, répondit la fonctionnaire avec un sourire. Lieutenant de police Benarbi. Soyez rassurée, je vais débuter mon enquête sans attendre.

Maria eut soudain envie d'embrasser cette femme. En même temps, elle comprenait dans quel engrenage elle mettait le doigt. Pourrait-elle supporter la confrontation avec Franck ? Que se passerait-il s'il était condamné ? Serait-il encore en situation de la dénoncer

306

aux services d'immigration pour la faire expulser ? Il avait sûrement prévu un moyen de le faire.

Une fois sortie du commissariat, elle se sentit vulnérable. Pendant tout le temps où la procédure se mettrait en marche, Franck resterait en liberté. Et il avait dit qu'il reviendrait la voir quand bon lui semblerait.

Elle s'arrêta, tremblante, la main appuyée contre un mur.

Elle devait se cacher. La pire erreur était de rester dans sa chambre du CROUS.

Réfugiée dans un café internet, elle se mit à consulter des sites de location d'appartements. Elle prit rendez-vous pour deux visites l'après-midi même. Au diable les cours du master, ce ne serait pas une note un peu plus faible ou plus élevée en biologie cellulaire ou en supraconductivité qui allait changer grand-chose. Il lui fallait dormir sous un nouveau toit, au plus tard le lendemain.

Elle allait avoir besoin de documents établissant sa source de revenus et d'une garantie de son employeur. Pour cela, la première chose à faire était de contacter Patrizia Benedetti. Ensuite, prendre un appartement sans abonnement téléphonique et en gardant le nom du propriétaire. Elle allait se fondre dans la ville.

Vincent était en train de rédiger un protocole pour de nouveaux essais au labo quand son téléphone sonna. Son interlocuteur se présentait comme un habitant de Courbevoie qui avait trouvé sa mère perdue dans la rue et l'avait aidée à rentrer chez elle. Il lui proposait de venir la retrouver. Vincent demanda à lui parler.

— Maman, je serai à la maison dans un peu plus d'une heure. L'homme qui t'a raccompagnée peut-il rester avec toi jusqu'à ce que j'arrive?

— Sûrement, il est très serviable. Nous sommes en train de boire le thé en t'attendant.

Vincent sauta dans un train à Massy-Palaiseau. La situation de sa mère s'aggravait. Il faudrait la conduire à Neuroland pour qu'elle fasse un bilan à l'aide du biomarqueur testé sur les souris. À tous les coups on allait trouver dans son cerveau des plaques amyloïdes dans son centre de la mémoire, son hippocampe, et peut-être aussi dans certaines régions de son néocortex. Ensuite, on testerait quelques molécules expérimentales améliorant la mémoire d'animaux de laboratoire, rats ou souris. C'était un peu brusque comme méthode, mais pour l'instant Vincent ne voyait pas d'autre solution.

Lorsqu'il arriva chez lui, Félicia était en grande conversation avec un homme aux favoris grisonnants vêtu d'une robe blanche. L'homme essaya d'évoquer avec humour sa rencontre avec sa mère. Vincent lui fut reconnaissant. Dans ce genre de situation, la délicatesse et la pudeur étaient précieuses. Après l'avoir remercié chaleureusement, il déballa les courses et prépara le dîner.

— Ce que je me suis sentie idiote, dit Félicia. Demander son chemin à un passant, et ne plus pouvoir lui dire où on habite... Ni le nom de la rue ni le numéro. Quelle tête en l'air!...

Vincent évita avec soin tout commentaire.

— Mais ça arrive aussi avec les numéros de téléphone portable, dit Félicia. Quand on doit donner son propre numéro de téléphone portable à quelqu'un, on a toujours du mal à s'en souvenir, tu n'as jamais remarqué?

Vincent garda une fois de plus le silence. Lorsqu'il revint au salon, le visage de sa mère avait changé d'expression.

— Vincent s'il te plaît, viens me voir.

Il s'approcha.

— J'ai peur de perdre la mémoire, dit-elle.

— Maman, je t'en prie, ne...

— Je me rends bien compte que quelque chose ne tourne pas rond. Approche, il faut que je te dise quelque chose.

Vincent s'assit à ses côtés.

— Ton père souhaitait que tu fasses une grande carrière en neurosciences. Maintenant, je suis sûre qu'il serait très fier de toi. Il m'avait dit que le jour où tu commencerais ta thèse, je devrais te donner quelque chose.

Félicia se leva péniblement et se dirigea vers sa chambre. Quelques instants après, elle revint, un objet à la main.

— C'est pour toi. Il me l'a remise sur son lit de mort.

Vincent observa l'objet et vit que c'était une clé.

— À quoi sert-elle?

— À ouvrir un coffre, dit Félicia.

Vincent secouait la tête, abasourdi.

— Un coffre? Quel coffre?

— Je ne peux pas t'en dire plus. Ton père m'a fait promettre de ne t'y conduire que le jour où tu commenceras ta thèse.

Elle lui donna la clé.

— Prends-la.

— Maman, peux-tu au moins me dire où se trouve ce coffre?

Félicia sourit.

— Voici quelques années, nous avons fait un voyage en Italie, ton père et moi. Nous avons fait une halte dans un ancien monastère. Ton père a trouvé un livre, là-bas. Il a prié les moines de le conserver dans un coffre dont il s'est fait remettre la clé.

Vincent prit l'objet qu'il retourna entre ses mains. C'était une vieille clé en fer rouillé, comme celles qu'on utilisait autrefois pour ouvrir les portes de caves anciennes.

— Tu... tu me montreras?

— Le jour où tu débuteras ta thèse. C'est ainsi qu'il l'a voulu et je dois respecter sa volonté.

Vincent laissa son regard errer par la fenêtre. Son père lui semblait d'un seul coup plus présent.

— Pourquoi tant de mystères? J'aurais aimé que papa me parle de tout cela, à moi.

— Tu as fait un grand pas sur le chemin qui te mène au but qu'il souhaitait te voir atteindre. Maintenant il faut se concentrer sur le présent.

Le regard de Vincent se focalisa sur une enveloppe posée sur la table.

— Ah oui, je dois passer un examen complémentaire, une contre-expertise, dit Félicia. Voilà la convocation du tribunal.

— Qu'est-ce que c'est? Où as-tu trouvé cela?

— Heu, eh bien...

Félicia n'arrivait plus à se rappeler où elle avait trouvé cette enveloppe. Peut-être en allant au marché, ou en rentrant, elle ne savait plus.

Vincent parcourut le courrier du regard. C'était en effet une convocation pour un autre examen. Le docteur Ronzier l'avait prévenu que les avocats de VKG-Thermicouple tenteraient ce genre de manœuvre. Ils essayaient de prouver que les fautes de Félicia n'étaient pas dues à du surmenage. Peu importe. Il y avait bien peu de chances qu'ils fassent des tests spécifiques de la maladie d'Alzheimer.

— Je ne crois pas que ce soit si inquiétant, dit finalement Vincent. Ils verront bien que tu as été surmenée, c'est la vérité. Repose-toi. Je te prépare à manger et je file. Je dois retrouver Maria ce soir.

— La petite Russe que j'ai vue l'autre jour? Transmets-lui toutes mes amitiés. Est-ce sérieux, entre vous?

— Je crois que oui. J'aimerais. Enfin, nous verrons...

— Tu as l'air heureux, Vincent. Tu devrais voir tes yeux, quand tu parles d'elle. C'est une fille bien. On n'a pas tous les jours ce genre de chance, dans la vie.

— Tu ne m'en veux pas si je te laisse pour ce soir?

— Au contraire, je serai heureuse de te savoir là-bas. Tu seras en de bonnes mains avec elle. Vas-y. Construis ta vie. Celle qui est devant toi, pas derrière.

— Il n'y a rien derrière, dit Vincent. Tout est présent, présent en moi. Comme toi.

Il serra sa tête contre sa poitrine. Jamais il ne cesserait de l'aimer. Même si elle en venait un jour à ne plus le reconnaître.

Maria passa une heure à l'hôpital Robert-Debré à attendre qu'un jeune interne se libère pour lui faire un prélèvement biologique. Allongée sur un siège d'examen, elle avait remonté sa jupe puis détourné la tête en serrant les dents. Le sperme, lors d'un viol, laisse des traces qui peuvent être repérées jusqu'à quarante-huit heures après le rapport. Elle avait attendu, les yeux fermés, en pensant à son fils qui patientait dans la salle d'attente à quelques mètres de là. Et en souhaitant que ce moment soit effacé à jamais de son existence.

Elle se dirigea enfin vers son lieu de rendez-vous avec Vincent. Des émotions contradictoires se bousculaient en elle. Envie d'être avec lui, d'oublier tout cela, mais en sachant qu'elle serait incapable de s'abandonner à lui complètement. Quelque chose en elle s'était brisé, son corps était à vif, une vague de dégoût montait en elle à l'idée d'approcher le corps d'un homme. Dire que, vingt-quatre heures plus tôt, elle aurait accueilli cette perspective avec bonheur! Franck avait tout détruit.

Elle retrouva Vincent au Capitole, un bar branché du boulevard Saint-Germain. Vincent était déjà sorti de la bouche de métro et chercha des yeux son amie dans la foule. Il la vit près des escaliers. Elle avait enfilé une tenue plus sorbre qu'à son habitude, un pantalon de toile et un T-shirt ample. Il y avait de la lumière dans ses yeux.

À l'entrée du bar, deux videurs l'examinèrent avec circonspection. Ils s'écartèrent en apercevant Maria. Elle demanda un scotch avec des glaçons.

— J'ai envie de danser, dit-elle au bout d'un moment.

Maria se mit à bouger au son de «Stayin' Alive». Aussitôt deux hommes musclés et vêtus de T-shirts moulants s'approchèrent en remuant sur la même pulsation, elle les renvoya d'un geste sans équivoque et se rapprocha de Vincent, en hissant ses bras au-dessus de sa tête tout en réalisant des mouvements d'ondulation et sans le quitter des yeux. Vincent essaya de caler des mouvements d'épaules sur les basses des Bee Gees. Il rencontra des difficultés au début mais au bout de quelques secondes il sentit que ça venait. Maria le prit par la main et l'emmena plus loin.

— Viens par là. Je ne supporte pas ces types.

Elle recommença à danser et il se sentait de mieux en mieux. Maria esquissa un sourire. Elle avait aimé ce moment. Ses yeux brillaient. Une fois de plus, elle sentait que Vincent lui plaisait. Il n'y avait pas de mauvaise pensée en lui. Son désir était limpide. Sous son regard, elle sentait son propre corps lavé de tous les outrages subis.

Les accords de «Love you Like a Love Song Baby» les firent retourner sur la piste. Cette chanson était faite pour Maria. Chaque mesure collait à sa peau. Peu à peu, leurs gestes se répondaient et Vincent voyait le visage de son amie s'illuminer toujours plus.

Maria se sentit submergée par une bouffée de gratitude. Dans les griffes de Franck, elle s'était sentie laide, repoussante, une chose détestable et méprisable. Maintenant, dans le regard de Vincent, elle se voyait belle, désirable, adorée. À la fin du morceau, ils se tombèrent dans les bras et s'étreignirent, en sueur, heureux et fatigués.

— C'était bien, hein? Allez, on rentre? Et puis ces deux types-là sont vraiment trop lourds, je suis fatiguée.

Ils sortirent à l'air libre. La soirée était tiède et étoilée. En quelques minutes, ils furent devant l'immeuble du CROUS. Vincent accompagna Maria jusqu'à sa chambre.

En arrivant dans le couloir Maria sentit sa gorge se nouer. Les émotions de la veille qu'elle avait cru pouvoir oublier refaisaient surface, implacables. Une chape d'angoisse s'abattit sur elle. Ce n'était pas le moment de craquer. Elle entra dans l'appartement, alla directement au frigo et sortit une grande bouteille de limonade et des glaçons. Puis elle s'éclipsa dans la chambre et discuta rapidement avec la baby-sitter qui s'éclipsa.

— Il dort, dit-elle à Vincent.

Elle posa une main sur son épaule, puis se dégagea et alla au frigo pour rapporter une bouteille de gin en plus.

— J'ai chaud, moi! Tu en prends un?

Vincent acquiesça, le sourire aux lèvres.

— Tu ne m'as toujours pas présenté Michka, dit-il.

— Très bientôt, c'est promis.

Ils s'assirent dans le canapé et trinquèrent.

— Je voudrais te remercier, dit-elle avec sérieux.

Elle remarqua son étonnement.

— Je traverse des moments très difficiles, poursuivit-elle. Si tu n'étais pas là, je serais désespérée.

Il prit sa main et la serra avec ardeur. Leurs têtes renversées sur le canapé, ils étaient gagnés l'un et l'autre par une douce fatigue, et Vincent sentit un flot de passion le submerger. La beauté de Maria le frappait davantage à chacune de leurs rencontres. Il tendit ses lèvres vers les siennes. Ils s'embrassèrent longuement. Enfin, il passa son bras autour de son buste et fit basculer légèrement son corps contre le sien.

— Attends, dit-elle en reposant son verre. Je ne me sens pas très bien.

Elle se leva et alla aux toilettes. Elle venait de sentir à nouveau la nausée l'envahir. Le contact d'un homme, fût-il Vincent, l'insupportait. Elle vomit.

— Maria, ça va?

Elle tira la chasse et tituba jusqu'à son lit. Ses yeux roulaient dans leurs orbites. Vincent s'accroupit à ses côtés.

— Je crois que j'ai avalé quelque chose de douteux, gémit-elle. Je suis désolée. J'ai tellement sommeil, d'un seul coup...

Il passa sa main sur son front.

— Ce n'est pas grave, dit-il. Veux-tu boire un peu d'eau?

— Oui, s'il te plaît.

Lorsqu'il revint, elle s'était glissée sous les draps. Il resta près d'elle, lui tenant la main.

Franck Corsa se rendit au dernier cours d'électromagnétisme de l'année. Il ne voulait pas prendre le risque de rater une information cruciale concernant le déroulement des examens. Et puis, il lui fallait rendre une copie impeccable. Décrocher un vingt sur vingt. Pour donner une bonne leçon à Larcher et pour établir qu'il restait objectivement le meilleur selon les critères de l'excellence académique.

Ces dernières semaines, son aura s'était accrue dans le cercle des étudiants qui cherchaient à s'attirer ses bonnes grâces. Ce n'était plus seulement le jeune homme ombrageux, taiseux et obnubilé par la précision de ses prises de notes mais un homme au regard intimidant qui captait les détails des conversations, se déplaçait avec lenteur et arborait des tenues raffinées. Depuis peu, il nouait un foulard autour de son col en soie blanche, comme pour marquer qu'il venait ici en villégiature, quittant les sphères d'influence politique pour se détendre en quelque sorte au milieu de la plèbe estudiantine.

Ethan Gubler, Antony Lepalot et leurs compères esquissèrent des sourires lorsqu'il s'assit parmi eux au premier rang. Quand Maria et Vincent firent leur entrée dans la salle, Gubler glissa :

— La fille... À mon avis, elle sort avec Carat. Ça me troue, pas toi ? Tu devrais la recadrer, cette meuf.

Franck adressa à son comparse un regard chargé de mépris.

— Crois-tu que j'aie attendu tes conseils pour le faire ?

— Trop fort. Quant au petit Carat, il se permet des trucs. À ta place...

En d'autres temps, Franck aurait remis Gubler à sa place. Mais il n'avait plus d'énergie à perdre avec ce genre d'individus.

— Le petit Carat ne se doute pas de ce qui l'attend, dit-il simplement. Sa nana, je l'ai déjà dans la poche.

— Ouaaah... Trop fort, vraiment.

Franck n'accorda plus un moment d'attention à Ethan Gubler. Il était préoccupé par autre chose. Vincent n'avait pas l'air à l'aise avec le cours d'électromagnétisme. Il fallait pourtant qu'il refasse son retard dans les plus brefs délais. Aujourd'hui, le cours abordait la transposition de toutes les équations vues durant l'année dans le cadre de la théorie quantique des champs. Mais Carat noircissait des pages de papier et tentait de suivre tant bien que mal le rythme du conférencier. Ce gamin n'était vraiment pas au niveau.

Franck referma son cahier. Il chercha à croiser le regard de Maria et constata qu'elle l'évitait soigneusement. Lorsqu'il la vit quitter la classe suivie de Vincent, il fut tenté de lui emboîter le pas pour l'intimider. C'est à ce moment-là qu'une femme d'une quarantaine d'années se planta devant lui et lui demanda :

— Vous êtes bien Franck Corsa ?

— Et alors, qu'est-ce que ça peut vous faire ?

— Lieutenant Benarbi, Police nationale. Veuillez me suivre quelques instants.

Franck entraîna la femme à l'écart dans le hall.

— J'ai reçu avant-hier une plainte vous concernant, lui dit-elle. Pouvez-vous me dire où vous étiez vendredi à vingt-trois heures ?

— Chez moi. Ça ne vous arrive jamais, à cette heure ?

— Ne plaisantez pas, monsieur Corsa. Une victime vous identifie comme étant son agresseur. Conformément à l'article 706-54 du code de procédure pénale, je vais vous demander de me suivre pour procéder à un prélèvement d'empreintes génétiques afin de recouper ces informations avec celles qui sont à notre disposition.

Franck serra le poing. Cette petite garce de Maria était donc allée cafter à la police. Comme une foutue collégienne. Elle voulait jouer à ce jeu-là ? D'accord.

Corsa suivit le lieutenant Benarbi jusque sur le pas de la porte, puis resta en retrait sur le trottoir et composa un numéro sur son téléphone portable.

— Je préviens mon avocat, dit-il.

La femme s'appuya des deux coudes sur le toit du véhicule de police.

— Faites vite.

Franck eut de la chance. Michel Levareux décrocha tout de suite son téléphone.

— Michel, la petite Svetkova s'est débusquée. Oui, la protégée de ce prof véreux, Serge Larcher. C'est une Russe en situation irrégulière, sans doute impliquée dans ses trafics de renseignements scientifiques à l'échelon international. Je la soupçonne de faire sortir des informations relatives au code neural, car elle est très proche du petit génie dont je vous parlais, Vincent Carat. Il y a un petit souci, comment dire... c'est une sorte de bimbo qui doit avoir l'habitude de faire des coups de ce genre, en tout cas elle m'accuse de l'avoir violée. C'est tout ce qu'elle a trouvé pour menacer le projet Transparence. Qu'est-ce qu'on fait?

Dans son bureau de la place Beauvau, le ministre de l'Intérieur fit glisser de côté la pile de circulaires de fonctionnement interne que son directeur de cabinet avait déposées sur son bureau et fit pivoter son fauteuil pour observer les pelouses du jardin.

— Où êtes-vous en ce moment, Corsa?

— À la sortie de l'École normale supérieure. Je dois vous dire que je suis assez énervé. Un officier de police est venu me signifier ma mise en examen et je dois aller donner mes empreintes génétiques. Inutile de vous préciser que je n'ai aucune envie de me plier à ces simagrées et que j'ai mille choses à faire.

— Vous n'avez aucun lien avec cette fille, évidemment?

— Évidemment. Je suppose que Larcher est derrière tout cela, et il faudra démêler l'écheveau de conspirations qui s'est mis en place.

— Larcher, c'est le type qui voulait décréter un moratoire sur les techniques d'imagerie cérébrale en situation de procédure pénale?

— Exactement, répondit Franck. Je ne pensais pas qu'ils iraient jusque-là. Surtout avec des moyens si retors.

Un silence plana au bout de la ligne.

— Corsa, vous n'êtes pas en train de me raconter un bobard.

— Assurément. Mais dites, Michel, si vous voulez que quelqu'un d'autre chapeaute le projet Transparence, vous n'avez qu'à me le dire tout de suite.

— Ça va, ça va. Je me souviens de Larcher. Il dispose donc d'un réseau. On ne s'est pas assez méfiés. Je ne suis pas surpris de ce que vous me dites. Le coup de mettre une histoire de viol sur le dos d'un type pour le mettre sur la touche, c'est un classique en politique.

— Bon, alors, ne verriez-vous pas d'inconvénient à me débarrasser du moustique qui me tourne autour ? Un certain lieutenant Benarbi.

— Je fais le nécessaire.

— Et... Michel, juste une chose...

— Oui.

— Je vais m'occuper de la fille, je vais voir ce qu'elle cache.

— Adressez-vous à Melvin pour les interventions.

— Pas de problème. Je sais où le trouver.

Franck raccrocha.

— Alors, vous avez fini ? demanda le lieutenant Benarbi.

Pour toute réponse, Franck consulta sa montre. Le ciel était plutôt dégagé, l'air printanier. C'était une belle journée pour aller déguster un plat de pâtes chez Tonino, rue Gay-Lussac.

— Hé ! Veuillez monter en voiture, maintenant.

Franck restait immobile, appuyé contre le mur du bâtiment. Le lieutenant fit le tour du véhicule.

— Ne me forcez pas à vous passer les menottes.

Une voix monta de l'intérieur de l'habitacle.

— Lieutenant, dit un collègue policier, nous avons un appel pour vous de la centrale.

Benarbi dut faire demi-tour pour prendre la communication. En un instant, son expression se métamorphosa. Elle raccrocha, stupéfaite. Puis revint se planter devant Franck.

— Vous saviez que vous n'alliez pas être embarqué, n'est-ce pas ?

Franck sourit, l'air narquois. La femme ne se laissait pas démonter. Elle parlait tout près de son visage.

— Vous avez violé cette fille. Et vous avez un copain haut placé dans la police qui vous couvre.

Franck se contenta de tourner les talons.

— Sale connard ! lui cria-t-elle après.

Il ne se retourna même pas.

S'il devait régler leur compte à toutes les grosses truies de la terre, il n'aurait plus un moment à lui.

— J'ai entendu dire que l'Agence va débourser un gros budget pour un projet sur les maladies du cerveau, disait une des filles de la division matériaux devant la machine à café.

— Tu veux dire quelque chose comme Alzheimer ?

Maria alla aussitôt pousser la porte de sa chef.

— Patrizia, vous êtes au courant d'un financement de programme pour Alzheimer ?

Patrizia releva la tête de sa bouilloire avec laquelle elle se préparait à chaque heure de la journée un de ses innombrables thés.

— Je vois que les nouvelles vont vite, dit-elle. On va effectivement faire un gros chèque à Neuroland. Ils ont décidé de mettre le paquet sur Alzheimer pour obtenir l'autorisation de la Commission européenne de continuer les très hauts champs magnétiques. Bien leur en a pris.

Neuroland allait se lancer dans les recherches sur Alzheimer ? C'était un scoop !

— Merci ! dit Maria en quittant le bureau de Benedetti.

Vincent allait être fou de joie. Elle décrocha aussitôt son téléphone et l'appela.

— Vincent, tu savais que Neuroland allait toucher un très gros chèque pour faire des recherches sur Alzheimer ?

— Ah... Je ne pensais pas que Le Cret arriverait si vite à décrocher les fonds.

— Je te pensais plus enthousiaste ! C'est une nouvelle formidable pour Félicia !

— Bien sûr. C'est juste que j'ai quelques soucis à Neuroland. Je maîtrise le projet Alzheimer mais j'ai une pression énorme pour remplir une autre mission : découvrir le code neural.

— Tu vas y arriver. Ton projet est en béton. Mais je t'appelais aussi parce que je voulais te proposer de venir m'aider pour mon déménagement. Cet après-midi, dans le XIV\ :sup:`e` arrondissement.

— Bien sûr, que je vais t'aider ! Tu en profiteras pour me présenter Michka, n'est-ce pas ?

Le soir même ils descendirent ensemble les cartons contenant ses affaires. Vincent lia connaissance avec Michka.

— Tu la connais bien, ma maman ? lui demanda le garçon.

— Un petit peu, mais cela ne fait pas très longtemps que nous nous sommes rencontrés.

Au bout d'un moment, l'enfant déclara :

— Elle est bizarre, ma maman.

— Que veux-tu dire ?

— Parfois, elle reste dans le canapé, sans rien dire. Après, elle va sur son ordinateur. Je lui parle, mais elle ne répond pas.

Vincent sentit sa gorge se serrer.

— Ce n'est pas grave, cela peut arriver. Les adultes ont parfois des soucis, tu sais. Maintenant, cela va aller mieux. On va l'aider, on est là pour ça.

Le petit hocha la tête comme si cette réponse le satisfaisait provisoirement.

— Ça va être ma première nuit dans ce nouvel appartement, dit-elle à Vincent. Tu ne m'en voudras pas si je ne suis pas d'attaque pour faire la fête ? Il faut que je m'occupe de Michka. Il a déjà changé deux fois de chambre en deux mois, il a besoin de moi.

Vincent jeta un coup d'œil à la porte entrouverte du réduit où l'enfant était en train de déballer ses jouets.

— Je comprends, Maria. Tu n'as pas besoin de te justifier avec moi.

Elle commença à ouvrir un carton et à en sortir des ustensiles de cuisine. Elle se releva soudain.

— Vincent, j'aimerais tellement...

Elle s'arrêta, ne trouvant pas ses mots.

— Tu dois penser que j'hésite, dit-elle, mais ce n'est pas ça. Je voudrais être à toi tout entière. Simplement en ce moment je ne vais pas bien, pas bien du tout. Je suis vraiment perturbée.

Vincent opina et transporta le carton rempli d'assiettes sur le comptoir de la cuisine américaine.

— Tu vas peut-être croire que les garçons ne pensent qu'à ça, dit-il, mais pour moi ce n'est pas le plus important. Je t'aime profondément.

Elle sentit les larmes lui monter aux yeux. Elle se jeta dans ses bras.

— Tu peux être assuré de mon amour pour toujours. Je jure que quand tout cela sera terminé, nous aurons tout le temps de faire des projets.

Au-dessus de l'épaule de Maria, Vincent vit le petit Michka qui revenait de son réduit, une sorte de grande guirlande à la main. Il avait l'air étonné, mais il ne semblait pas franchement mécontent de les voir ensemble.

Maria fit le bilan de sa situation. Son nom avait disparu de l'annuaire. Elle ne laissait aucune coordonnée sur internet. L'appartement était au nom du propriétaire. Franck n'avait pour l'instant aucun moyen de savoir où elle était.

Et pourtant, quelque chose l'avertissait qu'il était sur sa trace. En fait, chaque jour que Franck passait en liberté était en soi une menace.

Lorsque Maria arriva au commissariat, une dizaine de personnes patientaient sur les bancs avant d'être reçues au guichet. Sur l'écran tactile de l'accueil, elle sélectionna la touche «suivi de dossier». Un quart d'heure plus tard, un homme en uniforme l'appela du fond du couloir. Elle pénétra dans un bureau où travaillaient trois policiers. Des papiers s'empilaient sur les tables et la climatisation ne semblait pas fonctionner. Le policier lui fit signe de s'asseoir.

— J'ai été reçue samedi dernier par le lieutenant Benarbi, qui a noté ma plainte, dit-elle. Je...

En jetant des regards alentour, elle baissa la voix.

— ... Elle m'a dit que mon agresseur devait subir des prélèvements génétiques pour vérifier que...

— L'auteur présumé est M. Franck Corsa, d'après ce que je lis ici.

Comme elle confirmait, l'agent continua.

— M. Corsa a un alibi pour la soirée du 12 mai, madame. Votre déposition va donc être transmise à un juge du tribunal d'instance, dans l'éventualité de poursuites en diffamation. Par ailleurs...

— Poursuite en diffamation ? Contre qui ?

— Vous vous adresserez au juge si vous souhaitez avoir davantage de détails. L'accusation de viol est une mise en cause grave. Vous devrez répondre de cette accusation devant un tribunal.

Maria sentit que le monde allait s'écrouler. Était-elle en train de vivre un cauchemar ? Allait-elle se réveiller dans son studio du CROUS, ou à côté du hangar de Rublovka ? Elle tenta de se raccrocher à la réalité.

— Je... Je voudrais parler au lieutenant Benarbi, s'il vous plaît.

Le policier se retourna vers ses collègues.

— Quelqu'un connaît le lieutenant Benarbi ?...

Pas de réponse.

— Vous êtes sûr qu'il travaille ici, madame ?

Elle regarda autour d'elle. Elle était bien au commissariat du XIVᵉ arrondissement, avenue du Maine. D'ailleurs, ils avaient son dossier, le nom de Franck. Une voix d'homme s'éleva dans le bureau.

— Benarbi Latifa, ça me revient c'est une femme. Elle est à la brigade des mœurs, dans l'aile ouest.

— Appelez-la, je vous en prie, supplia Maria.

L'homme leva un sourcil circonspect en jaugeant Maria, tout en composant un numéro.

— Tu peux me passer le lieutenant Benarbi, s'il te plaît ? Ah. D'accord.

Il raccrocha.

— Le lieutenant Benarbi n'est plus affecté au commissariat, dit-il. Elle a été mutée sur un autre site.

Maria manqua de défaillir et dut faire un effort surhumain pour maîtriser le tremblement qui la gagnait.

— Par ailleurs...

L'homme observa Maria pour savoir si elle était en état de prolonger l'entretien. Il reprit, plus lentement.

— Par ailleurs, je lis que vous allez devoir répondre d'une fausse déposition car les prélèvements réalisés à l'hôpital Robert-Debré ne font état d'aucune trace de viol.

Les murs se mirent à tourner autour de Maria. L'air lui parvenait difficilement. Le fonctionnaire de police dut la soutenir et on la déposa sur une banquette dans le hall. Les policiers se montrèrent plutôt prévenants. Une voiture de service la raccompagna chez elle, et un gardien de la paix proposa même de l'aider à monter les escaliers. Elle les assura qu'elle se sentait mieux.

Catastrophe. Elle était coincée. Trop de signes convergeaient vers une évidence terrible : Benarbi mutée, le faux alibi de Franck, et les résultats d'analyse de l'hôpital volés ou falsifiés... Elle avait parfaitement senti la semence infâme de Franck s'écouler en elle. Quelqu'un avait donc dû avoir accès aux fichiers des résultats d'analyse, pour les effacer. Ou, tout simplement, jeter ou interchanger des échantillons.

Se pouvait-il que Franck ait le pouvoir de faire annuler une plainte portée contre lui ?

Dans ce cas, c'était l'horreur.

Elle se rendit compte que si elle n'avait pas déménagé le jour même, elle serait à sa merci.

Jacques Melvin quitta l'Unité de coordination de lutte antiterroriste à dix-huit heures. Sa présence n'était plus nécessaire. Les rapports d'écoute n'avaient pas livré d'indications nouvelles et il avait noté quelque chose sur son agenda en soirée. Il rentra donc chez lui. Lorsqu'il arriva dans l'appartement, les enfants étaient en train de manger. Il se dirigea vers la cuisine et trouva une vieille bouteille de tequila que lui avait rapportée un de ses hommes en mission au Mexique quelques années plus tôt. Lorsque son fils Théo le vit arriver, il lui dit aussitôt :

— Moi, j'ai dit à ma maîtresse que tu avais un pistolet.

— Et moi, dit Morgane, que tu avais un fusil.

Jacques fronça les sourcils.

— Je crois surtout que votre papa va vous peler une mandarine pour le dessert, dit Florence.

Jacques se mit aussitôt au travail.

— Attention au serpent! cria-t-il en exhibant une peau de mandarine découpée en spirale.

— Hiii! J'ai peur, cria Théo.

— Pan! dit Jacques en mimant le geste d'un chasseur.

— Bravo! s'exclama Morgane en mordant dans son quartier de mandarine. Tu sais, à l'école, tout le monde t'appelle le shérif!

— Allons bon, dit Jacques en aspirant une gorgée de tequila. Je ne suis pas shérif, il ne faut pas dire ça. Je suis un soldat.

— Et tu vas sauver Putsha, je lui ai dit.

— Écoute-moi bien, dit Jacques en s'agenouillant tout près de sa fille. J'ai dit que j'allais écrire une lettre et que peut-être d'autres soldats signeraient cette lettre et qu'alors le chef des soldats dira peut-être qu'il faudrait laisser Putsha tranquille. C'est comme ça que ça fonctionne.

— Ah bon? Et si le chef des soldats est méchant, les soldats ne peuvent pas le tuer et en prendre un autre?

— Non. Parce que c'est la loi du pays qui dit qui est le chef des soldats. C'est comme ça.

— Mmh..., réfléchit Morgane en avalant un autre quartier. Alors, écris une bonne lettre : «Cher chef de la garde, nous les soldats trouvons que la petite fille Putsha est une très gentille petite fille qui est la meilleure amie de la princesse Morgane. En conséquence...»

— En conséquence, termine ta mandarine et va te laver les dents. Hop!

Florence alla à la salle de bains pour se maquiller. Jacques termina sa tequila, soucieux. Il avait oublié de rédiger la lettre qu'il souhaitait proposer comme pétition à ses collègues et soumettre au ministère pour retarder l'expulsion de la famille de la petite Putsha. Il improviserait.

Son portable se mit à sonner dans sa poche.

— Oui?

— Melvin, nous avons un problème dans le dossier Transparence.

C'était Corsa.

— Ramenez-vous dare-dare, dit Franck. Il y a urgence à la sous-direction antiterroriste.

Melvin raccrocha et prit son manteau.

— Flo! Une urgence. Je file à la sous-direction.

Sa femme sortit de la salle de bains, le rouge à lèvres à la main.

— Quoi? Maintenant... Mais tu savais qu'on avait cette réunion.

— Ça vient des conseillers du ministre. Urgence absolue. Mais s'ils me demandent d'aller à Levallois, il y a peu de chances que ce soit pour une intervention. C'est probablement un problème de fichiers. Je te rejoins à l'école de Morgane.

Florence retourna à la salle de bains, sans rien ajouter. Elle était habituée. Il se passait quelque part des choses de la plus haute importance. Jacques était chargé d'intervenir. Point. Il faisait de son mieux. Elle allait disposer du quart d'heure à venir pour raconter une histoire à ses enfants en attendant la baby-sitter.

Jacques rappela Corsa au volant de sa 405, gyrophare sur le toit.

— De quoi s'agit-il ? lui demanda-t-il.

— Un contact de Serge Larcher tente de soustraire des informations confidentielles liées au dossier. C'est une fille nommée Maria Svetkova que Larcher a invitée dans son cours de master et à qui il transmet des infos liées à Transparence. On pense qu'il récupère ces données auprès du jeune Vincent Carat, qui mène les recherches à Neuroland. Il faut perquisitionner chez Svetkova. On a perdu sa trace, elle logeait précédemment au CROUS mais elle a changé d'adresse. Dénichez cette fille et rappelez-moi, il faut de toute urgence perquisitionner à son domicile.

Melvin réfléchit. Trouver un tel renseignement pouvait prendre aussi bien cinq minutes que deux heures.

— On va voir ce que ça va donner, dit-il. Je vais passer à l'UCLAT et confier la recherche à Vernieuwe.

— Faites cela. Ensuite, rejoignez-moi à l'adresse que vous aurez trouvée avec un homme du service serrurerie.

Melvin raccrocha et accéléra sur le pont de Levallois. Il vira sur les chapeaux de roue et introduisit sa carte dans la borne du parking souterrain. Quelques instants plus tard, il pénétrait dans l'ascenseur menant aux étages. Il tomba aussitôt sur Vernieuwe attablé dans la salle d'écoute.

— Salut. On a un coup de fil de Corsa. Vous pouvez me faire une recherche de domiciliation ?

Vernieuwe pianota sur son clavier et fit apparaître une fenêtre de saisie.

— Quel est le nom de la personne ?

— Svetkova, Maria. On a eu des écoutes sur elle. Elle a déménagé.

— Je vois. Attendez une minute.

Vernieuwe lança une série de manœuvres.

— Je n'ai rien sur elle. Aucune adresse à ce nom. Elle a dû prendre un contrat de location et l'appartement est encore au nom du propriétaire. Si elle n'a pas souscrit d'abonnement téléphonique, on ne peut rien faire.

— Ce n'est pas possible..., songea Melvin à mi-voix. Et son portable, on doit pouvoir le localiser en GPS ?

Vernieuwe cliqua sur deux autres fenêtres avant de secouer la tête.

— Apparemment, elle l'a débranché depuis son changement d'adresse.

Melvin dicta :

— Communiqué aux commissariats de la région parisienne. Prière de transmettre toutes informations disponibles sur une dénommée Svetkova, Maria.

Le caporal lança la requête qui parvint en temps réel aux directions centrales des commissariats d'arrondissements. Melvin posa ses mains sur les hanches.

— On a cinq minutes, dit-il. Vous prenez un café ?

Vernieuwe se tortilla sur sa chaise, mal à l'aise.

— Qu'est-ce que j'ai donc dit de si terrible ? fit Melvin. Allez, caporal, je vous offre un café à la machine, on a bien quelques minutes, le temps que les premières réponses nous parviennent.

— Je... Heu... Je ne préfère pas, mon capitaine. J'ai pas mal de boulot...

Melvin sembla surpris. À ce moment Vernieuwe poussa une petite exclamation.

— Là ! Une réponse du commissariat du XIVe. Maria Svetkova s'est présentée aujourd'hui et a été reçue par un de nos hommes.

— Passez-le-moi.

Vernieuwe composa un numéro, puis tendit le combiné à Melvin.

— Ici le capitaine Melvin de la sous-direction antiterroriste. Nous venons de lancer une requête d'informations sur la dénommée Maria Svetkova. Vous l'avez reçue aujourd'hui. Qu'est-elle devenue ?

— Elle est repartie chez elle, mon capitaine. Un véhicule de service l'a prise en charge.

Melvin fit un clin d'œil à Vernieuwe, le pouce levé. Il enchaîna.

— Le conducteur pourrait-il nous amener à son domicile ?

— Un petit instant, mon capitaine, je vais voir s'il est encore de service.

Le conducteur du véhicule de police avait quitté son service et il fallut le rappeler chez lui pour qu'il leur communique l'adresse où Maria s'était fait conduire dans la matinée. Finalement, Melvin et le serrurier s'y rendraient par leurs propres moyens, Corsa les rejoignant de son côté.

À dix-huit heures quarante-cinq, les trois hommes se retouvèrent au pied de l'immeuble du 4, impasse Gabriel-Fauré. Melvin exhiba sa carte à la concierge et ils gravirent l'escalier. Aux dires du chauffeur, Maria elle-même avait précisé qu'elle habitait au troisième étage. La porte de droite s'ouvrit sur un homme en débardeur qui mâchonnait un bout de mégot. Ils se tournèrent aussitôt vers la porte de gauche et le serrurier en vint à bout après avoir essayé deux types de passe à large spectre. Trois minutes chrono.

Franck entra le premier dans l'appartement. Il observa les lieux. C'était donc ici que Maria avait cru se cacher. Le logement, ridiculement petit, était encore encombré de cartons. Il en fut presque déçu. Comment Maria avait-elle pu penser qu'elle pourrait lui échapper simplement en changeant d'adresse ? Manifestement, elle n'avait toujours pas compris qui il était.

Il fit mine de chercher quelque chose dans les placards, puis sous le matelas du lit. Finalement, il se tourna vers Melvin.

— Vous pouvez y aller, capitaine. Prenez votre soirée, je vais rester encore un peu. Il faut que je réfléchisse.

Melvin regarda sa montre.

— Mais elle va rentrer, monsieur. Nous devons repartir.

Franck soupira. Ce gros nigaud de capitaine commençait à l'irriter.

— Je suis assez grand pour me débrouiller tout seul. Fichez-moi le camp, je vous dis.

Melvin se dandinait sur place, hésitant.

— Monsieur, c'est que... Nous avons fait irruption chez un particulier sans mandat de perquisition, et sans en informer l'intéressée, qui n'est sous le coup d'aucune mise en examen. Nous ne pouvons pas prendre le risque de...

Franck vit que le serrurier était déjà descendu et allait arriver au rez-de-chaussée. C'était le moment de s'occuper de Melvin. Vif comme l'éclair, il prit le capitaine par la gorge et le plaqua avec une vigueur étonnante contre le mur de la cage d'escalier.

— Vous n'avez pas compris que votre inconscience a déjà coûté la vie à six gamins ? Ce qui cloche, chez vous, ce sont vos satanés scrupules...

Franck savait qu'il ne pouvait pas tenir ce monstre entre ses mains plus de quelques secondes. Il fallait placer une charge de dynamite dans son psychisme.

— Marianne Bonnelli, Juliette Metzinger ? Ça vous dit quelque chose ? Les mères des gamins hachés menu ? Que diraient-elles si elles vous voyaient citer des extraits de réglementation ? Voulez-vous qu'on les appelle ? Qu'on leur explique vos dilemmes ?

En voyant Corsa empoigner son téléphone, Melvin perdit tous ses moyens.

— Ne faites pas cela, je vous en prie.

Franck referma son téléphone.

— Bon, je veux bien faire exception, pour une fois. Vous croyiez bien faire, peut-être, ce jour-là ?

— Je pensais qu'on allait trouver les bombes. Et... je n'ai pas été capable de porter la main sur ce type ligoté.

— Parce que vous vous êtes laissé attendrir ! Et à cause de ça, des gens meurent. Si vous voulez racheter votre faute, il va vous falloir mettre vos sentiments entre parenthèses.

Melvin hocha la tête. Sa voix n'était qu'un souffle.

— Je pensais bien faire...

— Mais le problème avec vous, c'est que quand vous pensez bien faire, vous faites mal ! Vous êtes compétent dans votre domaine qui est l'intervention armée, mais vous êtes carrément dangereux quand vous faites appel à vos sentiments. Vous comprenez ?

Jacques n'avait rien à objecter. C'était la vérité nette et implacable. Tout avait lamentablement échoué dans sa vie lorsqu'il s'était fié à son affect.

Il descendit les marches de l'escalier, vaincu, et disparut. Aussitôt, Franck entra dans l'appartement. Il chercha des yeux une cachette où attendre sa proie jusqu'à la tombée de la nuit. En se penchant sous le lit, il vit des sacs en plastique remplis de draps et d'habits. Il estima que c'était le bon endroit.

Melvin monta dans sa voiture et posa les deux mains sur le volant. Son téléphone sonna. C'était Florence.

— On est à l'école, dit-elle, la réunion va commencer. Tu viens ?

Jacques avait l'air d'avoir pris un coup sur la tête.

— Je t'en prie, insista Florence, tu avais promis. Ce n'est pas grave si tu arrives après le début de la réunion.

Machinalement, il tourna la clé de contact. Ses mains serrèrent plus fermement le volant, ses jambes trouvèrent la juste pression sur l'accélérateur. Le moteur rendit un son régulier. Il ne devait plus jamais oublier ce que disait Corsa. Ses émotions ne devaient plus le gouverner.

Devant lui, à perte de vue, les réverbères s'alignaient avec une régularité parfaite. D'une pression du doigt, il enclencha le GPS.

Le préau de l'école Gustave-Moreau était plein à craquer. Les organisateurs avaient essayé de faire asseoir les parents d'élèves sur les bancs d'écoliers, mais cela ne suffisait pas. Toute l'école se mobilisait pour défendre les dernières chances de la petite Putsha et de sa famille de rester en France.

Jacques descendit de voiture et se dirigea vers le hall illuminé. Au fond de la salle, il appuya son dos contre le mur. Un délégué de parents récapitula la situation.

— Les demandes de logement à la mairie de Saint-Ouen sont en cours de traitement, dit-il. La mairie est en pleine procédure avec les services d'immigration pour tenter d'obtenir un sursis, le temps d'assainir la situation matérielle de la famille. Les services d'immigration ont posé une nouvelle date limite : au 1er juillet, l'arrêté d'expulsion entrera en vigueur.

Les conditions d'accueil sur le territoire devenaient de plus en plus complexes. Une femme présente parmi le public, d'origine étrangère mariée à un Français avait dû passer des tests de langue et réunir quantité de documents administratifs et autant de contrats de travail pour obtenir son titre de séjour. Tout cela ne laissait guère d'espoir à la famille de Putsha.

Le délégué s'adressa à Jacques.

— Monsieur Melvin, avez-vous des nouvelles de votre côté ? Vos collègues seront-ils volontaires pour une action publique ?

Jacques garda les mains dans les poches.

— Cela m'étonnerait, répondit-il.

Un murmure d'étonnement parcourut l'assemblée. Le délégué bredouilla :

— Mais vous aviez vous-même proposé...

Jacques le coupa net.

— Les fonctionnaires de police sont tenus à un devoir de réserve. Des manifestations policières ne feraient que jeter de l'huile sur le feu et attiser la haine d'une partie de la population qui demande un durcissement des mesures contre l'immigration. Il faut abandonner cette idée.

À côté de lui, Florence lui jeta un regard désemparé.

Les parents de Putsha observaient eux aussi Jacques sans comprendre. Ne parlant pas le français, les termes de l'affaire les dépassaient. Mais ils sentaient que le vent était en train de tourner. Jacques vit avec agacement des larmes poindre aux coins des yeux de sa femme. Il refoula ses sentiments et laissa la directrice de l'établissement clore la séance. Très rapidement, les parents de la petite fille furent emmenés vers la sortie. Tout s'était terminé en quelques mintues. La camarade de Morgane, Putsha, ne franchirait plus les grilles de l'école.

Dans la voiture, Florence ne décolérait plus.

— Comment as-tu pu dire une chose pareille ! Tu as été d'une froideur incroyable ! Ces gens te faisaient confiance, tu leur avais redonné espoir !

— L'affaire est close. Ne parlons plus de cela.

— Bien sûr que si, que nous allons en parler ! C'est toi-même qui avais ravivé leur espoir. Tu n'as pas le droit de...

— Occupe-toi donc de ta classe de maternelle sans t'aviser de te mêler de la marche de l'État. Si on doit commencer à sauver tous les romanichels de la planète, on ne s'en sortira plus.

Florence contempla son mari avec consternation. Comment avait-elle pu croire qu'il remuerait ciel et terre ? Il n'était qu'un misérable pantin, un militaire sans cœur et pire, sans courage.

Maria se présenta à dix-neuf heures devant les grilles de l'école Jean-Moulin. La garderie de l'école était en train de fermer et le personnel rangeait les chaises sur les tables. Michka, dernier des enfants à être resté au centre d'accueil, attendait près de la porte. Tout essoufflée, elle récupéra les affaires de son fils, signa la feuille de présence et prit le chemin du retour.

Elle avait vécu une journée infernale. Après la visite au commissariat qui lui avait porté un rude coup, elle était restée une demi-heure sur son lit, les yeux fixés au plafond, perdue dans de sombres pensées. Retourner au cours du master aujourd'hui l'exposerait au risque d'y retrouver Franck, une idée qui lui donnait des sueurs froides. Mais cela aurait été aussi l'occasion de revoir Vincent. Le seul qui aurait pu la réconforter. Elle se serait blottie dans ses bras, aurait senti sa présence protectrice et oublié un moment ce qui lui arrivait. Mais après? Le réflexe de répulsion, la nausée, peut-être aurait-elle pris Vincent en dégoût. Et elle ne voulait pas de cela. Elle voulait se laisser une chance de partager un jour sa vie.

Pour que ce jour arrive, il fallait traîner Franck Corsa en justice, le faire condamner, obtenir réparation et retrouver sa dignité.

En rentrant de l'école, Maria prépara à manger pour son fils. Les jours de garderie, le petit garçon rentrait si fatigué qu'il avalait son repas d'une traite et se couchait dans le lit sommaire que Maria avait installé à même le sol entre les étagères de la buanderie. En fait, il adorait ce petit recoin qui le rassurait. Pour lui, cela ressemblait à une cabine de bateau. Maria avait accroché des cadres et des lampes entre les plateaux des étagères et disposé les peluches de son fils de part et d'autre du lit pour qu'il se sente bien.

En tirant derrière elle la porte de sa chambre, elle se sentit à l'abri. Pas de téléphone ni d'internet. Portable coupé. Il n'y avait même pas son nom sur la sonnette ni dans l'annuaire.

Elle était en sécurité.

À travers la fente du placard, deux yeux la regardaient retirer ses vêtements un à un. Franck la vit passer une simple chemise sur son corps avant de se glisser sous les couvertures.

Maria se coucha et essaya de faire le vide. Éreintée, elle s'abandonna au sommeil.

Au milieu de la nuit, elle se réveilla. La température avait chuté. Un craquement se fit entendre dans la pièce. Difficile à localiser. Elle scruta la pénombre et vit le fin rai de lumière de la porte entrouverte. Elle voulut se tourner vers sa table de chevet pour allumer la lumière.

À dix centimètres de son visage, une paire d'yeux la fixaient.

Sa bouche s'ouvrit pour crier mais une main se plaqua dessus. L'instant d'après, elle fut bâillonnée avec force et précision. Quelque chose de froid se referma sur ses poignets. Elle sentit qu'on la frappait à la tête, perdit connaissance pendant que des menottes enserraient ses chevilles et la maintenaient attachée au pied du lit.

Quand elle reprit ses esprits, elle balaya la pièce du regard. Il n'y avait rien près de la porte, ni devant la fenêtre.

Elle tourna la tête de côté.

Un homme nu étendu à côté d'elle.

Le corps était blanc comme le marbre, semblable à un cadavre. Un sexe en érection pointait entre ses jambes. Allongé contre elle, l'homme appuyait son menton sur la paume de sa main. Il était tourné vers elle et la dévisageait avec des yeux de fauve. C'était Franck.

Maria se mit à haleter. Elle sentit que quelque chose obstruait sa gorge. Franck avait serré le bâillon vraiment fort.

— Salut, cocotte. Inutile de t'énerver. On a le temps.

Il remonta sa nuisette jusqu'aux épaules. Elle était entièrement nue, offerte à côté de lui.

— Tu n'as pas fait ce que je t'avais dit. Je t'avais bien recommandé de ne pas en parler à la police.

Il posa sa main froide sur son sein, en taquina le mamelon puis le caressa rêveusement.

— Je vais devoir te corriger.

Il écarta ses jambes de force.

— Il faut maintenant que tu comprennes une chose, que je peux te retrouver n'importe où, n'importe quand. Il est temps que tu réalises que j'ai mille fois plus de moyens à ma disposition pour savoir où tu es et ce que tu fais, que tu n'en as pour m'échapper. Aujourd'hui tu vas payer le prix fort.

Franck descendit du lit. Il tira du placard un sac de sport dont il sortit une cagoule. Il la passa sur sa tête qui forma une tache noire contrastant avec son corps d'un blanc cadavérique. De son sac il extirpa une petite caméra qu'il installa sur le rebord de la fenêtre. Maria le vit, stupéfaite, enfiler un préservatif, avant de déclarer :

— Si tu veux crier, ne te gêne pas. J'aimerais voir la tête de ton fils découvrant sa salope de mère. Après tout, c'est un petit fils de pute. Tu es prête ? Alors souris, tu es filmée.

Il se pencha tout près de son oreille et, tout en la pénétrant, lui glissa :

— Profite. Tu es en train de te faire baiser par Franck Corsa.

Il enclencha le bouton « play ». Elle ferma les yeux et rassembla ses forces pour que son supplice cesse le plus vite possible.

Franck repartit de l'appartement vers deux heures du matin. Il s'était donné une bonne suée. Il n'aurait pas refusé un bon repas. Maria avait un corps de rêve. Si elle voulait continuer à se faire violer, c'était son problème. À un moment, l'idée lui avait même effleuré qu'elle y prenait du plaisir. Il avait en effet constaté qu'après quelques minutes le sexe de Maria se lubrifiait. D'un côté c'était plus sympa, de l'autre ça soulageait le supplice de la jeune femme et donc diminuait sa jouissance à lui. Il l'avait alors sodomisée et elle avait bien failli s'évanouir.

Le résultat filmé était bon. Très bon, même. Les caméras miniatures fabriquées aujourd'hui étaient de vraies petites merveilles. Dix millions de pixels, ça vous laissait voir les détails. Une déesse dominée par un homme sans visage, c'était tout un symbole. Cette petite chienne devait apprendre l'humilité, l'obéissance. Qu'elle continue à lui tenir tête comme cela et dans quelques semaines il n'en resterait rien. Plumée comme un poulet, qu'elle serait. Des cernes jusque par terre, les chairs labourées et un psychisme éclaté!

Physiquement, Franck se sentait en forme. Il avait défoncé les flancs de Maria pendant une heure avant de lâcher son plaisir et de retirer le préservatif qu'il avait discrètement jeté sous le lit, entre deux paquets de linge.

Puis, pendant que Maria restait attachée au lit, il avait inspecté l'appartement. Dans un carton rempli de documents administratifs, il avait trouvé des photos. Des clichés pris au photomaton, sans doute pour l'embauche de la jeune femme à l'ANR. Lentement, avec un soin appliqué, il avait détaché une de ces photos du lot et l'avait contemplée avec une forme de fierté. Est-ce qu'il n'avait pas le droit de garder une photo de sa victime ? Il avait glissé le cliché dans la boîte de préservatifs. Un instant, l'idée de retourner violer Maria avant de partir, comme on vide un dernier verre, l'avait effleuré.

Il entrouvrit la porte de la chambre et la vit sur le lit, mollement allongée sur le ventre.

Il fit demi-tour et décida d'aller inspecter la salle de bains. Des flacons de shampooing, des parfums et des crèmes de beauté s'alignaient dans un placard mural au-dessus du lavabo. Tout en haut, des rangements vides. Il y plaça ses préservatifs. Pour la prochaine fois. Car il y aurait une prochaine fois. Il gardait sa poulette bien au chaud.

En retournant au salon, il trouva le trousseau de clés de Maria. Il en empocha un jeu. Après tout, n'était-il pas normal qu'il ait la clé ?

Aux locaux de l'Unité de coordination de lutte antiterroriste, Franck trouva le remplaçant de Vernieuwe pour les gardes nocturnes, le sergent Tison, installé à son poste d'écoute en train de passer en revue les différentes connexions utilisées par les trois suspects. Deux autres agents du bureau d'écoute travaillaient à des postes plus éloignés dans la pièce.

— Du nouveau, sergent ?

— Affirmatif, monsieur, répondit le militaire. Un appel du dénommé Carat vers un portable, tôt ce matin. Je vous donne le numéro ou préférez-vous vous installer en salle d'audition pour consulter les fichiers audio ?

— Je vais m'installer à côté. Vous faites des heures sup, sergent ?

— Je termine cet archivage et je quitte mon service, monsieur.

Franck tira derrière lui la porte de la salle insonorisée, posa le casque sur ses oreilles et entra son code personnel. Le fichier contenait une conversation qui débutait à 10 h 12 du matin et se terminait à 10 h 21. Franck lança la lecture. Il reconnut aussitôt la voix de Vincent.

L'entretien était court. Maria avait appelé Vincent depuis une ligne fixe et lui annonçait que Neuroland allait bénéficier de fonds pour développer la recherche sur Alzheimer. Tout le monde croyait donc au subterfuge qu'il avait mis en place. Mais c'était la réaction du jeune homme qui l'inquiétait. Il disait rencontrer de gros problèmes pour découvrir le code neural. Des problèmes liés à la technique de l'électromagnétisme, aux équations mathématiques. Pas de ça! Il devait pondre sa fichue théorie ou sinon tout s'écroulait! Pourquoi ce petit con de génie des neurosciences n'était-il pas fichu de comprendre les principes de l'IRM? Si cela continuait, il allait falloir l'aider à réviser ses leçons!

Franck marqua un temps d'arrêt. Après tout. Il pourrait lui proposer de l'aider dans ses révisions. Juste un petit coup de pouce pour lui permettre de trouver ce dont il avait besoin...

Il ne manquerait plus que ça. Aider son pire ennemi. Un tel service vaudrait une sacrée contrepartie. Il faudrait que Vincent s'en prenne plein la figure. Qu'est-ce qui pourrait bien l'atteindre tout particulièrement?

Franck comprit ce qu'il fallait faire. Il se versa un verre d'un de ses vins rouges préférés, un crozes-ermitage, puis s'installa à son ordinateur. En quelques clics, il se connecta à internet et se mit à la recherche des coordonnées de l'entreprise VKG-Thermicouple.

Malgré tous ses efforts, Vincent se heurtait toujours aux mêmes difficultés : comprendre les équations de relaxation et les coefficients de diffusion qui devaient lui donner la forme des deux toboggans, ce qui était crucial pour établir le code neural. Il espérait qu'à force de se plonger dans ces équations, son cerveau ferait le tri et qu'une forme de clarté allait émerger.

Pour l'instant, force était de constater que ce n'était pas le cas.

En arrivant à l'École ce matin-là, Vincent espérait voir Maria et avoir un peu de temps pour lui parler. Il l'attendit devant les portes de l'établissement.

Mais Maria ne se montra pas. À neuf heures vingt-cinq, ce fut Franck Corsa qui se présenta, sa serviette sous le bras, et qui le salua cordialement :

— En forme, Carat ?

Vincent en fut surpris. Lui et Franck n'avaient pas dû se parler plus de deux fois depuis le début de l'année. À son grand étonnement, Franck s'assit juste à côté de lui, à la place habituellement occupée par Thomas Langlois. Une fois n'est pas coutume, il avait délaissé son costume deux pièces pour une chemise en coton au col déboutonné et un pantalon en laine élégant. Il ouvrit son cahier de notes où Vincent vit, parfaitement disposées, les équations de Larmor et d'autres éléments du formalisme électromagnétique classique, face à leurs équivalents en mécanique quantique.

Le cours commença.

Comme à chaque fois, Vincent s'efforça de recopier les équations et schémas inscrits au tableau. Il n'avait guère le temps de comprendre ce qu'il écrivait. Au bout d'un moment, on passa aux exercices. Première question : l'aimantation transversale d'une population de spins.

Vincent tenta de tracer un rapide schéma de molécules d'eau dans un espace régulier et uniforme, «isotrope» – c'est-à-dire possédant des propriétés identiques dans toutes les directions. Il se creusa la cervelle. Comment était produite l'aimantation transversale? En principe, par un champ magnétique perpendiculaire à celui produit par l'électroaimant du scanner. Il traça une flèche rouge représentant ce champ.

— Hé! Psst...

Vincent tourna la tête. Franck Corsa venait de lui donner un coup de coude.

— Le champ magnétique tranversal est émis sous forme d'une onde radiofréquence : il oscille, sa valeur n'est pas stable. La fréquence d'oscillation est la fréquence de Larmor.

Corsa avait écrit une formule sur le bord de son cahier, de façon à ce que Vincent puisse voir.

Il se hâta de reprendre les informations.

Effectivement, c'était plus clair. La fréquence de Larmor était celle qui permettait aux molécules d'eau de basculer de côté. Ensuite, l'onde radiofréquence était stoppée et on mesurait le temps mis par les molécules pour reprendre leur orientation. C'était ce temps qu'on appelait temps de relaxation.

Restait à le calculer. Vincent tenta de se rappeler un chapitre de son traité de résonance magnétique qui aurait abordé cette question. Pendant ce temps, le professeur était déjà en train de consulter sa montre. Il ne restait plus que quelques minutes.

Franck l'alerta une seconde fois.

— La variation d'aimantation transversale par unité de temps est proportionnelle à la quantité totale d'aimantation : plus il y a de molécules orientées transversalement, plus il y en a qui quittent cette orientation tranversale pour revenir à l'aimantation initiale.

Vincent acquiesça. C'était assez logique.

— Cela définit une évolution exponentielle, chuchota Franck. La variable est le temps, le paramètre principal est le temps de relaxation.

Franck inscrivit rapidement une formule en marge de son cahier. «Le temps de relaxation se lit sur la pente de la courbe.»

Vincent nota l'information, reproduisit la courbe, fit un rapide calcul de dérivée. Cela collait. Génial.

— Merci.

Il contempla le résultat de son calcul sur son cahier. Le résultat était identique à celui donné par le prof.

Dès que retentit le signal de la pause, Vincent alla trouver Franck.

— Merci, Corsa. Tu m'as retiré une sacrée épine du pied.

— Pas de problème. Si je peux aider...

— C'est vraiment sympa. Tu prends un café?

Franck regarda sa montre.

— Allez, pour une fois. Sans sucre, alors.

Vincent glissa deux pièces dans la machine et hocha la tête.

— Ça a l'air facile pour toi, dit-il.

Corsa haussa les épaules.

— Si on te l'expliquait correctement, ce serait aussi facile pour toi.

— Tu parles sérieusement?

— Les profs ici sont nuls, dit Franck. Le problème, c'est qu'ils enseignent de façon trop mécanique, sans vraiment expliquer comment marchent les molécules, les champs électromagnétiques, tout ça. La réalité, c'est que c'est passionnant.

Vincent retira le gobelet et introduisit d'autres pièces dans la machine.

— Cela reflète tout l'état de délabrement de notre système d'enseignement, poursuivit Franck. Ça me scandalise. Un jeune aussi doué que toi, qui stagne bêtement parce que des profs ne sont pas capables de lui expliquer correctement ce qu'est un temps de relaxation... Est-ce que tu veux que je te file un coup de main?

Vincent dévisagea Franck, incrédule.

— Tu ferais ça?

— Pourquoi pas. Il faut bien que je révise les examens, alors, autant le faire avec quelqu'un, plutôt que tout seul dans ma chambre. Voilà ce que je te propose : si tu veux te joindre à moi, on se prendra une heure de temps en temps pour potasser. Comme j'aurai la tête plongée dans mes cours, si tu as des questions tu n'auras qu'à me demander.

Vincent lui serra chaleureusement la main.

— Tu ne peux pas savoir à quel point c'est important pour moi, bredouilla-t-il. Avec les examens qui approchent, je me demandais si j'allais m'en tirer.

— Ne me remercie pas. Cela me fait plaisir. Dominer une matière, avoir des notes mirobolantes, ce n'est pas grand-chose à côté du fait de pouvoir partager ce savoir avec un camarade. En plus, tu as des idées, tu devrais pouvoir faire un bon scientifique. Je sais que tu as un beau projet de stage à Neuroland, alors si je peux apporter ma petite contribution...

Le jour où Vincent vint lui rendre visite, ses classeurs sous les bras, Franck dégagea une grande table où il disposa deux litres de Coca et des petits gâteaux pour pouvoir tenir toute une soirée. Le programme serait chargé : fréquences de Larmor, équations de relaxation, marquages en fréquence et en phase pour repérer chaque point du cerveau dans un espace à trois dimensions afin d'en recréer une image, tout cela devrait être récapitulé dès le premier soir.

Franck comprit vite que, si Vincent s'attelait à la tâche, il allait s'en tirer. Il avait simplement besoin de tout reprendre à la base. La résonance magnétique nucléaire était un domaine où des notions élémentaires mal acquises pouvaient bloquer tout processus d'apprentissage. Franck lui confectionna une liste d'exercices sur mesure pour être sûr qu'il assimile bien ces nouvelles informations.

— C'est merveilleux! s'étonnait Vincent. Je comprends tout. Et dire que cela me semblait si flou, si impénétrable... Tu es le meilleur prof que j'aie jamais eu.

— Tu me remercieras en réussissant tes examens.

Vincent dévisagea son camarade.

— Pourquoi fais-tu tout cela pour moi?

— Par intérêt! dit Franck en riant. On apprend soi-même beaucoup en apprenant aux autres. On est obligé d'avoir une vision très claire du cours. Ça me profite de te coacher.

— Tu crois sérieusement que j'ai ma chance? demanda Vincent.

— Évidemment. Rien que pour les exercices que je t'ai donnés, tu obtiendrais déjà un 13 sur 20. Il suffit qu'on recommence comme ça sur trois ou quatre séances du soir, et cela passera comme une lettre à la poste.

Franck prit la bouteille de Coca et remplit les deux verres. Les bulles pétillèrent dans la gorge de Vincent. Il se sentait devenir un autre homme. Il reposa le verre et regarda pour la première fois autour de lui. L'appartement de Franck était vaste, il possédait de la moquette angora, de grandes enceintes pour écouter de la musique, un écran de seize pouces et des tas de statuettes africaines ou chinoises joliment agencées.

— Dis-moi si je suis indiscret, demanda-t-il. C'est ton appartement?

— Oui. Ça t'étonne? Je travaille à d'autres projets. Notamment, à l'échelon politique. Je te raconterai tout ça une autre fois.

— Tu veux dire que tu ne fais pas que travailler tes cours?

— J'ai effectivement le temps de mener de front mon master et des responsabilités administratives. Je sais que cela peut surprendre mais j'ai envie de poser dès maintenant les jalons de ma future carrière.

— Je suis impressionné. Et tout en étant si occupé, tu consacres encore du temps à un pauvre gars comme moi...

— Tu ne devrais pas te sous-estimer, dit Franck. Tu as un sacré potentiel.

— Ne te moque pas, Franck.

— Je suis sérieux. Je me considère comme bon en neurosciences et en physique. Je connais pas mal de bibliographie, je maîtrise un certain nombre de techniques et de bagage théorique. Mais quand tu leur as présenté ton projet de recherche, j'ai été bluffé. J'ai trouvé ton idée du tonnerre.

— Tu veux parler de ma méthode de détection de l'activité neuronale?

— Oui, cette hypothèse selon laquelle il y aurait deux populations de molécules d'eau dans un neurone, une population de molécules se déplaçant lentement, et une autre se déplaçant plus vite. Et l'idée selon laquelle le rapport de ces deux populations se modifierait lorsque le neurone entre en activité. Franchement, comment as-tu pu penser à cela?

— En voyant les courbes obtenues par Xavier Le Cret et son équipe. Ils ne comprenaient pas la forme de ces courbes. Moi j'ai vu qu'apparaissaient deux pentes, comme deux sortes de toboggan, j'ai imaginé que cela pouvait représenter deux populations de molécules d'eau.

Franck continuait de considérer ce garçon, médiocre dans la maîtrise des mathématiques ou de la résonance magnétique, et qui avait été capable d'une géniale intuition.

— Mais à ton avis, quelle pourrait être la cause de ce changement des rapports de force entre population à diffusion rapide et diffusion lente ?

Vincent hésita. Selon lui, cette modification intervenait lorsqu'un neurone s'activait, à cause du léger gonflement que cela provoquait, gonflement qui augmentait la part de diffusion lente. Mais il devait d'abord mettre tout cela en équation avant d'en parler.

— J'ai quelques idées, dit-il. Mais je préfère attendre qu'elles soient confirmées.

— Comme tu voudras. Si jamais je peux aider...

— Tu m'aides énormément. Il faudrait que je comprenne bien les lois qui gouvernent la diffusion des molécules d'eau, et la façon dont on mesure cette diffusion avec les scanners d'IRM.

— Tu sais quoi, tu vas revenir un autre soir et on abordera tout ça. Je te garantis que tu vas y arriver.

Si Franck pouvait l'aider à trouver le code neural, une bonne partie de ses problèmes seraient résolus.

— Ce serait une aide précieuse, Franck. Si j'échouais à mes examens, je ne pourrais sans doute pas poursuivre mon projet chez Le Cret. Et je me retrouverais sans le sou, avec ma mère malade.

Bien sûr. Pourquoi crois-tu que je t'aide à réussir tes examens ?

— Je suis désolé pour ta mère, répondit Franck. J'espère que ce n'est pas trop grave.

— Tu sais, elle est malade d'Alzheimer. Mais elle l'ignore encore. On a préféré ne pas le lui dire pour qu'elle s'en sorte mieux au procès.

Ce garçon était d'une naïveté incroyable, songea Franck. Il vous servait tout sur un plateau.

— Un procès ? Quel procès ?

— Son patron l'a licenciée à cause d'oublis qu'il qualifie de fautes professionnelles.

Et il a bien fait.

— Il faut les attaquer en justice, rétorqua Franck en portant son verre à ses lèvres.

— C'est ce que nous avons fait. On les traîne devant les prud'hommes. Nous allons apporter la preuve qu'elle a été victime de surmenage et que c'est ce rythme infernal qui a conduit à ces moments d'inadvertance.

— J'imagine qu'il ne faudrait pas que ces employeurs sachent qu'elle est atteinte d'Alzheimer...

— C'est bien pour cela qu'on ne lui a pas tout dit. Et pendant ce temps, je fais tout mon possible pour lui trouver des traitements qui ralentissent l'évolution de sa maladie.

— Je vois. C'est courageux, Vincent. Très courageux.

Corsa vit que les exercices étaient presque terminés. Les deux garçons se serrèrent la main chaleureusement et, lorsque Vincent fut parti, Franck entreprit de faire le ménage. Il commença par débarrasser la table de toutes ces sucreries qu'il ne mangeait jamais. Dire qu'il avait été obligé de transformer son appartement en repaire d'étudiant boutonneux et de rabâcher des concepts puérils d'électromagnétisme.

Il jeta les verres dans l'évier. C'était quand même incroyable. Il était en train de donner des cours particuliers à un tocard pour l'aider à lui piquer sa propre place à Neuroland, lui, Franck Corsa! Vraiment, c'était bien le minimum, s'il pouvait sauter sa nana tous les soirs. Et malgré cela, il allait devoir continuer à jouer la comédie dans les jours à venir, lui déposer des biscuits dans une assiette et lui verser du Coca dans un grand verre avec des glaçons, tout en lui rappelant que l'équation de Larmor a une forme macroscopique et une forme microscopique, et tout ce genre d'âneries. Bon Dieu, qu'est-ce que lui, Franck Corsa, n'était pas obligé d'avaler!

Cela méritait un dédommagement.

Lui aussi aimait les sucreries. Simplement, elles avaient un autre goût. Il sortit de sa poche le bout de papier où il avait noté le numéro de téléphone des avocats de la société VKG-Thermicouple.

Car il était grand temps qu'ils apprennent ce qui était vraiment arrivé à Félicia Carat.

La première audience du bureau de jugement eut lieu devant un jury constitué de deux conseillers employeurs et de deux employés. En cas d'égalité des voix, un juge d'instance pourrait être sollicité pour départager les parties. Vincent escomptait que les conseillers employés prennent parti pour sa mère. Il suffisait donc qu'un des deux conseillers employeurs fasse de même et Félicia obtiendrait gain de cause.

Les jurés étaient installés derrière une longue table, les parties et leurs avocats derrière un petit bureau.

— Vous allez disposer de dix minutes pour exposer votre situation et les griefs portés à l'encontre de l'employeur, prévint un greffier. La défense aura ensuite le même temps de parole pour exprimer sa position.

Félicia sentit son cœur battre plus vite. Sur la table, une pile de documents détaillait sa situation passée, son emploi, ses horaires de travail et ses attributions dans l'entreprise. Toutes les preuves de ce qu'elle avançait.

Lorsqu'elle commença, elle sentit que sa voix tremblotait un peu.

— Au mois de mars, j'ai été licenciée de mon emploi par le directeur général de l'entreprise VKG-Thermicouple, Jean-Jacques Vernier. J'ai exercé mes fonctions au service de M. Vernier pendant trente ans. Je gérais ses agendas, je fixais ses rendez-vous, je rédigeais des comptes rendus. Je faisais souvent des extra : réservations de billets pour ses vacances, de baby-sitters pour ses enfants.

Elle jeta un rapide coup d'œil à ses notes, puis releva la tête.

— Durant ces années, l'entreprise a connu un développement important. Grâce au talent de M. Vernier, certes, mais également de tous les employés et des cadres. J'y ai participé à ma manière. J'ai fait de nombreuses heures supplémentaires. Beaucoup n'ont pas été comptabilisées.

L'avocat de l'entreprise griffonna quelques notes.

— Mes relevés de présence le prouvent, dit Félicia. J'ai donné plus à l'entreprise que l'entreprise ne m'a donné. Mon temps, ma vie et mon énergie. Au cours de ces trente années, je n'ai subi aucune remontrance, aucun blâme, aucun avertissement. Je n'ai été malade qu'une fois. Deux jours.

Félicia se sentait maintenant plus assurée. Sa voix était plus posée et ses phrases moins hésitantes.

— Au début de ce mois de mars, j'admets avoir commis un oubli. Un de nos clients devait venir visiter les locaux. Je n'ai pas pris garde au fait que les articles en question avaient quitté le site le matin même. Il y avait eu un changement dans notre emploi du temps. Je suis censée tenir à jour plusieurs dossiers en même temps.

Elle marqua une courte pause et reprit :

— Alors, on a redoublé ma charge de travail. J'ai d'abord dû former une remplaçante. À ce moment, mes horaires ont dépassé douze heures quotidiennes. J'ai appris par la suite que cette nouvelle secrétaire avait été embauchée en prévision de mon licenciement. En réalité, ils avaient déjà prévu de se débarrasser de moi.

Félicia avait mis plus d'intensité dans cette dernière accusation. Elle fut prise d'un vertige et posa une main sur son front.

— Je crois que je ne me suis toujours pas remise de cette affaire, murmura-t-elle.

Un des jurés lui apporta un verre d'eau.

— Merci, dit-elle, cela va mieux.

Elle parla plus lentement.

— Cela a été une rude épreuve. Je vis actuellement seule. Mon fils poursuit ses études et je n'ai plus rien pour vivre. J'ai été victime d'une surcharge de travail qui m'a conduite au surmenage. Ce licenciement a détruit ma vie, je n'en peux plus, je voudrais que quelqu'un le comprenne.

Les conseillers baissèrent la tête. Quelques-uns prirent des notes. Le greffier déclara :

— Nous vous remercions, madame Carat. La parole est à présent aux représentants de l'entreprise VKG-Thermicouple.

L'homme en complet gris et au crâne dégarni se leva en tirant sur les pans de sa veste. Félicia eut un coup au cœur en le reconnaissant. C'était l'homme qui l'avait abordée près du marché. Il entama son discours sur un ton presque cérémonieux, comme pour montrer qu'il avait conscience de l'état d'affaiblissement de la plaignante.

— Nous compatissons avec la détresse de Mme Carat. Il est vrai qu'elle a été une collaboratrice précieuse pendant de longues années. Il est tout aussi vrai qu'elle a bénéficié d'un emploi stable et satisfaisant, ainsi que d'un salaire régulièrement revalorisé. Ses relations avec son employeur étaient bonnes. Nous n'avions aucune raison de lui faire le moindre reproche. Et nous ne lui en avons fait aucun.

Félicia regarda autour d'elle, surprise. Que signifiait cette entrée en matière?

Mais l'autre enchaîna immédiatement.

— En fait, nous n'avions aucun reproche à adresser à Mme Carat car elle fut une collaboratrice modèle, continua l'avocat. Simplement, du jour au lendemain, elle s'est mise à commettre des fautes alarmantes. Elle n'arrivait plus à mémoriser les instructions qu'on lui donnait, elle oubliait des faits importants, ne signalait plus à son patron des rendez-vous cruciaux pour l'avenir de l'entreprise.

Félicia s'insurgea.

— C'est normal, vous m'avez épuisée!

— Ce serait trop facile. En fait, j'ai des raisons de penser que vous n'aviez plus toute votre tête au moment des faits.

— C'est insultant! Comment vous permettez-vous...

L'homme ouvrit un calepin.

— N'est-il pas vrai que vous avez eu de fréquentes absences qui ont débuté bien avant ces événements?

Félicia ne trouvait pas quoi répondre.

— Qui vous a dit cela? Ce sont des accusations gratuites, absurdes, indignes de...

L'homme consulta ses notes. Le coup de fil qu'il avait reçu la veille au soir était très précis. Selon son interlocuteur, Félicia Carat était atteinte de la maladie d'Alzheimer, et toujours selon cette même source, il suffirait de faire pratiquer sur elle des tests simples pour s'en assurer.

— Madame Carat, reprit l'avocat, pouvez-vous me dire le nom du transporteur qui a enlevé les produits que les clients chinois étaient venus voir?

Félicia jeta autour d'elle des regards désemparés.

— Cela n'a aucun rapport, dit-elle. Personne ne se souvient de ces choses-là.

— Il s'agit du transporteur Hans Schmetterling GMBH. Vous auriez dû le savoir, car c'est ce qui a été à l'origine de vos ennuis.

— Voyons, s'écria Félicia, nous traitons des dizaines de dossiers de ce type chaque mois. Des centaines chaque année!

— Mais vous travailliez avec ce transporteur depuis des années justement. Il a effectué pas moins de quarante-quatre missions pour vous, à ce que je vois dans le dossier.

Félicia rassembla ses esprits. Elle avait oublié. Et alors? Pourquoi aurait-elle dû se remémorer cet aspect en particulier?

L'avocat revint à la charge.

— Autre question, madame Carat : vous rappelez-vous ce que Jean-Jacques Vernier devait faire, le jour où vous avez oublié de lui rappeler un rendez-vous important?

Félicia fouilla dans sa mémoire. En vain. C'était trop loin.

— Je vous livre un indice, dit l'avocat : c'était une réunion portant sur l'avenir du secteur nucléaire français.

Félicia écarta les bras dans un geste d'impuissance. L'avocat lui donna la réponse.

— Le rendez-vous de M. Vernier était pris pour un entretien des principaux acteurs du nucléaire français avec le ministre de l'Industrie M. Pegas. Vous auriez dû vous en souvenir. Cela vous a coûté votre poste. Dernière question : comment s'appelait la stagiaire que vous avez formée cette semaine?

— Ceci est une séance de torture! s'insurgea-t-elle. À quoi cela doit-il nous mener? J'ai oublié parce que j'étais en surrégime, en *burn-out*, comme on dit.

L'avocat brandit sa liasse en direction du jury.

— Non, Félicia Carat n'a pas oublié à cause d'un hypothétique épuisement professionnel. Félicia Carat a oublié parce qu'elle a la MALADIE D'ALZHEIMER!

Un silence de plomb s'abattit sur la salle. Félicia encaissa le choc de plein fouet.

L'avocat ne lui laissa pas le temps de réagir et enfonça le clou.

— Une maladie attestée par la contre-expertise qu'elle a réalisée hier, et dont vous trouverez le rapport consigné dans ces pages.

L'avocat fit le tour des jurés, leur tendant des copies du rapport. Les membres du bureau feuilletèrent le rapport d'expertise du docteur Borak. Félicia entendit, comme dans un songe, l'avocat de la défense conclure sa plaidoierie.

— Je demande que mon client soit disculpé au motif que les fautes de Mme Carat n'ont été provoquées par aucun manquement de l'employeur au code du travail.

Elle s'effondra sur sa chaise. Quelques instants plus tard, le verdict était rendu. À l'unanimité, les jurés concluaient que l'entreprise n'était pas responsable des fautes professionnelles de Félicia. On lui conseillait d'introduire une demande de pension d'invalidité.

C'était la chute.

Lorsqu'elle sortit, son visage était blême et elle chancelait.

— Maman..., s'écria Vincent en la voyant arriver.

Elle releva vers lui un visage plein de ressentiment.

— Tu savais! cria-t-elle soudain.

Vincent se figea, tétanisé.

— Tu en avais discuté avec le docteur Ronzier! Vous ne m'avez rien dit!

— Maman, s'il te plaît...

— Disparais de ma vue, lâche! Croyais-tu que je ne serais pas capable d'affronter la vérité?

Vincent s'approcha d'elle pour la prendre par le bras. Elle se débattit. Soudain, un vertige plus fort que les autres la saisit et elle s'effondra dans un grand cri. Vincent se précipita sur elle.

— Des secours, s'il vous plaît!

Félicia fut placée en observation à l'hôpital Bichat. Le personnel des urgences déclara que ses fonctions vitales n'étaient pas menacées. Sur son lit d'hôpital, elle fixait le plafond, les yeux grands ouverts, sans dire un mot. Vincent tenait sa main.

— Comment vous sentez-vous ? demanda un jeune interne en entrant dans sa chambre.

— Elle n'a pas rouvert la bouche depuis l'accident, l'informa Vincent.

Le médecin se pencha sur Félicia, observa ses yeux, passa une main devant son visage. Aucune réaction. Il prit son pouls.

— Les paramètres sont normaux. Madame, m'entendez-vous ?

Toujours le silence.

— Madame Carat, vous êtes à l'hôpital, vous avez fait une chute. Comprenez-vous ce que je dis ?

Il se tourna vers Vincent.

— A-t-elle déjà eu des moments d'absence de ce genre ?

— Elle vient d'apprendre le diagnostic de sa maladie d'Alzheimer. Je crois que cela a été un traumatisme.

Le jeune interne se frotta la petite cicatrice qu'il avait au menton. Une longue mèche blonde lui balayait le front.

— Il s'agit probablement d'une catatonie d'origine traumatique, dit-il. Perte de la parole temporaire causée par une émotion forte. Nous allons la garder en observation un moment. Essayez de lui parler de quelque chose de familier, de rassurant. Je reviens vous voir tout à l'heure.

Vincent regarda le médecin rejoindre ses autres patients. Il reprit la main de sa mère.

— Maman, dit-il... C'est moi, Vincent.

Le regard de Félicia dévia légèrement, puis reprit sa position initiale. Que percevait-elle exactement?

— Est-ce que tu veux qu'on rentre à la maison?

La bouche de Félicia s'entrouvrit, mais aucun son n'en sortit. À nouveau, elle resta immobile.

— Maman, c'est moi. L'appartement de Courbevoie, le balcon et les plantes grimpantes, souviens-toi...

Il plongea sa main dans sa poche et en sortit la clé que son père avait confiée à Félicia avant sa mort.

Il la plaça dans la main de sa mère.

— Maman, Papa t'a donné cette clé avant de partir. Pour moi. Le coffre. Le monastère en Italie. Tu te souviens?

Quelque chose se produisit dans l'esprit de Félicia. Son regard parut s'éclaircir. Ses lèvres bougèrent.

— L'Italie...

Des larmes coulèrent dans les yeux de Vincent pendant qu'un sourire illuminait son visage.

— Tu te souviens? Maman, tu m'as fait peur!

Félicia tourna la tête de côté, vers les vitres de l'hôpital.

— J'ai eu l'impression que ma conscience était éteinte, murmura-t-elle. Où sommes-nous?

— À l'hôpital Bichat. Tu as fait un malaise à la sortie de l'audience.

Les sourcils de Félicia se froncèrent.

— Maman, je suis désolé. Je m'en veux. J'aurais dû t'en parler, mais c'était une décision difficile à prendre. Le docteur Ronzier pensait que tu serais plus combative au procès si tu ignorais tout.

— Le docteur Ronzier? Qui est le docteur Ronzier?

Vincent sentit sa gorge se serrer.

— Ah oui, Ronzier, dit Félicia. La femme, avec la blouse. La médecine du travail. Oui, les tests. Ces tests qui montraient...

Son regard se troubla de nouveau.

— Mon Dieu... Alzheimer. Oh, non...

Vincent se mordilla la lèvre. Félicia était en train de refaire mentalement le chemin qui la menait au moment où elle avait appris sa maladie. Qu'allait-il se passer, à présent?

Elle battit des paupières.

— Tout cela n'est donc pas un rêve, gémit-elle. J'ai donc réellement cette maladie. Mon Dieu. Et moi qui étais tellement furieuse contre toi...

Vincent sourit.

— Excuse-moi, dit-elle en posant sa main sur son bras. Je n'aurais pas dû m'emporter. Tu as fait ce que tu estimais le mieux.

Vincent hocha la tête, ému.

— Maintenant, ajouta Félicia, il faut voir la réalité en face. J'ai perdu le procès. J'ai tout perdu et je ne toucherai pas un centime. Je suis foutue, Vincent, je n'aurai accès à aucun traitement.

Vincent sentit la colère monter en lui. Une rage froide, implacable. Ces gens l'avaient roulé, ils avaient exploité sa mère pendant des années. Et lui, Vincent ne faisait rien? C'était décidé. Il allait de ce pas lancer un programme d'essais cliniques à Neuroland. Il y inclurait sa mère. Que Le Cret le veuille ou non. Et il testerait sur elles les premiers médicaments. Il ne pouvait pas rester sans rien faire, non, plus jamais.

— Eh bien! Madame, comment vous sentez-vous? dit le jeune interne en refaisant son apparition dans la chambre.

— Mieux, merci. J'ai eu un moment de faiblesse.

Le médecin prit une chaise et s'assit près d'elle. Vincent observa l'homme. Jeune, rapide et précis, il avait l'air de s'intéresser au cas de Félicia.

— J'ai fait ma thèse sur la maladie d'Alzheimer, glissa-t-il à Vincent.

— Quel était votre sujet de recherche?

— Je cherchais des biomarqueurs sanguins de la maladie, dit l'interne. Un moyen de détecter des signes avant-coureurs de la maladie dans les analyses sanguines des patients. Ça n'a rien donné.

Vincent se sentit déçu. Ce jeune médecin avait l'air sympathique, intelligent et humain. Au cours des minutes qui suivirent, il prit la tension de Félicia, lui posa quelques questions complémentaires et appela des infirmières pour la raccompagner sur un siège roulant. À la fin, il lui souhaita bonne chance.

— Merci, dit Vincent en lui serrant la main.

— Voici ma carte au cas où vous auriez besoin de moi.

Vincent vit ses yeux pétiller derrière sa mèche blonde. Puis il prit la carte et lut :

Aurélien Lancelot, interne des hôpitaux de Paris

Vincent ramena Félicia à la maison et essaya de joindre Maria. Comme à chaque fois, il tomba sur son répondeur.

— Maman, est-ce que je peux te laisser quelque temps pour aller voir Maria ?

— Mais bien sûr, mon chéri. Je crois que je vais essayer de dormir. Ne t'en fais pas, il n'arrivera plus rien.

Vincent se rendit directement à l'impasse Gabriel-Fauré. Il sonna plusieurs fois, sans réponse. Il y avait pourtant du bruit à l'intérieur et il entendit même la voix de Michka.

Il frappa plusieurs coups discrets. Maria chuchota quelque chose à son fils. Puis un œil se colla contre le judas.

— Ah, Vincent ! C'est toi...

Elle ouvrit la porte et déposa une bise distante sur sa joue.

— Viens, entre ! dit-elle. Je suis en train de préparer à manger.

Vincent nota qu'elle refermait la porte à double tour. Une odeur de nuggets frits montait de la cuisine.

— Alors, dit-elle, quelles sont les nouvelles ?

— Je reviens de la salle d'audience, répondit-il en posant son manteau sur le canapé du salon.

Elle se retourna soudain, le visage soucieux.

— Oh mon Dieu... J'avais oublié. Alors, quelles nouvelles ?

— Ça s'est très mal passé. Ils ont su qu'elle avait Alzheimer, ils ont tout déballé en plein procès. Elle est tombée des nues. C'était l'horreur, elle a fait un malaise, enfin je te passe les détails. On a dû l'emmener à Bichat.

— Ils ont su !? Mais comment ?...

— Pas la moindre idée. Tu n'imagines pas à quel point ces types sont des vautours. Ils l'ont accablée de questions, ils se sont acharnés sur elle. Ce n'était pas beau à voir.

Félicia s'assit sur un tabouret.

— Pauvre Félicia... Une femme si bonne, si courageuse. Tant d'injustice me révolte.

Elle vit combien Vincent semblait abattu. Elle s'approcha de lui et le prit dans ses bras. Michka, déjà installé à table une serviette autour du cou, les observait.

Maria embrassa le visage de Vincent et essuya ses larmes.

— Cela va passer, dit-elle. Il faut lui expliquer quelles options thérapeutiques s'offrent à elle.

— Je vais l'emmener à Neuroland, répondit Vincent. J'en ai assez d'attendre, de me faire avoir par Le Cret et tous ces gens. Je suis en train de terminer un protocole de détection des plaques amyloïdes in vivo, chez la souris. Je voudrais qu'elle soit la première patiente à tester cette technique.

Maria hocha la tête. C'était certainement la meilleure chose à faire.

— Tu vas devoir monter un protocole d'essais cliniques, dit-elle.

— Je sais. Je cherche encore la bonne personne pour cela.

Maria l'enlaça de nouveau. Il huma l'odeur de ses cheveux fins comme de la soie, sentit ses mains délicates refermées derrière son dos. Il fit glisser les siennes sur ses hanches. Elle portait un petit tablier blanc à rayures multicolores qui lui serrait la taille. Il la pressa contre lui. En même temps, il chercha ses lèvres.

Elle se dégagea avec un petit rire.

— Pas maintenant. Il y a le petit.

En lui donnant une petite tape sur l'épaule, elle retourna à la poêle où chauffaient les nuggets, puis alla chercher un pot de mayonnaise au frigo.

— Plus tard, je peux revenir ? demanda-t-il.

Elle fit mine de réfléchir.

— Je vais prendre un peu de temps pour le faire manger, puis le mettre en pyjama. Ensuite, il y a son histoire du soir...

— Mettons... Je peux revenir à onze heures ce soir ?

Maria réfléchit. Elle en avait très envie. Rien ne lui faisait autant de peine que de voir Vincent dans la détresse. Elle aurait voulu passer la soirée dans ses bras. Mais elle ne savait pas alors ce qui se passerait. Son corps rejetterait Vincent comme il rejetterait tout autre homme qui se serait trop approché d'elle.

— Je serai toujours heureuse de te voir, dit-elle finalement. Mais ne t'étonne pas si je suis fatiguée. Je veux dire...

— J'ai compris. Je verrai en fonction de l'heure et de mon état.

Il caressa la tête de Michka qui lui rendit un grand sourire. Puis il descendit en silence les marches de la cage d'escalier.

Franck avait proposé à Vincent de venir chez lui en début de soirée pour réviser. Mieux valait ne pas laisser passer l'occasion, surtout s'il voulait tenir tête à Le Cret et obtenir l'autorisation de mener des essais cliniques. Tout en allant chez Franck, Vincent se rendit compte que cette perspective le stimulait. Avec Franck, des matières aussi rébarbatives que l'électromagnétisme ou la supraconductivité devenaient un jeu d'enfant. Une fois habitué à cette tournure d'esprit, on y prenait un certain plaisir.

Ce gars était vraiment une aubaine dans sa vie.

Chez Franck, il retrouva une nouvelle fois du soda et des gâteaux sur la table. Franck l'attendait en écoutant un morceau de musique classique, peut-être un concerto de Chostakovitch. Il avait gardé sa veste de costume sur sa chemise en soie, mais avait retiré la cravate et déboutonné son col. Au milieu de cet appartement luxueux, il avait quelque chose de seigneurial.

— J'ai préparé des fiches techniques pour t'aider à mémoriser les principaux concepts que nous avons abordés la dernière fois, dit-il après avoir accueilli Vincent. Tu peux les garder, c'est assez pratique pour se fixer les idées. C'est toujours un avantage d'avoir en tête les résultats de certains théorèmes pour pouvoir raisonner plus vite.

Vincent observa les fiches et admira leur clarté. Voilà donc comment Franck devenait incollable. Franck l'observa et lui dit :

— Tu n'as pas l'air dans ton assiette. Tu veux un petit verre de quelque chose ? Martini, whisky, soda ?

— Un whisky, pour une fois, je veux bien.

Franck s'absenta à la cuisine pour aller chercher des verres.

— Le verdict du jugement de Félicia est tombé, dit Vincent. On s'est fait débouter. Ils ont su pour sa maladie, Dieu sait comment.

— Oh, non...

De retour au salon avec les verres et la bouteille à la main, Franck affichait un air consterné.

— Mon pauvre vieux, dit-il. Je suis désolé. Ces types n'ont vraiment aucune morale.

— Merci. Enfin, elle pourra peut-être toucher une pension d'invalidité. Mais cela ne suffira pas pour lui assurer de bonnes conditions d'hébergement dans un centre spécialisé. Du coup, j'ai bien l'intention de lui trouver un traitement.

— Où en sont les recherches médicales à ce sujet?

— Les traitements actuels ne guérissent pas, ils ne font que retarder la progression des symptômes. C'est pourquoi je vais emmener ma mère à Neuroland. J'ai un programme pour visualiser les plaques amyloïdes. J'ai déjà pu observer en direct leur régression chez des souris à qui on administre des anticorps.

— Excellent! Mais dis-moi, ça vaut une publication, ça.

— J'espère surtout que ça aidera ma mère à conserver ses souvenirs.

— Oui, bien sûr. C'est ce que je voulais dire. À la santé de Félicia...

Franck servit un verre de whisky et le tendit à Vincent. Celui-ci baissa la tête, abattu.

— Oh là là..., dit Franck. Il y a vraiment quelque chose de sérieux. Si tu ne veux pas me le dire, je comprends.

— Ce n'est pas ça, je... Ça ne t'est jamais arrivé de ne rien comprendre aux femmes?

— Si c'est ça ton problème, je peux te dire que tu n'es pas le seul.

Vincent fit tourner les glaçons dans son verre.

— Tu sais que je suis avec Maria, la Russe du master.

— Bien sûr. Un vrai canon. Tu n'as pas à te plaindre, mon vieux.

— Oui... On est bien ensemble mais il y a quelque chose que je ne comprends pas.

Franck s'assit dans un fauteuil, attentif.

— Je suis à peu près sûr qu'elle m'aime, poursuivit Vincent. Mais une femme, ce n'est pas comme un homme. Je suppose qu'elle prend son temps pour aller plus loin avec moi.

Franck feignit l'étonnement.

— Tu veux dire que vous n'avez toujours pas couché ensemble?

356

Vincent se sentit gêné. Mais après tout, Franck avait raison de dire les choses simplement. À quoi bon tourner autour du pot?

— Elle ne semble pas encore prête, reconnut-il. D'un autre côté, cela montre qu'elle n'est pas une fille facile.

— Évidemment, dit Franck, on peut voir les choses comme cela. Cela fait combien de temps, entre elle et toi?

— Deux ou trois semaines, je dirais...

Franck baissa les yeux vers son verre. Vincent se sentit mal à l'aise.

— Eh bien, pourquoi ne dis-tu rien?

Franck releva brusquement la tête, avec un sourire forcé.

— Oh! Rien... Cela peut être très normal.

Vincent éprouva un sentiment désagréable. Non, Franck avait raison, ce n'était pas normal.

— C'est bien ce que je pensais, lâcha Vincent avec dépit. Nous aurions dû le faire depuis longtemps.

— Certaines filles ne couchent pas avant le mariage, question de principe. N'en tire pas de conclusions hâtives.

— Elle a un enfant, Franck!

— Un enfant? Ça alors... Évidemment, dans ce cas...

Vincent n'y tenait plus. Il avait l'impression que Franck lui taisait quelque chose.

— Comment, dans ce cas? Que veux-tu dire?

— Rien, rien... Ça me rappelle simplement une situation douloureuse que j'ai connue moi-même par le passé.

— Quelle situation? Dis-m'en plus ...

Franck vida son verre lentement. Il prit la bouteille et le remplit à nouveau. C'était le moment de servir à Vincent la petite histoire qu'il avait imaginée et qui devrait faire l'effet d'une bombe à retardement dans son esprit.

— C'est une histoire que je n'aime pas trop raconter, dit-il. Je te la confie parce que c'est toi. Il y a quelques années, j'ai eu une copine dont j'étais fou amoureux. Une fille sublime, un peu du genre de Maria. Nous avons vécu des moments merveilleux ensemble. Nous sortions au cinéma ou dans des boîtes, nous vivions quelque chose de précieux. Elle était sensible, intelligente, elle m'a fait tourner la tête. Je me voyais passer ma vie avec elle. Et je croyais que c'était aussi le cas de son côté. Il n'y avait pas l'ombre d'un nuage entre nous. Simplement, un jour, lorsqu'il a été question d'aller plus loin, j'ai senti de sa part une inexplicable réticence. Je me suis demandé si elle était timide, ou si elle avait reçu une éducation très stricte, du genre puritain. Elle me disait qu'elle avait envie, mais qu'elle n'était pas tout à fait prête, que c'était une question de temps.

Vincent grimaça. Cette histoire ressemblait diablement à la sienne.

— J'ai découvert qu'elle voyait un autre homme, lâcha Franck.

Vincent sentit son souffle lui échapper.

— C'était aussi bête que cela, poursuivit Franck. Elle couchait avec ce type qu'elle voyait quand j'étais en cours, ou je ne sais quand. Je ne l'ai jamais vu. La réalité était simple et crue : elle s'envoyait en l'air avec lui, et elle me gardait comme une sorte de filet de sécurité, ou peut-être pour s'amuser.

Vincent cligna des yeux, étourdi. Il secoua la tête, cherchant à reprendre ses esprits.

— Comment l'as-tu appris ?

Franck se leva et s'éloigna pour débarrasser les verres.

— Je ne devrais pas te dire ça, Vincent.

— Si ! Je veux savoir, dis-moi...

Franck posa son verre sur la table.

— C'est moche, l'amour. Tu voles très haut et d'un coup tu vois des trucs qui rampent tellement bas que tu as l'impression que le monde n'est qu'un monceau d'ordures.

— Quel genre de trucs ?

— Peu importe. Je me suis aperçu qu'elle couchait avec lui, c'est tout. Il y a des détails qui ne trompent pas. Des babioles dans l'appartement. Quand on ouvre les yeux, on voit ce genre de choses. Mais il faut accepter d'ouvrir les yeux, justement.

Franck avait l'air profondément affecté. En le voyant évoquer ce passé dramatique, Vincent était lui-même atterré.

— Voilà, dit Franck. C'était juste pour te dire que, quand une fille dit qu'elle t'aime et qu'elle ne veut pas de toi physiquement, cela peut cacher des choses très simples. Il ne faut pas toujours croire que les femmes sont si compliquées. Une explication simple vaut mille explications tordues. Ce n'est pas à un scientifique comme toi que je vais l'apprendre.

Vincent ne bougeait plus. Cela lui faisait tellement mal de soupçonner Maria.

— Que s'est-il passé ensuite, lorsque tu as appris qu'elle te trompait ?

— Je lui ai demandé des explications, répondit Franck. Bien sûr, elle a nié en bloc. Elle a raconté des histoires pas possibles, auxquelles je n'ai rien compris. J'ai fait l'erreur de vouloir y croire. Quelque chose en moi tenait tellement à elle, que je me suis menti à moi-même. Je n'ai fait que souffrir davantage. J'aurais mieux fait de cesser de la voir. Car elle a recommencé, et à chaque fois cela m'a fait plus de mal. Jusqu'au jour où je les ai vus ensemble. J'ai compris alors qu'elle prenait plaisir à se moquer de moi. Sans doute voulait-elle savoir jusqu'où j'étais capable de me ridiculiser, de m'humilier, de me tromper moi-même.

— Et ensuite ?

— Je me suis jeté à corps perdu dans mes études. J'ai décidé de prendre les rênes de ma propre destinée. Et plus jamais je ne me suis abaissé devant une femme.

Vincent planta son regard dans les yeux de Franck.

— Tu as bien fait, Franck.

— Écoute, c'est mon histoire, pas la tienne. Je ne voudrais pas que tu t'imagines que Maria...

— Si, tu as bien fait.

— Écoute, Vincent, je pense que Maria vit un moment difficile parce qu'elle est loin de son pays, avec son enfant, et avec ces cours à réviser pour les examens. C'est aussi bête que ça. Parfois, je te l'ai dit, ce sont les explications les plus simples qui comptent. Prends ton mal en patience, cela va s'arranger.

— Merci en tout cas de ta sincérité.

— Il n'y a pas de quoi. On se met au travail, à présent ?

Vincent vit les papiers étalés sur la table, les équations et les schémas qu'il devait apprendre. Il n'avait pas la force. Jamais il n'aurait pu réviser maintenant.

— Non, il faut que je la voie, dit-il.

— Ne fais pas de bêtise, Vincent. Sois indulgent avec elle ! Ne lui fais pas de faux procès.

Sois impitoyable. Fais-lui un procès en règle. Soupçonne-la du pire, traite-la de traînée. Romps avec elle, bazarde votre amour.

— Merci pour tout Franck. Je reviendrai te voir quand j'aurai tiré tout cela au clair.

C'est ça. Reviens me montrer ton visage ravagé par la douleur.

— D'accord. Je t'attends.

Vincent tira la porte derrière lui et plongea dans le métro. Qu'allait-il trouver chez Maria? En arrivant devant sa porte, il entendit ses pas et vit de nouveau cet œil se poser sur le judas.

— Qui est là?

— C'est Vincent.

La porte s'ouvrit et Maria poussa un soupir de soulagement en se jetant dans ses bras.

— C'est toi...

— Pourquoi est-ce que tu te méfies autant? dit Vincent. De quoi as-tu peur? Tu attends quelqu'un d'autre?

Elle se retourna prestement vers l'intérieur de l'appartement.

— Ne va pas t'imaginer n'importe quoi. Je viens tout juste de m'installer et je ne connais pas bien les gens de l'immeuble, c'est tout. Tu veux boire quelque chose? Une bière, un café?

Vincent s'approcha de la table du salon. Il y vit des papiers étalés et plissa les yeux.

— Qu'est-ce que c'est?

— Des dossiers de l'Agence nationale de la recherche. Je dois faire le tri entre les projets intéressants et le reste. Eh oui, je cherche toujours la perle rare. Et toi, comment ça avance?

— Je suis en pleine révision. C'est dur, mais ça commence à venir.

— Je ne doute pas un instant que tu y arrives, dit-elle en lui tendant une bouteille de bière portant la marque Baltika.

— Où as-tu trouvé cela?

— Dans une épicerie spécialisée du XVIᵉ. Goûte-moi ça, tu vas aimer.

C'était frais et légèrement acidulé. Il observa Maria.

— Ça te dérange si je passe mon bras autour de ton cou? demanda-t-il.

— Mais pas du tout, mon cher.

Vincent se sentit pris d'un élan d'affection. Comment avait-il pu douter d'elle? Elle se blottit contre lui.

— Je suis vraiment désolée pour ta maman, dit-elle. Mais je crois que cela va s'arranger, elle est pleine de ressources.

— Je vais la chercher à l'hôpital demain matin. Ces histoires m'ont tellement épuisé que je n'ai même plus l'énergie de réviser.

Il alla vers la chambre et se laissa tomber sur le lit. Maria l'observa un moment. Elle avait envie de s'allonger à côté de lui. Ne serait-ce pas le meilleur moyen de conjurer la charge négative dont ce lit était imprégné? Elle alla s'asseoir au bord du lit. Il caressa son épaule. Elle eut un tremblement à la fois excité et apeuré. Lorsqu'il l'attira à lui, elle pressa son buste contre le sien et ils s'embrassèrent. Au bout de quelques instants, la main de Vincent se posa sur la courbe de sa hanche.

— Qu'est-ce que tu dirais d'une pizza? dit-elle en se redressant.

— Là, maintenant?

— Tu n'as rien mangé. Je ne vais tout de même pas laisser mon chéri mourir de faim. Il y a un resto qui fait des pizzas à emporter à l'angle de la rue. Je suis de retour dans cinq minutes.

Elle se leva prestement et, quelques secondes plus tard, referma la porte de l'appartement derrière elle. Appuyée au mur de la cage d'escalier, elle respira à grandes goulées, cherchant à reprendre ses esprits. De nouveau, elle n'y était pas arrivée. Cette main sur sa hanche, c'était trop. Mais comme elle la désirait, cette main! Simplement, elle ne pouvait pas la supporter.

Seul dans la chambre, Vincent cherchait à comprendre. Maria semblait si tendre, si attentionnée. Et d'un seul coup, elle l'évitait. C'était insensé.

Malgré lui, Vincent se mit à fouiller la pièce. Le placard... Y avait-il dedans les habits d'un homme? Sur la table de nuit? Rien à signaler.

Il faut juste accepter d'ouvrir les yeux, avait dit Franck.

Vincent se redressa. Instinctivement, il jeta un coup d'œil sous le lit. À première vue, rien de suspect. Juste une masse informe, gélatineuse, vaguement dégoûtante. Intrigué, il tendit le doigt. Le plastique s'écrasa sous sa poussée. C'était froid et visqueux. Il ramena la chose à lui... Un préservatif usagé! Il se leva d'un bond.

Un sentiment horrible l'oppressait. Des gens avaient fait l'amour ici, pas plus tôt qu'hier. C'était elle, forcément!

Complètement désorienté, il se dirigea vers la salle de bains. Frénétiquement, il se mit à fouiller dans les étagères de la glace murale. Rien que ses affaires, son maquillage, son rouge à lèvres, son déodorant et ses shampooings. Mais il lui sembla distinguer une petite boîte en carton au-dessus du placard qui était trop haut pour Maria. Il prit un tabouret pour voir de quoi il s'agissait.

C'était une boîte de préservatifs. Il devait y en avoir une douzaine en tout, dans de petits sachets. Il ouvrit la boîte. Entre les sachets de préservatifs, il trouva une petite photo.

Celle de Maria.

Le monde s'écroula. Tournant sur lui-même, cherchant la sortie, il dévala l'escalier comme un possédé. Dehors, le cœur battant, il se remit en marche et tourna l'angle de la rue. Il atteignit l'enseigne de la pizzeria où Maria était allée. Là, il la vit. Elle était au comptoir, en train de payer. Il vit sa chevelure blonde de dos, derrière la vitrine. À un moment, elle tourna la tête de côté et il vit son profil. Le profil qu'il aimait plus que tout au monde.

C'était elle, Maria, son amour, sa raison de vivre. Celle qu'il devrait désormais oublier.

Il partit en courant.

Franck Corsa buvait le reste de son whisky, confortablement assis dans le grand fauteuil en cuir de son salon. Il allait bientôt se coucher. Il songeait à comment réorganiser le centre Neuroland une fois que le ministère de l'Intérieur l'aurait pris sous sa tutelle. Lorsqu'on sonna à sa porte, il se leva et colla un œil contre le judas. C'était Vincent. Décomposé par l'émotion.

— Toi ici? Mais que...

— Tu avais raison.

Franck recula, catastrophé.

— Tu veux dire que? Non... Ne me dis pas que...

— Maria est une traînée.

Franck recula pour l'écouter.

— Tu veux peut-être rester ici ce soir? Qu'est-ce qui te ferait plaisir...

— Je veux m'abrutir dans le travail. Ne plus penser qu'à ça. Comme toi, quand tu t'y es jeté à corps perdu, autrefois.

D'accord, songea Franck, mais pas trop vite. Que tu sentes la morsure de l'amour.

— Attends, calme-toi. Nous allons nous installer tranquillement et parler. Après nous nous mettrons au travail.

— Mettons-nous au travail tout de suite.

— Comme tu veux.

Ils attaquèrent durant une heure la question des gradients de champ.

— J'y suis presque mais je ne comprends pas comment un gradient de champ peut repérer les mouvements microscopiques de l'eau, dit Vincent en relevant la tête de ses notes.

Franck reprit la leçon.

— Le champ électromagnétique est envoyé sous forme d'impulsions brèves qui font tourner les molécules d'eau. Celles-ci sont comme des petites boussoles et chacune possède son propre champ magnétique, microscopique, et c'est pour cela qu'elles réagissent lorsque le champ du scanner les traverse. Mais leur réaction va dépendre de l'endroit où l'on se trouve dans le scanner : dans les zones à haut champ, elles vont tourner plus vite sur elles-mêmes. Et donc, entre deux impulsions, elles peuvent accomplir, mettons trois quarts de tour. Dans les zones à faible champ, en revanche, elles vont tourner moins vite et ne pourront effectuer qu'un quart de tour...

Vincent comprenait. Franck poursuivit.

— Ensuite on laisse les molécules se déplacer. Et puis on envoie un second gradient de champ magnétique dans le sens inverse, c'est-à-dire que là où se trouvait un champ élevé se trouve un champ faible, et inversement. Tu vois ce qui se passe alors ?

— Eh bien... Imaginons une boussole qui a fait trois quarts de tour lors de la première impulsion parce qu'elle était dans un champ intense, à la droite du scanner. Et supposons qu'elle n'ait pas bougé lorsque survient la deuxième impulsion. Cette fois, c'est un champ faible qui la met en mouvement, et elle fait un quart de tour. Au total, elle a fait un tour.

— Exact.

— Imaginons une autre boussole qui aurait fait un quart de tour au moment de la première impulsion à cause d'une zone à faible champ, à la gauche du scanner. Si elle n'a pas bougé, la seconde impulsion va la faire tourner de trois quarts de tour car elle se retrouvera dans une zone du scanner à haut champ.

— Tout aussi exact.

— Donc ces deux boussoles auront tourné l'une et l'autre, au final, d'un tour complet. Elles sont donc en phase l'une et l'autre.

— Exactement. Tu as compris ! Les molécules d'eau qui ne bougent pas sont en phase les unes avec les autres. Ce qui donne un signal plus intense sur les clichés d'IRM. Et évidemment celles qui bougent beaucoup se retrouvent déphasées.

— Moralité, l'eau rapide envoie un signal d'IRM plus faible que l'eau lente. Nous avons un moyen de distinguer l'eau rapide de l'eau lente, dit Vincent.

— Oui, mais ça, on le sait déjà. Ce qui compte maintenant, c'est d'utiliser cela pour détecter si un neurone est actif ou non.

— Facile. Je pense que la diffusion de l'eau ralentit dans les neurones qui entrent en activité.

— Pourquoi?

— Parce qu'ils changent de structure et de forme. Ils gonflent. Du coup ils retiennent plus d'eau sur leurs membranes. De l'eau lente. Selon les équations, le signal de résonance magnétique doit augmenter.

— Fantastique... Tu... Tu peux écrire cela?

Vincent prit un crayon.

— Je retiens R pour rapide et L pour lent. Il faut aussi des fonctions exponentielles. Une avec un coefficient élevé et une autre avec un coefficient faible.

Il demanda :

— Quelle est l'unité du facteur d'exposant?

— Je... des secondes par millimètre carré.

— D'accord. Je note. Voilà.

Vincent éloigna son brouillon de son visage. C'était une formule à deux exponentielles.

— Le signal biphasique, déclara-t-il fièrement. La courbe de Le Cret, c'est ça.

Franck contemplait la formule sans y croire. Ils avaient réussi.

Vincent se leva :

— Je peux aller aux toilettes?

— Bien sûr, balbutia Franck... dans l'entrée prends le couloir sur la gauche, puis c'est la deuxième à droite.

Dès que Vincent entra dans les toilettes, Franck se leva prestement de sa chaise, ouvrit un placard et en sortit un appareil photo de taille réduite, adapté à des prises de vue rapprochées en faible exposition, avec une fréquence d'occultation élevée. Tout en jetant de rapides coups d'œil vers la porte, il mitrailla les notes de Vincent posées sur la table, prenant pas moins de trente clichés en dix secondes. Puis il remit rapidement l'appareil dans son logement et remplit un autre verre de Coca.

Il n'avait pas vraiment besoin de photographier les notes de Vincent pour se souvenir de l'idée centrale ni des calculs. Mais il valait mieux prendre ses précautions. De telles photos pourraient lui être utiles ultérieurement.

Vincent revint peu après des toilettes.

— Je vais tracer quelques courbes en faisant varier l'importance relative des deux coefficients de diffusion, dit-il. Mmmh! délicieux, ces gâteaux.

Il donna une tape dans le dos de Franck.

— Je suis content, dit-il. Tu sais quoi, on va faire des séries de mesures de diffusion au scanner à 17 teslas, sur des souris. En faisant varier les gradients de champ, pour faire apparaître les deux phases du graphique et déterminer expérimentalement la valeur des coefficients de diffusion. Ensuite, on réalisera des mesures sur l'être humain en mettant un volontaire dans le scanner. Les tâches mentales vont activer certains neurones dans son cerveau, ce qu'on observera par une augmentation du signal de diffusion lente.

Franck hocha la tête. Il allait pouvoir livrer les clés du programme Transparence à Levareux, Goldwood et leurs amis.

— Cette équation, c'est à toi que je la dois, lui dit Vincent. J'aimerais te remercier.

Franck se leva et alla chercher une bouteille de whisky.

— Cesse donc de vouloir me remercier, dit-il. Tu vas trouver le code neural et c'est bien assez. Peut-être même vais-je en profiter pour occuper un poste administratif important à Neuroland pour développer tout ça. Alors, j'ai ma part de profit. Ne t'en fais pas pour moi.

— Tu ne comprends pas, dit Vincent. Le code neural n'est rien pour moi. Ces résultats vont juste me permettre de mieux négocier avec Xavier Le Cret pour obtenir de faire des tests pour Alzheimer sur ma mère.

Franck secoua la tête.

— C'est ça que je ne comprends pas. Ta mère compte beaucoup pour toi, on dirait.

— Mais évidemment!

— Évidemment. Oui. Suis-je bête.

Vincent ouvrit des yeux ébahis.

— Ça ne te semble pas évident?

— Je ne sais pas, dit Franck. Pourquoi devrais-je trouver cela évident?

— Mais parce qu'un enfant aime sa mère! C'est elle qui lui a donné le jour, qui l'a nourri, protégé, rassuré, consolé, aimé!

— Je n'ai aucun souvenir que ma mère m'ait protégé, choyé ou consolé, dit Franck. Enfin, pour être tout à fait honnête, j'ai un souvenir qui remonte à mes douze ans.

— Tu vois! dit Vincent, rasséréné.

— Cela s'est passé à l'école, lors de la remise du prix d'excellence, poursuivit Franck. Il faut dire que jusqu'alors, je n'avais pas été particulièrement bon en classe. Brusquement, en classe de sixième, j'ai explosé. Les cours commençaient à m'intéresser et on sortait enfin des leçons pour perroquets de l'école élémentaire. Les profs n'ont plus tari d'éloge sur moi. Je terminais premier dans bon nombre de matières. Et puis il y a eu le jour de la cérémonie de remise des prix, et j'ai été couronné de lauriers. Il y a eu cet instant où j'ai senti le contact de la main de ma mère sur mon épaule, puis ses bras qui m'enlaçaient. Elle a déposé un baiser sur ma joue. Cela faisait si longtemps, tellement longtemps que je n'en avais plus le souvenir, si jamais un tel souvenir avait un jour existé. Depuis ce jour, à chaque fois que je revenais à la maison avec la meilleure note de toute la classe, elle me prenait dans ses bras, m'embrassait, me disait que j'étais le plus précieux.

Vincent observa son ami, ne sachant que penser.

— Ton premier souvenir de proximité avec ta mère remonte à tes douze ans? Avant, il n'y avait rien?

Le visage de Franck se ferma. Il posa son verre sur la table.

— Si, il y avait quelque chose. Mais pas quelque chose que tu aimerais entendre.

— Tu... Tu veux dire que...

— Tu ne veux pas savoir cela, Vincent. Personne ne veut savoir cela. Allons, retournons à nos révisions, maintenant.

Vincent avait senti un frisson le parcourir des pieds à la tête. Quelque chose dans le ton de Franck le dissuadait de le questionner plus.

— Mais puisque tu me demandes comment tu pourrais me remercier, reprit Franck, j'aimerais faire la connaissance de ta mère. Vous avez une si belle relation, tous les deux. Laisse-moi le bonheur de vous voir ensemble. Dînons ensemble tous les trois. Tu veux bien?

Vincent sourit. Comment aurait-il pu refuser cela à son sauveur?

Aurélien Lancelot venait de terminer sa visite des patients du matin et s'apprêtait à prendre sa pause. Il ouvrit sa blouse et en sortit un paquet de cigarettes. Les portes du hall d'entrée coulissèrent et il porta une cigarette à sa bouche tout en cherchant son briquet.

Il sentit son téléphone portable vibrer. Ses sourcils s'élevèrent lorsqu'il vit s'afficher le nom de son correspondant.

— Monsieur Carat?

— Bonjour, docteur. J'imagine que je vous dérange en plein travail.

— Je suis en pause, vous tombez au bon moment. Je peux parler pendant dix minutes si je veux. Le luxe.

— J'allais vous demander de libérer deux heures.

Lancelot se mit à rire.

— J'ai peur que ce soit un peu difficile, dit-il.

— D'accord. Je voulais vous proposer de terminer votre thèse.

Lancelot retira sa cigarette de sa bouche.

— Ma thèse? Sur la maladie d'Alzheimer?

— Vous cherchiez des biomarqueurs sanguins de la maladie. Pour détecter les premiers signes avant l'apparition des symptômes.

— Je me souviens, oui. Et alors?

— Je travaille avec les plus puissants appareils à IRM du monde. Vous ne voulez pas venir voir? On va lancer un programme de recherche clinique très bientôt. J'ai besoin d'un médecin qui connaisse le sujet.

Lancelot écrasa son mégot dans le cendrier en béton à côté de la rampe d'accès aux urgences.

— Vous êtes sérieux ?

— Très sérieux.

Une heure plus tard, muni d'un badge d'accès à Neuroland, Aurélien Lancelot écoutait les explications de Vincent.

— Vous avez devant vous l'appareil le plus puissant pour sonder le fonctionnement du cerveau humain. Quatre mille kilomètres de fil électrique supraconducteur proche du zéro absolu. Il en résulte le champ magnétique le plus intense qui ait jamais traversé le cerveau d'un être humain.

— Wow ! Et vous êtes en train de préparer une thèse dans ces locaux ?

Vincent appela Félicia qui attendait dans la cabine de contrôle.

— Ma mère est venue elle aussi.

Lancelot fronça les sourcils. Un déclic se fit dans son cerveau.

— Vous voulez...

— Oui, dit Vincent. Ici, nous avons tous les outils techniques pour observer les plaques amyloïdes dans le cerveau de ma mère. Ce qui nous manque, c'est un programme d'essais cliniques. Et un médecin.

Vincent précisa :

— Si vous acceptez, bien sûr. Vous pourrez peut-être enfin trouver ce que vous n'avez pas réussi à détecter pendant votre doctorat. Ne vous inquiétez pas, tout est en règle. Est-ce que cela vous tente ?

— Bien sûr, dit Lancelot.

— Nous pouvons commencer maintenant alors, dit Vincent en appuyant sur la commande du scanner.

La banquette coulissa lentement et Vincent demanda à sa mère de s'y installer. Félicia signa les formulaires du protocole d'essai clinique.

Vincent retourna vers la cabine de contrôle, décrocha le téléphone mural et appela Damien Tréteau.

— Damien, peux-tu venir avec un échantillon de biomarqueur, s'il te plaît ? Nous t'attendons en salle 12T.

Damien apparut quelques instants plus tard.

— Bonjour, je... Il y a une manip de prévue ?

370

— Oui, donne-moi les échantillons.

Damien observa Félicia et Aurélien Lancelot.

— Excuse-moi, mais qui sont ces gens ?

— Ma mère, dit Vincent. Et le docteur Lancelot, de l'hôpital Bichat.

Damien se refroidit.

— Vincent, peux-tu m'expliquer ce que nous sommes en train de faire ? Un protocole d'essai ? Est-ce que tu as totalement perdu la raison !? Nous ne pouvons pas faire cela sans soumettre le projet à la direction !

— Va me chercher un flacon de mannitol alors, on va commencer tout de suite.

Damien devint livide.

— Tu perds la tête, cela n'a aucun sens de faire une expérimentation sur une seule personne... Même pas malade, en plus !

Vincent le fusilla du regard.

— Félicia a la maladie d'Alzheimer. Elle est à un stade précoce.

Le visage de Damien changea d'expression. Il regarda Félicia, puis Vincent.

— Le Cret va être furieux, dit-il. Nous n'avons pas de protocole d'essai clinique sur pied.

Il vit le jeune interne ouvrir sa mallette.

— Aurélien sait très bien ce qu'il fait, dit Vincent. Il attendait lui aussi ce moment depuis longtemps.

Vincent rejoignit Aurélien et lui tendit le flacon de mannitol. Le jeune interne en remplit la seringue et s'approcha de Félicia.

— C'est de la folie, murmura Damien quand Vincent revint vers lui. Pour l'instant, on n'a fait le test que sur des souris ! Vincent, Le Cret va t'étriper, on va se faire virer.

Vincent se retourna vers Damien.

— Je comprends que tu cherches à te couvrir. J'assume la pleine responsabilité de ce qui va se passer.

Il rejoignit sa mère et lui prit la main.

— Le docteur va t'injecter le mélange de biomarqueurs que nous avons synthétisés, dit-il. Tu te souviens de ce que je t'ai dit sur les plaques amyloïdes ?

— Les petites boules dans ma tête, c'est ça ?

— Oui, cette molécule que ton cerveau produit, le peptide bêta-amyloïde qui s'agglutine entre tes neurones et qui forme des petites plaques d'un vingtième de millimètre au maximum. Ces micro-plaques se faufilent entre les neurones, les empêchent de fonctionner, les étouffent.

— D'accord. Et qu'est-ce qu'on peut faire?

Vincent approcha un bac en polystyrène et en retira un tube au contenu rougeâtre.

— Nous allons observer les plaques amyloïdes dans ton cerveau. Ce biomarqueur va se fixer sur les plaques amyloïdes et les rendre visibles dans le scanner.

Aurélien Lancelot s'assit à côté d'elle et agita le flacon.

— Ce sont de minuscules billes d'oxyde de fer reliées à des émulsions de gadolinium. Il faut imaginer des lampions microscopiques, de la taille d'un cent millième de tête d'épingle, qui vont illuminer votre tête et nous révéler l'emplacement des plaques amyloïdes.

Le médecin tâta le bras de Félicia. Elle sentit une légère piqûre lorsque l'aiguille s'enfonça dans sa veine. Aurélien retira le corps de la seringue tout en laissant l'aiguille en place, et Vincent lui tendit le tube contenant le biomarqueur.

— Le mannitol doit d'abord ouvrir la barrière hématoencéphalique, le dense réseau de cellules qui sépare le cerveau de la circulation sanguine.

Le médecin vissa le corps de la seringue sur l'aiguille et pressa doucement le piston. Le liquide rougeâtre pénétra dans les veines de Félicia.

— Comment vous sentez-vous?

— Je n'éprouve rien de particulier. Que va-t-il se passer maintenant?

Le médecin rangea le matériel d'injection, puis retira ses gants.

— Nous allons commencer l'acquisition des données.

Damien s'approcha de Félicia.

— Madame, avez-vous des objets métalliques sur vous?

— Je...

— Si c'est le cas, il faut les retirer absolument. Une fois dans le scanner, vous baignerez dans une tempête électromagnétique indescriptible. Si par malheur vous possédez sur vous la moindre particule de métal, vous seriez lacérée et réduite en charpie. Plombage ferreux, pièces de monnaie dans les poches, boucles de ceinture, bijoux : tout se transforme en projectile. Tant qu'à y être, retirez vos chaussures, on ne sait jamais.

Pendant que Félicia se passait en revue, il ajouta :

— Portez-vous des prothèses osseuses contenant des métaux ferreux ?

— Pas que je sache.

— Vincent, il faut être absolument certain. À l'extérieur, nous ne sentirons rien car l'aimant possède un dispositif de contre-champ qui atténue les effets du champ magnétique en dehors de son cœur. Mais à l'intérieur, cela va être le plus fort champ magnétique ayant jamais vu le jour à la surface de la Terre...

— Pas de problème, dit Vincent. J'ai vérifié. Félicia a des couronnes sur certaines dents, mais elles ne contiennent pas d'alliage ferromagnétique.

Félicia put enfin s'allonger.

— Dans ce cas, je vais commander le mouvement de la banquette vers l'intérieur de l'aimant, annonça Damien. Vous allez pénétrer dans un tunnel étroit et faiblement éclairé. Une fois que vous serez à l'intérieur, ne bougez plus. L'opération ne durera que quelques minutes.

Vincent sentit son cœur se serrer. Autour de la tête de Félicia, quarante-cinq tonnes de câbles électriques traversés par des courants vertigineux, à une température de moins deux cent soixante et onze degrés, allaient bombarder son cerveau d'ondes magnétiques. Il avait beau savoir qu'il n'y avait aucun danger, cela avait tout de même quelque chose d'intimidant.

Les trois hommes passèrent dans la salle de commande et Damien se connecta au logiciel qui exécutait les séquences d'IRM. Il renseigna la date, le numéro de manip, puis vit apparaître un message.

PRESSEZ LA TOUCHE « • » POUR LANCER LA SÉQUENCE À 12 TESLAS

Avec une pointe d'appréhension, il enfonça la touche.

Un vrombissement s'éleva. Le courant de cent ampères générait les lignes de force colossales traversant le sarcophage et se focalisant sur le cerveau de Félicia.

— L'acquisition des données commence.

Sur l'écran où affluaient les données, ils virent apparaître, ligne après ligne, les images des différentes coupes du cerveau de Félicia. Lancelot s'approcha, son dossier sous le bras.

— Qu'est-ce que ça donne ? demanda-t-il.

Vincent s'assit devant le poste de travail et cerna une zone avec le curseur, formant un cadre rouge qui permettait de zoomer sur la zone concernée.

— Voici un gros plan sur l'hippocampe, le principal centre cérébral de traitement de la mémoire.

Lancelot pointa son stylo sur la coupe à fort grossissement.

— Là, ici, et là. Des plaques amyloïdes. On les voit. Comme sur une coupe de microscope. C'est tellement flagrant qu'on dirait une coupe de tissu post-mortem... Mes amis, je n'ai jamais vu un cliché aussi précis !

Damien et Vincent devaient reconnaître que la performance était impressionnante.

— Si on m'avait dit ça pendant ma thèse, murmurait Lancelot. Les plaques amyloïdes mesurent entre cinq et cinquante micromètres. Votre machine offre une résolution hallucinante.

À un moment, Damien prit le micro relié à l'intérieur du scanner et demanda :

— Tout va bien, Félicia ?

— Le mieux du monde. Et vous ?

— Nous sommes en train de recueillir les données. Patientez encore un peu.

Le médecin dénombra une trentaine de plaques amyloïdes par millimètre carré.

— Nous avons sous les yeux, en direct, le cerveau rongé par les plaques amyloïdes. Le volume total de l'hippocampe représente approximativement trois centimètres cubes. Cela porte à dix millions le nombre d'agrégats détectés par le biomarqueur dans l'hippocampe de la patiente. Et encore, le biomarqueur ne les détecte pas tous.

— À votre avis, s'enquit Vincent, ce taux de pénétration des plaques reflète-t-il un stade avancé ou précoce de la maladie ?

— Sur les cerveaux de malades prélevés post mortem, on observe plus d'agrégats. Mais il s'agit de méthodes de marquage différentes. Il faut rester prudent, le degré d'avancement de la maladie ne s'apprécie qu'au vu des symptômes cliniques. De ce point de vue, Félicia se situe à un stade encore précoce.

Les trois hommes se regardèrent. Damien fut le premier à briser le silence.

— Les garçons, on vient de réaliser la première expérience de biomarquage de la maladie in vivo.

Vincent apprécia le poids de ces paroles. Damien avait raison. Ils avaient entre les mains un outil de diagnostic sans précédent. Maintenant, on allait pouvoir détecter ces changements microscopiques en amont chez les patients, avant les symptômes. Et mettre en place des traitements préventifs.

— Transfère le dossier avec les clichés sur mon compte mail, dit Vincent à Damien.

Félicia descendit de la banquette, récupéra ses bijoux et enfila ses chaussures.

— Docteur, dites-moi ce que vous avez vu. C'est un désastre, à l'intérieur de ma tête ?

Aurélien Lancelot fit défiler les quelques clichés qu'il avait imprimés à partir des données de l'ordinateur.

— Non. On ne peut pas parler de désastre. Mais ce n'est pas non plus le rêve.

Il posa un cliché sur la banquette, pour qu'elle puisse le voir.

— Ceci est une coupe longitudinale de votre hippocampe, votre centre de la mémoire, dit Lancelot. Les points noirs sont les plaques amyloïdes. Il y en a une quantité appréciable. C'est l'origine de vos pertes de mémoire, de vos troubles de l'orientation. Les plaques amyloïdes perturbent l'activité des neurones et en tuent un certain nombre.

Félicia contempla les images, partagée entre la crainte et la fascination. C'était son propre cerveau qu'elle avait sous les yeux. À travers ces taches noires s'écoulaient ses souvenirs.

Aurélien fit défiler un autre cliché.

— Nous allons te faire tester des médicaments, lui dit Vincent. Des molécules qui n'ont été essayées pour l'instant que sur des souris. Mais au lieu de mener des tests sur des centaines de personnes pendant une dizaine d'années comme dans des essais cliniques, nous allons agir en quelques jours en testant des dizaines de molécules et en repérant celles qui ont un effet sur toi en particulier, sans nous préoccuper de savoir si elles ont des effets secondaires sur d'autres patients. Cela peut aller très vite.

Félicia interrogea les autres du regard.

— Votre fils est en train de mettre au point une méthode révolutionnaire de dépistage et de test personnalisé en temps accéléré, dit Aurélien.

Damien hocha la tête. Tout le monde semblait obéir à Vincent. À cet instant, la porte du fond de la salle s'ouvrit. Un homme à la démarche rapide, les pans de la blouse ouverts, se dirigea à grands pas vers eux. Il se figea et cria :

— Carat! Dans mon bureau, maintenant!

Dans son bureau, Le Cret avait baissé les stores et prit d'emblée un ton inquisiteur.

— Qui étaient les gens avec qui vous discutiez?

— Il y avait Damien Tréteau...

Le Cret lui coupa la parole.

— Et l'autre type? Et la dame âgée assise sur la banquette? Si vous me dites que c'est votre mère et que vous lui avez fait une IRM, vous pouvez faire vos valises, mon petit ami.

— C'est ma mère et je lui ai fait passer une IRM.

Le Cret frappa des deux poings sur la table.

— Sans autorisation! Sans protocole d'essai clinique! Avec des personnels étrangers à l'établissement! Je vais vous coller un procès et vous êtes fini, Carat!

— La méthode marche. Je peux vous montrer les clichés.

— Je me fiche de votre méthode! Vous mettez en péril toute ma carrière, mes chances pour le Nobel!

— Vous avez construit votre carrière avec Neuroland, l'arrêta Vincent posément, et Neuroland ne survivra que grâce à Alzheimer. C'est un fait. Alors vous devriez en tenir compte.

Le visage de Le Cret devint écarlate. Le gamin passait la mesure.

Avant que la colère de Le Cret ne déferle sur lui, Vincent abattit sa carte maîtresse.

— Je pense que j'ai découvert le code neural.

Un moment, Le Cret parut ne pas très bien comprendre. Il resta de marbre, sans ciller. Puis il se pencha en avant.

— Qu'avez-vous dit?

— Je pense que j'ai découvert le code neural. Les équations.

Le Cret resta quelques instants en suspens. Finalement, il laissa échapper :

— Et c'est maintenant que vous me le dites?

— Si vous me l'aviez demandé, j'aurais pu commencer par cela. Je ne fais pas que travailler sur Alzheimer...

— Qu'avez-vous trouvé?

Le sentiment de rage laissait la place à l'excitation. Vincent poursuivit sur le même registre factuel.

— Vos mesures sur la diffusion de l'eau dans les neurones correspondent à une courbe biphasique qui fait intervenir deux fonctions exponentielles. Chaque fonction exponentielle est assortie d'un coefficient de diffusion, lent pour l'une, rapide pour l'autre. La variable est le gradient de champ.

— Et vous avez déterminé la valeur de ces deux coefficients de diffusion?

— Je viens de mettre l'équation au propre. Je vous l'enverrai tout à l'heure si vous voulez.

Le Cret se laissa tomber sur son siège.

— Espèce de maboul... Vous êtes vraiment complètement timbré. Nom de nom, il y a deux populations de molécules d'eau dans le neurone. L'une qui diffuse lentement, l'autre qui diffuse plus vite. Mais nom d'un petit bonhomme, Carat, qu'est-ce qui change quand les neurones s'activent?

— Je pense qu'il doit y avoir un changement du signal de diffusion. Plus de molécules d'eau à diffusion lente, moins d'eau à diffusion rapide. La courbe biphasique changera de forme. La fonction exponentielle assortie au coefficient lent prendra le pas sur celle qui possède le coefficient rapide. La pente de la courbe diminuera.

Les yeux de Le Cret s'agrandirent.

— Mais enfin, d'où diable cela sort-il? Vous avez lu ça dans les astres?

Vincent croisa les jambes.

— J'ai fait une revue de bibliographie sur les changements de forme des neurones lorsqu'ils entrent en activité électrique.

Plusieurs travaux montrent l'apparition d'un phénomène de gonflement. Les neurones actifs gonflent, ce qui augmente la surface de leur membrane et capture davantage de molécules d'eau, lesquelles passent en diffusion lente.

Xavier Le Cret contempla Vincent, le visage vide de toute expression. Il resta un moment immobile. Finalement, ses lèvres remuèrent comme dans un rêve.

— Carat, est-ce que vous avez déjà eu l'impression que l'objectif de toute une vie se dessinait soudain devant vos yeux ?

Vincent secoua la tête négativement. Le Cret le dévisagea comme s'il voulait se ressaisir :

— Je n'y crois pas... Comment avez-vous réussi à maîtriser les équations de spin et de gradient de champ en si peu de temps ?

Vincent resta impassible.

— Vous ne réalisez sans doute pas l'importance de ce que vous venez de modéliser, dit Le Cret. Ce dont nous parlons pourrait bien être l'équation de l'esprit. Maintenant, il faut mettre les bouchées doubles, lancer des séances de tir en 17 teslas sur des souris pour mesurer les coefficients de diffusion. Vous collecterez les données numériques et réaliserez la partie de calcul. Je vais vous faire affecter une équipe technique qui fera le boulot pour vous. Ensuite, on fera des tests fonctionnels pour voir si la diffusion lente augmente dans des neurones actifs.

— À une condition, déclara Vincent sans sourciller. Je ne vous donnerai ces équations que si j'ai l'assurance de pouvoir continuer les tests sur ma mère.

— Vous ne devriez pas me parler comme cela, jeune homme.

— Ce n'est pas négociable, enchaîna Vincent.

— Le rapport de force est pour vous et je suis obligé d'accepter. Mais je n'oublierai pas la façon dont vous m'avez parlé aujourd'hui.

Vincent se leva et quitta le bureau. Il ne s'était pas fait un ami. Mais il en avait assez d'être ami avec tout le monde.

Franck Corsa et Pascal Bento prirent un taxi pendant que le ministre et son service de protection s'engouffraient dans la berline affrétée par le Conseil de l'Europe. Ils purent installer leur matériel informatique dans une grande salle de conférences. Sur les murs et au plafond, des écrans étaient reliés à un réseau interne d'où étaient diffusés les derniers résultats des consultations ou des votes issus des divers organes de la commission. Franck se rappela que c'était à deux pas d'ici qu'il avait fait la connaissance du député Joël Boesmans, cet homme qui lui avait ouvertement déclaré son mépris, en même temps qu'il avait démasqué sa tentative de corruption. Jamais il n'avait ressenti un tel sentiment d'humiliation. Depuis ce jour, il s'était juré de faire payer cet affront à Boesmans.

— Comment va se dérouler le programme ? demanda Michel Levareux.

Pascal Bento consulta ses notes.

— La commission parlementaire se réunit à seize heures en salle Robert-Schuman. Le scrutin a lieu à bulletin secret, par vote électronique, après relecture des principaux tenants de la directive 2004/40 dans sa version modifiée de 2008, puis lecture de l'amendement. Cela devrait prendre une heure environ.

Levareux consulta sa montre. Il se leva et dit d'un air enjoué :

— Qui veut des cafés ?

Au même moment, André Vareski et Xavier Le Cret quittèrent la salle où la commission parlementaire auditionnait les représentants de l'Alliance for MRI. Le président de l'association, Dieter

Finck, avait plaidé pour la poursuite des expérimentations en très hauts champs magnétiques. Finck était un neurologue habitué des présentations en milieu hospitalier. Il parlait un anglais impeccable et avait fourni juste ce qu'il fallait de données techniques pour ne pas ennuyer ses auditeurs. Il avait en outre bien insisté sur le volet Alzheimer. Le Cret et Vareski n'auraient pas fait mieux. Ils auraient même affaibli leur cause en la défendant eux-mêmes, leurs intérêts dans l'affaire étant trop évidents.

C'est donc soulagés et satisfaits qu'ils remontèrent les marches de l'hémicycle et pénétrèrent dans le hall avant de prendre l'ascenseur jusqu'à la salle qu'on leur avait indiquée pour le débriefing.

Un attaché parlementaire les attendait devant les rangées de sièges, face à l'estrade réservée aux conférenciers. Ils échangèrent des poignées de main.

— Pascal Bento, ministère de l'Intérieur.

— André Vareski. Xavier Le Cret, directeur de Neuroland.

Bento consulta sa montre. Vareski nota furtivement la présence d'autres manteaux disposés sur les sièges. Il n'y avait pourtant personne d'autre dans la pièce.

— Les résultats du vote vont être communiqués sur les écrans d'ici quelques minutes, dit Bento.

Vareski et Le Cret restèrent debout côte à côte, s'échangeant des regards gourmands.

— Ça y est, dit Bento en levant les yeux vers l'écran. Vingt-deux voix pour, dix voix contre. L'amendement est passé.

Le Cret et Vareski faillirent crier leur joie.

— Voilà, on a fait notre job, dit Bento. Maintenant, c'est à vous de jouer.

— À nous de jouer?

Bento se contenta d'observer les deux scientifiques qui, leurs mallettes à la main, ne savaient plus sur quel pied danser. À ce moment-là, la porte de la salle s'ouvrit.

La chevelure poivre et sel impeccablement peignée en arrière, le revers de sa veste orné de la rosette de la Légion d'honneur, Michel Levareux entra.

— Félicitations, messieurs. C'est un grand jour. Comme vous le savez, le gouvernement s'est largement impliqué pour sauver Neuroland.

— Comment cela, sauver Neuroland? Que voulez-vous dire?

— Mais enfin, messieurs, votre centre de recherches était condamné!

Les deux hommes se dévisagèrent, ébahis.

— Nous sommes intervenus pour que le vote soit favorable et que votre centre ne ferme pas ses portes, dit Levareux. Du même coup, les grands axes de recherche vont désormais être définis par le ministère de l'Intérieur.

Le visage de Vareski s'empourpra aussitôt.

— Comment? C'est impossible! Jamais les chercheurs ne se feront imposer leurs sujets de recherche par des personnels administratifs.

— Ils vont bien être obligés, dit Levareux. Dites-vous bien qu'un seul mot de ma part, et les très hauts champs sont interdits dans toute l'Europe. Alors maintenant, faites vos jeux. J'ai besoin de connaître vos positions.

Xavier Le Cret s'empressa de demander :

— Quels seront les axes de recherche privilégiés par le gouvernement?

— La priorité sera donnée au code neural.

Le Cret ne put dissimuler sa satisfaction. Vareski intervint.

— Et Alzheimer? C'est essentiel de poursuivre les recherches...

— Alzheimer n'est pas la mission première de Neuroland, trancha Levareux.

— Vous avez raison! dit Le Cret. Je suis de votre côté.

— Très bien. Messieurs...

Levareux se leva et serra la main de Le Cret. Puis, se tournant vers Vareski :

— J'ai reçu un coup de fil de votre collègue Edwige Collé-Duprat au CNRS, elle me dit que vous n'avez rien fait pour Alzheimer ces quatre dernières années. C'est un peu tard pour se réveiller, non? Pour vous donner le fond de ma pensée, il me semble qu'il est temps que quelqu'un d'autre prenne les rênes du CNRS.

Xavier Le Cret attrapa son manteau et lui emboîta le pas, laissant Vareski seul. Sans appui politique, face à la candidate voulue par le gouvernement et avec un bilan critiquable sur le plan des recherches sur Alzheimer, Vareski n'avait plus aucune chance. Il vit le spectre du désaveu et de la défaite se dresser à l'horizon.

Lentement, un homme apparut dans l'encadrement de la porte et le fixa longuement, un sourire aux lèvres. Vareski sentit ses poils se hérisser sur sa peau. C'était l'homme qu'il avait vu dans son bureau plusieurs semaines auparavant. À l'époque, ce n'était qu'un jeune étudiant venu défier le directeur du CNRS dans son bureau et lui prédire la fin de sa carrière.

Maintenant, il mettait sa menace à exécution.

Serge Larcher rédigeait la préface d'une biographie du neuro-physiologiste Éric Kandel, installé sur sa terrasse, lorsque son téléphone sonna. Il se leva de sa chaise et rentra dans l'appartement.

— Larcher à l'appareil...

— C'est Maria. Désolée de vous déranger, professeur.

— Tu ne me déranges pas. Comment vas-tu ? Et Michka ?

— Michka va bien, Dieu soit loué. Puis-je vous parler de quelque chose de personnel ?

— Bien sûr, mais pourquoi tant d'empressement... Il y a un problème ?

Maria mordit sa lèvre inférieure.

— On a découvert quelque chose sur ma situation, finit-elle par lâcher ; sur la façon dont vous m'avez accueillie au master. On est entré chez moi. Ça... ça a été terrible.

Serge Larcher sentit un coup au cœur, comme si on l'avait frappé en pleine poitrine.

— Que... Comment ? Que dis-tu ? Mais... qui a fait cela ?

Maria se mit à trembler de tous ses membres. Serge Larcher était le seul à savoir dans quelles conditions elle s'était introduite sur le sol français. Lui seul savait qu'elle ne possédait pas exactement les diplômes requis pour passer son master. Puisque Franck l'avait fait chanter avec ces informations, c'est qu'il avait dû y accéder dans son bureau, ou ailleurs. En d'autres termes, Serge Larcher était en danger, lui aussi.

— Je ne peux pas vous en parler au téléphone, dit-elle. Je... je pense que nous sommes observés, je deviens folle.

— Ne panique pas, la calma le professeur. Reste chez toi. Nous nous retrouvons à mon appartement, ce soir, d'accord ?

Le caporal Vernieuwe vit s'allumer un voyant rouge lui indiquant que la ligne d'un suspect avait été activée. Il enregistra le fichier audio dans le dossier «Serge Larcher». Lorsque Franck Corsa arriva, il le lui signala aussitôt.

Franck s'installa en salle d'audition et prit connaissance de l'enregistrement qui révélait la conversation entre Maria et le professeur Larcher.

Il retira le casque de ses oreilles. Il allait la corriger, là, tout de suite. Sans attendre. Sur l'enregistrement, Maria disait qu'elle allait voir le vieux professeur ce soir même. Il fallait agir vite.

Il allait crucifier Maria mais à présent il allait aussi devoir s'occuper du vieux. Tant mieux. Il fallait bien que son tour vienne. Le moment était enfin arrivé. Vareski avait son compte, maintenant Larcher était le suivant sur la liste.

Franck commença à réfléchir aux différentes options qui se présentaient à lui.

Le ministre Levareux avait une mauvaise opinion de Larcher. Franck avait réussi à implanter dans l'esprit du ministre l'idée que Larcher était une fouine, un espion qui se faisait livrer des informations sur des sujets scientifiques sensibles par l'intermédiaire d'étudiants étrangers. Maria était l'une d'entre eux.

Logiquement, il serait facile de faire croire au ministre que Larcher était sur le point de livrer ces informations à des ennemis. Larcher serait alors prêt à le faire arrêter.

Mais qui étaient les ennemis du projet Transparence? Les bureaucrates de Bruxelles. C'était clair comme de l'eau de roche. Tous ceux qui cherchaient à faire interdire la recherche en très hauts champs magnétiques à l'aide de la directive 2004/40. Et parmi eux, leur chef de file : Joël Boesmans.

Boesmans qui avait osé défier Franck.

Franck vit se dessiner le scénario idéal. Faire croire au ministère de l'Intérieur que Larcher s'apprêtait à faire filtrer des informations top secrètes au député Boesmans qui les utiliserait pour anéantir Neuroland. Des informations révélant que l'État français menait à

Neuroland un programme secret de lecture dans les pensées... Si Levareux apprenait cela, il serait capable de frapper fort sur Larcher.

Le plan de Franck s'échafaudait. Quels documents sensibles Larcher pourrait-il transmettre à Boesmans? Les photos des équations du code neural signées de la main de Vincent Carat! Quelle preuve plus compromettante imaginer? Ces photographies que Franck avait prises le soir où Vincent était venu réviser ses cours chez lui, couchant pour la première fois sur le papier les résultats de son intuition. Il ne serait pas difficile, en montrant les photos à Levareux, de lui prouver que c'était l'écriture de Vincent Carat, sur qui reposait tout le projet Transparence.

L'affaire était entendue. Maintenant, il fallait agir vite. Larcher devait être mis à l'ombre avant d'aller à son rendez-vous avec Maria. Franck se hâta de récupérer les fichiers de son appareil photo et les fit développer en deux exemplaires. Un premier jeu allait être envoyé à l'adresse personnelle de Joël Boesmans, au Parlement européen de Bruxelles. L'autre devait être introduit dans le bureau de Serge Lacher.

Concrètement, il lui fallait pénétrer dans le bureau de Larcher. Les personnels de nettoyage de l'École normale supérieure détenaient un trousseau de clés des bureaux qu'ils gardaient dans un local en même temps que les détergents et ustensiles de lavage. Il fallait entrer dans ce petit local, un simple réduit situé dans une arrière-cour entre la rue d'Ulm et la rue Pierre-et-Marie-Curie. Lorsqu'il se rendait à l'École le matin, il voyait souvent une femme en tablier s'engager dans la cour intérieure en poussant un chariot chargé de balais, de serpillières et autres produits de nettoyage. Le meilleur moment pour ne pas se faire remarquer serait la pause de midi, quand tous les étudiants et enseignants étaient partis déjeuner dans les restaurants du quartier ou chercher des sandwiches qu'ils grignotaient dans les jardins du campus de littérature, de l'autre côté de la rue.

Franck se rendit rue d'Ulm, pénétra dans l'arrière-cour et examina la situation. Le local à balais était fermé par une porte dont la partie inférieure était en bois peint et la partie supérieure comportait quatre grands carreaux de verre dépoli. La porte était fermée par un pêne simple : s'il parvenait à entrer dans le local, il n'aurait qu'à la tirer derrière lui pour être tranquille. Toute la difficulté consistait donc à s'y introduire. À travers une minuscule fenêtre, il vit, pendu à un crochet, un trousseau garni d'une petite dizaine de clés. D'autres clés, petites ou grosses, pour la plupart rouillées et tordues, pendaient aux clous voisins.

Entendant un bruit, Franck se dissimula derrière l'angle du local. Des pas venaient dans sa direction. À travers le carreau, il vit le gardien de l'immeuble fouiller dans un trousseau de clés et ouvrir la porte du réduit. Le gardien, après avoir fureté à l'intérieur, retira quelque chose d'un tiroir et revint vers le bâtiment principal en traînant des pieds, laissant la porte du local ouverte.

Franck bondit à l'intérieur, s'empara du trousseau suspendu au crochet, puis regagna sa cachette derrière le mur. Quelques instants plus tard, le gardien revint glisser quelque chose dans le tiroir et ressortit du réduit. La porte se ferma sur lui.

Franck réfléchirait plus tard à la façon de remettre le trousseau de clés en place. Ses photos sous le bras, il traversa le hall du bâtiment principal et arriva devant le bureau de Serge Larcher. L'une des clés s'introduisit facilement dans la serrure.

L'endroit sentait le renfermé. Des copies sur la table, une serviette appuyée au pied de la chaise. Franck essaya d'ouvrir les tiroirs, sans résultat. Son regard se posa sur la serviette.

Ce serait l'endroit idéal pour y glisser les photos. Ensuite, il faudrait envoyer des hommes perquisitionner vite chez Larcher avant que celui-ci n'ait le temps de découvrir les clichés dans sa propre sacoche en déballant ses copies d'examen. Si on les trouvait avant lui, ce serait la preuve ultime qu'il comptait se servir de ces documents dans un avenir proche. Mais il restait une dernière touche à apporter à ce montage. Franck attrapa un Post-it sur le bureau et inscrivit en maquillant son écriture l'adresse de Joël Boesmans ainsi que le numéro de son bureau au Parlement européen. Il colla le Post-it aux photos compromettantes. La sous-direction antiterroriste n'aurait pas besoin de plus d'éléments pour conclure que Larcher s'apprêtait à envoyer les clichés à Boesmans.

Franck balaya du regard l'intérieur du bureau. Le manteau du professeur était pendu à une patère. Dans les poches, il découvrit des cartes de visite, un stylo à bille et des clés. Il prit les clés avec lui, ressortit du bureau et ferma la porte avec soin. Puis il traversa le hall et poussa la porte de la cour pour regagner le local de stockage du matériel de nettoyage. Il espérait secrètement que le trousseau des équipes de nettoyage comporterait un double de la clé du réduit. Il poussa un soupir de soulagement en constatant que c'était le cas. Il suffisait maintenant de remettre le trousseau sur son crochet et de tirer la porte derrière lui.

Franck vérifia mentalement qu'il n'avait commis aucune erreur. Lorsqu'il eut acquis la conviction que rien ne le trahirait, il repéra un banc à l'ombre des marronniers et s'y installa. Il fallait maintenant se préparer à avoir sa prochaine conversation au téléphone avec Michel Levareux.

Jacques Melvin décocha un direct du droit à l'instructeur qui esquiva en décalant sa tête légèrement sur la gauche. Petit et vif, Gaby Rose avait fait partie de l'équipe de France juniors de boxe française une vingtaine d'années plus tôt. Il entraînait à présent les équipes d'intervention de la sous-direction antiterroriste aux diverses techniques de corps à corps.

Jacques avait un peu négligé les entraînements au cours du mois ayant suivi les attentats de Châtelet. Mais il avait repris depuis peu et s'était récemment astreint à des footings qui lessivaient la moitié des effectifs de la section. De toute évidence, il semblait avoir décidé de repousser les limites de la souffrance humaine.

L'instructeur lança un coup de pied latéral qui toucha légèrement la pommette de Melvin. Le coup n'avait pas été appuyé et Melvin ne fit que dodeliner de la tête, légèrement étourdi. Néanmoins, la couture en cuir de la chaussure avait éraflé l'arcade sourcilière, faisant apparaître une traînée rougeâtre. Jacques se remit à sautiller, augmentant le rythme de ses pas et entraînant son partenaire dans un ballet soutenu. D'autres policiers, serviette sur les épaules, le visage en sueur, s'attroupèrent autour du ring.

Sur un plan purement physique, le combat était inégal. Jacques avait un poids de forme oscillant autour de quatre-vingt-dix kilos et une allonge très supérieure à son adversaire. Ce dernier appartenait à la catégorie des moins de soixante-huit kilos. En revanche, sa technique était largement plus efficace et sa vivacité restait du niveau des meilleurs compétiteurs.

Des exclamations s'élevèrent lorsque Jacques réussit un coup de pied retourné qui faucha Gaby au niveau des abdominaux. Rose recula dans les cordes ; son métier lui permit de pivoter, encore sous le choc, en appui pour éviter le coup suivant de Melvin. Reprenant ses esprits, Rose se mit à déployer son jeu de jambes pour passer en position défensive en attendant de retrouver de l'agressivité.

De l'avis de tous, le coup de Melvin avait été un peu trop appuyé. On était à la limite de ce qui était acceptable pour une séance d'entraînement. Gaby Rose jugea que le capitaine méritait d'être rappelé à l'ordre. Il lança une feinte de corps pour un crochet du gauche, puis exécuta un balayage au niveau du genou droit de son adversaire.

Le coup l'avait à peine effleuré. Si Gaby avait vraiment frappé, le capitaine aurait eu le genou brisé. Un simple avertissement. Jacques encaissa l'impact précis au niveau de l'articulation et retint un cri de douleur. Mais au lieu de capter le message, il se rua sur son adversaire et le frappa en pleine face. Rose encaissa, presque sonné, puis regroupa sa garde. Melvin fit pleuvoir sur lui un déluge de coups sans qu'il puisse sortir la tête de l'eau. Il frappait de toutes ses forces. Sans s'arrêter. Ce n'était plus un entraînement. Au bout de quelques instants, des hommes escaladèrent le ring.

— Hé ! ho ! Stop, arrêtez ! Capitaine, arrêtez, stop !

Les cris fusaient de toutes parts. Les uns en baskets, les autres la serviette autour du cou, se ruèrent dans la mêlée pour séparer les boxeurs. Melvin finit par être extrait du ring. Il s'assit un peu plus loin.

Ses muscles étaient durs comme de l'acier. Sa cage thoracique avait doublé de volume sous l'effet de l'adrénaline. Il sentait sa respiration affluer et refluer, de façon encore précipitée, puis plus lentement. Il récupérait vite, ces derniers temps. Rien ne valait le footing, pour la condition physique.

Le sergent-chef Paul Paretti vint s'accroupir devant lui. Paretti était un ancien commando marine, encore jeune et plutôt maigre, qui avait une excellente condition physique et surtout une approche très intellectuelle et détachée des situations de combat.

— Ça va mieux, mon capitaine ?

Jacques hocha la tête.

— Pas de problème, sergent.

— Dites, mon capitaine, vous y êtes allé un peu fort. Gaby ne s'attendait pas à ça.

Au grand étonnement de Paretti, le capitaine haussa le ton.

— Qu'est-ce qu'il croit ? Que le jour où il se trouvera devant un terroriste, le gars voudra bien attendre qu'il soit prêt pour se battre ?

— Ouais, je vous comprends, mon capitaine, mais c'est pas honnête. Il était parti sur un assaut d'entraînement. S'il s'y met aussi, il nous met à tous une dérouillée. Sauf votre respect, mon capitaine.

Jacques se leva en s'épongeant la figure et prit la direction des douches.

— Eh bien il n'a qu'à s'y mettre aussi. Qu'il nous foute une dérouillée. C'est ce qu'on attend.

Lorsqu'il sortit de sa douche, il consulta sa messagerie et vit que Corsa avait appelé. La voix du jeune homme était particulièrement incisive.

— Je sors d'un entretien avec Michel. Il y a une situation chaude sur le suspect numéro un. Serge Larcher aurait fait fuiter des infos du projet Transparence vers un député hostile au projet, à Bruxelles. Tout peut capoter, on est à deux doigts du crash.

Melvin réfléchit. L'urgence était de sécuriser le périmètre contaminé et de faire disparaître les éléments compromettants.

— Qui est ce député ? demanda-t-il.

— Joël Boesmans, un Belge hostile à Transparence. Il faut absolument savoir s'il est déjà en possession des informations. S'il les a transmises à de hauts responsables de la Commission européenne et à la presse, c'est la catastrophe. Il faudra alors interrompre la chaîne d'information.

Melvin marqua un silence. Interrompre la chaîne d'information avait un sens bien précis dans leur jargon : élimination physique de l'adversaire.

— Ce n'est pas du ressort de la sous-direction antiterroriste, dit Melvin. C'est un coup pour la DGSE.

— Dans ce cas, briefez vos collègues de la Sécurité extérieure pour qu'ils interviennent au plus tôt sur le territoire belge. Les documents secrets ont pu être envoyés au domicile de Boesmans mais plus probablement à sa boîte aux lettres du Parlement. Que votre agent trace le courrier et sache où il est arrivé. Si le Belge l'a lu ou même seulement ouvert, le ministre est clair : action.

— Et Larcher ?

— Il est pour vous. Collez-lui une garde à vue prolongée de quatre-vingt-seize heures. Perquisitionnez à son domicile et à son bureau, surtout ne le laissez rien emporter avec lui. Les documents doivent être quelque part dans ses effets personnels.

— Quelle est la nature des documents que nous recherchons ?

— Probablement des photographies de travaux scientifiques de très haute sensibilité. Des équations, des schémas d'appareillage, ce genre de choses. Tout ce que vous trouverez portant l'inscription «code neural» est classé secret-défense pour cette opération. Exécution.

Melvin raccrocha. Il se leva de son bureau et sortit dans le couloir en criant :

— Rassemblement de la section d'intervention !

Des portes s'ouvrirent et des hommes en treillis bleu marine rejoignirent au pas accéléré la salle de briefing. Melvin donna ses instructions. Quatre hommes venaient avec lui à l'École normale supérieure pour cueillir le professeur. Trois autres perquisitionneraient à son domicile. L'opération était classée à faible risque, mais elle devait être menée rapidement et sans bavures.

Lorsqu'ils arrivèrent à l'École normale, Corsa les attendait devant les portes de l'établissement.

— Le bureau est situé première porte à gauche avant la grande salle de cours.

Précédant les hommes en treillis défilant au pas de course, Jacques entra sans frapper.

— Police nationale. Pas un geste.

Serge Larcher releva la tête de son bureau, interdit.

— De quoi s'agit-il ?

— Êtes-vous le dénommé Serge Larcher ?

— Je suis le directeur de cette formation et je vous interdis d'entrer dans mon bureau.

Jacques s'approcha de lui.

— Vous êtes en état d'arrestation pour association de malfaiteurs en relation avec une entreprise terroriste. Veuillez me suivre pour votre placement en garde à vue.

Les hommes s'engouffrèrent dans le bureau et firent main basse sur tout ce qui s'y trouvait : documents sur le bureau, classeurs dans les armoires, tableaux aux murs. Larcher s'époumona :

— Qu'est-ce que vous faites ? Ce sont les sujets des examens de fin d'année !

— Face au bureau, mains dans le dos.

— Je proteste ! C'est inadmissible !

Melvin attrapa le vieil homme par le bras et lui fit une clé dans le dos. Il lui passa les menottes pendant que les policiers en treillis remplissaient des caissons en aluminium et y entassaient des livres de neurobiologie, de physique nucléaire, des polycopiés et des revues scientifiques disposés sur les étagères. Les tiroirs furent embarqués, tels quels, dans les caissons, avec la mallette du professeur.

Melvin poussa Serge Larcher devant lui. Dehors, le personnel de l'École était descendu des étages et se massait dans le hall. Les menottes aux poings, la nuque courbée, livré aux regards de tous ses élèves, Larcher tituba jusqu'à la sortie.

En arrivant aux portes du bâtiment, il vit Franck Corsa.

— Tiens, tiens…, ricana ce dernier. Larcher le combinard ! On dirait que la situation se complique.

Larcher était trop abasourdi pour répondre. Corsa lui souffla :

— Vous allez apprendre ce qu'il en coûte de me défier, sale traître.

Deux policiers saisirent le professeur par les épaules et lui firent baisser la tête au moment où ils ouvraient les portes du fourgon de police. Il se sentit projeté à l'intérieur, happé par des mains et plaqué contre un banc métallique pendant que les portes claquaient.

Il n'avait aucune notion de l'endroit où ils l'emmenaient. Ni de ce qu'ils allaient faire de lui. Une seule chose était parfaitement claire à ses yeux : Corsa commandait ces hommes. Et c'était un bien sombre présage.

Serge Larcher était solidement menotté à une chaise de la sous-direction antiterroriste. Autour de lui, des hommes en tenue de combat allaient et venaient dans une grande agitation. Dans les couloirs, des fax ne cessaient de crépiter et des téléphones de sonner. On se serait cru à bord d'une forteresse assiégée. Il lui parvenait des bribes de discussions dans les bureaux tout proches, des bruits de livres jetés sur des tables, de papiers froissés, le tout entrecoupé d'éclats de voix des hommes qui transportaient des caissons où avaient été consignées ses affaires de bureau.

Son bras le faisait souffrir à l'endroit où Melvin lui avait tordu le coude. Au bout d'une demi-heure, un homme en treillis lui fit signe de se lever et l'emmena tout au fond d'un couloir. Un sas donnait sur une salle meublée d'une table, d'une armoire métallique et de trois chaises. Un des murs était occupé par un miroir qui évoqua à Serge Larcher les salles d'interrogatoire des films policiers.

L'homme qui l'avait arrêté entra alors dans la pièce. Larcher remarqua que c'était un colosse. Il posa sur la table une sacoche en cuir et en sortit une série de photographies qu'il fit glisser vers lui.

— Reconnaissez-vous ces clichés ? demanda-t-il.

Larcher confirma qu'il s'agissait de sa sacoche mais il n'avait aucune idée de ce que faisaient ces photos dans ses affaires personnelles.

— Ce sont des calculs de physique, dit-il simplement.

— Reconnaissez-vous avoir pris ces photos ?

— Non, absolument pas, je ne les ai jamais vues. Cela pourrait être une copie d'un de mes élèves, mais je n'en ai pas le souvenir. On dirait une sorte de brouillon.

Derrière le miroir sans tain, Franck Corsa observait le spectacle.

— Il dit qu'il ne les a jamais vues, annonça Melvin en entrant dans la pièce.

— Ben voyons, rétorqua Franck. Et c'est pour cela qu'elles étaient dans son bureau! Vous n'avez pas trouvé d'autre élément de preuve à proximité?

— Il y avait ceci, dit Melvin en tendant un Post-it avec une adresse.

— Mais c'est une boîte postale du Parlement de Bruxelles... Et pas n'importe quelle boîte, c'est le bureau de Joël Boesmans. Catastrophe! Larcher lui a fait parvenir les clichés, ou il s'apprêtait à le faire. Dans tous les cas il faut le faire parler, quel qu'en soit le prix! Qu'il nous dise si Boesmans les a reçus, et ce qu'il lui a déjà révélé du projet.

— Je... Bien.

— Hé! Melvin... Quand je dis faire parler, c'est faire parler. N'est-ce pas dans cette pièce que vous avez interrogé Ali Saleh?

Melvin plissa les yeux.

— C'est le moment de montrer que vous avez fait des progrès, lui lança Corsa.

Jacques Melvin retourna dans la salle d'interrogatoire et enfila ses gants. Il se tourna vers Serge Larcher, tout occupé à observer les photos.

— À qui avez-vous envoyé ces clichés?

— À personne, vous dis-je.

Melvin l'observa un moment. Puis, imprimant à ses épaules un mouvement de rotation où était engagé tout le poids de son corps, il balança son crochet du droit. Brutalement éjecté de sa chaise, le vieil homme chuta lourdement sur le sol.

De l'autre côté de la vitre, Franck Corsa sentit un flot d'adrénaline se répandre dans tout son corps. Jacques venait de ramasser le professeur en l'attrapant par le col de sa veste et le remit d'une seule main sur la chaise. Larcher n'avait pas perdu connaissance mais il était choqué. Il hoquetait, une de ses pommettes était noire d'une large ecchymose.

— Je répète ma question, as-tu envoyé un jeu de ces clichés à quelqu'un?

— Je... Je ne sais pas.

— C'est mieux. À Joël Boesmans, peut-être.

— Qu... Qui?

La main gauche de Melvin s'écrasa cette fois sur la tempe. Une douleur fulgurante traversa le crâne de Serge Larcher qui alla heurter le sol en béton, où il perdit connaissance.

Lorsqu'il se réveilla, le savant portait une perfusion et un bandage qui lui entourait tout le haut du crâne. Un médecin promenait le faisceau d'une lampe de poche devant ses yeux. Le professeur essaya de se rappeler où il était. Le colosse était toujours devant lui.

— Est-il en état de continuer? demanda Melvin.

L'homme fit un signe affirmatif.

— Plus de choc à la tête.

Melvin tira une chaise face au prisonnier et s'assit à quelques centimètres de lui. La frêle silhouette du professeur, le crâne bandé, semblait prête à se briser devant Melvin. Franck Corsa se réjouit à l'idée des enregistrements de l'interrogatoire qu'il pourrait revisionner. Il allait se régaler.

— Joël Boesmans, donc. Que lui as-tu dit à propos de ces photos?

Le regard de Larcher se fit interrogatif, comme s'il essayait de deviner ce qu'on attendait de lui.

— Je lui ai dit... Que c'était important...

— Ah oui? Pourquoi est-ce important?

— Je... Je ne sais plus.

— Viens par là, vieux débris. Je vais te rafraîchir la mémoire.

Melvin attira le professeur vers lui, jusqu'à ce que leurs épaules se touchent. Il enfonça le poing lentement dans son estomac, comme une sorte de vérin. Un son bestial sortit des tripes du vieil homme.

Larcher mit plusieurs minutes à reprendre sa respiration, dans des râles abominables. Franck buvait la scène des yeux, fasciné. Melvin attrapa le professeur et le cala de nouveau tout contre lui.

— Que sait Boesmans au sujet de Neuroland?

L'homme essayait de reprendre sa respiration, mais quelque chose avait dû se briser en lui, car il ne faisait plus que hoqueter. Finalement, sa respiration se stabilisa et il trouva la force de répondre :

— ... Tout.

Franck sortit de la salle d'enregistrement. Larcher était fini. Sa carrière était brisée. Mais il n'en avait pas tout à fait terminé avec lui.

Lorsque le professeur recouvra ses esprits au fond de sa cellule, Franck alla le contempler à travers le judas.

— Je vous avais prévenu de ne pas vous moquer de moi, dit-il. Maintenant, vous récoltez ce que vous avez semé. Mais je ne suis pas venu vous parler de vous, Larcher. Je tenais à vous dire que je vais me charger personnellement de Maria.

Le professeur se redressa.

— Hein ! Que voulez-vous dire ?

— Vous lui avez donné rendez-vous à votre domicile, dans une heure.

Franck tira de sa poche le trousseau de clés du professeur et dit :

— Malheureusement, ce n'est pas vous qui allez la recevoir. Ce sera moi.

Une lueur d'angoisse traversa le regard du vieil homme.

— Qu'allez-vous faire ?

— Lui donner ce qu'elle mérite. Vous n'avez jamais voulu la baiser ? Allons, ne me dites pas que cela ne vous a pas traversé l'esprit. Mais confit dans vos principes et dans votre image sacro-sainte de protecteur des étudiants, et puis surtout parce que votre virilité n'est plus qu'une fiction, vous vous êtes retenu de passer à l'acte. Moi, je prends ce qui me revient. Savez-vous la meilleure ? Maria se laisse faire. Et savez-vous pourquoi elle se laisse faire ? Parce que je peux la faire renvoyer en Russie quand je veux. Parce qu'elle est en situation irrégulière à cause de vos combines, parce que vous l'avez inscrite de manière frauduleuse dans votre putain de master et parce que tout ce qui en découle, qu'il s'agisse de son emploi ou de son titre de séjour, est caduc. Tout cela ne serait pas arrivé sans vos magouilles, Larcher. Maria va se faire trouer le cul parce que vous ne savez pas respecter vos propres règles. Méditez donc ça pendant que je la baise sur votre canapé.

Larcher se rua sur les barreaux de la porte.

— Corsa ! Je vous en supplie, ne faites pas ça. Je vous implore solennellement...

— Patience, vieux bouc, je reviendrai me charger de vous après. Rappelez-vous, dans une heure, ça va beugler dans votre appartement.

Serge Larcher martela la porte en vain avant de se laisser tomber sur sa couchette.

Alors, les images du martyre de Maria commencèrent à danser devant ses yeux.

Cinquième partie

Joël Boesmans remonta de la cave avec une caisse de Festival Gueuze, sa bière préférée. Sa femme Nicole était en train de servir le rôti à Gus et Elke, des amis venus spécialement de Namur pour le week-end.

— Les enfants, à table! lança-t-elle à travers le jardin.

Une meute de bambins se précipita vers la terrasse. Quelques-uns avaient déjà enfilé leur maillot de bain pour plonger dans la piscine gonflable que Joël avait installée au fond du jardin. Nicole amena des fricadelles dans la salle à manger, au frais et à l'ombre.

— Comment va le boulot, Gus? demanda-t-elle.

— On ne peut pas dire que ce soit la grande forme.

Gus travaillait pour une entreprise fabriquant des antennes relais de téléphonie mobile. Les nouvelles normes, plus restrictives, imposaient des limitations en puissance qui ne faisaient pas les affaires des opérateurs.

— La concurrence étrangère se durcit? répondit Nicole.

— Non, c'est un problème de législation. Quand les fortes puissances étaient autorisées, les municipalités commandaient des antennes de douze pieds qu'on installait sur le toit d'un bâtiment public et on n'avait aucun problème. Elles pouvaient couvrir tout un secteur du réseau de téléphonie mobile.

Gus promena un regard circulaire dans le salon. Depuis que Joël avait pris son poste au Parlement, le niveau de vie du couple avait clairement augmenté.

— Comment va le quartier de la Croix-Blanche depuis notre départ? dit Joël.

— Cela a beaucoup changé, reconnut Elke. Il y a toujours la papeterie derrière la rue, mais des logements sur deux niveaux ont commencé à se construire et de nouveaux arrivants sont attirés par le bassin d'activité de Liège Nord. Du coup, le terrain prend de la valeur...

Gus avait terminé son verre.

— Non, je ne comprends pas pourquoi on limite l'intensité des champs électromagnétiques pour la téléphonie, dit-il. Ça ralentit le développement de tout un secteur économique. Joël, tu sais ce qu'en pensent les parlementaires?

Joël savait surtout que les repas du dimanche n'étaient pas la meilleure occasion pour expliquer la complexité des normes européennes en matière de champs magnétiques. Il préféra botter en touche.

— C'est une question complexe. Les experts ne sont pas unanimes. Excusez-moi, je vais devoir aller chercher le vin à la cave.

Il se leva et revint quelques instants plus tard avec une bouteille de bourgogne Gevrey-Chambertin.

— Mazette! s'exclama Gus. C'est la fête, dirait-on. Nicole, ton rôti aux fèves est divin.

Joël avait rempli les verres à bourgogne et était en train de humer le vin quand le fils de Gus, Manu, accourut en pleurs.

— Ils m'ont cassé mon pistoléééé!

Joël examina le jouet, qui ne semblait pas réparable.

— Veux-tu que je te donne un arc? lui demanda-t-il.

Les yeux du gamin s'illuminèrent.

— Vrai? Comme Robin des Bois?

— Oui, mais il faut le fabriquer.

Les sourcils de Gus se haussèrent.

— Tu entends, fiston, est-ce que tu veux que tonton Jo te fabrique un arc?

— Nicole, tu peux servir les cafés? Je vais fabriquer des arcs pour les enfants.

En un clin d'œil, Joël dénicha un peu de ficelle dans la cuisine et un canif bien affûté. Tous les enfants se ruèrent vers le fond du jardin. Au milieu des taillis, il choisit trois tiges de noisetier qui poussaient tout près de la clôture du terrain. Il les élagua, puis pratiqua des encoches aux extrémités. La ficelle devait être passée dans l'encoche, puis enroulée, avant d'être tendue en faisant ployer la branche et de subir la même opération à l'autre extrémité.

— Et d'un! dit-il en brandissant une petite branche pliée munie d'une ficelle à gigot.

Manu se saisit du petit arc en sautillant de joie. Joël en fabriqua deux autres pour les enfants, puis entreprit de faire les flèches. Le noisetier était un bon matériau, mais il fallait compter cinq minutes pour faire une flèche de qualité très moyenne. Du moins, cela occuperait Manu en attendant que les autres reçoivent leurs munitions.

— On ne tire jamais en direction d'un être humain, précisa Joël.

— Un enfant, c'est un être humain? demanda Manu.

— Oui, car ils descendent du singe depuis le pléistocène, répliqua Marco qui avait visionné un documentaire sur les fossiles d'*Homo erectus* la semaine précédente.

— Donc, on peut descendre des enfants singes?

— Non, ils descendent du singe, cela veut dire qu'ils ont évolué à partir du singe. Donne-moi une flèche.

— Bon, dit Joël, je crois qu'il y a des framboises sauvages un peu plus loin. Certaines doivent être presque mûres. Jessica, tu peux aller chercher un panier? Vous ramasserez des framboises pendant que je finis de fabriquer les flèches.

Quelques minutes plus tard, Jessica, Pien et Marco cherchaient des framboises pendant que Régine et Manu s'exerçaient au maniement de leurs arcs sur de vieilles souches. Ils mettaient toujours un temps interminable à rechercher leurs flèches dans les feuilles mortes ou le lierre rampant, commentant leurs tirs et imaginant ce que cela aurait donné sur un ours ou un rhinocéros, après quoi ils accouraient à la suite du groupe de cueilleurs.

Joël et les trois autres enfants venaient d'arriver au bord d'une petite rivière. De l'autre côté du cours d'eau, un vieux mur traçait la limite de la propriété voisine. Des campanules, des buis et des iris d'eau poussaient dans les interstices, caressés par la lumière rasante. Le fond de l'eau affleurait, tapissé de galets. Une toute petite plage de gravillons, se faufilant entre les herbes, accueillait une eau calme dérivée d'une ancienne écluse. Partout ailleurs poussaient des framboises, suspendues à leurs tiges d'un vert tendre. Jessica s'élança, le panier à la main.

Joël s'assit sur la petite plage et les regarda. Il se sentait heureux. À ses pieds, dans l'eau calme, une sorte de coquillage d'eau douce reposait sur le fond caillouteux. Sa valve brune s'accrochait à un gravier, puis le relâchait. Il appela Marco, qui l'observa avec attention.

— C'est un escargot?

— Non, c'est une sorte de bigorneau d'eau douce. C'est la première fois que j'en vois. Et là, il y a des espèces de toutes petites crevettes brunes. C'est bizarre, non?

Marco monta sur ses genoux. Il s'accrochait à son cou comme un petit singe, puis se pendait vers la surface de l'eau pour observer.

— Je ne crois pas que ce soient des homards, dit-il avec sérieux.

Il enlaça son père, puis sauta de ses genoux pour escalader le muret de la petite écluse abandonnée. S'allongeant sur le ventre, il laissa pendre ses bras dans l'eau pour attraper les drôles d'insectes qui gravitaient dans ce biotope. Il aurait pu rester des heures, ainsi. De temps en temps, les yeux toujours fixés sur le miroitement de l'eau, il exprimait une singulière pensée.

— Papa, si tu imaginais que je tombe dans l'eau? Ce serait horrible...

— Mais non, ce n'est pas profond, il y a juste dix centimètres.

— Oui, mais s'il y avait cent quatre-vingt mille mètres ce serait horrible, hein?

Joël se demanda s'il avait été, un moment de sa vie, lui aussi un enfant. Tant de détails de son univers intérieur avaient disparu. Il faudrait qu'il demande à ses parents, un jour.

Régine, postée un peu plus loin, n'en finissait plus d'envoyer sa flèche sur un tronc d'arbre avec une persévérance et une concentration sans faille. Les trois autres avaient déjà rempli un plein panier de framboises.

— Qu'est-ce qu'on en fait? demanda Jessica qui avait interdit à quiconque de les manger.

— On pourrait faire de la confiture..., imagina Joël.

Les enfants se mirent à sauter sur place en criant.

— Ouiii! De la confiture! De la confiture!

Dès que Nicole vit la tribu rentrer de la chasse, bruyante et gesticulante, elle se mit au fourneau et bientôt, derrière elle, la cuisine grouilla d'une masse remuante d'enfants qui n'avaient tous qu'une préoccupation en tête : la confiture. Comme il y avait une casserole et à peu près une demi-livre de framboises, chaque enfant donna à son tour un coup de cuiller pour remuer la mixture sur le feu. Et chacun avait le sentiment d'avoir préparé la meilleure confiture du monde.

Gus consulta sa montre : ce geste suscita instantanément des hurlements de détresse et de protestation.

— Non, on ne rentre pas, on dort ici, hein Nicole ?

— On goûtera votre confiture ensemble le week-end prochain, dit Elke. D'accord ? Vous la gardez au frais pour nous, en attendant.

Jessica, la plus raisonnable, acquiesça. Peu à peu, le calme s'imposa, en même temps que les fatigues de la journée se faisaient sentir. Au moment de s'endormir, la petite Régine dit à son père :

— Je veux refaire la même journée, toujours.

— Oui, le week-end prochain, et tous les autres. Toujours cette journée-là, tellement elle était bien.

Joël comprenait ce désir d'enfant. Certains moments dans la vie étaient si précieux qu'il aurait voulu les enfermer dans un flacon pour pouvoir les humer quand il en éprouverait le besoin. Il avait vécu ce moment comme Régine et Jessica. Sans que rien l'ait laissé présager, il avait été parfait. Alors si une fée lui offrait de revivre toujours une seule et même journée, il choisirait sans aucun doute celle-là.

Nicole avait ouvert les fenêtres de la chambre et regardait les cimes des peupliers dans le couchant. L'air était doux et transparent.

— C'est vers la rivière que vous avez trouvé les framboises ?

— Oui. Je crois que nous nous sommes éloignés de la propriété. Il faudra aller repérer plus précisément le trajet de la barrière, il y a sûrement des réparations à faire.

— Les enfants sont heureux, dit-elle. Tu les amuses tant.

— J'aimerais ne faire que cela toute la journée.

— Le travail te pèse ?

— J'aime mon travail, Nicole. Mais tu sais ce qu'est la politique. Ce n'est pas une réunion d'enfants de chœur.

Il s'assit sur le rebord du lit, face aux rangées d'arbres dont les sommets s'embrasaient dans les derniers rayons du soleil.

— D'habitude, je n'aime pas en parler..., dit Joël. L'autre jour, un type est venu dans mon bureau me proposer de l'argent pour faire passer un amendement sur une directive.

Nicole le dévisagea. Elle comprenait très vite ce qui préoccupait son mari. Joël avait pris l'habitude de tout lui raconter car il aurait été incapable de prendre seul certaines décisions.

— Le type qui a voulu me corrompre m'a fait de la peine, dit Joël. Il y avait quelque chose de petit et de misérable dans son personnage. Mais je sens que quelque chose se trame derrière cette affaire. Par exemple, j'ai reçu vendredi par la poste un pli bizarre. Des photos de formules mathématiques et un texte se rapportant à un centre de recherches sur le cerveau, en France. C'est une institution qui serait concernée par l'amendement dont je te parle.

— Qui t'a envoyé ça?

— Je n'en ai aucune idée. Mais je vais en toucher deux mots à mes collègues de la commission parlementaire. L'amendement a été voté, je suis sûr que certains ont touché des pots-de-vin. Je me demande ce qu'ils me veulent à moi.

— Méfie-toi, lui dit Nicole. Les gens qui t'ont proposé de l'argent ne vont sûrement pas en rester là.

— Bien sûr que non. Mais j'ai pris mes précautions. J'ai fait installer des caméras dans mon bureau. Je ne veux plus jamais devoir subir de tentative de corruption sans pouvoir le prouver par la suite.

Elle le regarda. Le soleil descendait maintenant derrière la ligne des peupliers. La campagne s'endormait, belle et paisible. On croyait encore entendre les rires des enfants et le murmure des ruisseaux.

Le lendemain, Joël se rendit de bonne heure au Parlement. Sa première tâche de la journée serait d'étudier la composition d'un comité consultatif sur les conditions de pêche dans la zone maritime de l'Union européenne. Il lui fallait en outre rassembler une documentation juridique sur les utilisations thérapeutiques des cellules souches. Il travailla toute la matinée et quitta son bureau pour gagner le réfectoire central à douze heures quarante-cinq. Au déjeuner, il rencontra deux collègues à qui il parla du comité consultatif. Ils se déclarèrent intéressés par sa position. Le repas se prolongea jusque vers quatorze heures. En remontant, il prit directement l'ascenseur jusqu'au dixième étage. Après un rapide salut à la secrétaire du groupe belge francophone, il se dirigea vers son bureau dont la plaque à son nom portait le numéro 402. Il glissa la clé dans la serrure.

La première chose qu'il remarqua furent les portes coulissantes du balcon qui étaient ouvertes et les rideaux oscillant dans l'air du matin. Une personne du service de nettoyage avait dû oublier de les fermer en partant. Puis il tourna la tête vers son bureau et vit des papiers éparpillés. Il s'approcha et reconnut les clichés photographiques reçus la veille.

Il fronça les sourcils. Ces photos, il était pourtant persuadé de les avoir glissées dans le tiroir du bureau hier soir avant de partir. Il se dirigea vers le balcon pour refermer les portes, mais au dernier moment, il décida d'aller jeter un coup d'œil par-dessus la rambarde.

Joël n'avait jamais aimé la sensation de vide. En dessous, le rond-point du Parlement, et les voitures stationnées semblaient si petites, presque ridicules. Parmi elles, il reconnut la Toyota bleu électrique de sa secrétaire. Un modèle qui datait des années 1980. À cet instant, il perçut un léger bruit sur sa gauche.

Il ne vit qu'une fraction de seconde l'homme tapi dans le recoin du balcon. Un individu de taille moyenne vêtu d'une veste et d'un pantalon d'employé, mais au regard acéré et à la posture féline. L'homme bondit, plongea en avant et souleva les jambes de Joël qui s'agrippa instinctivement à la rambarde.

Au-dessus du vide, Joël sentit ses tripes se nouer. Les toits des voitures dansèrent devant ses yeux. Avec un grognement, il voulut repousser la rambarde de ses bras et reprendre pied sur le balcon. Son adversaire ne lui en laissa pas le temps. D'une prise ferme, il fit pivoter son buste en avant. Les mains de Joël tournèrent autour de la rambarde et s'ouvrirent.

Il bascula alors dans le vide. Son corps tournoya. Il ne vit que le toit de la Toyota bleu électrique de sa secrétaire qui arrivait vite, très très vite. L'idée que ce toit allait être la dernière chose qu'il verrait sur cette terre était absurde.

Mais ce fut la dernière perception qu'il eut de son vivant.

Franck Corsa regarda sa montre et pensa qu'à cette heure, le député Joël Boesmans devait avoir terminé sa brève carrière. L'agent de la Direction générale de la sécurité intérieure avait trouvé les photos. Il avait alors acquis la certitude que le député détenait des informations de premier plan capables de faire échouer toute l'opération et de provoquer un scandale au niveau national et européen, de nature à faire chuter le gouvernement.

Franck se demanda si au moment de chuter Joël Boesmans avait saisi ce qui lui arrivait. Que c'était à Franck Corsa qu'il devait de mourir. Les lois de la gravitation montraient qu'une chute du dixième étage durait un peu plus de deux secondes. C'était court. Franck n'était pas certain que Boesmans ait eu le temps de parvenir à cette conclusion.

Il en ressentait une vive frustration. Au fond de lui, il voulait que Boesmans ait compris. Qu'il ait compris que c'était à Franck qu'il devait sa mort. Sinon, l'intérêt d'un tel geste était tout relatif. Mais si Boesmans avait compris, ne serait-ce qu'une fraction de seconde, qui était son assassin, alors cela changeait tout. Même dans les limbes, même dans le néant, la dernière pensée de Boesmans resterait d'avoir été anéanti par Corsa.

Dans le cas contraire, ce serait seulement une réparation comptable qui ne compenserait jamais entièrement le fait que Franck ait été humilié par Boesmans, ni le fait que Boesmans ait eu devant lui, dans son bureau, au cours de ces quelques secondes insoutenables, le spectacle de Franck humilié. Dire que lui, Franck, avait dû subir le regard de Boesmans en train de le contempler dans son humiliation et sa honte. Quand Boesmans était mort, il n'avait pas croisé le regard de Franck. Franck le regrettait.

Cette histoire de regard changeait tout. C'était irrattrapable. D'une certaine façon, Franck savait qu'il ne pourrait jamais se venger véritablement de Boesmans.

En réalité, Boesmans avait gagné. C'était insupportable.

Il fallait que Franck passe sa frustration sur quelqu'un d'autre.

Vincent tira les stores afin d'obtenir une lumière tamisée et demanda à ses collègues s'ils voulaient prendre un café. Ils s'étaient installés dans une salle calme et lumineuse généralement destinée aux réunions du consortium Neuroland. Damien Tréteau et Aurélien Lancelot déposèrent leurs dossiers sur la table et commencèrent à en tourner les pages.

— Chers amis, dites-moi ce que nous avons trouvé comme pistes thérapeutiques pour Alzheimer.

— Il y aurait peut-être du nouveau du côté des bêta-secrétases, dit Damien en se levant.

Il se dirigea vers le tableau blanc tout au bout de la pièce. À l'aide d'un marqueur, il dessina une molécule schématisée avec des groupes d'atomes sous forme de boules colorées.

— Voici le peptide bêta-amyloïde, dit-il. Le poison qui s'accumule dans le cerveau de Félicia. Ce peptide est libéré par les neurones à partir d'une molécule plus longue, son précurseur.

Il rajouta quelques boules de couleur le long du peptide bêta-amyloïde, qui s'allongea à la façon d'un meccano.

— Voici le précurseur du peptide bêta-amyloïde. Lorsqu'il est découpé par une enzyme, la bêta-secrétase, il libère sa partie externe, le peptide bêta-amyloïde.

Damien traça un trait dans le peptide précurseur et sépara les deux moitiés.

— Ainsi naît le peptide bêta-amyloïde, qui va ensuite s'accumuler sous forme d'agrégats toxiques, les plaques amyloïdes.

— Bravo, Damien, dit Vincent. Et tu proposes donc de bloquer l'action de l'enzyme bêta-secrétase?

— Tout à fait. On dispose de produits chimiques qui remplissent cette fonction. Des «inhibiteurs de bêta-secrétase», on les appelle. L'idée est simple : en bloquant l'enzyme, on stoppe la production de peptide bêta-amyloïde.

Vincent interrogea du regard Aurélien Lancelot.

— Pourquoi pas, dit celui-ci en caressant sa cicatrice au menton. Cette stratégie pourrait effectivement bloquer la production de peptide chez des souris. Mais sans la faire reculer. Si nous essayions plutôt des anticorps?

Il se leva et prit le marqueur des mains de Damien.

— Laissez-moi vous expliquer rapidement cette piste que j'ai brièvement explorée au cours de ma thèse. Le but est de faire éliminer les plaques amyloïdes par des anticorps du système immunitaire du patient. Plusieurs tentatives ont déjà été faites avec divers anticorps comme le CD6, qui bloque la formation des plaques. Et ça marche. Les anticorps se fixent sur les plaques qui sont ensuite détruites par les cellules tueuses du système immunitaire.

Damien secoua la tête.

— C'est beaucoup plus logique d'empêcher la synthèse du peptide amyloïde en amont. Mieux vaut prévenir que guérir.

— Pas chez Félicia, dit Lancelot. Sans compter que bloquer la production du peptide bêta-amyloïde n'est pas sans danger. Il remplit une multitude d'autres fonctions dans l'organisme...

— Aucun effet secondaire n'a été noté chez la souris.

— Seriez-vous prêt à traiter Félicia comme une souris?

Vincent se leva.

— Personne ne va traiter ma mère comme une souris. Mon avis est qu'il faut d'abord tester les inhibiteurs de bêta-secrétase et garder les anticorps en réserve.

Il poursuivit :

— Tout cela est extrêmement positif. Rendez-vous compte : nous avons l'embarras du choix. Nous voilà en train d'hésiter sur l'option thérapeutique à retenir! Cette invention est déjà en train de nous changer la vie.

Lancelot retint Vincent par le bras.

— Monsieur Carat. Si jamais les premières expériences en IRM ne donnent rien, il existe une molécule qui ralentit la progression de la maladie. C'est un composé appelé méthylthiominium. Chez certains patients, ça ralentit de 80 % le développement des symptômes.

Vincent opina.

— Nous ne voulons pas ralentir la maladie, Aurélien, nous voulons la bloquer.

— Je sais. Mais on n'est jamais trop prévoyant.

Vincent regarda ses amis s'éloigner. Il espérait avoir fait le bon choix. Il tenait maintenant le destin de sa mère entre ses mains. Il retourna dans son bureau, contempla la ligne des champs écrasée par le ciel gris. Il fallait à présent expliquer cela à Félicia. Lui dire qu'on allait tester sur elle une molécule qui pourrait bloquer l'accumulation des plaques dans son cerveau.

Félicia réagit avec une lucidité surprenante. Elle voulut d'un coup tout savoir sur cette molécule, sur les méthodes de neuro-imagerie et le protocole mis au point par Aurélien Lancelot.

— Que... Que fait cette molécule ? A-t-elle des effets secondaires ? Si on bloque la production de peptide bêta-amyloïde, vais-je garder mes souvenirs ?

— Nous t'expliquerons tout cela à Neuroland, lui dit Vincent au téléphone. Le plus important est que cette molécule n'a été testée expérimentalement que sur des souris. Si nous pouvons faire un essai avec toi, c'est uniquement parce que ma méthode est suffisamment précise pour mesurer des changements instantanés dans ton cerveau. Es-tu d'accord pour tenter l'expérience ?

— Je suis d'accord, Vincent.

Après avoir raccroché, Vincent resta longtemps songeur. Les dés étaient jetés. Il n'y avait plus qu'à mettre en marche la machine des examens de neuro-imagerie. Tout d'abord, il décida d'aller réserver un créneau horaire le vendredi, pour l'observation du cerveau de Félicia. Il alla au bureau de la comptabilité et remplit un formulaire de manip. Il cocha la case « aimant 12 teslas », dans la colonne « expérimentation humaine ». La secrétaire lui précisa qu'une expérimentation en très hauts champs coûtait 20 000 euros.

— C'est pour quel volet de recherche ? demanda-t-elle.

— Volet Alzheimer, répliqua Vincent.

La jeune femme se pencha sur le document et cocha plusieurs cases avant de se connecter au fichier de gestion informatique.

— Je suis désolée, dit-elle. Il n'y a pas de budget alloué pour un axe Alzheimer.

Vincent sourit, vaguement exaspéré.

— Le budget a été débloqué tout récemment, dit-il. Il s'agit d'un nouvel axe de recherche mis en place par Xavier Le Cret en accord avec André Vareski.

— Je vous crois, bien sûr, dit la secrétaire. Mais moi, je ne peux rien faire pour l'instant. Il faudrait voir avec M. Le Cret.

— Eh bien dans ce cas, appelez-le.

Quelques instants plus tard, Xavier Le Cret entrait à la comptabilité.

— Venez, Carat. Suivez-moi...

Ils allèrent s'asseoir sur les sièges à côté des plantes vertes et de l'aquarium.

— Il faut que je vous explique quelque chose, dit Le Cret.

— Quoi?

— Des décisions ont été prises au plus haut niveau de l'État. Des orientations contre lesquelles je ne peux rien. Vareski et moi avons été convoqués au ministère où l'on nous a annoncé que toute l'organisation budgétaire et administrative de Neuroland allait changer. On va commencer des travaux dans la partie est, derrière le couloir des aimants. Je ne sais pas ce qu'il va y avoir là-bas, c'est du ressort du ministère de l'Intérieur. En tout cas, Neuroland quitte le consortium franco-germano-néerlandais.

— Concrètement, qu'est-ce que cela change pour nous?

— L'avantage, c'est que de nouveaux fonds vont être engagés. Neuroland passe sous autorité totale de l'État; d'une certaine façon c'est une sorte de nationalisation. Le budget est fixé par décret.

— Avez-vous pu négocier la poursuite du volet Alzheimer?

Le Cret baissa la tête.

— C'est le point noir, Carat. Je me suis battu du mieux que j'ai pu mais les jeux étaient déjà faits. Le ministre Michel Levareux a décidé que Neuroland n'aurait plus part aux recherches sur Alzheimer.

Vincent se mit à balbutier.

— Mais enfin, Neuroland est le meilleur endroit au monde pour les études sur Alzheimer! Les gens qui décident de cela sont des abrutis! Et des criminels!

— Nous avons essayé de le leur dire, Vincent. Mais d'autres intérêts sont clairement en jeu. Je suis tellement désolé.

Le Cret marqua une pause. Il laissa Vincent accuser le coup. Puis il toussa dans son poing et glissa à voix basse :

— Dites-moi, allez-vous continuer vos travaux sur le code neural?

Ainsi, c'était tout ce qui intéressait Le Cret. Vincent n'était pas tellement étonné. On n'arrivait pas là où il était sans être un brin obsédé. Mais curieusement, il ne réussissait pas à lui en vouloir.

— Je vous donnerai vos équations, dit-il. Nous nous sommes souvent opposés, mais vous aviez fini par me fournir ce que je voulais. Et si vous m'offrez un poste de recherche, ma mère aura au moins de quoi manger dans son assiette le soir...

Le Cret posa sa main sur le cœur.

— Je vous en fais le serment, Carat! Je vous offrirai un poste. Et si j'obtiens le Nobel, nous emmènerons votre maman à Stockholm, elle sera fière de vous. Ne perdez pas espoir. Vous avez accompli des progrès immenses qui ne seront pas inutiles. Un jour ou l'autre, l'argent reviendra irriguer les recherches sur Alzheimer. Après votre thèse, vous ferez un stage post-doctoral et ce sera le moment de remettre en chantier vos première idées. Vous y parviendrez.

Vincent se sentit las. Il se leva et regagna son bureau, la tête basse. Que faire, maintenant? Il avait fixé un rendez-vous à Franck pour aborder la dernière ligne droite de ses révisions. Il ne se sentait pas le cœur de broyer des équations. Mais ce ne serait pas sympa pour Franck. Lui qui avait si gentiment promis de l'aider.

Franck l'attendait à la station Châtelet. En le voyant, il prit un air soucieux.

— Tu n'as pas l'air dans ton assiette, que se passe-t-il?

— Je reviens de Neuroland. Les nouvelles sont mauvaises. Le budget consacré à la recherche sur Alzheimer va être coupé.

— Quoi!? Tu n'es pas sérieux... Comment est-ce possible?

— La direction change, le consortium est dissous, les axes de recherche sont déterminés par le gouvernement.

— Incroyable... Je tombe des nues. Viens, tu vas m'expliquer tout ça.

Vincent repéra le train en direction de Courbevoie. Ils s'assirent sur des strapontins.

— Alzheimer sera transféré dans d'autres labos, précisa-t-il. Les très hauts champs vont désormais servir exclusivement à la recherche sur le code neural. Cela fait bien les affaires de Le Cret.

Franck posa sa main sur l'épaule de Vincent. Ce gamin était en train de s'effondrer.

— Je ne sais pas si le jour est bien choisi pour que je rencontre ta maman, dit-il.

— Si..., murmura Vincent. Je t'en prie, viens... Ne me laisse pas seul.

Intéressant. Vincent commençait donc à se sentir seul en présence de sa mère. D'ailleurs, ce n'était guère étonnant. L'appartement était négligé, pour ne pas dire miteux. La mère de Vincent était une vieille dame rincée par la vie qui n'en avait sans doute plus pour très longtemps. Il n'aurait pas été raisonnable de dilapider de l'argent pour maintenir à flot de telles épaves humaines. Cette maladie réalisait un travail remarquable en éliminant les inutiles.

— Madame Carat! s'exclama Franck. Quel bonheur de faire votre connaissance...

— Voici donc le fameux Franck, dit Félicia. Le premier de la classe, celui qui sait tout sur tout, qui s'occupe de mon fils pour qu'il ait les meilleures notes possibles?

Franck affecta la modestie.

— Vous me flattez, madame. Je ne fais que donner un petit coup de pouce au génie de Vincent. Il est si doué. Il ira loin, alors que moi... Je suis son coach, son entraîneur. Le champion, c'est lui.

Franck vit les yeux de Félicia briller de fierté. *Ton Vincent sera bientôt dans la merde jusqu'au cou, vieille bique. Et toi, tu auras perdu ta cervelle. Alors, ça te réjouit?*

— Je vous ai apporté des éclairs au chocolat, dit Franck avec son plus beau sourire.

Félicia ouvrit des yeux alléchés devant l'assortiment que Franck déballait devant eux. Éclairs, profiteroles, tartelettes, paris-brest... Un bonheur de vieille dame.

— Ça a l'air délicieux, Franck. Vous, vous êtes un vrai gentleman.

— Vincent me parle si souvent de vous, dit Franck. Vous êtes le centre de ses pensées. Surtout depuis que sa relation avec Maria s'est... enfin... comment dire.

Surprise, Félicia se tourna vers la cuisine. Vincent était parti faire chauffer de l'eau pour le thé.

— Vincent, tu ne m'as pas raconté ce qui s'est passé avec Maria?

— Maman, je préférerais qu'on ne parle plus de Maria à cette table. Et si elle essaie d'appeler ici, je te prierai de ne pas répondre.

— Comment? Mais enfin, qu'a-t-elle fait de mal?

Franck posa une main sur le bras de Félicia.

— Cette Maria a beaucoup fait souffrir votre fils, dit-il.

Félicia semblait désemparée. Elle jetait des regards éperdus.

— Il doit y avoir un malentendu, balbutia-t-elle. Maria est bonne et bien intentionnée...

Nouveau silence. Franck versa du thé dans les tasses.

— C'est effectivement ce qu'on aurait pu croire, dit-il. C'est aussi pourquoi, selon moi, son comportement est d'autant plus abject.

Franck lui tendit sa tasse.

— Heureusement que vous n'étiez pas près de Vincent quand il a appris que Maria le trompait avec un autre depuis des semaines. Je l'ai soutenu dans l'épreuve et j'en veux à Maria pour ce qu'elle a fait.

Franck vit Vincent rougir. Il est clair qu'il devait être très gêné de voir déballer ces histoires devant sa mère.

— Félicia, préférez-vous les éclairs ou les profiteroles? Un cannelé ou une part de tarte normande...?

La vieille dame restait sans réaction.

— Maman? Qu'est-ce qui te ferait plaisir?

Elle voulut dire quelque chose, en vain. Finalement, elle tendit le doigt vers un éclair au chocolat, et le posa même sur la surface glacée du gâteau.

— ... Ça.

Franck observait la scène avec intérêt.

— Vous avez vécu ici tout ce temps-là? demanda Franck à Félicia.

— Nous avons vécu vingt ans dans cette maison, répondit Vincent à sa place. Pour moi, c'est l'essentiel de mon existence.

Un vrai taudis, aux yeux de Franck. Félicia avait maintenant attrapé son éclair au chocolat et mordait dedans à pleines dents. On aurait dit un enfant avec des rides.

— Serez-vous présente à la thèse de Vincent?

Félicia leva la tête. Son regard flottant se posa sur Franck. Une traînée de chocolat maculait son menton.

— Maman, tu seras là pour ma soutenance de thèse, n'est-ce pas? demanda Vincent.

Toujours ce regard hébété de Félicia. Vincent plongea sa main dans sa poche et en ressortit la clé que lui avait donnée sa mère.

— Maman, tu te souviens de la clé. Le coffre. Tu dois m'en indiquer l'emplacement au moment de ma thèse.

Félicia tourna la tête vers son fils. Elle posa un regard vide sur l'objet.

— Une clé? Quelle clé? finit-elle par dire.

— Tu ne te souviens plus de cette clé?

Elle secoua la tête.

— Je ne vois pas ce que tu veux dire.

Vincent se leva, tituba jusqu'à sa chambre. Franck le trouva appuyé au chambranle de la porte. Il tremblait de tous ses membres.

— Maman devait me transmettre un secret que mon père lui avait confié sur son lit de mort, bredouilla-t-il, hagard. Un secret qui me concernait. Elle m'avait promis qu'elle s'en souviendrait. Je ne sais pas qui je suis, je ne sais même pas ce que mon père voulait que je sois.

Vincent agrippa le bras de Franck.

— Tu ressens un grand vide, n'est-ce pas?

Vincent hocha la tête comme un automate.

— Je te comprends. La femme que tu aimes est partie et ta mère oublie tout.

Vincent fixait le plancher, sans réaction.

— Et maintenant j'apprends que ton père voulait te dire quelque chose au moment de mourir? Il l'a dit à ta mère, et elle devait te le confier plus tard? Le souvenir est perdu à cause de la maladie? Ce doit être terrible.

Vincent se mit à pleurer.

— Je n'ai plus rien. Rien ni personne au monde, Franck.

Il se laissa tomber en avant. Franck le rattrapa dans ses bras et l'étendit sur le canapé. En jetant un coup d'œil vers la cuisine, il vit la vieille dame qui étalait le chocolat sur son visage dans la cuisine.

Cela avait quelque chose de *beau*.

Sixième partie

Latifa Benarbi avait pris son arme de service en rentrant chez elle. C'était la première fois qu'elle le faisait. Elle avait un caisson réglementaire chez elle pour y enfermer l'arme. Elle glissa le pistolet dans l'étui porté sous sa veste avant de quitter les locaux pour rejoindre le métro à la station Montparnasse.

C'était une heure d'affluence. Au milieu de la foule, elle referma soigneusement le bouton de sa veste et attrapa une barre verticale de la rame. Latifa avait été finalement réintégrée au commissariat du XIVᵉ arrondissement. Deux semaines après son interpellation ratée devant l'École normale supérieure, tout semblait être rentré dans l'ordre.

Elle arriva rue d'Aboukir vingt minutes plus tard. Le linge séchait sur les rebords de fenêtres, elle allait retrouver sa marmaille dans quelques instants. Sa fille aînée Samira avait déjà fini de faire manger les plus jeunes, Fatiha, Wahid et Iliès. Karim allait sans doute rentrer plus tard. Latifa enferma l'arme dans le caisson et dissimula le chargeur au-dessus de l'armoire.

Puis elle rejoignit les chambres des enfants. Wahid et Fatiha n'arrêtaient pas de sauter sur les lits. Elle ne se sentit pas ce soir la force d'élever la voix pour les faire obéir, ni de leur lire une histoire. Samira fut finalement chargée de leur raconter *Sindbad le marin*.

Karim arriva sur le coup de huit heures. Latifa avait allumé une cigarette et fumait à la fenêtre de la cuisine. Elle n'avait pas mis la table, ni rien préparé à manger pour lui.

— Ça ne va pas, Latifa? lui demanda-t-il.

Elle écrasa sa cigarette dans le cendrier.

— Je vais réchauffer un reste de poulet.

— Non, repose-toi, je vais le faire. Tu es sûre que tout est en ordre?

Elle s'assit devant la table.

— Ça fait des jours que Fatiha me demande de lui trouver une baguette magique d'un modèle spécial que je ne connais absolument pas et je ne sais pas où trouver ça.

Karim déposa des assiettes sur la table. Latifa alluma une autre cigarette. Dans la cour montait de temps à autre le gazouillis d'un merle.

— Ce matin on a bouclé un jeune du côté d'Alésia, dit-elle. Trafic de stup. Seize ans, le môme.

Karim s'assit et fit glisser les verres sur la toile cirée. Latifa poursuivait son histoire.

— J'ai voulu faire un sermon au gamin. Histoire de lui faire comprendre qu'il va foutre sa vie en l'air s'il met le doigt dans ce genre d'affaires. Je lui fais le portrait du parcours classique : correctionnelle, sursis, première peine, libération conditionnelle, ferme, et toute sa vie continuera comme ça.

Karim hocha la tête. Latifa ne disait habituellement que quelques mots sur sa journée. Mais cette fois, elle avait l'air de vouloir aller plus loin.

— Je voyais que le gamin était limite, reprit-elle. Limite de basculer d'un côté ou de l'autre. Je décide alors de lui parler de moi. Je lui dis que je suis née à Saint-Denis dans une famille d'immigrés, que ma mère en a bavé bien plus que lui quand ses sœurs se faisaient violer par les terroristes en Algérie. Je lui dis qu'en France, j'ai respecté la loi parce que je savais qu'elle pouvait m'aider. Et maintenant, je suis respectée. J'ai une place dans la société.

— Bien, dit Karim. Et qu'a-t-il répondu?

— Que j'étais naïve. Que la loi c'était pour les bouffons. Que les gens vraiment importants, même dans ce pays, se fichent de la loi. Qu'ils s'en servent pour commander aux autres.

Le front de Karim se plissa. Visiblement, Latifa était déstabilisée.

— Et tu ne crois pas que c'est vrai?

Latifa changea de conversation. Après le repas, elle prépara les affaires des enfants pour le lendemain, fit sa toilette et se coucha.

Mais elle ne trouva pas le sommeil. C'est vrai, elle n'avait pas su quoi répondre à ce gamin dans la rue. C'était la première fois. Elle aurait dû lui répliquer que personne n'était au-dessus des lois. Mais cette fois elle n'avait pas pu.

Parce qu'elle avait découvert que ce n'était pas vrai. Ce suspect appréhendé rue d'Ulm, ce violeur qui n'avait eu qu'à passer un coup de fil à un copain haut placé pour qu'elle soit priée d'aller régler la circulation. Qui était-il? Fils de diplomate, de commissaire? En tout cas il était clairement au-dessus des lois. Alors elle en avait gros sur le cœur. Cela devenait difficile de trouver l'énergie pour aller au boulot chaque matin.

Je dois retrouver cette fille, songea-t-elle. Elle doit être originaire des pays de l'Est, peut-être russe ou quelque chose comme ça. Elle est venue au commissariat avec un petit garçon, je m'en souviens parfaitement. Je me souviens aussi qu'elle logeait au CROUS où elle avait une chambre d'étudiante.

Latifa se présenta aux locaux du CROUS le lendemain matin. Elle demanda à voir la personne occupant la chambre numéro 47. L'hôtesse d'accueil lui répondit :

— Le locataire de la chambre 47 vient d'emménager, il se nomme Ole Dane.

— Ce n'est pas lui. Je cherche une fille, une Russe. Elle occupait la chambre juste avant.

— Une certaine Maria Svetkova?

— Oui, c'est cela : avez-vous ses nouvelles coordonnées?

— Je suis désolée, mais Mlle Svetkova est partie sans laisser d'adresse.

Latifa rentra au commissariat et chercha dans les fichiers de la police s'il n'y avait pas une trace de Maria Svetkova. Mais elle ne trouva aucune adresse à Paris ni en France, et aucun abonnement téléphonique. Maria Svetkova avait momentanément disparu.

Le CROUS lui apprit toutefois que Maria était inscrite à une formation universitaire : le master de neurosciences de l'École normale supérieure. L'endroit précis où Latifa avait appréhendé le violeur. Elle s'y rendit et monta au bureau de la scolarité situé au premier étage. Une femme aux ongles jaunis par la cigarette pianotait sur un clavier derrière une vitre en plexiglas.

— Je désirerais savoir si vous avez une adresse postale au nom de l'étudiante Maria Svetkova, lui dit Latifa à travers l'hygiaphone. Je suis de la police et j'ai besoin d'elle en tant que témoin.

— J'ai une étudiante qui répond à ce nom. Mais elle n'a pas laissé d'adresse.

Latifa réfléchit un moment.

— Dans ce cas, comment fait-elle pour récupérer ses convocations aux examens?

La femme se retourna vers une rangée de casiers plastifiés disposés le long d'une fenêtre.

— Elle vient chercher son courrier ici. Mais on ne l'a pas vue depuis un moment.

Je joue de malchance, songea Latifa. Cette Maria Svetkova doit être sur le qui-vive, pour avoir à ce point brouillé les pistes.

— Que deviennent vos étudiants lorsqu'ils ont terminé leur formation?

— Plein de choses. Nous sommes un vivier de jeunes talents! Vous voulez une brochure sur les débouchés du master?

Latifa éclata de rire.

— Non, je veux retrouver cette fille pour l'aider. Elle est dans une situation très problématique.

— Ah bon, si c'est pour ça. Eh bien, disons que nos étudiants font des stages en laboratoire, qu'ensuite ils effectuent un troisième cycle, qu'ils décrochent un poste dans une institution, ou qu'ils s'en vont travailler dans le privé.

— À votre connaissance, Mme Svetkova a-t-elle déjà trouvé un laboratoire d'accueil pour son stage, ou quelque chose comme cela?

La dame pianota de nouveau sur son clavier et eut un mouvement de surprise.

— Tiens. Elle a intégré la fonction publique. L'Agence nationale pour la recherche. Pas mal, pour une nouvelle!

Latifa hocha la tête. La pêche était fructueuse.

— Merci. Heu... Vous ne trouvez pas que vous donnez des informations un peu trop facilement? Si je n'avais pas été de la police?

La femme du guichet la prit au mot.

— Dans ce cas, cela aurait été sacrément bien imité.

Latifa se rendit au siège de l'Agence nationale de la recherche et attendit l'heure de sortie des bureaux. À dix-huit heures trente précises, elle vit une silhouette élancée pousser les portes à tambour et prendre la direction du métro. Elle lui emboîta le pas et l'accosta.

— Maria?

Dans le regard de la jeune femme, Latifa perçut une lueur de peur.

— Vous ne me reconnaissez pas?

Maria eut un moment d'incertitude, puis son visage s'éclaira enfin.

— Vous êtes la femme du commissariat!

— Il faut que je vous parle, dit Latifa. Connaîtriez-vous un endroit tranquille?

— Oui, mais il faut d'abord que j'aille chercher mon fils à la garderie.

Elles passèrent prendre Michka à l'école, puis se rendirent à l'appartement de l'impasse Gabriel-Fauré. Maria proposa à Latifa un café, assise dans le canapé du salon.

— Je me suis rongé les sangs après ce qui s'est passé, lui dit la policière. Je suis allée appréhender cet individu, ce Corsa.

Maria frissonna.

— Je n'ai même pas pu emmener ce salaud au commissariat, poursuivit Latifa. Il a contacté un ami qui a annulé l'opération. Quand je suis retournée au travail le lendemain, mes affaires étaient dans un caisson métallique et je devais les transférer sur un autre site. Cet enfoiré a eu ma peau sur un seul coup de téléphone.

Maria contempla Latifa, effarée.

— Corsa peut donc faire ce qu'il veut au sein de la police..., murmura-t-elle. C'est comme cela qu'il a effacé toutes les traces de son crime. Quand je suis allée à l'hôpital Robert-Debré, ils m'ont fait le prélèvement biologique pour l'enquête, comme vous me l'aviez demandé. Or, quand j'ai voulu connaître le résultat, ils m'ont dit qu'il n'y avait rien. Pas la plus petite trace de sperme. En d'autres termes, Corsa m'avait violée sans laisser une molécule d'ADN sur moi.

Maria enfouit son visage entre ses mains.

— Ce type est une enflure, lui dit Latifa. On l'aura. Je vous en fais le serment.

Maria sentit les larmes monter. La présence de cette femme la rassurait et d'un seul coup, sa tension nerveuse se relâchait.

— Quel âge as-tu? lui demanda Latifa.

— Vingt-trois ans.

— Qui c'est, ce type?

Maria secoua la tête, ne sachant comment lui expliquer. Elle alluma une cigarette.

— Franck Corsa est un premier de la classe. Un extraterrestre. Il a voulu sortir avec moi. Il trouvait ça naturel, comme un dû. Je n'ai jamais réussi à comprendre son mode de fonctionnement. Il se comporte avec moi comme si je n'avais pas le choix, comme si je devais obligatoirement lui céder parce qu'il a les meilleures notes du master.

— Un maboul!

— Mais dès l'instant où cela n'a pas marché, il a pris mes refus comme des insultes personnelles. Il a commencé à dire qu'il deviendrait puissant, et qu'alors on verrait, et que tous ceux qui avaient douté de sa valeur le paieraient cher.

— Tu as bien fait de ne pas céder, Maria.

— Sauf qu'à un moment, je lui ai dit que j'aimais un autre étudiant du master. Là, il est devenu fou.

— Corsa était jaloux de ton fiancé?

— Tu ne peux pas imaginer à quel point! Franck était persuadé d'être le meilleur en tout. Il s'attendait logiquement à obtenir un stage dans le meilleur laboratoire du pays, ce que ses notes lui permettaient. Pour lui c'était cousu de fil blanc car il avait le meilleur classement du master et on lui avait toujours dit que le premier au classement pouvait choisir le stage qu'il voulait.

— Et ton fiancé lui est passé devant...

— Exactement. Vincent a présenté au jury du master un projet de recherche de très haut niveau, une intuition qui pouvait répondre à des problèmes que les meilleurs scientifiques se posent aujourd'hui. Le projet était tellement hors-concours, que malgré ses notes moyennes obtenues pendant l'année, Vincent a été désigné pour réaliser ce projet dans le laboratoire que convoitait Franck.

— Franck a cru que tu plaçais Vincent au-dessus de lui, sur une échelle scientifique. Je crois que je commence à voir de quel genre de dingue il s'agit. Son ego, c'est son boulot, et son boulot lui donne un certain nombre de droits, dont celui de posséder une femme comme toi. Or, tout ça, Vincent le lui a pris. La question que je me pose, c'est comment Franck a pu disposer d'appuis aussi puissants pour se livrer à ses forfaits.

— Il m'a menacée de révéler que j'étais en situation irrégulière et que je serais renvoyée dans mon pays avec mon fils, où des tueurs me régleraient mon compte.

Latifa ouvrit des yeux ronds comme des soucoupes.

— C'est vrai?

— Tout ce qu'il y a de plus vrai. Je suis morte là-bas. J'ai assisté à des règlements de comptes de la mafia qui pourraient éclabousser un grand nom de l'oligarchie pétrolière.

— Comment, à ton avis, ce type a découvert tout cela?

— Il n'y avait que deux personnes au courant de ma situation : moi et Serge Larcher, le directeur du master. Un homme épatant. C'est lui qui m'a tirée d'affaire, qui m'a d'abord inscrite au CROUS, puis au master.

— Franck a donc dû obtenir ces renseignements auprès de ce Larcher. J'irai discuter avec lui à l'occasion, pour savoir comment cela a pu avoir lieu. Si Franck a des appuis au sommet de l'État, il a pu mettre en place des écoutes. Est-ce qu'il sait où tu habites depuis que tu as déménagé?

— Oui, en fait, il...

Maria ne termina pas sa phrase. Elle avait distinctement entendu des pas dans l'escalier. Depuis quelques jours, son ouïe devenait de plus en plus fine, au point que le moindre craquement la faisait bondir. Mais cette fois, elle ne rêvait pas, il y avait bien des pas dans l'escalier. D'un seul coup, tout son corps se mit à trembler.

— Tu entends? balbutia-t-elle. Je reconnais son pas, je te dis que je le reconnaîtrais entre mille. C'est... C'est lui, dit-elle. Je suis sûre que c'est lui. Il est déjà venu, il a tout filmé dans la chambre, il m'a attachée, cela va recommencer, cela va...

— Tais-toi! lui intima Latifa. Si c'est lui, on va le recevoir avec les formes. Va dans la chambre et éteins la lumière. Quand il va entrer, je vais le coincer. Surtout, fais bien ce que je te dis. Ne te tiens jamais dans ma ligne de mire et, dès que je le mettrai en joue, passe derrière moi, compris? Vite, fais ce que je te dis!

Maria hocha la tête. Elle se précipita dans la chambre. Aussitôt elle sentit ses forces la quitter, comme si elle était de nouveau entrée dans la séquence d'un supplice que tout son corps avait enregistré et qu'il s'apprêtait à revivre. Dans la cage d'escalier, les pas se rapprochaient.

Latifa ôta son pistolet de son étui et alla se plaquer derrière le mur de la cuisine. Un bruit de clé retentit dans la serrure. Maria sentit son corps se tendre à craquer, comme si quelqu'un avait voulu sortir d'elle.

La porte s'ouvrit. Une ombre entra, lente, posée, tournant la tête de droite à gauche, puis de gauche à droite. Elle se dirigea enfin vers la chambre.

— On ne bouge plus.

Latifa alluma la lumière et ferma la porte du bout du pied.

— Mains sur la tête.

Franck sourit calmement. Il connaissait cette voix. La femme flic.

— Tiens tiens, ricana Latifa.

Franck ne quittait pas Maria des yeux.

— Salut, toi, lui dit-il. Tu ne perds rien pour attendre, tu le sais.

— Silence, enfoiré, dit Latifa en lui assenant un coup de crosse derrière le crâne. Franck accusa la coup mais resta debout.

— Alors, on vient se promener chez les gens la nuit? Mets tes bras en arrière. Et plus vite que ça. Connard.

Maria semblait revenue à la réalité. Elle se rendait compte que finalement Franck n'était pas plus coriace que n'importe quel truand. Devant une arme à feu, il était comme tout le monde et se faisait tout petit.

C'est alors que Franck les surprit. Il tendit son bras en arrière et se retourna d'un geste vif. En une fraction de seconde, sa main droite décrivit un arc de cercle qui heurta le poignet de Benarbi, déviant le canon de l'arme. Sans une hésitation, il sauta sur la policière et la frappa au visage de la main gauche. Latifa poussa un cri pendant que Franck s'emparait du pistolet et enfonçait son canon dans sa bouche.

— Tiens, tu vas me dire quel goût ça a.

Maria, horrifiée, se mit à hurler par la fenêtre, ameutant les passants.

Franck réfléchit vite. Il ne pouvait rester ici. Et il ne pouvait pas non plus assassiner une femme flic d'une balle dans la bouche. Il poussa le canon au fond du palais et sentit la glotte s'enfoncer pendant que la femme toussait à en crever. Il passa une main entre ses cuisses, sous sa jupe. C'était chaud et humide. Il en ressentit une joie profonde.

Finalement, il jeta l'arme de côté et descendit l'escalier en courant.

Serge Larcher hurla pendant une heure dans sa geôle. Puis, lorsqu'il comprit que personne ne viendrait lui ouvrir et que Franck avait le champ libre pour mettre ses menaces à exécution, il s'effondra sur sa couchette, ayant perdu la notion de l'espace et du temps.

Le lendemain, le policier à la stature d'athlète vint le chercher dans sa cellule, accompagné de deux hommes en treillis. Le professeur fut conduit dans la salle d'interrogatoire qu'il avait fréquentée la veille. Il y avait au milieu une grande bassine en fer. Melvin se planta devant lui :

— Tu vas nous dire très exactement ce que tu as révélé à Boesmans.

Le professeur balbutia, ensommeillé et marqué par la souffrance.

— Qui... est... Boesmans ?

Sur un signe de Melvin, les deux hommes en treillis firent entrer dans la pièce un homme dont les pieds traînaient par terre. Melvin posa à cet homme la même question.

— Que sait Joël Boesmans ?

Comme le prisonnier ne répondait pas, les deux policiers le saisirent par les épaules et le forcèrent à s'agenouiller devant la bassine en fer remplie d'eau. Ils lui plongèrent la tête dedans, le corps de l'homme se contorsionna, ses pieds battirent dans le vide. L'eau giclait de partout. L'homme perdit progressivement ses forces et, lorsque les deux soldats le tirèrent de l'eau, il ne respirait plus. Melvin répéta sa question à Larcher.

— Qu'as-tu dit à Boesmans ?

Serge Larcher avait le souffle coupé.

— Donnez-moi un papier et un crayon, dit le professeur.

L'adrénaline l'avait réveillé. Pour s'en sortir, il n'avait qu'une issue : écrire des lignes de calculs qui duperaient ces policiers. Au moins, il gagnerait un répit.

— Voilà, dit-il après avoir recouvert la feuille de signes abscons. C'est le contenu des documents que j'ai transmis à Boesmans.

— Bien, déclara Melvin. Peut-être cela jouera-t-il en votre faveur lors de votre procès.

Melvin sortit de la pièce et rapporta les pièces à conviction à Franck.

Celui-ci eut un rictus de rage en découvrant la supercherie.

— Ce porc se moque de nous, dit-il. Ces calculs ne veulent rien dire. Ce n'est qu'une accumulation de symboles mathématiques n'ayant pas le plus petit rapport avec le projet Transparence. Il essaie de gagner du temps. Retournez auprès de lui et faites-lui mal. Je veux voir ce salaud hurler à la mort. Il y a des points de compression, des ganglions nerveux dont on nous apprend l'emplacement en cours de neuroanatomie. Sous les aisselles, dans le creux des genoux, des chevilles. Allez-y, écrasez-moi tout ça.

Franck vit Melvin s'approcher du professeur et chercher les points de compression. Le résultat fut radical. Franck contempla les efforts du vieil homme pour se débattre.

— Qu'avez-vous dit à Boesmans ? demandait le policier.

Melvin relâcha son étreinte et assit Larcher sur le siège. Celui-ci mit plusieurs minutes pour reprendre ses esprits. Melvin en profita pour retirer ses gants.

Larcher vit alors briller une alliance à son doigt.

— Passez aux testicules, dit Franck Corsa dans le micro.

Larcher se redressa.

— Votre femme et vos enfants savent-ils où vous êtes en ce moment ? demanda-t-il au colosse.

Melvin s'arrêta.

— Vous leur cachez qui vous êtes véritablement. Vous êtes obligé de vivre dans le mensonge. Un jour, votre personnalité va se fendre en deux. Vos enfants ne pourront plus vous approcher.

Un éclair de haine traversa le regard de Melvin. Il arma son poing.

— Stop !

La porte s'était ouverte.

— Ça suffit, dit Franck Corsa en entrant. Vous pourrez continuer tout à l'heure. Je vais m'entretenir personnellement avec lui.

Larcher respira. Pour une fois, il n'était pas mécontent de voir surgir Corsa.

— Merci, Franck, murmura-t-il.

Il devait absolument parvenir à comprendre ce qui motivait Franck Corsa. C'était sa seule chance de sortir vivant d'ici. Comment ce jeune homme en était-il arrivé à violer et à torturer pour des histoires de classement universitaire ? Il fallait que sa personnalité soit très sensible aux critiques. Pourquoi ne pouvait-il tolérer aucune remise en question de sa valeur personnelle ? En même temps, il avait de lui-même une très haute estime. Une sorte d'image grandiose mais fragile, qui faisait qu'il sortait de ses gonds dès qu'on l'ébranlait un tant soit peu.

Face à ce type de profil, il n'y avait qu'une chose à faire : le rassurer sur sa valeur, flatter sa fibre narcissique.

— Franck, dit le professeur, je ne vais pas tenir le coup. Je crois que je vais faire un réflexe vagal. Faites-moi hospitaliser.

Corsa se retourna vers Melvin.

— Allez chercher un infirmier et un brancard.

Melvin quitta la salle d'interrogatoire en tirant la porte derrière lui. Franck avait quelques minutes devant lui pour un tête-à-tête avec le professeur.

— Corsa, je... je ne sais pas ce qui n'a pas fonctionné entre nous.

— Moi, je sais. Et j'aimerais vous l'entendre dire.

— Vous vouliez Neuroland. Et vous y aviez droit.

Franck plissa les yeux, intéressé.

— Dans ce cas, pourquoi m'avez-vous refusé ce droit ?

— Je n'avais pas vraiment reconnu vos capacités, dit Larcher.

L'intérêt dans le regard de Franck redoubla.

— Vous êtes sur la bonne voie, professeur. Mais vous ne mesurez pas entièrement ma réussite. Actuellement, je dicte sa conduite au ministre lui-même sur certains dossiers. Et aux chefs de gouvernement des plus puissants pays d'Europe. Je pilote un des projets les plus importants de ces trente dernières années dans l'organisation de la police judiciaire.

Mon Dieu, songea Larcher ébahi. *La science a accouché d'un monstre. Et ce monstre va nous engloutir.*

— Quel est ce projet?

— L'utilisation des neurosciences pour percer à jour l'esprit humain. Déchiffrer les pensées. La police de l'esprit. La transparence.

Larcher resta pétrifié d'horreur. C'était à peine croyable. Entre les mains de Corsa, une telle invention avait de quoi inspirer les pires cauchemars totalitaires.

— Vous êtes allé bien plus loin en quelques mois que des générations de savants sur les bancs de l'université, dit Larcher d'un ton faussement admiratif. Et tout cela si jeune... Vraiment, je me suis bien trompé sur vous. Il me semble que j'ai été un vieil idiot.

Cette fois, un sourire oblique barra le visage de Franck. Que ces paroles étaient douces.

— Mais alors ce que je ne comprends pas, dit le jeune homme, c'est comment vous en êtes arrivé à me préférer un type comme Vincent Carat. C'est incompréhensible, avouez-le!

— Une coquetterie de vieux scientifique, dit-il. Vous savez comment nous sommes, nous autres. Nous avons nos péchés mignons, nous aimons tenir de grands discours sur le génie scientifique, sur l'intuition nécessaire dans le travail de recherche. Avec le recul, j'aurais mieux fait d'obliger Le Cret à vous prendre.

— Mais il n'avait pas non plus remarqué mes capacités.

— C'est vrai. Notre système de détection des talents est peut-être à revoir.

— Mais non, s'emporta Franck : le pire, c'est que votre système fonctionne... Il est censé rétribuer le mérite académique, la qualité intrinsèque, les notes qui mesurent la qualité, le classement qui la consacre, les affectations qui la récompensent. Ce sont les hommes qui ont failli. Des hommes comme vous, qui ne suivent pas les règles qu'ils ont pourtant promulguées! Vous incarnez la faillite d'un système, Larcher!

Franck avait crié. Il était fou. Le professeur sentit l'étau se resserrer. Tous ses efforts n'avaient servi à rien...

— C'est vrai, concéda-t-il, de plus en plus inquiet. Vous êtes dans le vrai, évidemment. Et nous nous sommes mis en tête de l'ignorer. Cela a été notre erreur. Vous m'avez ouvert les yeux car vous avez réussi par vos propres moyens. Vous ne devez votre réussite à personne d'autre qu'à vous-même.

Franck approuva.

— En effet. De là où je suis, je peux dire que je manipule les chercheurs comme des souris dans une cage. Ce qui est aussi une sorte de science.

— Je suis sûr que vous ferez ce qui est le mieux pour votre pays.

Franck hocha la tête. Le jeu avait assez duré.

Il se leva et fit un pas en arrière, contemplant sa victime. Larcher avait cédé. Au bout du compte, après bien des efforts, il s'était soumis. Franck pouvait considérer que c'était le moment opportun pour se séparer de lui.

— Professeur, dit-il, je suis heureux que vous ayez ouvert les yeux plutôt que de persister dans votre erreur. Mais maintenant considérez la vérité en face et estimez que vous ne pouvez plus rien apporter à la société.

Les yeux de Larcher s'écarquillèrent d'effroi.

— Comment ? Que voulez-vous dire...

D'une tape sur l'épaule, Franck le fit chuter de son siège. Le vieil homme n'avait plus la force de se relever. Accroupi à côté de lui, Franck glissa à son oreille :

— Avant de mourir, je veux que vous sachiez que je suis allé violer Maria dans votre appartement, que je l'ai violée dans la chambre que vous lui aviez réservée au CROUS, puis dans son meublé du XIVᵉ, et que j'y retournerai tous les jours jusqu'à ce qu'elle en crève. Sachez que j'ai détruit son idylle avec Carat et que je briserai Carat en détruisant petit à petit le cerveau de sa mère. Tout cela ne serait pas arrivé si vous ne m'aviez pas jugé de façon si ridicule et insultante, espèce de cloporte.

Franck se releva, observant avec mépris le corps du professeur, puis pressa la semelle de sa chaussure sur son cou. Le corps du vieillard était flasque et repoussant. Il appuya plus fort, et sentit enfin quelque chose de dur sous la semelle. Sans doute la vertèbre qui comprimait l'artère carotide. À cet instant, Larcher se tordit comme un ver sur le sol et ses jambes balayèrent le carrelage dans des soubresauts spasmodiques. Franck maintint la pression. Il sentit la vie s'écouler lentement du vieux corps.

Mais des pas résonnèrent dans le couloir. Franck retira son pied et s'agenouilla auprès du professeur. Melvin fit irruption dans la pièce, suivi par un brancardier.

Franck s'emportait.

— Imbécile! hurla-t-il. Vous me l'avez bousillé!

Melvin resta médusé devant la scène. L'infirmier se pencha sur le corps, dont il prit le poignet.

— Le pouls est faible. Portons-le sur la civière.

Au moment où Franck et l'infirmier soulevaient le professeur, le thorax du vieil homme se souleva avec violence, comme sous un coup de boutoir.

— Il est en fibrillation, déclara l'infirmier. Capitaine, aidez-moi à l'amener au bloc. Il nous fait un arrêt cardiaque!

Melvin croisa le regard de Franck qui lui cracha au visage :

— Vous êtes vraiment une brute décérébrée, Melvin. Si vous me l'avez tué, vous en subirez les conséquences.

Immédiatement après le départ de Franck, Latifa bondit sur ses pieds et ordonna à Maria de fourrer des affaires dans un sac, de réveiller son fils et de la suivre. Il ne fallait pas rester une seconde de plus ici. Son instinct de policière le lui certifiait. Corsa était un loup, il pouvait revenir armé ou avec une escouade de soldats surentraînés qui les bouclerait en un rien de temps sous n'importe quel prétexte.

Maria obéit sans protester. Elle pressentait que Latifa était sa seule chance. Lorsqu'elle avait pointé le canon de son arme sur Franck, elle avait compris que la supériorité de celui-ci n'était pas une fatalité : il suffisait d'une personne déterminée en face de lui.

Elles allèrent chez Latifa. Maria se sentit aussitôt enveloppée par la tendresse familiale qui imprégnait ces lieux. Samira, l'aînée, était le portrait tout craché de sa mère, en plus fine et plus austère. Studieuse, appliquée, elle s'occupait des tâches domestiques tout en poursuivant des études pour devenir ingénieur. Son cadet Wahid, un ado introverti, avait tendance à éviter les contacts, passant beaucoup de temps dans sa chambre où il se documentait sur les animaux en voie de disparition. Il disait vouloir travailler dans les institutions de protection de la nature. Fatiha, du haut de ses sept ans, s'efforçait de contenir les assauts d'Iliès, un petit garçon survolté qui s'accrochait la moitié du temps aux montants de son lit superposé.

Dès qu'ils virent arriver Maria, les enfants se disputèrent pour l'approcher, lui parler, monter sur ses genoux, écouter sa voix chantante. Iliès était fasciné par ses cheveux blonds. Mais ce fut Fatiha qui proposa spontanément à Michka de partager ses jouets. La petite fille arriva au beau milieu de la salle à manger, le regard étincelant et le sourire aux lèvres, sans un mot, les bras tendus vers lui, tenant un petit berceau dans lequel elle avait disposé une poupée. Quelques instants après, les deux enfants partirent dans une des chambres et on ne les revit plus de la soirée.

Le soir, ils s'attablèrent et parlèrent. Pour Karim, il était inconcevable qu'un criminel parvienne à se couvrir à ce point. Latifa était fonctionnaire de police, son témoignage sur l'agression dans l'appartement devrait suffire à déclencher une enquête approfondie.

— Non, lui dit Latifa. Ce gars-là peut faire disparaître des dossiers judiciaires d'un claquement de doigts et même des résultats de biopsies. Il est protégé par des personnages auxquels nous n'avons pas accès. Pour l'instant, il faut assurer la sécurité de Maria. Il faut qu'elle soit perpétuellement en mouvement. Corsa ne pourra plus la localiser. La règle numéro un est : ne jamais passer plus de deux nuits sous le même toit. Il faut qu'elle ait plusieurs domiciles et qu'elle en change sans arrêt. On va lui donner le tournis, à ce fils de pute.

— Je pense qu'elle ferait mieux de rester ici, dit Karim.

— Non, ici c'est trop dangereux. Il nous a vues ensemble. Il faut adopter une technique de guerre. Les plus hauts dignitaires romains avaient pour obligation de changer de lit chaque nuit pour échapper aux assassinats. Tu seras comme un sénateur romain, tu te rends compte, Maria ?

Maria ne répondit pas. Cela allait représenter une sacrée somme de complications. Mais peut-être moins que de voir débouler Franck chez elle une fois de plus.

— Tu dois m'établir une liste de tes amies, dit Latifa, des gens qui te connaissent et qui peuvent t'héberger pour quelques nuits.

Maria réfléchit. Valérie Larcher, peut-être ? Il faudrait qu'elle demande d'abord à Serge. Mais elle n'avait pas vu le professeur depuis plusieurs jours et elle redoutait le pire depuis que Corsa avait fait intrusion dans son appartement.

— Tu as des copines au boulot ? lui demanda Latifa.

— J'ai ma chef, une Italienne sympa. Elle m'aime bien, je crois.

— Parle-lui. Dis-lui que tu as des problèmes avec un mec bizarre contre qui tu as dû porter plainte, dis-lui qu'il te harcèle et que tu serais plus rassurée si tu pouvais un moment être hébergée chez elle...

Maria trouvait Latifa remarquablement organisée. Malgré tout, elle s'imaginait mal dire ce genre de choses à Patrizia Benedetti. Latifa poursuivait ses réflexions.

— Je vais essayer de demander à Stef, mon assistante pour les patrouilles de nuit, si elle peut t'héberger. C'est une fille solide, pas du genre à se dégonfler. Maintenant, il te reste le plus important. Je t'ai parlé d'une copine, d'une vraie. Il te faut ta meilleure amie ici.

Maria réfléchit. Sa meilleure amie. En avait-elle seulement une?

— Réfléchis bien, dit Latifa. Une vieille copine de toujours.

— Une copine de toujours, non.

Mais une femme qui m'a sauvé la vie. Olga. À Rublovka.

Maria sourit. Olga serait sûrement ravie de visiter Paris.

Olga Youchkine claqua derrière elle la porte du gros Range Rover piloté par Irina, son employée domestique qui l'accompagnait pour faire ses courses ou aller au club de tennis. Elle ne savait pas vraiment ce qu'elle allait faire aujourd'hui.

Généralement, Youri rentrait déjeuner à midi. Elle lui servait son repas, il s'allongeait un quart d'heure pour se reposer avant de repartir pour l'hôpital. Olga se vautrait alors devant une série télévisée kazakhe.

Elle consulta ses mails et eut confirmation de son rendez-vous en fin d'après-midi au centre commercial avec deux de ses amies du quartier. Elle effleura l'écran de son Mac customisé par Uwe Sotckensis, le designer allemand en vogue à Rublovka, lorsque le message de Maria lui sauta aux yeux.

Je suis à Paris, j'ai besoin de toi. C'est sérieux.

Il n'y avait pas à hésiter. Maria était en danger. Elle regarda sa montre. Youri n'allait pas rentrer avant deux heures pour se faire servir son bortsch et mettre les pieds sous la table avant de retourner trifouiller la cervelle de quelque riche oligarque pétrolier multicancéreux. Olga avait le temps d'aller à l'aéroport, de prendre des billets, de faire viser son passeport et surtout de fourrer quelques habits dans un sac de voyage. Sans oublier l'American Express.

Aucun regret. Sa vie était devenue l'équivalent d'un coma sous perfusion de vodka, bercé par les bavardages de copines superficielles et conformistes. Le quartier suait le fric par tous ses pores, quand on n'y égorgeait pas des mafieux dans des hangars à bateaux.

Maria avait donné l'adresse d'une amie où elle pourrait la retrouver. Dans l'avion, Olga s'enfila d'entrée de jeu deux Zubrowka avant de piquer un somme. Lorsqu'elle ouvrit l'œil, ce fut pour contempler le paysage accablant de Roissy sous les ailes d'acier de l'A320. Il lui fallut une demi-heure pour traverser l'enfer bétonné de la banlieue et pénétrer dans Paris, ses balcons sculptés et ses monuments pris d'assaut par des hordes d'Allemands et de Japonais. Elle monta dans un taxi et se rendit à l'adresse indiquée. Au quatrième étage, la porte lui fut ouverte par une femme au sourire chaleureux.

— Maria ! Je crois que ton amie est arrivée !

Quand Olga vit Maria avancer vers elle, elle comprit en découvrant ses traits qu'il lui était arrivé un malheur. Son expérience de psy lui laissait deviner que, quel que fût le pervers qui avait fait ça à Maria, il avait réussi à implanter dans son regard deux choses : la crainte et la culpabilité. Elle était toujours aussi belle mais son visage portait la marque d'un drame profond. C'était à vous fendre le cœur.

Les trois femmes s'installèrent au salon et Latifa exposa brièvement la situation.

— Maria est poursuivie par un type qui a le bras long et qui ne va pas lâcher. On va donc devoir brouiller les pistes. Mon opinion est que Maria ne doit pas loger trop longtemps à la même adresse. En moins de deux jours, il ne faut pas que Corsa puisse la localiser. Il faut donc qu'elle change de domicile toutes les deux nuits. Ici, on va s'occuper du petit Michka, mais elle, il faut qu'elle ait une valise prête en permanence et un lit toujours à disposition en plusieurs endroits. Vous avez déjà un hôtel, Olga ?

Avant qu'Olga ait pu répondre, Latifa avait déplié un guide de Paris.

— Le Tim Hotel de Montmartre n'est pas mal, dit-elle. J'ai rendu service autrefois à son gérant, il devrait pouvoir libérer une chambre rapidement et vous enregistrer sous une fausse identité. Soyez prêtes toutes les deux dans vingt minutes, on vous emmène avec Karim.

L'hôtel était sigué rue Ravignan, non loin de la place des Abbesses. Cela convenait parfaitement à deux touristes russes en visite à Montmartre. On leur montra aussitôt la chambre. Olga resta au milieu de la pièce, bouche bée, devant la vue donnant sur le théâtre des Abbesses, les Invalides dans le lointain et la tour Eiffel.

— On va pouvoir faire du tourisme...

— Je ne vous le conseillerais pas trop, dit Latifa. Le restaurant d'en face sert un bon canard à l'orange. Ne vous mettez pas en terrasse, cherchez un endroit peu exposé pour ne pas vous faire remarquer. Maria est une fille qui attire les regards, un prédateur comme Franck sent cela.

Quelques instants plus tard, les voilà assises sur des tabourets de bar autour d'une table ronde et de deux Coronas.

— Extra, ta copine, dit Olga.

— Je commence à croire que ma chance dans la vie ce sont les copines. Tu es venue tout de suite. Merci.

— Je suis mieux ici qu'à Moscou, dit Olga. Youri me fait franchement chier, il m'a retiré les clés du Range Rover et me traite comme une gamine avec l'appui du juge. Ici, je sens que je peux servir à quelque chose. J'ai été psy, tu te souviens?

Maria prit une gorgée de bière en balayant des yeux les alentours.

— Et tu crois que j'ai besoin d'un psy?

— Maria, je me trompe ou tu as été violée par un type qui a juré de te détruire? Ça laisse des traces. Je peux t'aider. Qui est-il? Tu peux en parler?

— Un élève du master où je suis inscrite. Le genre de type hyper-brillant qui te drague de manière autoritaire, persuadé que tu lui appartiens à partir du moment où il a posé le regard sur toi, et qu'il te fait une faveur en te choisissant. Et si tu dis non, tu achètes ton billet pour l'enfer.

Olga ne perdait pas une miette de ce que lui disait Maria. L'agresseur devait être animé par un désir d'emprise. Cela pourrait correspondre à un pervers narcissique intolérant à la contradiction.

— Je pense qu'il prend tout refus comme une insulte, dit Olga. Une attaque personnelle. Il interprète un «non» comme une remise en cause fondamentale de tout son être. Car en fait, il n'a aucune certitude sur sa valeur profonde. Tous ses efforts pour se montrer parfait ne sont que des tentatives d'estime de lui-même.

Les yeux de Maria se plissèrent. Sa copine n'avait pas entièrement tort.

— Tiens, tiens, dit-elle, un brin ironique. C'est ça qu'ils vous apprennent, en fac de psycho?

— Plus ou moins. Maria, ton type est ce qu'on appelle un psychopathe à succès. Brillant, manipulateur, non dénué d'un certain charme, il réussit dans les hautes sphères du pouvoir où il instrumentalise son entourage pour parvenir à ses fins. Il n'est obsédé que par une vision magnifiée de son propre ego. Il va essayer de tout détruire dans ta vie.

— C'est déjà fait. Je suis dévastée.

Elle se mit à pleurer.

— Allez, Maria. Ça va aller...

— J'ai rencontré ici un garçon que j'aime, sanglota-t-elle. On voulait faire notre vie ensemble. Mais à partir du moment où Franck m'a agressée, je n'ai plus pu supporter qu'il m'approche. J'ai envie de mourir, Olga.

Olga posa une main compatissante sur son épaule.

— Pauvre Maria... Ce n'est pas ta faute. Ton corps ne veut plus de lui, pour l'instant, et c'est normal. C'est comme ça, tu n'y peux rien. Il faudra d'abord que tu te reconstruises. Ensuite tu pourras retourner vers ce garçon.

— Hélas, c'est trop tard, c'est fichu, il ne veut plus me voir. Et il a raison, je suis une traînée! Je suis misérable, j'attire le regard des hommes, je dois avoir l'air d'une pute. D'ailleurs, c'est ce que dit Franck...

Olga sentit la colère monter en elle. C'était toujours le même processus. Un salopard violait une femme et c'est la fille qui devait se sentir coupable.

— Tu es en plein processus de dévalorisation, Maria. C'est exactement ce que veut Franck. Tous les violeurs font pareil. Ils isolent leur victime socialement et géographiquement pour qu'elle ne puisse pas trouver d'aide. Tu étais étrangère, en situation délicate, il était facile pour lui de faire pression sur toi. À partir de là, il t'a humiliée et fait de toi sa chose. Attaques surprise, irruptions imprévisibles à ton domicile, immobilisations dans le noir, poursuites, tout cela a finalement paralysé tes capacités de réaction. Tu avais le sentiment de n'être plus rien. Et maintenant, tu te dévalorises au point que tu considères que tout cela est ta faute.

— C'est vrai, avoua Maria. C'est ce que je ressens.

— Tu dois vaincre la honte. Le seul moyen pour cela est de briser le rapport de domination qui s'est institué entre toi et lui. Le jour où Franck sera condamné pour ce qu'il a fait, tu pourras te relever. Tu dois prendre ta revanche. Tu n'as pas le choix.

Se confronter à Franck la terrifiait. Et pourtant, Olga avait raison. Si elle ne voulait pas vivre le restant de ses jours comme une vaincue, marquée au fer rouge par sa défaite, elle devait tenter quelque chose.

Pourquoi et comment Franck était-il devenu si puissant? Comment son ascension avait-elle pu être si fulgurante? Franck avait fait quelque chose que les autres étudiants ne font pas habituellement. Il devait y avoir dans son parcours un événement fondateur duquel il tirait son actuelle position de force.

Le bureau des études de l'École normale devait avoir les dossiers de tous les étudiants inscrits, leurs notes et leurs feuilles de choix pour leurs laboratoires d'accueil. Maria eut l'idée d'aller s'adresser à la secrétaire de la scolarité, une sexagénaire et grosse fumeuse qui l'appréciait.

— Franck Corsa a terminé major de sa promotion, dit cette dernière, mais il n'est pas passé par nous pour faire une demande d'accueil dans un laboratoire. Avec son classement et ses notes, il est possible qu'il ait demandé à être embauché directement au CNRS. Peut-être qu'en s'adressant au siège, vous auriez plus de résultats?

Maria remercia la femme. Si Franck était entré au CNRS, c'était sûrement par la grande porte, en contactant le directeur ou ses proches.

Grâce à sa situation à l'Agence nationale de la recherche, elle pouvait facilement contacter le secrétariat du CNRS. Elle appela le bureau du directeur, André Vareski, et prétexta une question délicate touchant au financement de l'université. La secrétaire enclencha un message d'attente, puis une voix masculine répondit.

— Vareski à l'appareil.

— Bonjour, je suis Maria Svetkova de l'ANR et je voulais savoir si vous aviez été en contact avec un élève de la promotion sortante de l'École normale, pour le recruter à un poste stratégique.

Vareski eut l'air étonné.

— Qu'est-ce qui vous fait penser cela? Les promus doivent passer un doctorat avant de présenter un dossier d'admission. Ce n'est pas un moulin, ici.

— En fait, il s'agit du major de la promotion, et il n'apparaît pas sur les listes habituelles. Je pensais qu'il avait pu être embauché directement.

Maria perçut une hésitation au bout de la ligne.

— Le major? Hum... Comment s'appelle-t-il?

— Franck Corsa.

Un silence de mort plana sur la ligne.

— Monsieur Vareski, vous êtes toujours là?

— Je ne peux pas vous parler maintenant. Venez à mon bureau. Cet après-midi, quatorze heures.

Le siège du CNRS était situé rue d'Auteuil dans l'ouest de Paris. En entrant dans le bureau du directeur, Maria fut frappée par le visage raviné, creusé et tourmenté d'André Vareski. D'un geste las, il invita la jeune femme à s'asseoir devant lui.

— Ainsi, dit-il, vous connaissez Franck Corsa?

— J'ai été dans le même master que lui, dit-elle.

Vareski eut un sourire où elle perçut clairement une douleur physique.

— Et vous voulez le rencontrer?

— Je veux même le retrouver.

Vareski fit pivoter sa chaise. On aurait cru qu'il souffrait.

— Franck Corsa n'est pas une fréquentation très recommandable, murmura-t-il.

— Pourquoi dites-vous cela?

Il poussa un long soupir.

— Je peux bien vous le dire, maintenant. Je quitterai mes fonctions dans quelques semaines, je n'ai plus rien à perdre. Franck Corsa a brisé ma carrière. Il a tout fait pour que je sois renvoyé du CNRS, en profitant d'appuis politiques que je n'arrive toujours pas à m'expliquer. En tout cas, le ministère m'a clairement fait savoir que mon mandat ne serait pas renouvelé. Alors, que voulez-vous à cet individu?

Maria se redressa et décida de jouer franc jeu.

— Cet individu a détruit ma vie, dit-elle. Il m'a menacée d'expulsion et a abusé de moi par ce moyen de pression. Je veux obtenir justice.

Le visage d'André Vareski se décomposa.

— Mon Dieu. Avez-vous porté plainte?

— Bien sûr. Et comme vous pouvez vous en douter, mon dossier a été classé sans suite. Il a un alibi. Les prélèvements biologiques ont tout simplement disparu.

Miséricorde..., songea Vareski. *Notre système de formation a accouché d'un monstre.*

— Je pensais qu'il avait fait un détour par le CNRS, continua Maria, et c'est pour cela que je souhaitais vous rencontrer. Car maintenant il est clair que, pour préserver ma vie et celle de mon enfant, je dois savoir comment Franck est arrivé là où il se trouve, comment il tisse ses relations et quels sont ses objectifs.

Vareski contempla sa visiteuse. Depuis que Corsa avait ruiné sa carrière, il était resté comme anesthésié, en proie au découragement, à se demander quelle erreur il avait commise. Et voici que cette femme prenait le taureau par les cornes. Il fallait l'aider.

— Je ne sais pas grand-chose, dit-il. Seulement que Corsa travaille aux côtés du ministre de l'Intérieur, Michel Levareux. J'ignore exactement quels sont leurs projets, mais je pense que Corsa a joué un rôle clé dans la prise de contrôle de Neuroland par l'État.

— Qu'avez-vous dit? Neuroland passe sous contrôle de l'État?

— Vous n'êtes pas encore au courant à l'Agence nationale de la recherche? Remarquez, cela ne m'étonne qu'à moitié. Ils vont bien se garder de le dévoiler au public. Quand on pense à l'arnaque que cela représente...

— Quelle arnaque? Que voulez-vous dire?

— Il y a quelques semaines, Xavier Le Cret et moi avons défendu un amendement à la commission de Bruxelles pour que soit autorisée l'expérimentation humaine à très hauts champs magnétiques chez Neuroland. Le ministère nous a conseillé de mettre en avant un volet consacré aux recherches sur la maladie d'Alzheimer. Il y avait même un petit jeune très prometteur qui faisait des merveilles dans ce domaine.

Maria sentit son cœur se serrer. Vareski le remarqua.

— Vous connaissez Carat? demanda-t-il.

— Oui. Franck a cherché à nous éloigner l'un de l'autre, c'est une longue histoire. Mais le projet de recherche sur Alzheimer, que devient-il?

— Je comptais dessus pour justifier mon action à la tête du CNRS, confia Vareski. D'une part, parce qu'il s'agit d'une cause nationale. D'autre part, parce qu'il y a enfin des résultats prometteurs et que ce jeune avait l'air d'être la personne qui pourrait faire avancer la situation. Mais le ministère l'a stoppé, et je suis sûr que Corsa en est la cause. Il est venu me narguer à la sortie de la commission, en présence de Michel Levareux. Le projet Alzheimer n'a sans doute jamais existé. C'était une manœuvre politique dans laquelle j'ai été mené par le bout du nez par Corsa et ses associés. À présent, mon sort est scellé. Mes rivaux au CNRS vont me fusiller à bout portant en disant que je n'ai rien fait pour Alzheimer au cours de mon mandat.

Maria nota l'une après l'autre ces informations. La conséquence la plus directe était que Félicia n'aurait jamais son traitement. Vincent devait être profondément désespéré et Franck continuait à tout détruire sur son passage.

— J'ai quand même du mal à vous croire, dit-elle à Vareski. L'Agence nationale de la recherche ne peut pas avoir monté un dossier spécial avec des fonds alloués à la recherche sur Alzheimer à Neuroland!

Vareski eut un sourire désabusé.

— Vous croyez? Dans ce cas, regardez où l'argent de l'ANR est parti.

— Ce que vous me dites est extrêmement précieux. Je vais essayer de vérifier ce qu'il en est dans nos comptes.

— Faites-le, vous aurez des surprises.

Maria se leva. En la voyant partir, Vareski ne put s'empêcher d'éprouver de l'admiration pour cette femme. Ce qu'elle avait subi de la part de Corsa était bien pire que tout ce qu'il avait vécu lui, et pourtant elle réagissait avec vitalité et résolution. Pourquoi ne pouvait-il faire de même?

Il se retourna vers son bureau et eut le sentiment d'une existence vide et inutile.

EN SE CONNECTANT depuis son poste personnel, Maria vit aussitôt défiler la liste des projets, du plus récent au plus ancien. Sur la thématique d'Alzheimer, le plus récent portait la référence ALZ-122. Elle déroula son descriptif.

Numéro de référence : ALZ-122
Date : juin 2012
Intitulé de la tâche : **diagnostic précoce Alzheimer R&D**
Durée du financement : 36 mois
Unité responsable du projet : Neuroland, Saclay
Responsable : Xavier Le Cret
Description-résumé :
Le projet vise à utiliser les très hauts champs magnétiques pour développer de nouveaux axes de recherche sur la maladie d'Alzheimer.
Axe N1 : Alzheimer et imagerie cérébrale : 62 ME
Axe N2 : Alzheimer et recherche sur modèles animaux : 16 ME
Axe N3 : Banc d'essais précliniques : 22 ME

Il n'y avait pas de doute, c'était celui qui l'intéressait. L'organisme financé était Neuroland, le chef de projet Xavier Le Cret et le montant du financement était de 100 millions, précisément la somme indiquée par Vareski ! Pour savoir s'il y avait une irrégularité, il fallait consulter le détail du dossier.

Elle hésita. Si elle essayait d'aller plus avant dans ses recherches, elle risquait de se faire repérer. Mais en principe, n'importe quel chargé de projet pouvait consulter les dossiers en cours de traitement. Le cœur battant, elle cliqua sur l'icône.

Zut. L'accès lui était refusé. Il fallait un code d'accès.

Elle se rendit dans le bureau de sa supérieure.

— Patrizia, avez-vous suivi le dossier de financement de Neuroland pour des recherches sur Alzheimer?

Patrizia Benedetti était en train d'égoutter un sachet d'infusion au-dessus d'une tasse et releva les yeux, souriante.

— Je n'ai pas suivi ce dossier. De quoi s'agit-il?

— Je voulais juste savoir si les fonds ont bien été versés.

— Bien sûr, pourquoi ne serait-ce pas le cas? Pourquoi cela te tracasse-t-il?

— Savez-vous qui est en charge de ce dossier?

Patrizia haussa les épaules. Elle vit que son thé était prêt.

Maria retourna dans son bureau. Elle réfléchit à toute vitesse. Logiquement, s'il y avait bien eu un amendement européen pour assurer l'avenir de Neuroland comme Vareski le lui avait dit, la presse aurait dû en parler. Elle se connecta à internet et fit une recherche en combinant les termes «Parlement européen, champs magnétiques, amendement». À sa surprise, plusieurs articles de presse récents se référaient à la question. Mais ils ne traitaient pas l'aspect politique de l'affaire. Ils relataient un étonnant fait divers. Un des membres de la commission parlementaire avait trouvé la mort en tombant du balcon de son bureau, au huitième étage du Parlement.

— Qu'est-ce que c'est que ça...

La thèse officielle sur la mort de Joël Boesmans était celle du suicide. Mais un journaliste du nom de Dick Vardel travaillant pour le journal *L'Églantine* refusait ce scénario. Selon lui, Joël Boesmans n'avait pas pu se donner la mort car il menait une vie parfaitement épanouie tant sur un plan familial que professionnel.

Maria resta perplexe. Qui aurait bien pu avoir intérêt à assassiner un député? En feuilletant la presse plus en détail, elle apprit que Boesmans faisait partie des opposants les plus acharnés au projet d'amendement soutenu par le ministre Levareux. Levareux qui travaillait avec Franck Corsa.

Maria eut un sombre pressentiment. La lutte pour le pouvoir, la cruauté, le désir d'emprise, la défense de Neuroland, la violence aveugle, tout cela portait l'empreinte de Franck Corsa. Franck ne reculait devant rien pour détruire ceux qui lui résistaient. Aurait-il pu faire assassiner un père de famille occupant un siège au Parlement pour faire voter un amendement et prendre les rênes de Neuroland ? Malheureusement, elle n'avait aucune difficulté à imaginer la chose. Pour éliminer ce député, il fallait que cet amendement soit d'une importance capitale. Et donc, que les recherches à Neuroland représentent un enjeu énorme. Alzheimer ? Personne ne tuait pour Alzheimer. On ne tuait pas pour guérir les gens. On tuait pour autre chose.

Pour quoi ?

Une chose était désormais certaine. Un faux dossier Alzheimer avait été constitué et les fonds n'arriveraient jamais à destination. Elle retourna au bureau de sa chef. Patrizia Benedetti était en train de terminer son infusion.

— Nous devons absolument voir ce qu'il y a dans ce dossier, Patrizia.

— Allons bon, ça recommence. Maria, calme-toi, va reprendre tes dossiers en cours, on en reparlera plus tard. Je ne te vois pas pendant une semaine. Tu déboules et...

— Patrizia, il faut vraiment qu'on se parle.

Patrizia Benedetti fronça les sourcils.

— À ce point ?

— À ce point. Et pas ici.

Maria emmena Patrizia au café d'en face. Elle commanda d'office deux bières et dit :

— J'ai acquis la conviction que le dossier Neuroland est factice.

— Mais enfin, qu'est-ce que tu vas inventer ?

— L'argent ne va pas là où on croit, je suis sûre de pouvoir le prouver. Je pense que le gouvernement a monté ce dossier pour faire croire qu'il investissait dans la recherche sur Alzheimer, uniquement pour obtenir une dérogation de la Commission européenne et continuer ses expérimentations en très hauts champs magnétiques. En fait, l'argent sert probablement à financer un autre projet classé secret-défense.

Patrizia se mit à rire.

— Mais enfin ma chère, d'où tiens-tu tout cela?

— D'André Vareski.

Benedetti faillit ingurgiter sa bière de travers.

— Vareski? Le directeur du CNRS?

— En personne. Il a assisté aux réunions à Bruxelles. Il est écœuré. Il m'a tout raconté. Patrizia, la seule chose que nous avons à faire est d'ouvrir ce dossier.

— Impossible, j'ai regardé tout à l'heure, je n'en ai pas l'autorisation.

— Demande à ton patron, alors.

— Hein?! Mon patron? Ça ne va pas, ma fille! J'ai ma place ici depuis douze ans, je n'ai pas envie de tout perdre. Jamais tu ne me feras faire cela.

Maria planta son regard dans le sien.

— Si, tu vas le faire, Patrizia. Parce qu'il y a eu un mort dans cette affaire. Un homme de trente-cinq ans, père de trois enfants.

— Ah! non alors, n'essaie pas de m'embobiner!

— Le député qui refusait de voter l'amendement en question. Ils l'ont fait défenestrer.

Patrizia commençait à se sentir mal. Elle chercha le serveur du regard.

— Je... Je vais rentrer. Je ne peux pas faire ce que tu me demandes.

Maria l'attrapa par le bras.

— Je t'en prie, dit-elle. L'homme qui a tué le député est aussi mon violeur.

Patrizia faillit s'étrangler pour de bon. Il lui fallut attendre encore une autre tournée pour pouvoir écouter tout ce que Maria avait à lui dire.

— Tu comprends maintenant pourquoi la situation est particulièrement dangereuse, dit-elle pour conclure. Il y a un fou dans les rouages de l'État et il n'a pas fini de faire des ravages.

Patrizia hocha la tête. L'alcool lui faisait du bien. Elle se sentait plus détendue.

— Dis donc, ma petite, quand Serge Larcher m'a demandé de te prendre à mon service, il ne m'avait pas raconté tout cela.

— Il l'ignorait.

— Ce que je ne comprends pas, dit Patrizia, c'est qu'avec la tonne d'ennuis personnels que tu traverses, tu te préoccupes encore d'un dossier fantôme?

Maria hocha la tête en souriant. On arrivait enfin aux choses sérieuses.

— Je suis obligée de fuir en ce moment. Corsa a la mainmise sur la police et il me traque. J'ai une bonne copine flic qui héberge mon fils chez elle et j'ai fait venir ma voisine de Russie qui loge à l'hôtel, le but étant que je dorme chaque nuit dans un appartement différent. Je cherche des gens qui pourraient m'accueillir de temps à autre.

— M... Moi?

Maria acquiesça. Benedetti fut prise d'un rire nerveux.

— Je vais faire partie d'un groupe de femmes protégeant une fugitive russe se battant seule contre un fou qui a noyauté la police. Je ne peux pas croire cela.

— Je ne veux pas te forcer, dit Maria. Je fais le tour de mes copines et je n'en ai pas beaucoup par ici.

— Bon, c'est d'accord, dit Benedetti. Mais je te préviens : mon mari est grognon et quand il rentre du boulot, il regarde la ligue des champions. C'est du foot.

Franck Corsa se rendit cette nuit-là à l'appartement de Maria, dans l'impasse Gabriel-Fauré. La veille, il était venu vers vingt-trois heures. Il pensait qu'il serait savoureux de frapper à la porte, comme un mari qui rentrerait chez soi le soir et attendrait qu'on lui serve le ragoût. Mais personne n'avait répondu. Il avait alors tiré sa clé de sa poche et était entré dans l'appartement. Il avait senti une bouffée d'excitation en foulant la moquette où il avait chevauché cette grosse Arabe en lui fourrant le canon de son arme dans la bouche. Cette jument adipeuse l'avait traité deux fois de connard, une fois à l'École normale supérieure, l'autre fois ici même. Il aurait bien aimé lui fourrer le canon autre part, et l'aurait sûrement fait si Maria ne s'était pas mise à hurler comme une truie par la fenêtre.

Il sentit son sexe se raidir en entrant dans la chambre. Maria devait être allongée quelque part, paralysée de terreur, blottie comme un oiseau apeuré sous la couette. Il allait lui sauter dessus, lui arracher sa culotte et la cogner. Plus question de mettre de gants. Cette petite gouine avait failli le faire coffrer, maintenant elle allait déguster.

Et puis, il avait constaté que l'appartement était vide. Ah tiens. Mademoiselle était de sortie. Chez des amis, sans doute. Peut-être retardait-elle le moment de se confronter avec les cauchemars qui suintaient des murs de son taudis. Très bien. Franck aimait les parties de cache-cache. Mais ce qu'il y a d'amusant, quand on joue à cache-cache, c'est de changer de cachette à chaque fois. Il prit donc son temps pour déplacer des vêtements d'une penderie vers une autre, afin de se créer un espace dans le rangement situé juste en face du lit. Au milieu de la nuit, Maria verrait une silhouette émerger de l'armoire, tel un spectre, et fondre sur elle comme dans un film d'épouvante. Il allait faire éclater son cœur.

Il attendit dans le placard. Ce n'est qu'après une heure d'attente dans cette position inconfortable qu'un doute s'insinua dans son esprit. Allait-elle venir ? À une heure du matin, il commença à sentir des crampes dans les mollets. Et puis, soudain, il se trouva ridicule, comme un gamin qui croit faire peur à tout le monde, alors que les gens sont partis.

Furieux, il sortit de sa cachette.

— Sale pute ! Je vais te déchirer !

Il rassembla ses esprits. Elle essayait de lui échapper. Au lieu de se soumettre, elle le défiait. Alors il lui infligerait les pires tortures. Peut-être même aurait-il du mal à ne pas la tuer. Il rentra chez lui, une haine froide au fond du cœur, comptant les secondes qui le séparaient de cet instant.

Il viendrait demain au cœur de la nuit, lorsqu'elle serait couchée. Il entrerait sur la pointe des pieds et se jetterait sur elle. Il la frapperait en face de son enfant. Après, il la violerait de diverses manières. Ce serait sauvage.

À trois heures du matin, il introduisit sa clé dans la serrure.

Il vit aussitôt que l'appartement était tel qu'il l'avait laissé la veille. La porte du placard était encore entrouverte, les robes toujours dans la deuxième penderie.

Elle avait filé.

Une sorte d'ébullition parcourut son sang comme une fureur retenue, différée. Pourquoi essayait-elle de fuir ? C'était inutile, elle ne pouvait pas s'échapper ! Elle ne faisait qu'aggraver son cas ! Quelle conne !

Il se rendit dans les locaux de la sous-direction antiterroriste. Lorsqu'il entra dans le bureau d'écoute, Vernieuwe était de garde. Cela tombait bien.

— Svetkova a disparu, dit-il. Elle nous a semés. Il faut la retrouver.

— Vous voulez parler de la Russe qui était sur la troisième ligne d'écoute, au CROUS ? Elle a toujours son portable mais je vois qu'elle ne l'a pas utilisé depuis huit jours.

— Elle se planque, évidemment. Démerdez-vous nom de Dieu, Vernieuwe, il ne faut pas qu'elle nous échappe, elle détient des documents sensibles.

Le rythme des doigts de Vernieuwe accéléra sur le clavier.

— Aucune adresse IP, dit le caporal, pas d'adresse postale. Je pourrais passer par les fichiers de l'URSSAF, mais elle a sans doute pris une location au noir. Et là, on ne peut rien faire.

Franck écumait de rage. Il avait envie de crever les yeux de Maria avec un stylo et de planter sa tête sur un poteau. Son poing s'abattit sur la table.

— Trouvez quelque chose, Vernieuwe! Je n'ose pas imaginer ce qui va vous arriver si vous ne lui mettez pas la main dessus.

Vernieuwe se força à maîtriser la peur qui le gagnait. En matière d'écoutes téléphoniques, les choses étaient parfois plus simples qu'on ne l'imaginait.

— Même si elle n'a aucun moyen de communication à son domicile, elle en a forcément à son travail, dit-il.

— Très bonne idée! L'Agence nationale de la recherche! s'écria Franck. C'est là qu'elle a son turbin. Allez-y, faites un tour dans leur intranet.

Vernieuwe hésita.

— S'introduire sur le réseau d'une institution publique indépendante? Il faut une autorisation...

Le regard de Franck désintégra ses doutes. Il se courba sur son clavier.

— Voilà... Je l'ai. Svetkova, Maria, chargée de mission de projets transnationaux. Poste 5427. On se branche?

— Et plus vite que ça.

Franck tourna les talons. Cela avait été moins une. Le contact était rétabli. Il sortit fumer une cigarette sur le trottoir.

Maria. Oh, Maria. Franck est de retour. Tu as cru m'échapper, et je t'ai retrouvée. Tu es finie. J'attendrai maintenant le moment idéal pour te porter le coup de grâce.

En jetant son mégot dans le caniveau, il remonta au bureau car il avait encore un mot à dire à Vernieuwe. Il trouva le caporal installé à son poste, occupé à gérer sa grille d'écoutes.

— Vernieuwe, vous pouvez laisser tomber les écoutes sur la ligne de Serge Larcher.

Le caporal le regarda d'un air étonné.

— Il n'est plus surveillé?

— Il est dans le coma. Ce salopard de Melvin l'a à moitié démoli.

Vernieuwe sursauta, stupéfait.

— Melvin? Vous voulez dire le capitaine Melvin?

— Ça surprend, je sais. C'est pourtant la réalité. Melvin fait du grabuge dans les salles d'interrogatoire. Il a massacré ce vieux professeur d'université. Ça ne le dérange pas de frapper comme un malade sur des faibles, en revanche il a des états d'âme dès qu'il s'agit d'extorquer des aveux à des terroristes tueurs d'enfants. On ne se doute pas toujours de qui sont nos collègues, hein?

Vernieuwe ouvrit des yeux effarés.

Il se sentait plus mal qu'il ne l'avait jamais été.

Maria se sentit enfin en sécurité. Qui aurait pu se douter qu'elle se trouvait dans un hôtel avec une amie russe, protégée par le flot de milliers de touristes qui sillonnaient cette ville? Franck lui semblait d'un seul coup très loin. Cette petite chambre perchée au sommet d'une bâtisse toute de guingois, au bout d'une rue qui grimpait, sinueuse et tortueuse, à flanc de coteau, était un vrai refuge.

Elle prit sa douche et enfila le tailleur qu'elle portait d'habitude au bureau. À la réception, le groom lui fit signe que sa table était prête près de la fenêtre. Un croissant et du café noir l'attendaient. Elle mordit dedans à belles dents, quand un visage connu apparut à la vitre.

C'était Latifa.

— Viens! fit Maria avec de grands signes.

La policière fit le tour des parois vitrées et pénétra dans le restaurant. Elle déboutonna son manteau et commanda à son tour un café.

— Alors, ça va? Ta copine, elle dort encore?

— Comme une souche. Assieds-toi, est-ce que tu as déjeuné?

— Non. J'ai vu Valérie Larcher. Elle est très inquiète. Son frère n'a pas donné signe de vie.

Maria sentit son estomac se nouer.

— C'est impossible, dit-elle. Il doit normalement donner ses cours à l'École normale.

— J'y suis allée. Son bureau est sous scellés.

Maria était sans voix. Sous scellés? Qu'est-ce que cela voulait dire?

— Il a été placé en garde à vue, lâcha Latifa. La gardienne de l'immeuble m'a donné des détails. Apparemment, des flics en tenue d'intervention sont venus et ont vidé tout son bureau. Ils lui ont passé les menottes et l'ont embarqué dans un fourgon. À en juger par sa description c'étaient des agents de la sous-direction antiterroriste.

Maria enfouit son visage dans ses mains. C'était un cauchemar. Serge... Entre les mains de la police? Elle n'arrivait pas à y croire.

— Serge Larcher est le meilleur homme que je connaisse. Il ne ferait pas de mal à une mouche. Je devais le rencontrer ce soir-là, et...

Maria s'arrêta au beau milieu de sa phrase. C'est précisément en se rendant à l'appartement de Serge Larcher qu'elle avait été accueillie par Franck. C'était démoniaque. Il avait fait enlever le professeur pour pouvoir lui tendre un piège à elle.

L'image de l'appartement de Serge Larcher, où Corsa l'avait poursuivie puis plaquée sur la moquette, lui était revenue. Elle se figea, les mâchoires serrées, une haine froide au cœur.

— Franck a dépassé les bornes, dit-elle.

— Comment?

— Il s'en est pris à Serge Larcher, j'en suis sûre. Si Serge est placé en garde à vue, c'est l'œuvre de Franck. Cette bête sauvage a déjà provoqué l'assassinat d'un homme politique en Belgique, et maintenant il fait arrêter des professeurs d'université. Il prépare l'avènement d'un État totalitaire. Il n'y a qu'un moyen de le faire tomber.

Elle se leva et prit son sac à main.

— Je retourne à l'ANR.

— Mais pour quoi faire?

— Franck a commis une erreur, dit Maria. Un dossier pourri jusqu'à l'os que nous avons sur notre serveur à l'Agence. Je vais l'ex-humer et le lui faire péter à la gueule. Il va moins rigoler après ça, cet enfant de salaud.

Oui, songea Latifa. À condition que ce soit elle qui le trouve la première, et non l'inverse.

Vincent Carat était allongé sur la banquette qui s'enfonçait lentement vers l'intérieur du scanner. Il ferma les yeux et vérifia mentalement qu'il avait bien réglé tous les paramètres. Peu à peu, la lumière du jour déclinait et faisait place à la pénombre feutrée de l'intérieur du tunnel. Dans quelques instants, il serait entièrement plongé dans l'appareil et l'expérience allait commencer. Il sentit un frisson.

Il allait être le premier être humain à subir un champ magnétique équivalant à deux cent mille fois le champ terrestre. Des champs qu'une institution internationale, la Commission européenne, estimait dangereux pour la santé. Vincent entrait dans une *terra incognita* de la science et du corps humain.

Mais si tout allait bien, ce serait surtout la première fois que seraient identifiés deux paramètres essentiels du mouvement des molécules d'eau dans les neurones d'un être humain vivant, et conscient.

Damien Tréteau pilotait l'expérience depuis la cabine de contrôle. Ce serait leur dernière expérience ensemble. Damien allait quitter Neuroland. Première victime des changements de stratégie, son axe de recherche avait été annulé. Il avait déjà commencé à envoyer des CV dans différents labos à travers le monde. Mais il ne regrettait pas le temps passé ici avec ce diable de Vincent Carat.

— Ça t'intéresserait d'être le premier homme à mesurer les deux coefficients de diffusion de l'eau dans les neurones? lui avait demandé Vincent. Alors tu seras l'expérimentateur et moi, le cobaye.

Le protocole expérimental qu'il avait programmé devait permettre d'obtenir un graphique avec deux inclinaisons, l'inclinaison la plus forte correspondant au coefficient de diffusion rapide, et la courbe à faible inclinaison au coefficient de diffusion lente. Damien avait proposé de le faire à moindres frais sur des souris, mais Vincent avait objecté que les coefficients pouvaient être différents à cause de l'environnement des neurones qui différait chez les deux espèces. Comme d'habitude, c'était la bonne réponse.

— Tu as fait un check-up complet ?

— Pas de souci, répondit Vincent. Rien de métallique dans les poches, pas un bouton de manchette, pas une boucle de ceinture, j'ai retiré mes chaussures et que je sache, je n'ai pas de prothèse de hanche métallique.

Vincent pensa à tout ce que son travail lui avait apporté. Même lorsque Maria l'avait trahi, même lorsqu'il avait appris que les souvenirs de sa mère étaient irrécupérables, il avait toujours aperçu une lueur d'espoir en se penchant sur ses équations. Maintenant, il en voyait l'aboutissement en plongeant son corps dans un scanner. Il y avait ici un secret ultime qui se jouait, dont il allait peut-être percer le mystère.

Damien vérifia les paramètres du poste de contrôle. Devant lui, le tableau de commande comportait une série de curseurs destinés à régler l'intensité du champ et des paramètres physiques comme le flux calorifique des bobines de refroidissement, mais il ne s'agissait pas d'y toucher. Il se connecta au programme de pilotage des séquences IRM. Les gradients de champ allaient être émis par intensité croissante, de façon à réaliser une vingtaine de mesures pour obtenir un graphique suffisamment détaillé. Les inclinaisons de ce graphique fourniraient une mesure des coefficients de diffusion de l'eau sous sa forme rapide et lente.

— Tu es prêt ? demanda Damien à travers le micro connecté à l'intérieur du scanner. Ne bouge plus.

Vincent entendit le vrombissement du champ magnétique. Presque aussitôt le contre-champ destiné à le neutraliser entra en action. Vincent commença alors à percevoir une série de déclics sonores qui correspondaient à l'acquisition des données. Il tenta de se représenter les millions de milliards d'atomes d'hydrogène en train de pivoter, tête sens dessus dessous.

Lorsqu'il sortit du scanner, Damien était déjà en train de valider les fichiers d'enregistrement.

— Toutes les données sont dans ce fichier. Je dois y aller, un train doit m'amener à Lyon pour le premier rendez-vous de ma future carrière.

— Je te souhaite bonne chance, Damien. Je ne sais pas comment te remercier pour tout ce que tu as fait.

— C'est moi qui te remercie. Ce fut un honneur de travailler à tes côtés. Tu vas faire des étincelles avec ce projet. Et ne perds pas espoir pour Félicia.

Vincent vit s'éloigner la silhouette de Tréteau au bout du couloir. Il préféra retourner dans son bureau pour analyser les données. Chaque point représentait l'état d'aimantation de son cerveau à un moment donné. Le scanner avait émis des séries de champs magnétiques qui avaient excité, et littéralement «aimanté» les molécules d'eau de son cerveau. Puis, les antennes radiofréquence avaient recueilli le signal émis en retour par ces molécules d'eau. Vincent pouvait ainsi observer l'aimantation globale de différentes zones de son cerveau.

Pour le test qui lui importait, il fallait choisir une partie de son encéphale dont l'activité ne varierait pas notablement au cours de l'expérience. Il se focalisa donc sur le cortex moteur, une région cérébrale consacrée au contrôle des mouvements du corps : comme il était resté immobile, elle était supposée être restée inactive. Dès lors, la mesure de l'aimantation donnerait un aperçu de l'aimantation naturelle de son cortex moteur.

Sur le graphique, les points paraissaient bien alignés jusqu'à mi-chemin, où une inflexion apparaissait : le tracé changeait d'inclinaison.

Vincent sentit son cœur battre plus fort. Il ne s'était pas trompé. Il y avait bien deux coefficients de diffusion. Il fit correspondre sans difficulté deux segments de droite aux alignements de points. Leur inclinaison livrait deux chiffres : les deux coefficients de diffusion.

J'ai sous les yeux deux populations de molécules d'eau dans mes neurones. Ce que je vois, ce sont les deux piliers du code neural.

En hâte, il imprima le tracé et alla chercher le document à l'imprimante au bout du couloir. Un chercheur attendait lui aussi que ses propres documents sortent de la machine. De teint mat, de type indien, il prenait un à un les papiers qui sortaient de l'imprimante.

— C'est à vous? questionna-t-il en tendant son graphique à Vincent.

Vincent prit l'imprimé en se demandant où il avait vu cet homme.

— Nous sommes-nous déjà rencontrés? Vous êtes nouveau dans les locaux?

L'autre lui tendit une main cordiale.

— Je suis Milton Rajiv. Professeur invité à l'École normale. Je mène une partie de mes recherches en algorithmique ici même.

Ainsi Neuroland avait embauché des spécialistes de l'algorithmique, releva Vincent. Sans doute de nouvelles orientations voulues par le gouvernement...

Xavier Le Cret se montra enchanté par les tracés que lui présenta Vincent. Selon lui, les deux coefficients de diffusion allaient maintenant permettre de franchir un cap décisif dans le processus d'extraction de l'activité ultime des neurones.

— Comment comptez-vous procéder, à présent, Carat?

— Nous allons pouvoir mesurer l'activation des neurones grâce à ces deux coefficients. Nous reconnaîtrons les neurones actifs au fait que leur coefficient lent va dominer le rapide, du fait que davantage de molécules d'eau vont être piégées par la membrane en expansion.

— Exactement! s'exclama Le Cret en tapant du poing dans la paume de sa main. Génial!

— Nous allons observer ce phénomène dans le cerveau d'une personne éveillée se livrant à des exercices mentaux. Cela permettra de détecter avec précision quels neurones s'activeront. En temps réel et à une échelle de quelques micromètres, ce qui serait une première mondiale.

Les yeux de Le Cret pétillaient.

— Carat, je vous ai malmené, vous qui avez tant d'intuition. Je vous offre un café?

Les deux hommes se dirigèrent vers le distributeur de boissons.

— Je n'arrive pas toujours à vous comprendre, confia Vincent. Vous êtes parfois si enthousiaste et d'un coup si rude et austère.

Le Cret posa une main sur l'épaule de Vincent.

— Je sais. Le code neural m'a rendu un peu fou, au fil des années. Je crois que cela ira mieux lorsque tout sera terminé.

— Monsieur Le Cret, pour moi tout cela n'a de sens que si je peux aider ma mère à s'en sortir. Même si découvrir des choses aussi importantes que le code neural est extrêmement excitant. Sans l'affection que j'ai pour certaines personnes, cela n'a pas beaucoup de sens. Je ne sais pas exactement comment le dire, mais si l'on vit seul au monde, la science devient quelque chose de glacé.

Le Cret se tut. Le gobelet de café à la main, il observa Vincent avec sérieux.

— Est-ce que je peux faire quelque chose pour vous, Carat ?

— J'ai compris que les recherches sur Alzheimer ne sont plus possibles pour le moment à Neuroland. Je voudrais pour ma mère quelque chose qui ralentisse la progression de sa maladie. Il y a une molécule, le methylthiominium, qui réduit considérablement les symptômes et semble retarder l'évolution de la maladie pendant deux ou trois ans.

— Très bien. Bonne nouvelle.

— Je voudrais pouvoir commander du methylthiominium pour ma mère, par l'intermédiaire du labo. Je n'ai pas les moyens de le payer actuellement. Je vous rembourserai si je commence ma thèse chez vous.

— Bien sûr. Commandez cette molécule aux frais du labo. J'espère que votre mère ira mieux. Alors vous souhaitez toujours faire une thèse chez moi ?

— Oui.

— Cela me fait plaisir de vous accueillir, dit Le Cret. Je vous tiens en haute estime. Mon rêve serait de laisser Neuroland à un digne successeur et qui sait, ce sera peut-être vous. Vous pouvez compter sur moi pour obtenir votre demande de bourse auprès de Serge Larcher.

Les deux hommes se serrèrent la main. Ils retournèrent vers le bureau en devisant comme deux collègues évoquant leurs conférences à un prochain congrès.

Le methylthiominium se présentait sous forme de gélules de couleur marron semblables à de petits œufs en chocolat. Vincent déplia la notice et rechercha d'éventuelles contre-indications. Félicia ne faisait pas d'allergie au saccharose, ni à quoi que ce soit de connu. Pas d'hypertension, son bilan établi par le docteur Ronzier était globalement satisfaisant. Autant qu'il pût en juger, le feu était au vert. Un dosage d'une gélule le matin et une le soir serait un bon début.

Pour l'instant, Félicia était occupée à lire un journal people dans son fauteuil. Jamais elle n'aurait fait cela avant sa maladie. Vincent alla chercher la bouteille de porto et posa deux verres sur la table basse.

— Maman, j'ai un traitement qui va stabiliser tes facultés cognitives, dit-il. Avec du repos, en surveillant ton rythme de vie, je pense que nous pourrons voir l'avenir avec optimisme. Et évoquer ensemble le passé.

Félicia eut l'air d'abord surprise, puis soucieuse.

— Tu crois que je décline vraiment, Vincent ? Je sais qu'il y a eu ce diagnostic me concernant mais je n'ai pas l'impression de perdre mes souvenirs.

— Maman, on n'a pas conscience des souvenirs perdus puisqu'on n'y pense plus. C'est normal. Mais tu m'as parlé d'un livre que papa voulait que je trouve le jour de ma thèse. Il t'avait donné cette clé.

Vincent sortit l'objet de sa poche.

— C'est toi qui me l'as confiée. Et tu es la seule à savoir ce qu'elle ouvre. Est-ce que tu t'en souviens ?

Félicia contempla le morceau de métal rouillé, l'air hébétée. Elle secoua la tête.

— Vraiment pas, non. Tu es sûr que...?

— Absolument. Apparemment, cette clé donne accès au livre que papa voulait me léguer.

— C'est impossible. Comment aurais-je oublié? Tu dis que c'est ton père qui m'a confié cela?

— Maman, il ne faut pas culpabiliser. Je ne crois pas que la mémoire soit comme un tableau noir, avec des choses qu'on écrit et qu'on efface. Les souvenirs existent encore dans ton cerveau, simplement c'est le chemin pour y arriver qui s'est encombré, comme un sentier où les ronces ont poussé. C'est plus difficile d'y accéder. Je voudrais te donner ces gélules et laisser ton cerveau se réorganiser. Avec de l'espoir, cela peut revenir.

À cet instant, la sonnette retentit.

— Ça doit être Franck, dit Vincent en déposant le flacon de gélules sur la table basse. Nous devons encore réviser ce soir avant les examens de demain.

Il invita Franck à entrer.

— Salut!

Franck jeta aussitôt un regard à l'intérieur de la pièce. Il vit que Félicia était en train d'avaler une gélule avec un trait d'eau. Sur la table se trouvait un flacon contenant d'autres gélules.

Il se tourna vers Vincent.

— Comment vas-tu, Vin'?

— J'ai eu de bonnes nouvelles quand même du labo. J'ai obtenu les premières mesures des coefficients de diffusion.

Franck exulta.

— Mais c'est fantastique, Vincent! Tout simplement fantastique!

Il se tourna vers Félicia.

— Madame, votre fils a découvert les deux nombres magiques qui sont les piliers du code neuronal. Dans moins de deux ans, on entendra parler de ces équations dans les journaux et à la télé. Vous ouvrirez votre poste et vous vous rappellerez que je vous l'avais dit.

Vincent ne put s'empêcher de penser que dans deux ans, Félicia ne se souviendrait plus de rien. Franck le devina. Il commençait à interpréter la moindre de ses mimiques.

— Ça se fête, insista Franck. Champagne !

— Heu... Et les révisions ?

— C'est vrai, tu as raison. On révise d'abord, on trinque plus tard. Mais tout de même, quelle découverte...

Franck suivit Vincent dans la cuisine en le chahutant comme l'aurait fait un vrai ami. Pendant qu'il ouvrait le réfrigérateur, Franck dit à voix basse :

— Dis, qu'est-ce que tu lui donnes, à Félicia... Fais attention, ne plaisante pas avec ça.

Vincent referma le frigo.

— C'est du methylthiominium, dit-il. Ça marche bien. C'est une solution de fortune, en attendant mieux. Il y a eu des essais thérapeutiques un peu douteux, mais sans incident notable. Je préfère ça que d'attendre les bras croisés...

— Peut-être. Mais ne laisse pas traîner ça au salon. Tu comprends, quand on ne se souvient plus très bien de ce qu'on a pris le matin, à midi on peut doubler les doses par mégarde.

— Tu as raison. Je vais mettre le flacon de médicaments dans la salle de bains, assez haut pour qu'elle ne puisse pas le prendre.

— Oui, c'est préférable.

Franck déballa ses cours sur la table. Il voulait être absolument sûr que Vincent décrocherait ses examens. Il prit son cahier et chercha un exercice portant sur le calcul du moment gyromagnétique du proton, le genre de questions où Vincent pouvait caler complètement. Au bout de quelques minutes, il proposa :

— Comme on en a pour un moment, pourquoi ne pas manger ici ? Qui veut une pizza ? Félicia, vous aimez les pizzas ?

— Comme c'est aimable à vous, Franck, dit-elle en feuilletant son magazine. Je me contenterai d'une moitié.

— Napolitaine, quatre-saisons, regina, ça vous va ?

Vincent sourit, rasséréné. Franck apportait de la gaieté dans cette maison.

— Tu veux que je t'accompagne ?

— Ah ! non, toi tu vas me potasser cette partie du cours de mécanique quantique. Dès que je rentre, je te pose une colle sur un calcul de spin et tu as intérêt à me faire un sans-faute. Au boulot !

— Ce Franck est vraiment un garçon fantastique, dit Félicia pendant qu'il tirait la porte derrière lui.

Franck commença par commander les pizzas au bistrot du bout de la rue, puis il se mit en quête d'une pharmacie. À peine entré, il repéra sur une étagère un flacon de compléments alimentaires au zinc et au magnésium. Les gélules marron avaient exactement l'aspect du methylthiominium que prenait Félicia. Elle ne pourrait pas faire la différence.

— Une boîte de Magnézinc, s'il vous plaît.

Il empocha le paquet et repassa par le restaurant pour récupérer ses pizzas. L'odeur délicieuse d'anchois et d'origan se répandit dans l'appartement.

— Qui en veut? Félicia, pour vous! Je vais d'abord me laver les mains. Vincent, peux-tu couper les parts, veux-tu?

Pendant que Vincent et Félicia s'affairaient autour des pizzas, Franck s'enferma dans la salle de bains. Il se mit à chercher le flacon de methylthiominium. Il le trouva dans le dernier logement supérieur du placard mural au-dessus du lavabo. Il fit couler l'eau du robinet pour couvrir les bruits de sa manipulation, ouvrit le flacon et échangea les contenus. On n'y voyait que du feu. Félicia allait prendre du Magnézinc pendant trois mois, ça ferait du bien à sa cervelle de mouton.

— Alors, ce calcul de moment gyromagnétique? dit-il en sortant de la salle de bains.

Vincent travaillait avec application, tout en croquant de temps en temps dans une part de pizza. Franck observait Félicia avec un air de tendresse filiale.

— Est-ce qu'elles sont à votre goût, madame Carat?

— Franck, vous êtes un ange. Vous méritez une récompense. Que puis-je vous servir, un petit digestif?

— Je ne sais pas. Qu'est-ce que vous avez?

Félicia fit quelques pas vers le placard à liqueurs, puis s'arrêta au milieu du salon. Son front se plissa sous l'effort de la réflexion.

Franck l'observa, fasciné. Elle ne savait plus ce qu'il y avait dans son coffret à liqueurs. Elle se remit en marche, ouvrit le placard, observa les étiquettes, se redressa et revint vers lui.

— ... Rhum, cognac...

Elle s'arrêta. Elle avait oublié la suite. Elle retourna vers le placard.

— Qu'est-ce que je disais... rhum, cognac, calvados, vieille poire...

— Vieille poire, dit Franck.

Félicia, un large sourire sur les lèvres, posa un verre devant lui et versa l'alcool transparent.

Il la regarda faire.

Il avait fait des calculs. En fin de vie, un cerveau d'Alzheimer perdait un tiers de son volume, soit environ trente milliards de neurones. Cette perte s'étalait sur une durée de dix ans maximum. Ce qui voulait dire qu'un neurone mourait environ toutes les dix secondes.

Il compta mentalement, pendant que Félicia rebouchait la bouteille. Un neurone de perdu. Le temps qu'elle traverse la pièce et la replace dans le placard, elle avait encore perdu trois neurones. Chaque nuit lui en coûterait trois mille.

Jamais elle ne retrouverait ce que son mari lui avait promis de transmettre à Vincent.

Le bureau de Patrizia Benedetti était juste assez grand pour recevoir quatre personnes. Patrizia proposa des cafés, puis Latifa prit la conversation en main. Elle avait décidé que Maria passerait une soirée chez Patrizia, puis une autre chez Valérie, avant de venir dormir chez elle pour revoir son fils. Franck n'aurait aucun moyen de la repérer si elle conservait une telle mobilité. De son côté, Latifa enquêterait sur les relations de Franck pour évaluer par où il serait possible de l'attaquer.

— Ce que je ne comprends pas, dit-elle, c'est le motif poursuivi par Corsa. Faire assassiner un député suppose des moyens énormes et un motif sérieux. Selon vous, quel genre d'activité, menée au sein de Neuroland, justifierait ce genre d'intervention au niveau européen?

— Dans mon pays, intervint Olga qui avait rejoint les filles, le gouvernement utiliserait des centres de recherche de ce type pour mener des expériences sur la manipulation des esprits, l'internement des ennemis du régime, ce genre de choses.

Latifa fit la moue.

— Vous croyez? Manipuler les esprits à Neuroland?

Olga haussa les épaules. Latifa plissa les yeux, en l'observant.

— Il faut vraiment savoir ce qu'il y a dans ce dossier. De mon côté, je vais essayer d'obtenir un rendez-vous avec le ministre.

— Tu vas te jeter dans la gueule du loup!

— Je ne crois pas. Le ministre Levareux n'est pas fou. Je ne le vois pas couvrir les agissements d'un violeur. Est-il seulement au courant des méfaits de Corsa? Mon avis est que s'il savait tout ce qui se passe dans ses services, Franck pourrait avoir de gros ennuis.

— Mais fais attention, tu ne sais pas où tu mets les pieds, dit Maria.

— J'en fais mon affaire. Chargez-vous seulement de mettre la main sur ce dossier. Patrizia, vous pensez pouvoir y accéder?

Patrizia poussa un long soupir.

— Les obstacles sont sérieux. D'abord, l'accès au dossier est verrouillé. Ensuite, il n'est pas affecté à mon département. Enfin, personne ne sait qui s'en occupe. Ça fait beaucoup de choses à découvrir.

— Savoir qui s'en occupe? J'ai un moyen simple pour cela, dit Maria.

— Ah bon? Et quel est ce moyen simple?

— En Russie, on appelle ça la pêche à la mouche.

À dix heures trente, l'ensemble des personnels de l'ANR reçurent un message sur leur compte mail. Ce message était signé de Patrizia Benedetti. Elle disait avoir reçu un appel téléphonique d'un comptable de Neuroland concernant le dossier ALZ-122. Le comptable en question désirait avoir des précisions sur l'échelonnement des versements prévus à ce dossier, et Patrizia cherchait la personne qui pourrait lui répondre.

Il ne s'écoula pas dix minutes avant que se présente dans son bureau une petite femme nerveuse coiffée en chignon. Patrizia reconnut Ghislaine Héron, une des chargées de mission recrutées en début d'année. Elle était encore en période de formation.

— Je suis désolée que cet appel soit tombé sur vous, dit Héron à Patrizia. Avez-vous pu noter le nom de la personne qui appelait?

— Honnêtement, je n'ai pas fait attention. Mais l'administration de Neuroland fera facilement le lien. Sans indiscrétion, qu'y a-t-il dans ce dossier?

Héron baissa les yeux maladroitement vers une chemise de couleur violette qu'elle serrait sous son coude.

— Ah... Heu, rien. Un dossier de financement tout ce qu'il y a de plus classique. Programme des recherches, nom des directeurs d'équipe, des personnels, liste d'équipements, échéancier. Les renseignements habituels.

Patrizia fit mine de réfléchir.

— Je suis étonnée que le dossier ne nous ait pas été adressé au département des sciences du vivant. Sans vouloir vous vexer, il serait sans doute judicieux que j'y jette un coup d'œil. Avec des montants pareils, il est important d'assurer un suivi optimal des évaluations et j'ai de l'expérience dans ce domaine, alors que vous venez de débuter à ce poste. Accepteriez-vous que je vous file un coup de main?

L'autre se mit à balbutier.

— Je... je vous remercie, cela ira.

— Je dis cela sérieusement, Ghislaine. C'est le dossier ALZ-122, que vous avez là?

La jeune femme recula.

— Je... merci encore! À bientôt.

La jeune chargée de mission fit demi-tour et quitta la pièce précipitamment.

Le chef de Ghislaine Héron s'appelait Édouard Bless et il était à la tête de l'ANR depuis deux ans. Sans aucune formation scientifique, cet énarque gérait les fonds alloués aux projets de recherche comme il l'aurait fait pour n'importe quelle administration. Il avait la réputation de tenir d'une main de fer ses services de comptabilité, les procédures d'évaluation et les démarches juridiques afférentes aux projets.

Patrizia le trouva intimidant. C'était un homme grand et maigre qui se mouvait avec lenteur et ses lunettes en écaille, posées sur un nez long et fin, accentuaient sa ressemblance avec un hibou. Son cou semblait pouvoir pivoter de trois cent soixante degrés sur ses épaules. Quant à ses mains, longues et osseuses, elles lui firent penser à deux araignées posées sur le bureau, animées d'une vie propre.

Édouard Bless la fit asseoir et lui demanda quel était le motif de sa visite.

— Il s'agit apparemment d'un détail, dit Patrizia. Toutefois, l'affaire pourrait être embarrassante. Récemment, un dossier relevant très clairement de la compétence de ma section semblerait avoir été attribué, peut-être par erreur, à une autre personne. En l'occurrence, il s'agit d'un financement pour un important programme de recherche sur Alzheimer. Il devrait y avoir moyen de remédier à cette erreur. Par exemple, en réaffectant ce dossier à nos services.

— De quel dossier s'agit-il ?

— Son nom de code est ALZ-122. Une demande de cent millions pour le centre Neuroland, au sud de Paris. Je ne sais pas si vous le resituez...

— Ah oui. Je vois. Je l'ai donné à Héron. Quel est le problème ?

— Cela concernerait plutôt le bureau des sciences du vivant, me semble-t-il. Nous nous sentons pris de court. En fait, personne ne comprend vraiment ce qui se passe.

— Héron doit faire ses preuves, dit Bless. Elle est encore jeune dans le service. Je lui ai donné ce gros dossier pour qu'elle se confronte à la réalité du terrain. Il est temps qu'elle passe aux choses sérieuses. Et puis, il y est grandement question d'instrumentation et de physique. Contrairement à ce que vous pouvez penser, cela concerne aussi les sciences de la matière.

— Dans ce cas, pourrais-je jeter un œil dessus pour vérifier ce qui se rapporte à l'aspect biologique du dossier ? Je pourrais ainsi donner mon avis à Ghislaine Héron pour lui éviter de perdre du temps ou de commettre une erreur.

Les paupières d'Édouard Bless s'abaissèrent avec une lenteur d'oiseau. Il déploya son immense carcasse, se leva et fit le tour du bureau.

— Vous flairez qu'ALZ-122 est un gros coup, n'est-ce pas ? Vous voulez vous illustrer et vous avez raison, il y a longtemps que vous n'avez pas été avancée. Soyez rassurée. Vous venez de me montrer clairement que vous avez l'étoffe d'une directrice de département. Je vais vous inscrire dès à présent au tableau d'avancement.

Benedetti se sentit obligée de suivre le mouvement que Bless lui imprimait. Elle comprit qu'elle allait disparaître par la porte dans un instant et que tout cela prendrait fin. Alors elle songea à Maria. À Franck Corsa. Au dossier qui restait on ne peut plus opaque.

Au diable son avancement ! se dit-elle.

— Il ne s'agit pas de cela, monsieur le directeur.

Bless s'arrêta, toujours flegmatique.

— Monsieur le directeur, j'ai peur que ce dossier soit une vraie épine dans le pied de notre agence. La direction de Neuroland ne nous a pas tout dit. Notamment sur ces prétendues recherches sur Alzheimer. Je vous en prie, laissez-moi y jeter un œil. Pour le bien de la maison...

Elle vit soudain les araignées au bout des bras de Bless remuer. L'une d'elles s'éleva dans les airs, esquissant une étrange arabesque.

— Je suis persuadé que vous dirigerez un jour cette agence, Benedetti. Vous pourrez alors veiller à ce que vous appelez le « bien de cette maison ». Du même coup vous comprendrez qu'il peut être déplaisant d'entendre d'autres personnes vous dire ce qu'il faut faire. Retournez à votre bureau, restez à votre place et vous n'aurez pas affaire à un ingrat.

L'autre araignée sortant de la manche se posa sur la poignée de la porte. Elle l'abaissa froidement.

Patrizia se retrouva dehors. Elle jeta des coups d'œil à la ronde. Elle se rendit compte qu'elle avait peur. Le message qu'elle avait reçu était clair : nul n'était censé s'intéresser à ce que contenait le dossier ALZ-122. Elle s'était approchée trop près de la vérité et on la faisait fuir.

— Passez-moi la sécurité, dit Édouard Bless en décrochant son téléphone une fois dans son bureau.

Patrizia traversa le couloir et fit chauffer de l'eau pour se préparer un thé. Son cœur battait à tout rompre. Elle n'était pas habituée à se retrouver face à face avec des ogres comme Bless.

Lorsque l'eau se mit à bouillir, elle observa que sa messagerie avait enregistré deux nouveaux appels. Olga annonçait qu'elle était repartie à son hôtel, et Latifa avait été alertée par son mari qui lui rappelait pour la dixième fois que la petite Fatiha voulait une baguette magique qu'elle lui avait promise. Elle était donc repartie boulevard Haussmann pour trouver le jouet avant le déjeuner.

Patrizia but son thé à petites gorgées. Elle regarda son horloge murale. La pause de midi approchait. Une idée germa dans son esprit. D'un instant à l'autre, tout le monde allait se ruer vers les ascenseurs pour rejoindre la cantine du rez-de-chaussée. Elle n'aurait besoin que de quelques minutes, d'un peu de chance et de beaucoup de calme. Le dossier ALZ-122 était probablement contenu dans le porte-documents de couleur violette, posé quelque part sur le bureau de Ghislaine Héron. Au département des sciences de la matière.

Elle reposa sa tasse, sortit de son bureau, puis tourna à gauche au bout du couloir et prit l'ascenseur pour le quatrième. Là, elle bifurqua vers les bureaux numérotés de 112 à 136. Elle croisa une secrétaire en tailleur qui prenait elle aussi la direction des ascenseurs, avança en jetant des regards à gauche et à droite. L'étage était désert. Les gens se hâtaient, espérant éviter la file d'attente. Le bureau de Ghislaine Héron faisait l'angle du couloir. Comme la plupart de ses collègues, Héron ne fermait probablement pas la porte à clé pour aller manger. Patrizia constata qu'elle était ouverte. Elle entra et balaya la pièce du regard. Pas de trace apparente du porte-documents violet. Pourtant, Héron ne pouvait pas l'avoir emporté avec elle pour déjeuner, ni l'avoir fait sortir de la maison. Quant à l'emmener ailleurs, où donc, sinon chez le directeur ? Et pour quoi faire ? Non, il devait forcément être ici.

Patrizia ouvrit résolument les tiroirs du bureau, serrant les dents à chaque crissement métallique. Ne trouvant rien, elle farfouilla rapidement parmi les papiers posés sur le bureau. Son regard remonta alors vers les étagères murales. Elle y aperçut la tranche violette d'un petit dossier glissé entre des classeurs. Une étiquette autocollante portait une inscription au marqueur : ALZ-122.

Elle ne pouvait pas emporter ce document avec elle. Tout au plus jeter un coup d'œil à l'intérieur. Peut-être, en prenant encore des risques, faire quelques photocopies au bout du couloir. Elle défit les cordons élastiques, posa la chemise sur le bureau et l'ouvrit.

À ce moment, une voix retentit derrière elle.

— Que faites-vous dans mon bureau ?

Elle se retourna. Ghislaine Héron était plantée dans l'encadrement de la porte. Mais il y avait autre chose. Le colosse en tenue noire avec matraque, Velcroc et bombe lacrymogène qui était juste derrière elle.

Héron était venue avec la sécurité.

Il y a des moments dans une carrière qu'on préférerait oublier. L'agent de la sécurité demanda à Ghislaine Héron d'identifier formellement Patrizia Benedetti et de lui confirmer qu'elle venait d'ouvrir un dossier confidentiel dont l'accès lui avait été explicitement refusé en haut lieu. Patrizia fut ensuite conduite au bureau des ressources humaines pour l'établissement d'un procès-verbal d'infraction interne. Elle repartit avec une convocation pour une session du conseil de discipline.

Elle pouvait faire une croix sur sa carrière. Même si elle n'était pas dégradée, elle ne pouvait plus espérer aucune perspective d'évolution. Mais surtout, la vérité venait d'éclater devant ses yeux. Quelqu'un avait envoyé la sécurité dans le bureau de Ghislaine Héron en sachant pertinemment ce qui allait se passer. Édouard Bless savait que le dossier était une bombe et qu'il ne devait tomber entre les mains de personne. Tout ce que disait Maria était donc probablement vrai. L'Agence nationale de la recherche participait à une opération de financement occulte dans le cadre d'une opération secret-défense ayant coûté la vie à un député européen.

Maria avait donc raison. Ce dossier était une charge de dynamite. Il pouvait faire de gros dégâts.

En rentrant chez elle, Patrizia était si abattue qu'elle ne prêta pas attention au son du téléviseur poussé à fond qui renvoyait des hurlements d'une foule de supporters de foot en plein délire. Maria l'attendait à la cuisine pendant que son mari Roger sirotait sa bière devant le match.

— Comment cela s'est-il passé ? demanda la jeune femme.

Patrizia avoua tout.

— Je me suis fait pincer. Je ne pourrai plus rien faire à l'ANR, le dossier est à jamais inaccessible.

— Bon. Dans cas, on n'a qu'à aller directement à Neuroland.

Patrizia blêmit.

— À Neuroland ? Tu débloques...

— On les appelle. Deux chargées de mission de l'ANR demandant des précisions sur un programme de recherche en cours de financement, quoi de plus naturel ?

Patrizia se rendit compte que Maria ne se posait pas de questions parce qu'elle n'avait rien à perdre. Elle jouait sa survie, alors qu'elle voulait surtout éviter des ennuis. Elle se claquemura dans son bureau en attendant que Maria passe son appel téléphonique.

Maria avait imprimé la page de présentation du projet ALZ-122, auquel elle pouvait avoir accès via le serveur interne. La tonalité retentit, puis une voix de femme répondit.

— Neuroland, j'écoute?

— Je travaille à l'Agence nationale de la recherche, je suis en charge du dossier ALZ-122.

— Qu'y a-t-il pour votre service?

Maria observa la fiche descriptive du projet ALZ-122.

Numéro de référence : ALZ-122
Date : juin 2012
Intitulé de la tâche : **diagnostic précoce Alzheimer R&D.-**
Durée du financement : 36 mois
Unité responsable du projet : Neuroland, Saclay
Responsable : Xavier Le Cret
Description-résumé :

    Le projet vise à utiliser les très hauts champs magnétiques pour développer de nouveaux axes de recherche sur la maladie d'Alzheimer.

    Axe N1 : Alzheimer et imagerie cérébrale : 62 ME

    Axe N2 : Alzheimer et recherche sur modèles animaux : 16 ME

    Axe N3 : Banc d'essais précliniques : 22 ME

Un moyen de savoir si ce projet était bidon était de parler à un responsable d'un des axes de recherche. Par exemple, y avait-il, oui ou non, une équipe travaillant sur l'axe N1, intitulé «Alzheimer et imagerie cérébrale»?

— J'aurais besoin de précisions pour la spécification de moyens techniques en dotation pour l'axe «Alzheimer et imagerie cérébrale», dit-elle.

— Que voulez-vous savoir? répondit son interlocutrice.

— Je voudrais connaître les caractéristiques d'ampérage sur les antennes radiofréquence pour l'excitation des spins et le recueil du signal.

Comme elle s'y attendait, la secrétaire fut complètement dépassée. Elle se proposa de lui faciliter le travail.

— C'est l'axe N1, dit-elle. Vous n'avez qu'à me passer un membre de l'équipe, ce sera plus simple.

— Eh bien... Je crois que c'est Milton Rajiv. Le nouvel arrivant.

— Pouvez-vous me transférer sur son poste?

— Je suis désolée, madame, mais je ne peux malheureusement pas vous donner sa ligne.

— Pourquoi?

— Je ne peux pas.

Très drôle.

— Écoutez, madame, insista Maria, je suis chargée du suivi du dossier pour l'Agence nationale de la recherche. Les fonds vont être versés et il nous faut ces compléments d'information pour la comptabilité.

— Certainement, madame. Je vais donc procéder à des vérifications. À quel numéro puis-je vous rappeler?

D'instinct, Maria raccrocha.

Elle avait au moins obtenu un renseignement. Un nom, Milton Rajiv. Elle pianota le nom sur son moteur de recherche et découvrit un certain nombre d'informations. Milton Rajiv avait fait son doctorat à l'université de Bombay en Inde, avant d'obtenir un poste de professeur à l'université de Californie à San Francisco. Tout ça à vingt-cinq ans. Rapide, le gars. Et sa liste de publications était à tomber par terre.

Maria alla chercher deux cafés, un pour elle et un autre pour Patrizia.

— Le responsable du projet «Alzheimer et imagerie cérébrale» à Neuroland est chercheur en informatique et travaille sur des logiciels d'analyse de l'activité du cerveau, dit-elle. Apparemment, il a passé son doctorat en deux ans seulement et sa thèse est citée dans des dizaines de travaux de spécialistes. En un mot, c'est une tête.

— Je ne comprends pas ce que vient faire un spécialiste de l'algorithmique dans un programme de recherche sur Alzheimer, dit Patrizia.

— Moi non plus, dit Maria. En tout cas, il ne manque pas de centres d'intérêt. Sur sa page personnelle il est écrit qu'il est passionné par l'analyse des rêves.

— Fais voir un peu.

Patrizia prit des mains de Maria la page tirée du site de Milton Rajiv.

— Spécialiste du codage inverse. C'est quoi ça?

— Je ne sais pas, dit Maria. Apparemment, un domaine à mi-chemin entre les neurosciences et l'informatique, qui consiste à décoder les images du cerveau pour savoir à quoi une personne pense, ou ce qu'elle est en train de regarder, d'écouter. Écoute ça : «Grâce au codage inverse, il sera peut-être possible un jour de décoder les rêves d'un dormeur, en appliquant des logiciels de décryptage à partir des images de son cerveau en action.» Complètement délirant, non?

Patrizia fut interloquée. Ce qui la frappait, c'est qu'on ait confié un axe de recherche de 62 millions d'euros à un informaticien. Sur les thématiques liées à Alzheimer, on aurait attendu un biologiste ou un médecin, ou du moins un spécialiste de l'imagerie cérébrale. Confier le projet à un spécialiste de l'algorithmique n'avait pas de sens... Sauf s'il s'agissait d'un autre projet.

Elle se reporta au bas de la page. On y voyait la liste des conférences ou séminaires donnés par Rajiv à l'étranger. Delhi, Prague, San Francisco.

— Il est à Paris cette semaine, nota Patrizia. Pour une série de cours à l'École normale.

Les yeux de Maria s'agrandirent.

— Qu'est-ce que tu as dit? À l'École normale?

Maria jeta un coup d'œil sur la feuille.

— À quatorze heures. J'ai le temps! Je file.

Milton Rajiv se leva à sept heures trente, prit aussitôt le calepin posé sur sa table de chevet et griffonna quelques mots. *Désert, nuit, aigle.* Le reste était confus. Il n'arrivait pas à préciser ce que faisait cet aigle, à part lui parler en rêve.

Rajiv resta un moment assis au bord de son lit puis se leva pour aller faire chauffer de l'eau. Un moment, il laissa son regard errer à travers les cimes des arbres du campus de l'École normale.

Il noua soigneusement son carnet de rêves avec un ruban mauve. Comme il aurait aimé être un rêveur lucide! Il aurait alors interrogé cet aigle, peut-être serait-il monté sur son dos... et aurait voyagé plus loin que le ciel. Mais il n'était pas un rêveur lucide. C'était un talent qu'on possédait ou qu'on ne possédait pas, et qui permettait d'influer sur le déroulement de ses propres rêves, en temps réel, par un effort de la volonté.

Milton Rajiv alla savourer son café sur le balcon. Il rouvrit son carnet de notes et en fit tourner les pages pensivement. Il avait dessiné sur l'une d'elles la silhouette d'une femme aux grands yeux et drapée de nappes de brouillard. C'est ainsi qu'il avait essayé de représenter un de ses rêves, le plus fantastique. Cette créature lui était apparue à plusieurs reprises sous des traits différents. Dans ces moments rares, elle s'unissait à lui dans un sentiment d'extase. Cela dépassait tous les sentiments humains. Lorsque l'aube reparaissait, la quitter était une déchirure. C'était comme chuter du paradis. Si Rajiv avait été rêveur lucide, il aurait convoqué ce rêve dans chacune de ses nuits. Il l'aurait fait durer jusqu'aux lueurs de l'aube.

Mais il était presque huit heures, il s'habilla en hâte et prit la direction de la salle de cours. Lorsqu'il sortit de l'ascenseur, des élèves couraient en tous sens dans le hall, suivant des panneaux fléchés collés sur les colonnes ou les rampes d'escaliers.

— Vous allez avoir surtout un public de thésards, lui dit le responsable du cycle de conférences. Les élèves de master sont en pleins examens de fin d'année.

Rajiv posa son ordinateur sur le bureau face au public. La salle était comble. En fait, sa présence avait attiré du monde bien au-delà du cercle des chercheurs en sciences computationnelles, sans doute grâce au titre poétique de sa conférence :

«Reviens, radieuse» : de Gabriel Fauré au codage inverse

Après avoir laissé les derniers arrivants s'installer, il prit le micro, tapota légèrement son extrémité et commença.

Maria prit place au fond de la salle au moment précis où la conférence débuta et reconnut aussitôt le conférencier. Fidèle à son portrait sur la photo. Jeune, souriant, détendu. Au cours de sa conférence, il parla de programmes informatiques auxquels elle ne comprit pas grand-chose mais son propos nourri de citations de philosophes était stimulant.

Dès que la conférence fut terminée, elle alla le trouver.

— Je suis débutante en codage inverse, dit-elle. J'aurais quelques questions à vous poser sur certains aspects de votre conférence.

— Bien sûr, répondit Rajiv. Le temps de ranger mes affaires et je suis à vous. Heu... à vrai dire, je commence à avoir faim. Connaîtriez-vous un endroit où l'on peut manger ici ?

Maria se fit un plaisir de l'emmener au réfectoire. Ils optèrent pour des repas ascétiques – pain au sésame, salade de crudités et yaourt nature. Ils s'assirent près des fenêtres.

— Ainsi, vous vous intéressez au codage inverse ? Est-ce une de vos thématiques de recherche ?

Maria fut embarrassée.

— Heu... Pas vraiment. La partie que vous abordiez sur les rêves me semblait plus accessible.

Le regard de Rajiv s'éclaira.

— Les rêves sont le ferment de l'âme humaine, dit-il. Savez-vous que, dans la culture hindoue, les rêves constituent une réalité dans la réalité? Le livre des rêves des Upanishads et le yoga des six doctrines énoncent cette pensée : «Brahmâ dort et s'éveille. Quand il dort, son rêve est la création cosmique. Quand il s'éveille, son rêve se termine.»

— Je savais que les religions accordaient une place importante au rêve, dit Maria.

— Nulle autant que l'hindouisme, assura Rajiv. Au point que les plus grands écrivains en ont été fascinés. Borges dans ses *Ruines circulaires*... Le héros de son histoire arrive à rêver d'un homme qui finit par exister. Et le héros s'aperçoit qu'il est lui-même le rêve d'un autre.

— Intéressant, dit Maria. Mais pourquoi donc faites-vous référence à Gabriel Fauré dans votre intitulé de cours?

— Gabriel Fauré est un compositeur français du XIXᵉ siècle. Parmi ses œuvres multiples et variées, il a écrit une pièce pour voix et piano intitulée *Après un rêve*. Écoutez ce morceau, si vous en avez l'occasion. Vous y découvrirez que Fauré a saisi quelque chose d'essentiel au rêve : son côté resplendissant et intense, et toute la douleur du retour à la réalité. Fauré voulait retenir le rêve. Il a construit son morceau autour du poème émouvant d'un rêveur qui s'éveille et se souvient d'une femme sublime qui le visite en songe. Il supplie la nuit de revenir, la vision de perdurer, mais la vision s'évanouit. Alors Fauré réussit le tour de force de faire revenir le rêve en musique.

— Seriez-vous psychanalyste ou onirologue?

— Je suis juste le professeur invité en sciences computationnelles, qui donne un cycle de conférences. Mais peut-être qu'avant ma mort, je pourrai enregistrer mes rêves.

— Vous ne parlez pas sérieusement?

— Bien sûr que si. C'est pourquoi je travaille sur les logiciels de codage inverse. Des procédures informatiques qui, à partir de clichés du cerveau en action, peuvent déterminer quelle pensée ou quelle image a suscité telle activité cérébrale. Si vous voyez une fleur et que vous êtes la seule à voir cette fleur, mais qu'un neurologue suffisamment sérieux me donne un cliché assez précis de votre cerveau à ce moment-là, je peux savoir que c'est une fleur que vous regardez, et reconstituer l'image de cette fleur. Et je crois qu'un jour, si vous rêvez d'une fleur, je pourrai, en usant des mêmes méthodes, et si ce neuroscientifique dispose du véritable code neural, reconstituer l'image de cette fleur que vous rêvez, tel le rêveur des *Ruines circulaires*.

Maria se figea. «Code neural». Elle avait bien entendu. Ce ne pouvait être une coïncidence.

— Et vous, poursuivit Rajiv, que faites-vous dans la vie?

— Je travaille pour l'Agence nationale de la recherche, répondit Maria. Je finance des projets de recherche en région parisienne. En ce moment, je suis en contact avec un laboratoire appelé Neuroland. Peut-être en avez-vous entendu parler?

Les sourcils du jeune homme se relevèrent.

— Je travaille à Neuroland.

— Ça alors! Vous devez alors connaître les différents axes de recherche qui sont financés par l'ANR. J'assure le suivi du dossier ALZ-122, volet N1.

Stupéfait, Rajiv répliqua :

— Le volet N1 est mon projet!

— Donc, vous travaillez sur la maladie d'Alzheimer. Le projet N1 y est entièrement consacré.

Rajiv se mit à rire.

— Pas du tout, c'est un projet consacré au codage inverse! C'est pour cela que j'ai été recruté. D'ailleurs, je ne connais rien à la maladie d'Alzheimer!

Les choses devenaient plus claires. Maria ouvrit son sac et en tira une feuille pliée en quatre.

— Voici le dossier dont dispose l'agence pour laquelle je travaille. L'ANR a alloué soixante-deux millions sur ce volet N1, intitulé, comme vous voyez : «Imagerie cérébrale et maladie d'Alzheimer». L'enveloppe globale du projet, pour info, est de cent millions d'euros.

Rajiv ouvrit des yeux médusés.

— C'est forcément une erreur.

— Une erreur à soixante-deux millions. C'est gros.

Rajiv restait sans réaction. Il était dépassé.

Pour Maria, tout devenait clair. On avait donné ce nom factice au projet N1, pour faire croire qu'il était consacré aux recherches sur la maladie d'Alzheimer, alors qu'on avait en réalité embauché Rajiv pour faire du codage inverse sous le sceau du secret. Et Vincent était en train de participer à son insu à ce montage.

— Milton, dit-elle. En quoi consistent exactement vos travaux?

— J'élabore des logiciels unifiés pour faire du décodage inverse en recherche fondamentale.

— Vous a-t-on parlé des applications éventuelles de ces travaux? Rajiv haussa les épaules.

— J'ai entendu dire que des locaux devaient être construits à côté des hangars abritant les électroaimants surpuissants pour accueillir des patients sur lesquels le codage inverse sera expérimenté. Peut-être est-ce là le lien avec la maladie d'Alzheimer?

Maria tiqua. Rajiv était bien naïf. On n'avait jamais vu un projet de recherche sur la maladie d'Alzheimer développer des logiciels pour deviner le contenu des pensées des gens.

Elle décida de jouer cartes sur table.

— Milton, je vais être franche avec vous. Tout ce que vous me dites m'oblige à croire à l'existence d'un détournement d'argent public et d'un maquillage des comptes autour d'un projet fantôme à l'Agence nationale de la recherche. Vous ne travaillez pas sur Alzheimer, c'est un fait. Or, la thématique de la maladie d'Alzheimer a servi à convaincre la Commission européenne d'autoriser Neuroland à travailler avec les électroaimants surpuissants en très hauts champs magnétiques. Vous me suivez?

Ravji la suivait parfaitement.

— Donc, Neuroland, d'après vous, ferait croire à tout le monde à l'existence d'un projet sur la maladie d'Alzheimer pour obtenir l'autorisation et les fonds afin de poursuivre d'autres visées.

— Exactement.

Maria remit ses documents dans son sac.

— Si cette hypothèse est vérifiée, les conséquences peuvent être extrêmement graves. Il nous faut des preuves. Ces preuves, Milton, c'est vous qui allez les trouver. Personne à Neuroland ne me dira jamais ce qui se joue derrière ces mouvements d'argent occultes, vu qu'ils dissimulent déjà tout aux comptables de l'ANR. Mais vous, vous êtes dans la place, à l'intérieur même de Neuroland.

L'expression de Rajiv se métamorphosa.

— Mais je ne peux pas! Je suis un simple chercheur, je viens d'être embauché, je ne peux tout de même pas commencer à jouer les détectives dans un endroit pareil!

Délicatement Maria posa sa main sur celle de Rajiv.

— Milton, je vous en prie. Faites-le, s'il vous plaît.

Le premier exercice était un simple calcul de temps de relaxation. Vincent s'en tira sans trop de difficulté. Il avait répété ces techniques de nombreuses fois avec Franck. Il passa donc à l'exercice suivant, qui consistait à reformuler un problème classique d'électromagnétisme en termes de mécanique quantique.

Assis à quelques sièges de là, Franck le surveillait du coin de l'œil. Jusqu'à présent, le gamin s'en était bien tiré. Il ne s'agissait pas qu'il cale sur le problème d'électromagnétisme. C'était son examen de fin d'année qui était en jeu et donc sa capacité à intégrer définitivement Neuroland pour y poursuivre ses travaux.

Franck termina l'exercice en dix minutes. Sa copie bouclée, propre et nette, ne révélerait pas la moindre faille. Larcher n'aurait même pas l'occasion de la voir, à présent qu'il végétait dans le coma. Les examens ne seraient pour lui qu'une formalité.

Vincent avait maintenant l'air de noircir des pages sans la moindre anicroche. Franck l'avait bien préparé. Il pouvait s'en aller le cœur léger.

Il se leva et quitta la salle. Dehors, il consulta sa montre et vit qu'il avait encore le temps d'aller manger au réfectoire. Il s'engagea donc dans le couloir menant au self et prit un plateau sur lequel il entassa plusieurs entrées et des barres chocolatées. Il continua à charger son plateau sans y prendre garde, puis tourna la tête vers les vitres du réfectoire. Une silhouette lui tournait le dos, qu'il connaissait. Il l'avait déjà vue. Il l'avait déjà eue entre ses mains. C'était Maria! Avec ses longs cheveux blonds dans le dos. Et elle déjeunait avec un type, un Hindou, c'était Milton Rajiv...

Passé le premier moment de stupeur, Franck réagit sans hésiter. Il laissa son plateau sur place et courut vers l'entrée du self pour rejoindre le hall. Vincent venait de sortir de la salle d'examen.

— Viens, lui dit Franck. Je les ai vus.

— Vus? Qui? Où?

— Maria et son nouveau mec.

Vincent pâlit.

— Ne me dis pas cela.

— C'est pourtant la vérité. Viens, ne veux-tu pas voir le visage de celui qui t'a piqué ta nana?

Vincent, gémissant, se laissa entraîner jusqu'au réfectoire.

Et il les vit. Ils étaient là. Elle et ce type. C'était le jeune homme qu'il avait croisé à la photocopieuse.

Vincent sentit quelque chose s'effondrer en lui. Savoir que Maria le trompait était une chose, mais la voir s'afficher avec cet homme ici à l'École normale où ils s'étaient connus, était le sommet de l'indécence.

Franck observa Vincent à la dérobée et se réjouit. Souffre, mon petit Vincent. Souffre. Ce n'est qu'un début. Il n'y a que cela comme expérience valable dans la vie.

Franck Corsa présenta sa carte d'identité au garde républicain qui l'accompagna jusqu'à l'escalier d'honneur. Il gravit les marches conduisant au premier étage. L'huissier s'inclina en le voyant arriver, les battants s'ouvrirent et Levareux apparut au loin, trônant derrière son bureau monumental.

— Bonjour, Michel, déclara Franck d'une voix assurée en foulant le tapis de soie.

Levareux releva la tête. Il portait une tenue décontractée, ayant troqué sa cravate contre un foulard de soie et ouvert le bouton de sa veste.

— Quoi de neuf, Franck? J'ai appris que nos ennuis de Bruxelles sont terminés. Tant mieux. Je déteste donner le feu vert à une intervention de ce genre. Mais le risque était trop grand. Vous rendez-vous compte de ce qui se serait passé si ce Boesmans avait parlé?

— Il aurait transmis les photos et les notes de Larcher à ses amis journalistes, répondit Franck, et nous ferions actuellement face au plus grand scandale de ces cinquante dernières années.

— Ce Larcher nous aura causé bien du souci, décidément... C'est vous qui avez lu dans son jeu, je ne l'oublie pas.

Franck songea à révéler au ministre que Bento avait laissé Larcher siéger dans la commission scientifique, mettant en danger le projet. Mais ces derniers temps, Bento semblait prendre peu à peu Franck comme son second patron. Il n'était peut-être pas à écarter.

— Je suis venu vous parler de mon avenir, dit Franck.

— Soyez rassuré, Franck, votre avenir est tout écrit. Cigare ? Café ?

— Je ne suis pas un politicien de carrière, attaqua Franck. Vous ferez partie de la prochaine équipe gouvernementale si Dejaby est réélu, et dans le cas contraire vous passerez dans l'opposition. Dans un cas comme dans l'autre, vous continuerez à faire votre métier. Ma situation est différente. Mon rôle repose sur mes compétences et non sur l'opinion publique. Je vise une carrière plus institutionnelle.

Levareux hocha la tête dans un nuage de fumée, croisant les jambes sur son fauteuil Louis XV.

— Vous savez que je suis en train de monter la plate-forme technique pour le projet Transparence, poursuivit Franck.

— Oui, oui. Quelles nouvelles, de ce côté ?

— Excellentes. Carat est en train d'aboutir sur le code neural. Il doit lancer demain une expérience déterminante avec un volontaire humain pour observer le cerveau en activité grâce à la méthode des coefficients de diffusion. Cela nous donnera des clichés qui représentent, à l'échelle du micromètre, la trace neuronale de la pensée. En temps réel. Carat est doué, il va réussir. J'ai aussi mobilisé Milton Rajiv, le mathématicien que je vous avais présenté, sur la partie du projet qui concerne les locigiels de décodage. De sorte que si tout va bien, nous pouvons être en possession des premières extractions de pensées sur un sujet humain dans quelques jours ou semaines.

Levareux considéra Franck avec gravité.

— Savez-vous que je ne m'y fais toujours pas. La police ne sera jamais plus la même, après nous.

— Précisément. C'est pour cela que je suis venu vous présenter ceci.

Franck ouvrit le porte-documents cylindrique qu'il portait en bandoulière et en sortit des plans d'architecte commandés à une entreprise de construction et réalisés d'après ses propres esquisses.

— Conformément à vos autorisations, dit-il, le centre Neuroland fait actuellement l'objet de travaux visant à le doter d'une infrastructure adéquate pour l'accueil des suspects en attente d'être interrogés. Il y aura une aile de bâtiment consacrée aux cellules de détention et des chemins d'accès au scanner à 12 teslas.

Du côté de l'accès à la nationale 118, un sas d'admission pour les fourgons de transport. Surtout, ce qui est le plus important, nous prévoyons l'établissement d'une zone de sécurité. Vous comprenez pourquoi. Il ne faut à aucun prix que les chercheurs occupant les locaux scientifiques aient des contacts avec les équipes de police qui vont superviser les travaux dans la partie des cellules de détention. Et quand je veux parler des chercheurs, je pense en premier lieu à Vincent Carat et à Milton Rajiv. Ce sont des têtes pensantes, des scientifiques de niveau international qui espèrent avoir leur nom sur une publication dans les revues les plus pointues du domaine. Ce serait une sacrée surprise s'ils s'apercevaient qu'une sorte de super-commissariat est en train de s'implanter à deux pas de leurs éprouvettes. Donc, j'ai lancé un appel d'offres pour des équipes de sécurité.

Levareux tira une large bouffée de son cigare.

— Ils vont forcément voir qu'on construit de nouveaux locaux, dit-il.

— J'y ai pensé. Pour l'instant, et notamment aux yeux de Xavier Le Cret qui est informé de tout ce qui se passe à Neuroland, ce sont des locaux d'accueil pour des patients qui participeront à des recherches cliniques. Je ne vous en dis pas plus, je ne suis pas sûr que cela vous intéresse. Mais je sais quoi lui répondre au cas où.

— Je n'en doute pas un instant, Corsa.

— Ce projet est complexe. Il demande du doigté, une maîtrise parfaite des enjeux scientifiques et un contact permanent avec le pouvoir. Je vous propose de créer un service spécial de police scientifique au sein de la police judiciaire, avec des prérogatives étendues dans le domaine de la garde à vue, un niveau de classification secret-défense pour toutes les opérations d'interrogatoire menées dans ses murs, et une unité d'intervention antiterroriste intégrée. Pas de la taille de la sous-direction antiterroriste à Levallois, quelque chose de plus petit, de plus mobile et plus discret.

Levareux exhala un nuage de fumée en scrutant le montage imaginé par Franck Corsa. Ce garçon avait anticipé la majorité des problèmes que pourrait poser l'installation d'une telle structure. Il était hors de question de créer une sorte de base militaire ou de centre de détention qui aurait fatalement attiré l'attention, passé un certain moment. Le lieu d'interrogatoire devait être conçu comme une plate-forme de services. Les détenus et les suspects y seraient transférés pour de courtes séances d'interrogatoires en tout point semblables à des séances d'IRM dans un hôpital. La plupart ne passeraient pas une nuit sur place. Un tel système était relativement intraçable. En outre, l'idée de confondre ce dispositif avec une structure d'accueil de patients était vraiment judicieuse. Ce Corsa avait décidément réponse à tout. Il maîtrisait les aspects techniques, anticipait les difficultés logistiques et était plus motivé que personne.

— En somme, résuma Levareux, vous êtes en train de me dire que vous serez sans doute encore en poste dans deux ou trois ans, alors que de mon côté je pourrais bien avoir quitté le gouvernement après les élections.

— Comme je vous le disais, nous ne faisons pas le même métier. Mais pour la postérité de votre œuvre, Michel, avouez qu'il vaut mieux une structure qui fonctionne et qui reste inscrite en lettres d'or au fronton de l'histoire comme un instrument sans précédent de lutte contre le terrorisme, que le contraire.

Levareux fit tomber les cendres de son cigare.

— Vous savez quoi, Corsa? Ce n'est pas l'argent qui vous attire. C'est le pouvoir. Et cette invention va vous donner plus de pouvoir qu'à n'importe qui. Nul à ce jour n'a eu la capacité de pénétrer dans la pensée de quelqu'un. Vous détiendrez ce pouvoir scientifiquement, quand nous autres l'exerçons depuis des millénaires par la politique. Pensez-vous pouvoir nous supplanter?

— C'est inéluctable. Les scientifiques sont des fourmis obsédées par des tâches dérisoires et les politiques des ignorants qui administrent et intriguent sans détenir de véritable connaissance.

Levareux tiqua.

— Vous n'avez pas répondu à ma question, dit-il.

— La réponse est que je vais supplanter les uns et les autres, les politiques comme les scientifiques. Un jour, l'exercice du pouvoir sera total. Bien plus réel que celui des dictatures aujourd'hui dépassées. Bien plus efficace que celui du conditionnement mental et de l'endoctrinement qui fut l'espoir du siècle précédent. Le nouveau pouvoir sera celui de la vérité. Dans la cité future, le mensonge n'existera plus. La sincérité sera la loi de tous. Chaque mot sera une pensée, chaque pensée sera un mot. L'être et le paraître se confondront.

La nuit de l'esprit se dissipera. Les tricheries, les arrangements avec la loi, les hypocrisies, les maris trompant leur femme et les élus dissimulant leur patrimoine, le secret en lui-même disparaîtra.

— Pour nous aussi ?

— Pour nous aussi. Aucun coin d'ombre n'existera dans cette cité de lumière. Les pensées seront révélées à tous. Grâce au code neural.

Levareux retira son cigare de sa bouche.

— Mais comment exercer le pouvoir dans ces conditions ? Comment les puissants pourront-ils exercer le pouvoir, si tout le monde sait à quoi ils pensent ?

Corsa se mit à déambuler dans le bureau, habité par son idée.

— Seule la valeur intrinsèque des individus sera récompensée. Le meilleur à chaque poste, sans mensonge ni tricherie, voilà comment sera organisée la nouvelle République. L'honnêteté fait loi. Les plus forts au pouvoir, les médiocres en bas de l'échelle. Transparence. Pureté. Plus de contestation. Les classements enfin respectés. Le règne de l'excellence s'installera. Le plus fort étant légitimement reconnu comme tel, son pouvoir sera naturel et sans conteste. Plus de triche, de dissimulation, de passe-droits, de petits arrangements entre médiocres. La transparence est plus qu'un programme scientifique, c'est un programme philosophique qui aboutira à une société parfaite !

Levareux demeurait stoïque. Il tapota son cigare pour en faire tomber les cendres.

Pour la première fois, il lui vint à l'esprit que Franck Corsa était fou.

Latifa Benarbi composa le numéro du ministère de l'Intérieur depuis son poste au commissariat du XIVe arrondissement. Au standard, elle expliqua qu'elle était lieutenant de police et donna son numéro de matricule.

— C'est à quel sujet? demanda la secrétaire.

— J'ai une information confidentielle à communiquer au ministre.

La secrétaire se montra prudente.

— Je ne peux pas vous mettre en relation sans un minimum d'explications, lieutenant.

— D'accord. Mais si je vous donne des explications vous serez informée de faits personnels concernant le ministre qu'il ne veut absolument pas que vous ni personne ne connaissiez. Vous saisissez?

— Ne quittez pas, je vais vous mettre en communication avec son attaché qui verra s'il désire donner suite à votre demande.

Latifa attendit, puis une voix d'homme lui répondit.

— Pascal Bento, cabinet du ministre. J'écoute...

— Bonjour, je souhaiterais faire part au ministre d'une affaire préoccupante qui pourrait avoir des retombées compromettantes pour lui.

— Pouvez-vous préciser de quoi il s'agit?

— Tout ce que je peux vous dire est que cela concerne un de ses collaborateurs dont les agissements pourraient lui valoir de gros ennuis.

— Un instant. De quel collaborateur voulez-vous parler?

Latifa hésita. Elle était au pied du mur. Si elle ne donnait pas de nom, elle prenait le risque que son interlocuteur ne la croie pas. Elle se jeta à l'eau.

— Il s'agit d'un certain Franck Corsa, dit-elle.

Un silence s'installa à l'autre bout de la ligne. Pas de doute, le nom de Corsa était connu de son interlocuteur.

— Quelles déclarations avez-vous à faire au sujet de ce collaborateur? demanda l'attaché ministériel.

— Je ne peux en parler à personne d'autre qu'au ministre. Les informations concernent Franck Corsa et une jeune femme du nom de Maria Svetkova. C'est très grave.

Bento consulta son agenda.

— Eu égard au caractère exceptionnel de la situation, il y a peut-être une chance que vous voyiez le ministre demain matin. Soyez ici à onze heures.

Latifa dut se pincer pour y croire. Michel Levareux allait la recevoir. Elle allait pouvoir tout lui raconter. Lorsqu'il apprendrait ce que Franck faisait dans son dos, il le lâcherait. Alors, on pourrait relancer l'enquête et Franck serait arrêté.

Parfois, il suffisait d'un rien pour que tout bascule,

Pascal Bento raccrocha son téléphone. Dans le bureau voisin, Franck Corsa et Michel Levareux étaient en réunion. Qu'avait voulu dire cette femme avec ses «informations préoccupantes» à propos de Corsa? Corsa n'était pas un enfant de chœur, c'était certain. Alors, avait-il dépassé les bornes de la légalité?

Bento se rendit compte qu'il était nerveux. Il entendit des bruits dans la pièce voisine. Les portes s'ouvrirent et Corsa surgit.

— Bento, je récupère mon manteau et je file...

En prenant son pardessus, Corsa posa son porte-documents sur la table.

— Je vais être nommé directeur de la plate-forme d'interrogatoire de Saclay, dit-il. Nous créons une section d'investigation de la police judiciaire, une nouvelle institution pour améliorer les conditions de la garde à vue dans le cadre des attentats terroristes. Je pensais vous confier les statuts juridiques de cette SIPJ, puisque vous faites partie du bureau juridique du ministère de l'Intérieur.

Bento le dévisagea. Franck continuait, plein d'énergie.

— Dans les prochaines semaines, on va mettre au point les découvertes sur le code neural et les logiciels de codage inverse pour livrer un appareil de décodage des pensées pour la fin du mois. À Saclay, la première tranche des chantiers sur l'aile ouest pour construire les cellules d'accueil des détenus a été réalisée. Je vais devenir un homme incontournable dans la police, Bento.

Franck enfila son manteau et récupéra son porte-documents.

— Monsieur Corsa...

— Oui?

— Une femme a appelé il y a quelques minutes. Elle souhaitait parler au ministre. Elle prétend détenir des informations sur vous.

— Sur moi? Quelles informations?

— Cela concerne une certaine Maria Svetkova. Je n'en sais pas plus.

Franck se figea.

— Comment s'appelait la femme qui vous a appelé?

— Une certaine Latifa Benarbi. Elle a rendez-vous avec le ministre demain matin à onze heures.

Franck observa l'attaché parlementaire.

— Vous avez bien fait de me prévenir, Bento. Je m'en souviendrai.

Pascal Bento regarda Corsa s'éloigner, puis resta un moment assis dans son bureau. Son tremblement avait cessé. Il se sentait bien. Il avait fait le bon choix. Un jour, lorsque Levareux ne serait plus au gouvernement, Franck Corsa serait quelqu'un d'important. L'avenir, c'était lui.

Franck retourna dans son bureau. Il tremblait de rage. Latifa Benarbi. Pouquoi revenait-elle fouiner dans ses affaires ?

Si cette mégère voyait Levareux demain, ça pouvait tourner à la catastrophe. Le ministre n'apprécierait pas d'avoir été floué dans cette affaire liée à Maria. Il avait cru Franck sur parole lorsqu'il lui avait déclaré ne pas avoir violé cette fille. Il allait être furieux ! Cela pouvait remettre en question tous leurs arrangements. Et puis, si Levareux le lâchait, on pourrait un jour lui mettre sur le dos le meurtre de Boesmans, le passage à tabac de Larcher, et cela, c'était absolument hors de question.

Franck se mit à tourner et retourner ses pensées dans sa tête. À travers les vitres de son bureau, il voyait de sombres nuages s'amonceler au-dessus des toits. On annonçait des orages depuis plusieurs jours, mais ils tardaient à venir. Peu à peu, la vérité se fit jour en lui. La Benarbi ne devait pas passer la nuit. La tâche ne serait pas aussi facile qu'avec Boesmans, à Bruxelles. Benarbi était sur ses gardes, et il ne disposait plus des services de la DGSE pour se tirer de ce mauvais pas... Cette fois, il allait devoir se salir les mains.

Dans le fond, l'idée ne lui déplaisait pas. Il avait éprouvé un certain plaisir à violenter cette génisse basanée sur la moquette de l'appartement de Maria. Sans doute en aurait-il davantage encore à presser sur la détente, le canon enfoncé entre ses cuisses. Mais il avait tout de même mal anticipé le coup. Quelle connerie de ne pas avoir emporté avec lui l'arme de service de la policière ! Il aurait pu lui trouer le ventre sans signer son crime. Alors que là, il se retrouvait sans moyen d'action concrète. Pire, il en était réduit à des choix fondés sur des probabilités.

Les probabilités, ça le connaissait. Il fallait les étudier une par une. Première étape, un fonctionnaire en service dans un commissariat à l'intérieur de Paris avait toutes les chances de se rendre au travail en utilisant les transports en commun. Il pourrait donc pister la Benarbi à la sortie du bureau, si elle s'y trouvait encore. Ensuite, il fallait trouver un moyen de passer à l'acte.

Franck se leva et arpenta le bureau, les mains dans les poches. Ce petit jeu le stimulait. Il y avait la SDAT, bien sûr. Il connaissait l'armurier. Mais s'il obtenait une arme, il perdrait tout espoir de dissimuler son crime. Cette fois, il ne pourrait pas étouffer une enquête, et les études balistiques renverraient automatiquement à une arme de la police. Il suffirait de consulter les registres de la SDAT pour l'identifier.

Merde !

Autre piste. Il était possible de se procurer une carabine sans port d'arme, mais l'arme était alors déclarée à la gendarmerie et traçable ; en outre, il se voyait mal se déplacer dans Paris avec une carabine pour régler son compte à une femme flic.

L'esprit de Franck tirait les conclusions logiques de chaque étape de son raisonnement. Que restait-il ? Les armes blanches. Il devait être possible de s'en procurer une dans un magasin spécialisé, une boutique de chasse ou quelque chose de ce genre. En réglant en espèces et en contrefaisant son aspect physique, il pouvait suffisamment brouiller les pistes pour se mettre à l'abri.

Pourquoi diable ne puis-je envoyer un soldat faire sauter la cervelle à cette femelle ventripotente ! Franck se rendit compte qu'il cédait à la colère. Il respira posément pour reprendre le fil de ses pensées. Un instant, il envisagea d'avoir recours à Melvin pour accomplir cette besogne. Non. Trop risqué aussi.

Finalement, il trouva sur son smartphone l'adresse d'un magasin spécialisé dans les couteaux de combat, les dagues de chasse ou les katanas. Il fallait qu'il agisse. *Sinon il allait se faire avoir par une putain d'Arabe.*

Puis soudain, une saveur métallique lui traversa la langue. Quelque chose d'acide qui lui picotait l'arrière du palais, comme un goût de sang et de salive mêlés. Il connaissait ce goût. Il l'avait déjà senti. C'était dans le bureau de Boesmans. Et Boesmans était mort à l'heure qu'il était. Cela voulait dire que Benarbi allait y passer aussi.

Débarrassé de ce dernier doute, il prit son manteau et s'élança à travers les rues.

Michka Svetkova se tenait devant la maîtresse, tête baissée et mains croisées. Il n'osait pas relever les yeux. Une fois de trop, il s'était éclipsé dans les couloirs qui serpentaient autour des trois classes de l'école élémentaire Jean-Moulin, et s'était arrêté devant l'ordinateur de la directrice, installé sur un coin de table à côté d'une rangée de casiers fixés au mur. Michka n'avait rien fait de grave, mais la maîtresse avait découvert son écran allumé sur une page d'un site internet de jeux vidéo pour adolescents. Un site russe. Elle s'était aussitôt demandé comment ce gamin avait pu trouver le moyen d'accéder à de tels sites.

Michka retourna dans la cour et sortit son goûter de son sac. Ses complices Paul et Lucas étaient déjà partis jouer au foot sans l'attendre. Il alla s'installer près du grillage à côté d'un bosquet de sapins. Il aimait se glisser sous leurs rameaux pour goûter un peu de calme. De temps en temps, il tendait la main à travers les grosses mailles du grillage, comme pour attraper les voitures. Les passants circulaient d'un pas rapide et l'apercevaient parfois depuis le bord du trottoir séparé du grillage par un ou deux mètres de gazon. Il suivait le ballet des vieilles dames portant leur panier ou tirant leur cabas à roulettes, des messieurs habillés avec soin, des belles femmes dont les talons pointus tapotaient joyeusement le bitume.

À seize heures trente, Samira vint le récupérer et ils allèrent chercher Iliès à l'école élémentaire du quartier de Sébastopol, puis Fatiha et Wahid à la maternelle.

Fatiha demanda à sa grande sœur :

— Est-ce que tu sais si maman a trouvé ma baguette magique ?

— Je ne sais pas, répondit Samira, elle n'est pas encore rentrée du travail. Attends ce soir.

À la maison, Fatiha délimita une aire sur un tapis de jeu, puis y disposa des cubes en cercle. Au milieu, elle avait installé sa maison de poupées et, juste à côté, un gros chien en peluche.

— Quand j'aurai ma baguette magique, nous prononcerons une formule, et le chien se mettra à aboyer. Alors, nous saurons qu'il pourra garder notre maison. Que veux-tu manger ?

Michka sourit.

— Des gâteaux au miel.

— Alors tu vas faire la cuisine.

Samira prépara le dîner en attendant son père qui devait rentrer plus tôt aujourd'hui pour l'aider avec les enfants. Latifa arriverait avec Maria, après la sortie de son travail. En apprenant cela, tous les enfants se mirent à sauter de joie dans leur chambre. Le moment où Latifa arrivait à la maison était toujours une fête en soi, et l'idée d'accueillir la mère de Michka pimentait l'événement. Samira venait de terminer les spaghettis bolognaise et appela tous les enfants autour de l'immense casserole posée au milieu de la table de la cuisine. Sa mère lui disait toujours de préparer des légumes pour les petits, mais elle avait encore des cours à réviser, et elle n'avait pas le temps de prendre la fourchette de Wahid et Fatiha pour les forcer à manger leurs haricots ; alors qu'avec les spaghettis à la bolognaise, aucun encouragement n'était nécessaire.

Karim entra dans l'appartement au moment où le téléphone sonnait. Il déposa des baisers sur toutes les têtes, puis s'extirpa de la masse grouillante pour retirer son manteau et attraper le combiné. La voix lui parut confuse, lointaine.

— Que dites-vous ?

Le bruit que faisaient tous les enfants l'empêchait d'entendre.

— Oui, dit-il, je suis Karim Benarbi.

Il s'éloigna dans la chambre à coucher et referma la porte derrière lui. Samira continuait de servir les spaghettis. Les assiettes se tendirent vers elle. Elle entendit un bruit dans la chambre, laissa retomber la louche dans la casserole et se précipita.

En ouvrant la porte, elle vit son père, affalé dans un fauteuil, le téléphone contre l'oreille.

On aurait dit que toute vie venait de le quitter.

En arrivant devant le commissariat, Franck observa les alentours et tâcha de repérer les divers accès du bâtiment. Il avait enfilé un haut de survêtement dont la capuche dissimulait les traits de son visage mais évita de s'approcher de trop près, de peur d'être filmé par les caméras de surveillance. Pourvu que Benarbi n'ait pas encore quitté les locaux, songea-t-il. Même s'il était en avance, il ne voulait prendre aucun risque. Une foule dense entourait la station de métro et le kiosque à journaux. C'était un avantage pour ne pas être repéré. L'Algérienne aurait certainement pu reconnaître Franck s'il s'était montré en terrain découvert.

À dix-huit heures, il la vit franchir la porte du commissariat. Elle s'engagea directement dans la bouche du métro. Il détestait les mouvements de ses hanches éléphantesques. Cette truie devait se gaver de couscous. Il avait une furieuse envie de lui crever le bide. Il la suivit de loin. Par chance, le quai était bondé. À la station Montparnasse, il descendit du métro, le visage toujours en capuchonné, et épia les voyageurs qui sortaient des rames. Il repéra la silhouette de Latifa et se fondit dans le flot des passagers. Elle s'engageait à présent vers la correspondance avec la ligne numéro quatre. Sacré bon sang, pensa Franck, je ne vais tout de même pas sortir à chaque station pour voir si elle est descendue aussi. Il tâta la lame du couteau qu'il avait acheté dans une boutique d'arts martiaux, quelques heures plus tôt. Vraiment une idée très moyenne. Poignarder une victime n'était pas du tout le meilleur moyen de passer inaperçu. Même s'il parvenait à s'échapper, on comprendrait assez vite qu'il s'agissait d'un assassinat.

Latifa sortit à la station suivante : Saint-Placide. Bon Dieu, que fabrique-t-elle? La voilà en pleine rue qui s'engouffre dans un magasin de jouets. Elle essayait de le semer, ou quoi? Ou elle voulait le désorienter. Non... aurait-elle été assez maligne pour le débusquer et jouer au chat et à la souris avec lui? Sale conne... Rongeant son frein, il attendit à l'angle de la rue de Rennes et de la rue Cassette, protégé par la devanture d'un café.

À peine entrée dans la Caverne aux merveilles, Latifa se sentit enveloppée par l'ambiance fantasmagorique de la boutique. Le sous-sol regorgeait d'objets insolites : déguisements et coiffes multicolores, locomotives et boîtes à musique, guitares ou épées, chevaux à bascule ou théâtres d'ombres chinoises. De petits décors en fer-blanc automatisés faisaient glisser de minuscules patineurs sur un lac gelé, des grandes roues tourbillonnaient sur des places d'un autre temps. Derrière la vitre d'un présentoir, un objet étrange arrêta son regard : une magnifique baguette magique en bois sombre sculpté surmonté d'une boule transparente. Sur les parois intérieures de la boule, ciselés ou imprimés, de minuscules portraits de princesses, de rois et de magiciens semblaient se regarder les uns les autres en chiens de faïence.

Latifa tourna et retourna l'objet en tous sens, comblée à l'idée qu'il puisse appartenir à sa petite fille. Elle imaginait déjà Fatiha, passant ses nuits à la regarder à la lueur d'une petite lampe, se levant le matin pour la faire tourner entre ses doigts.

La vendeuse enveloppa la baguette dans un papier couleur de neige bleutée, noué d'un ruban indigo. Heureuse, Latifa prit le chemin du métro.

Sur le quai, la foule était devenue encore plus compacte. Franck faillit perdre sa cible de vue. Mais il repéra sa silhouette généreuse et nota qu'elle s'était arrêtée en début de quai. L'idée. Là, qui lui tendait les bras. Le destin vient toujours en aide aux esprits supérieurs. La foule était regroupée; dans quelques instants, le métro allait arriver, lancé à pleine vitesse. Dans la cohue, les gens ne verraient absolument pas ce qui se passerait.

Le sort lui avait fourni le scénario idéal.

Le cœur léger, Latifa se plaça au bord du quai, sur la bande plastifiée garnie de plots. Deux ou trois rangées de voyageurs étaient alignées derrière elle. Franck s'approcha. Il se trouvait exactement dans son dos quand le grincement des roues du métro résonna dans le tunnel et que deux points lumineux apparurent dans l'obscurité. Franck fit un pas de plus vers Latifa.

Le métro arrivait. Il se pencha et murmura à son oreille :

— Salut, connasse.

Au moment où elle tournait la tête pour le voir, il la poussa d'un coup sec.

Latifa ne put rien faire. Elle tomba sur le béton, entendit le vacarme des roues sur les rails, eut à peine le temps de relever la tête. À quelques centimètres d'elle, elle vit le petit paquet enveloppant la baguette. Ce fut la dernière image qu'elle emporta dans le néant.

Franck se hâta au milieu de la cohue. Personne n'avait vu sa main pousser sa victime. Il se faufila entre les gens, les repoussant tout en faisant mine de vouloir apercevoir ce qui s'était passé. La foule était tellement dense que personne n'aurait été, de toute façon, en mesure de le suivre. Il entendit le métro stopper, arrachant aux rails un hurlement strident qui se réverbéra longuement contre les parois de la station.

Elle l'avait vu. En retournant le visage vers lui, elle l'avait vu. Elle avait donc compris qu'elle mourait de sa main. Elle avait pensé à lui en quittant ce monde. Elle savait qu'elle mourait pour l'avoir défié dans l'appartement de Maria. Et que ses enfants seraient dévastés après son décès.

Il avait gagné.

Il pouvait être satisfait de lui. On aurait difficilement pu faire mieux, avec des moyens aussi limités. En fait il avait été brillant. Mais maintenant il valait mieux filer. Une bonne dizaine de minutes s'écouleraient avant que la police soit prévenue et les issues bloquées. Il fourra ses mains dans ses poches et ressortit de la station. Dehors, une belle soirée commençait. À dix-neuf heures, les terrasses se remplissaient et rien ne valait la douceur de Paris au mois de juin. Les orages avaient disparu.

Dans l'appartement de la rue d'Aboukir, Karim venait de rac-crocher le téléphone. Il avait devant lui sa fille aînée Samira et il entendait les bruits des enfants qui criaient, qui riaient et étaient heureux. Dans quelques minutes, il allait entrer dans la cuisine et, en quelques mots, briser ce bonheur à tout jamais. Il décida de les laisser encore profiter de ces derniers moments d'insouciance dans leur vie.

Pour lui, c'était déjà fini. Il était mort. Il n'avait jamais aimé personne comme Latifa. Et puis, au bout d'un moment, il trouva insupportable de les entendre rire dans la cuisine.

Il se leva et dit :

— Samira, viens par ici. Viens dans mes bras.

Franck Corsa déplaça du bout du pied les câbles qui couraient sur le sol en béton de son futur bureau. Les travaux de construction de la SIPJ étaient en bonne voie. Par la fenêtre, il apercevait le campus de Neuroland et les cimes des peupliers bercés par le vent. À sa montre, il était l'heure d'accueillir Melvin.

— Venez, dit-il en lui tendant une main cordiale. Je vais vous montrer les installations.

Il emmena Melvin vers les locaux scientifiques. Il lui fit traverser un dédale de couloirs, entrouvrant les portes pour lui offrir une vue sur les électroaimants, puis fit le tour de l'aile ouest des bâtiments pour arriver devant une porte gardée par un maître-chien.

— De l'autre côté, ce sont les quartiers de haute sécurité, dit-il. Officiellement, ce sont des locaux destinés aux essais cliniques. C'est du moins ce que croit Xavier Le Cret.

Le maître-chien posa une carte magnétique sur le lecteur mural et la porte coulissa silencieusement. Les deux hommes pénétrèrent dans un couloir donnant sur des pièces en construction.

— Voici les murs en cours d'édification des cellules destinées aux prisonniers, dit Franck.

Melvin se déplaça entre les parpaings, visualisa les dimensions des salles.

— Nous prévoyons ici une salle de réception pour les délégations étrangères accompagnant leurs prisonniers politiques, dit Franck. Ça vous semble bien ?

— Parfait, dit Melvin, parfait.

— OK. Parce que nous ne sommes pas ici dans un simple commissariat. Nous sommes dans une structure policière qui emploie des scientifiques. Ces scientifiques ne savent rien de ce qui se trame à quelques mètres de leurs laboratoires. Tout va être insonorisé, sécurisé. Ils ne verront jamais les prisonniers. Sauf à un moment : quand on les mettra dans le scanner. Là, ils risquent d'avoir des doutes.

— Je vois. Vous avez sûrement une idée ?

— Je ne veux pas qu'ils parlent. Il faut faire installer des systèmes d'écoute sophistiqués dans les laboratoires. Pour que nous soyons avertis si l'un ou l'autre va fourrer son nez là où ne faut pas, ou s'il se met à avoir des doutes.

— Pas de problème, dit Melvin. Nous sommes en pleins travaux, l'accès nous est ouvert, ce sera facile. Nous procéderons à la pose des circuits pendant les horaires de fermeture des locaux.

— Parfait. Je n'en attendais pas moins de vous. Permettez maintenant que je vous laisse, j'ai un autre rendez-vous. Nous nous retrouvons au salon d'honneur dans moins d'une heure. Vous vous rappelez pourquoi ?

— Bien sûr, chef ! Mes félicitations, je...

— Gardez-les pour plus tard. Je vais chercher le petit Carat.

Vincent se trouvait dans la salle du scanner à 12 teslas et Corsa vit qu'il avait changé. Plus maigre, son visage avait perdu de ses couleurs et sa posture était voûtée. Il discutait avec un jeune homme d'une vingtaine d'années assis sur la banquette du scanner.

— Salut ! dit Franck en entrant. Qu'est-ce que tu fais ?

— Une simple expérience de calibrage. Le cobaye que tu vois fait partie d'un groupe d'étudiants qui reçoivent une petite rémunération en échange de leur participation.

— J'ai été nommé à la direction de la nouvelle unité sanitaire de Neuroland, dit Franck. J'espère que tu pourras venir tout à l'heure à la cérémonie d'investiture.

— Bien sûr.

Mais Vincent restait absorbé par sa manip. Il observa les signaux sur le tableau de commande.

— Le cobaye est entré dans le scanner. Nous avons installé un système de vidéo-projection qui nous permettra de lui projeter un dessin animé. Les réactions de son cerveau face à ce dessin animé seront captées par le scanner.

— Pourquoi ne pas commencer avec des images statiques ?

— Le visionnage d'une vidéo provoque des changements rapides d'activité dans les neurones visuels. L'IRM classique est incapable de suivre le rythme, car elle mesure l'irrigation sanguine des neurones, qui a toujours plusieurs secondes de retard sur leur activation électrique. Alors qu'avec ma méthode, on verra tout en temps réel. Ce sera une preuve de sa supériorité.

Franck ne put que reconnaître la justesse du raisonnement. Comment ce gars pouvait-il être aussi intelligent et aussi stupide à la fois ?

— Quel dessin animé allez-vous lui projeter ?

— Un extrait de Donald.

Vincent entra dans le menu de lancement de l'expérimentation, et un message s'afficha.

PENSEZ À ACTIVER LE CONTRE-CHAMP

Il sélectionna l'icône de validation et un vrombissement monta de la machine d'acier. Le bouclier magnétique destiné à neutraliser les effets externes du champ à 12 teslas entrait en action. Puis un autre message apparut :

POUR LANCER LE PROTOCOLE, ACTIVEZ LE CHAMP À 12 TESLAS

Vincent posa le doigt sur la touche d'exécution du clavier et l'enfonça. Aussitôt, un cri retentit et le bruit d'un choc métallique monta de la paroi d'acier de l'aimant.

Vincent et Franck se précipitèrent hors de la cabine de contrôle. Le jeune étudiant gémissait dans le tunnel d'acier. Vincent déclencha la procédure de sécurité, appuya sur deux boutons poussoirs situés juste à côté du scanner, ce qui eut pour effet de couper instantanément à la fois le champ et le contre-champ. Puis il commanda la sortie de la banquette où était allongé le patient.

Le jeune homme se tordait de douleur en se tenant la cheville à deux mains.

— Qu'est-ce que c'est ?

Le cobaye ne cessait de hurler en fixant son pied ensanglanté.

— Ne bougez pas, lui dit Vincent. Franck, peux-tu appeler l'infirmerie?

Pendant que Franck retournait dans la salle de contrôle, Vincent retira la chaussette du patient et s'aperçut que le petit orteil du volontaire était perforé.

— Pouvez-vous me dire ce qui s'est passé?

— J'étais allongé dans l'aimant, et puis d'un coup, mon pied a été attiré contre la paroi métallique par une force colossale, je ne pouvais rien faire, c'était comme une main géante qui m'aurait attrapé. Comme si quelque chose dans mon pied tirait, tirait... à tout arracher. Et cela sortait de ma chair. J'avais l'impression d'être habité par une force monstrueuse!

Vincent s'efforça de le tranquilliser.

— Du calme, du calme. Voici l'équipe d'infirmiers.

Une fois le jeune homme évacué, Vincent s'introduisit dans le scanner, muni d'une loupe afin d'inspecter un éventuel défaut.

— Ça alors...

Il n'en croyait pas ses yeux. Juste en dessous de la trace d'impact se trouvait un grain métallique plus petit qu'une tête d'épingle.

— Est-ce que par hasard vous portiez un éclat de fer dans l'orteil? demanda-t-il au cobaye.

— Heu... Je ne crois pas. Pourquoi?

— Même pas le souvenir d'une petite blessure ancienne? Auriez-vous joué sur des grillages quand vous étiez petit?

— C'est possible... Mais c'était il y a longtemps... Oui, un jour en vacances. J'ai sauté d'un muret et je me suis planté un clou dans l'orteil. On l'a retiré mais il a dû en rester un fragment. Mais vraiment infime...

— Plus petit qu'une tête d'épingle, confirma Vincent. Et c'est ce microgramme de fer qui a pratiquement arraché votre jambe dans le scanner. Un champ magnétique deux cent mille fois plus fort que le champ terrestre transforme un grain de sable en missile. Je n'ose imaginer ce que cela ferait sur un morceau de la taille d'une prothèse de hanche ou quelque chose dans ce style.

Franck croisa les bras et inclina la tête de côté, songeur.

— Effectivement. Bon! Je vous laisse. Vincent, tu me rejoins dès que tu peux? Je dois me rendre à la cérémonie.

Franck Corsa arriva dans la grande salle de réception à midi. Tous les personnels de Neuroland avaient été conviés. Au fond de la salle était dressé un buffet. Xavier Le Cret monta sur l'estrade et prit la parole.

— Chers amis, dit-il, chercheurs, ingénieurs et techniciens, administratifs et personnel soignant, c'est un grand jour pour notre organisation. Je vais maintenant vous présenter la personne qui devra y jouer un rôle clé. Il s'agit de Franck Corsa.

Franck fit un pas en avant. Les regards se braquèrent sur lui.

— Franck dirigera la nouvelle unité sanitaire du centre Neuroland, dit Le Cret. Il assurera une sorte de courroie de transmission entre l'État qui finance ces travaux et les chercheurs du centre.

Toujours aucun bruit dans la salle. Personne ne connaissait Franck. Le Cret avait redouté une telle réaction. Franck faisait si jeune.

— Franck a des qualités managériales hors du commun, dit Le Cret, et ses relations avec le monde politique nous seront très utiles pour surmonter la période difficile qui s'annonce.

Le Cret observa Franck du coin de l'œil. Celui-ci prit le micro.

— Certains d'entre vous ont peut-être noté que Xavier Le Cret se rend souvent à Bruxelles. Il doit se battre en haut lieu pour que Neuroland ait l'autorisation de poursuivre nos expériences. Car la Commission européenne a voté une directive interdisant les très hauts champs sur l'humain. Cette directive devait entrer en application ce mois-ci et Neuroland devait donc fermer.

Un murmure de stupeur monta de l'assistance.

— C'était inacceptable à mes yeux, dit Franck en haussant la voix. Il y a quatre ans, je me suis lancé dans des études de neuro-imagerie à cause de Neuroland et des travaux extraordinaires qu'on y menait. Pour des hommes comme Xavier Le Cret, pour ses intuitions géniales et pour toutes les promesses portées par ces murs.

Franck prit une gorgée d'eau.

— Dans ses cours à l'École normale supérieure, Serge Larcher nous apprenait les bases de l'électromagnétisme, poursuivit-il. Chaque leçon était un émerveillement. Et voilà que j'appris l'inconcevable : Neuroland allait fermer.

Les gens écoutaient avec attention.

— Je me suis dit : Franck, si tu peux faire quelque chose pour la science et pour ton pays, tu dois aller à Bruxelles. Et j'y suis allé. J'ai rencontré les députés. Le ministre de l'Intérieur, Michel Levareux. Ensemble nous avons mis au point un amendement, qui a été voté. Neuroland a maintenant le droit de continuer. Grâce aux programmes thérapeutiques hors du commun qui y sont développés, nos recherches pourraient avoir des retombées pour l'humanité tout entière.

Xavier Le Cret reprit le micro.

— Franck connaît parfaitement la valeur de Neuroland, dit-il. Il sait que chacun ici est le meilleur à son poste. Il ne dira à personne ce qu'il doit faire sur le plan scientifique, ne s'immiscera jamais dans la menée des recherches. Il a le plus grand respect pour la tâche de chacun.

— Ma seule préoccupation sera que Neuroland ne manque de rien, ajouta Franck en reprenant le micro. Je jouerai de mes appuis, de mon éloquence et de ma passion pour que les crédits affluent de partout. Je fais de Neuroland ma priorité et je vous en fais le serment.

Quelques têtes opinèrent dans le public. Si cet homme disait vrai, on pouvait le remercier de ce qu'il avait fait. Quand Le Cret invita l'auditoire à se diriger vers le buffet, Corsa descendit de l'estrade et se mêla à la foule. Vincent fut le premier à venir à sa rencontre.

— Bravo, Franck. Tu as été parfait. Je crois qu'ils se rendent compte qu'ils ont de la chance de t'avoir.

— Je n'aime pas me glorifier. Pour moi, ce que tu fais au niveau scientifique est bien plus important que tout cela. Je suis seulement un serviteur zélé de la science.

Les yeux de Vincent brillaient d'admiration.

— Franck. Mon ami.

Franck posa la main sur son cœur.

— Je te promets que lorsque tu en auras terminé avec le code neural, Félicia sera la première à passer par notre plate-forme d'essais cliniques, dans les locaux ultramodernes que nous sommes en train de bâtir de l'autre côté du complexe.

Xavier Le Cret le rejoignit avec des flûtes à champagne.

— Carat, je vois que vous avez fait connaissance avec notre nouveau directeur.

— En fait, nous nous connaissons depuis le master, répondit Vincent.

— Et vous ne m'aviez rien dit? Mais, évidemment, deux esprits aussi brillants étaient faits pour se rencontrer.

— Vincent est la meilleure chance pour l'avenir de Neuroland, dit Franck. Il n'y a personne au monde pour comprendre mieux que lui la diffusion de l'eau dans les neurones. À part vous, Xavier, bien entendu.

Le Cret attira ses deux collaborateurs près de lui, les serrant par les épaules. Des photographes prirent place.

— Vous avez sacrément bien manœuvré, Corsa, glissa-t-il à l'oreille du jeune homme. Vincent, vous êtes le meilleur chercheur que j'aie jamais eu dans mon équipe. Dans quelques mois, si tout cela continue de la sorte, nous serons en lice pour le Nobel.

Sur la photo, les sourires étaient rayonnants.

Milton Rajiv était satisfait de son algorithme. Ce système de procédures informatisées faisait gagner beaucoup de temps de calcul pour extraire les données d'imagerie et les convertir en signaux visuels. Le jeune chercheur indien avait emprunté des fragments de code à plusieurs groupes de recherche, tout en y apportant sa touche personnelle. C'était sans doute la première fois qu'était créée une procédure unifiée. Même Gallant et Naselaris, les pionniers du codage inverse, auraient été étonnés.

Sur quoi tester son nouvel algorithme? L'idéal aurait été de l'essayer sur une vraie photo du cerveau en activité. Mais il ne disposait pas de telles données, et il fallait être absolument sûr que l'image utilisée soit de bonne qualité.

Franck fit irruption dans son bureau, une enveloppe à la main.

— Regardez ce que je vous apporte, dit-il.

Il lui tendit un cliché imprimé en haute résolution, montrant un cerveau en IRM à 12 teslas. La photo faisait penser à ces images du fond de l'univers, avec une réticulation très fine, presque laiteuse. On aurait dit que, dans les limites d'un cerveau humain, se tissaient des myriades de filaments infiniment ténus, raccordés par des fils encore plus fins, dans un enchevêtrement d'arabesques.

— Qu'est-ce que c'est? demanda Rajiv.

— Un cerveau humain en train de penser, lui répondit Corsa. Ce cliché a été pris il y a quelques instants sur un jeune volontaire. Ce que vous voyez là, ce sont les neurones à l'échelle réelle, qui s'échangent des informations. Je ne vous ai apporté qu'une photo.

Le fichier entier occupe plusieurs terabytes d'information. Il est sur le serveur central.

Rajiv secoua la tête.

— Qui a obtenu ce cliché?

— Vincent Carat. Il y a moins d'une heure, sur un étudiant participant à un protocole d'essais.

Rajiv se pencha sur le cliché. Franck commenta.

— Ce que vous voyez ici, la zone la plus lumineuse, c'est le cortex visuel. La zone du cerveau qui recueille toutes les informations en provenance de la rétine et qui en produit un traitement massif, parallèle, d'une richesse à peine concevable. Dans cette petite portion de cortex, deux cents à trois cents millions de neurones s'échangent des informations en permanence. Ce superordinateur intégré dans notre boîte crânienne a sans doute la capacité de cent supercalculateurs du type Sequoia, quand on se penche sur la complexité des opérations réalisées dans chaque cellule, par chaque canal ionique. Ce module cérébral distingue une palette de cent mille couleurs, repère automatiquement les changements de direction, de luminosité, détecte les formes vivantes, les visages, les mouvements, tout, instantanément. Nous avons devant nous tout le profil d'activité du cortex visuel humain.

Rajiv n'arrivait pas à détacher son regard de la photo.

— Maintenant, que pourrait-on tirer d'un tel cliché? lui demanda Franck.

Le jeune homme écarta les bras, fasciné.

— Mais... tout! Je veux dire, avec des clichés d'une résolution pareille, on pourrait presque lire dans les pensées d'un être humain...

L'expression de saisissement qui était apparue sur son visage n'échappa pas à Franck Corsa.

— Vous suspectez Neuroland de vouloir lire dans les pensées des gens?

Rajiv rougit aussitôt.

— Non, je...

— Mais si, mais si, je le vois. Et vous avez raison. C'est ce que nous allons faire. Avez-vous déjà entendu parler du syndrome «Locked-in»?

Cela évoquait vaguement quelque chose à Rajiv. N'était-ce pas cette maladie qui détruisait les neurones moteurs de la moelle épinière ? Privés de connexions nerveuses entre la tête et les muscles, les patients devenaient incapables de remuer la moindre partie de leur corps, à l'exception des yeux. Emmurés en eux-mêmes, impossible de communiquer avec leur entourage. Des systèmes d'aide composés d'électrodes placées à la surface du crâne permettaient de détecter les courants électriques produits par leur cerveau. Des logiciels analysaient ces courants pour faire bouger un curseur sur un écran, offrant un rudiment de communication. Mais leur utilisation était incroyablement fastidieuse.

— Je pense que je vois ce que vous voulez dire, dit Rajiv. Si on pouvait lire automatiquement dans les pensées avec un scanner, ce serait un changement radical pour ces patients. Ils n'auraient qu'à penser à ce qu'ils veulent dire pour que cela s'affiche devant leurs proches.

— Vous avez tout compris, dit Franck. Je vais même vous confier quelque chose. C'est pour cette raison précise que nous sommes en train de construire une structure d'accueil pour ces patients afin de leur permettre d'accéder au scanner...

Rajiv acquiesça avec respect pendant que Franck s'éloignait. L'explication était séduisante. Mais complètement foireuse. Si on réfléchissait un peu plus loin que le bout de son nez, à quoi servirait à un patient de venir converser cinq minutes avec ses proches à Neuroland, pour le prix que coûtait une IRM (des milliers d'euros pour une seule minute), sachant qu'il se trouverait de nouveau emmuré dans son silence une fois rentré chez lui ? Un tel système était très coûteux, non transportable, et certainement pas commercialisable pour toutes les personnes souffrant de ce syndrome.

Bizarre. Si Maria avait raison ? Si tout cela n'était qu'un prétexte ? Si on cherchait à lire dans les pensées des gens à d'autres fins ? Cela expliquerait qu'on ait cherché à déguiser tout cela derrière un programme de recherche sur Alzheimer. D'ailleurs, pourquoi créer un faux programme sur Alzheimer, si le but était de venir en aide aux paralytiques ?

Le soir était en train de tomber et Rajiv décida de faire juste un petit essai avec les données d'IRM que lui avait transmises Franck. Il introduisit le fichier de données dans son logiciel de codage inverse. Il ajusta la puissance de son ordinateur grâce à l'allocation de ressources à partir d'un cloud virtuel. Il essaya avec une puissance de 150 téraflops. Sur l'écran, un fichier vidéo apparut.

Au début, l'image était tressautante et uniquement en noir et blanc. Il faudrait y introduire une palette de couleurs rudimentaires. Mais l'image se précisant, Rajiv plissa les yeux.

Il crut reconnaître un personnage en train de courir. Un drôle de personnage, avec une sorte de bec et des grands pieds triangulaires. Rajiv modifia le paramètre de normalisation dans ses équations, ajouta 100 téraflops de puissance et obtint enfin une meilleure résolution. Le personnage avait maintenant un col marin et il reconnut le Donald de son enfance.

— Ha! ha! Un dessin animé! Ils ont montré au cobaye un dessin animé de Walt Disney! Son cerveau l'a enregistré et je suis en train de le décrypter!

Il cessa de rire. Ils avaient extrait du cerveau d'un cobaye l'image que celui-ci avait eue sous les yeux quelques instants plus tôt.

Ça marchait. C'était prodigieux.

Tellement prodigieux que, selon Maria, on investissait donc soixante-deux millions d'euros dans cette activité sans en avertir personne, et en essayant plutôt de faire en sorte que cela ne se sache pas. Qu'avait-elle dit? Qu'un dossier caché dans les locaux de Neuroland contenait le fin mot de l'affaire?

L'aile en construction commençait juste derrière son bureau. La journée, on entendait des marteaux-piqueurs et des ouvriers qui allaient et venaient avec des rouleaux de laine de verre. Rajiv prit une paire de ciseaux et l'introduisit dans le trou carré d'une porte en contreplaqué. La porte s'ouvrit. Il sentit monter à ses narines une odeur de poudre de plâtre. Il pénétra dans une pièce d'environ huit mètres sur deux, tout en longueur, au sol en carrelage frais, poussiéreux et aux murs blancs. Ce n'était pas une salle d'expérimentation. Il y aurait eu des bancs d'essai en maçonnerie. Tout cela avait plutôt l'air de bureaux.

Il s'avança et passa à travers une autre ouverture de porte, celle-ci dépourvue de battant. Une lumière pâle filtrait à travers les vitres sales couvertes de poussière de plâtre. Il enjamba des feuilles de

PVC transparentes. La dernière porte donnait sur une pièce sans fenêtres où régnait une obscurité complète. Seul un rai de lumière filtrait entre deux cloisons. En tendant la main, il rencontra une surface en bois lisse. Un autre trou carré laissait passer la lumière. Il y colla son œil.

Il découvrit l'intérieur d'un bureau. Un calendrier était accroché à un mur. Le mobilier était formé en tout et pour tout de deux tables, deux ordinateurs et une chaise pivotante du genre fauteuil de direction luxueux. Le reste était situé en dehors de son champ de vision. Pendant une minute environ, Rajiv épia le moindre mouvement et guetta le moindre bruit. Finalement, il fut à peu près certain que ce bureau était désert.

Il sortit de sa poche la paire de ciseaux. Il l'enfonça doucement dans l'ouverture du pêne, qu'il fit tourner avec des précautions infinies.

La pièce était éclairée par des néons. Rajiv pensa qu'il devait se situer quelque part dans l'aile est, du côté des salles prévues pour l'accueil des patients. Il observa le mobilier et les objets placés sur les deux bureaux disposés à angle droit. Les personnels travaillant ici venaient sans doute de s'installer, les connexions des ordinateurs n'étaient encore que des câbles nus courant sur le carrelage.

Malgré cela, quelqu'un avait commencé à établir ses quartiers ici. Un portefeuille était posé sur le bureau, à côté de l'ordinateur. Il y avait aussi deux stylos sur un bloc-notes.

Le cœur battant, Rajiv s'approcha du bureau. Machinalement, il tendit la main, ignora le portefeuille et ouvrit un tiroir.

Il y avait un dossier. Un dossier avec une incription.

ALZ-122.

Rajiv resta un moment sans réaction. Puis il saisit le dossier. Il en effleura le rabat et l'ouvrit.

Numéro de référence : ALZ-122
Date : juin 2012
Intitulé de la tâche : **diagnostic précoce Alzheimer R&D**
Durée du financement : 36 mois
Unité responsable du projet : Neuroland, Saclay
Responsable : Xavier Le Cret

Description-résumé :

Le projet vise à utiliser les très hauts champs magnétiques pour développer de nouveaux axes de recherche sur la maladie d'Alzheimer.

Axe N1 : Alzheimer et imagerie cérébrale : 62 ME

Axe N2 : Alzheimer et recherche sur modèles animaux : 16 ME

Axe N3 : Banc d'essais précliniques : 22 ME

Il sentait son cœur battre à coups redoublés. C'était un dossier de l'ANR. Sans doute celui dont Maria parlait. Il tourna la première page.

Ministère de l'Intérieur, Direction de la SIPJ

Objet : création d'une section de la police judiciaire avec prérogatives étendues sur l'interrogatoire de sujets sensibles dans le cadre de la loi AMT

L'objectif d'étendre les méthodes d'interrogatoire au champ de la lecture des pensées a été pris et nécessitera la mise en œuvre :

1) d'un code neuronal, volet N0 (non figuré), avec budget illimité.

2) d'un codage inverse, volet N1.

Les moyens de son application nécessiteront le recrutement :

a) d'un chercheur qualifié en imagerie de diffusion fonctionnelle. Présum. Vincent Carat. cf. Annexe.

b) d'un chercheur qualifié en algorithmique de codage inverse. Présum. Milton Rajiv. cf. Annexe.

nécessiteront également la construction :

i) d'une centrale de détention à volet de 8 cellules individuelles

ii) d'un circuit d'acheminement des détenus vers le local d'interrogatoire

iii) d'un centre de contrôle attenant à la salle d'interrogatoire, disposant d'une capacité suffisante pour accueillir les délégations étrangères, personnel de traduction, accompagnants analystes & staff médical.

Pour la SIPJ, dir. Franck Corsa

Milton Rajiv retint son souffle. Maria avait raison. De A à Z. Il était tombé dans un traquenard. À l'insu de tous, le respectable centre de Neuroland était en train de se transformer en instrument de lutte antiterroriste. Et lui, Milton Rajiv, était affecté au «volet N1» de ce projet, à savoir la partie consacrée aux algorithmes de codage inverse. Très loin des recherches sur la maladie d'Alzheimer.

Cette première page ne devait être qu'un aperçu général des dispositions détaillées à l'intérieur. Le maître d'œuvre de ce projet était sans ambiguïté Franck Corsa et sa mission était de coordonner l'activité des chercheurs pour livrer ce produit fini aux services de police. Pourquoi parlait-on ensuite de délégations étrangères? Cela faisait sûrement partie de ce qui restait à découvrir.

Soudain, Rajiv entendit des bruits de pas dans le couloir. Quelqu'un venait. Il regarda le dossier, ne sachant que faire. Sans réfléchir, il arracha la première page, referma le dossier et le remit dans le tiroir. Les pas se rapprochaient. Il chercha désespérément une cachette. Il n'avait plus le temps de fuir. Il vit le bureau disposé à angle droit du premier, tira la chaise et se jeta en-dessous entre les deux blocs-tiroirs.

De l'homme qui entra dans la pièce, Rajiv n'aperçut que les pieds. Des chaussures de prix au vernis brillant. Ni celles d'un employé commun, ni celles d'un chercheur.

Rajiv évita le moindre mouvement. Si cet homme s'asseyait à son bureau, il le heurterait avec ses pieds et il serait découvert. Que ferait-on de lui?

Son étrange visiteur s'était maintenant installé à l'autre bureau, celui où se trouvait le dossier ALZ-122 et sur lequel était posé le portefeuille. Il ouvrit le tiroir, trouva le dossier, en fit tourner les pages. Rajiv ne parvenait pas à voir son visage, ni même sa main qui semblait raturer certaines feuilles au crayon. Puis, à un moment, le crayon tomba par terre.

L'homme se baissa pour le ramasser. Rajiv vit son visage.

C'était Franck Corsa.

Rajiv s'efforça de maîtriser la panique qui s'emparait de lui. Cela n'avait plus rien à voir avec une aimable partie de recherche scientifique entre amis. L'homme qui l'avait recruté au sein de Neuroland dirigeait un programme de manipulation des cerveaux. Sans se douter de sa présence, Corsa avait repris son travail, rédigeant des notes sans dire un mot. Au bout d'un moment, il regarda sa montre, puis se leva. Il glissa le portefeuille dans la poche de sa veste et sortit.

Rajiv attendit que le bruit de ses pas diminue. Quand ce fut le cas, il sortit de sa cachette. Même si Corsa faisait demi-tour maintenant, il aurait encore le temps de s'éclipser par la porte donnant sur les locaux plongés dans l'obscurité. Il fit glisser la chaise aussi silencieusement qu'il put, déplia ses genoux douloureux et chercha la paire de ciseaux dans sa poche.

Mais ses membres étaient ankylosés. Lorsqu'il voulut introduire les ciseaux dans la serrure, ils lui échappèrent des mains. Le tintement sur le carrelage se répercuta jusqu'au bout du couloir.

Il arrêta de respirer. Rien ne se passa. Il reprit ses esprits, plia en quatre la page du dossier qu'il venait d'arracher et la glissa dans la poche arrière de son pantalon, puis introduisit la lame des ciseaux dans le pêne qui pivota. Tout en maintenant la porte ouverte, il remit les ciseaux dans l'ouverture carrée, se glissa de l'autre côté, tira la porte lentement derrière lui.

Silencieusement, il traversa la pièce obscure puis le local aux vitres laiteuses et enfin la dernière pièce avant de parvenir dans son bureau.

Corsa ne l'avait pas suivi. Rajiv observa sa respiration qui reprenait peu à peu son rythme naturel. Pour se calmer, il se força à se concentrer sur un programme d'échantillonnage de données, mais les conséquences abyssales de sa découverte l'obnubilaient.

Il réalisa, comme le supputait Maria, que lui-même était désormais impliqué dans un scandale d'envergure mondiale. De toute évidence, on souhaitait utiliser les techniques de codage inverse à des fins policières. Exactement le danger qu'il avait pointé dans un de ses récents articles. Jamais il n'avait imaginé que l'éventualité d'une telle application se présenterait avant un avenir lointain. Mais cette chose était bel et bien arrivée.

Il fallait qu'il avertisse Maria de toute urgence. Elle lui avait laissé son numéro à l'ANR pour qu'il puisse la rappeler. Il décrocha le combiné et prit soin de faire pivoter sa chaise de façon à avoir une vue sur l'ouverture de la porte du bureau pour détecter tout intrus. La voix de Maria répondit après une seule sonnerie.

— Tenez-vous bien, dit-il, j'ai du nouveau.

Franck avait entendu le bruit des ciseaux sur le carrelage. Quelque chose clochait. Il inspecta le sol, son regard glissa sur les murs, sous les sièges et au plafond.

Parcourant encore une fois du regard chaque recoin de la pièce, ses yeux se posèrent enfin sur le trou carré du pêne de la porte. Lentement, il s'approcha pour inspecter l'orifice. Tirant une clé de sa poche, il la cala dans l'ouverture puis fit tourner le mécanisme. Une expression préoccupée se lut sur son front.

L'intérieur du local était obscur, mais une lueur filtrait sous une porte située un peu plus loin sur la droite. Franck s'avança prudemment. Il observa longuement la pièce aux vitres sales, baignée dans une lueur blafarde. Il lui sembla entendre le son d'une voix étouffée par la distance et par les cloisons. Il continua sa progression.

Dans la pièce voisine, des feuilles de plastique transparent utilisées pour emballer des parpaings jonchaient le sol au milieu d'une poussière blanche et de morceaux de ruban adhésif. La voix qu'il entendait devenait plus distincte. Sans un bruit, il s'approcha de la porte. Quelqu'un parlait à un ou deux mètres à peine.

Il reconnut la voix de Milton Rajiv. L'informaticien devait se trouver juste à côté de son bureau.

— J'ai vu sa signature dans le dossier ALZ-122, dit le jeune homme. C'est Franck Corsa qui dirige tout cela. Je vous jure que j'ai vu sa signature au bas du document. Il s'agit d'un projet du ministère de l'Intérieur, d'une soi-disant direction de la SIPJ. La page d'en-tête est bien celle du dossier de l'Agence nationale de la recherche que vous me citiez, mais le dossier lui-même est complètement différent.

Franck sentit ses poils se hérisser. Dieu sait comment, Rajiv avait tout découvert!

— L'axe du programme auquel je suis affecté, continua Rajiv, le fameux «volet N1», est en fait consacré à la recherche d'un codage inverse qui doit compléter les travaux d'imagerie cérébrale menés par un certain Vincent Carat, et qui doit établir le code neural. Maria, il y a là de quoi faire tomber le gouvernement. C'est un projet de cellule d'interrogatoire hyper-invasive, qui vise à extraire les pensées directement du cerveau des détenus, ou de personnes suspectées de participer à des attentats terroristes. Potentiellement, de tout le monde.

Franck cligna des yeux, effaré. Rajiv était en train de tout raconter à Maria.

— Malheureusement, je n'ai pas pu emporter le dossier, poursuivait Rajiv. Il y a eu un problème, je vous expliquerai. Mais je sais où il est. Il faudrait que je puisse prendre des photos. À la première occasion, je tenterai le coup. Je vous tiens informée. Oui, à plus tard.

Maria. Encore elle. Franck aurait mieux fait de la faire taire une fois pour toutes. Il avait voulu faire durer le plaisir, et voilà à quoi ça l'avait conduit. Bon. Puisqu'elle voulait encore se mêler de la partie, elle allait en payer le prix fort.

Michka Svetkova donna un baiser à sa mère et prit la main de Valérie Larcher. Maria aurait voulu l'accompagner elle-même à l'école, mais elle devait éviter de se montrer en public.

Ce matin-là, en arrivant à l'école, le petit garçon fit la grimace en apercevant les enfants qui couraient en tous sens dans la cour. Il n'avait pas envie de jouer avec eux. Ces enfants faisaient trop de bruit, ils étaient turbulents et le bousculaient. Il voulut se réfugier sous le préau, mais les cris résonnaient encore plus fort à ses oreilles. C'était insupportable. Michka aurait encore préféré rester chez Valérie, car là au moins il avait l'ordinateur de sa maman pour jouer à des jeux vidéo. Il pouvait rester tranquillement sur sa chaise, puis aller prendre un goûter avant de revenir s'installer devant l'écran.

Le mieux, c'était encore quand il allait chez Fatiha et Samira. Elles étaient si gentilles. Il avait déjà supplié sa maman d'y retourner, il avait son petit lit là-bas et il se sentait tellement bien. Mais sa mère lui avait expliqué que ce n'était plus possible.

La vie n'était vraiment pas juste.

Michka traversa la cour pour aller se poster contre les grillages, sous les branches d'un sapin qui s'étendaient au-dessus de la rue. Là, il trouvait un peu de calme. Il regardait longuement les pommes de pin, tout effilées et écaillées, d'un brun clair qui lui faisait penser aux forêts de la Moskova. Alors il posait ses petits doigts entre les mailles du grillage et collait son visage contre la clôture. Son cartable sur le dos, attendant la sonnerie, il regardait les passants, le cœur serré.

Oh! voilà le monsieur de la dernière fois...

— Bonjour, Michka.

Il connaît mon prénom, songea Michka. Il est gentil, alors.

— Tu ne vas pas en classe?

Le monsieur lui souriait. Comme il a un beau pantalon et de belles chaussures qui brillent, il a l'air d'un monsieur important!

— Tu as raison, l'école c'est pas drôle, dit le monsieur. Moi, ce que j'aime, c'est les vidéos, les jeux. Et toi?

Oh oui. J'aime les jeux vidéo, pensa Michka.

— Ah! ça, oui, moi aussi!

— Ça te plairait que je te ramène des films?

C'est clair. J'adore. Et des jeux, aussi.

— Eh bien, je reviendrai, c'est promis. On reste bons amis?

Moi, je l'aime bien, ce monsieur.

D'ailleurs, souvent, quand je m'ennuie, je vais à la grille pour voir s'il n'est pas là. Car j'en suis sûr. Je le sais, il va revenir.

Serge Larcher avait été transféré aux urgences de Lariboisière, puis au centre médico-judiciaire de l'Hôtel-Dieu. Jacques Melvin se présenta à onze heures en salle de réanimation, accompagné de deux hommes de la section d'intervention.

— Comment va le prisonnier ? demanda-t-il.

— Vous voulez parler du patient, fit le chef d'équipe de réanimation. Faites moins de bruit, s'il vous plaît.

Jacques baissa d'un ton et nota qu'il y avait ici des barreaux aux fenêtres et des locaux réservés aux policiers. C'est ainsi qu'il faudrait concevoir les futurs quartiers de sécurité de Neuroland.

Le capitaine retira sa veste de treillis et se mit à son aise, en T-shirt. Il commanda à ses deux hommes de se placer dans le vestibule afin de sécuriser l'accès de la chambre. Installé au pied du lit, il observa le visage de Serge Larcher. Même si son cœur semblait avoir surmonté l'épreuve, une question subsistait concernant les dégâts cérébraux. Apparemment, l'afflux sanguin au cerveau avait été interrompu pendant un temps assez long. Cela pouvait entraîner des dommages neurologiques irréversibles. Il n'avait qu'à pas mettre en danger la sécurité de l'État.

Melvin essaya de se remémorer l'enchaînement des événements lors de l'interrogatoire à la section antiterroriste. Il avait frappé Larcher à plusieurs reprises et lui avait comprimé des centres nerveux périphériques. Le suspect avait eu une première perte de connaissance, mais au moment où Melvin l'avait quitté, il était parfaitement conscient. De cela il était sûr. Ensuite, Larcher était resté seul avec Franck Corsa.

— Voulez-vous un café, mon capitaine? demanda un des hommes.

Melvin allait répondre lorsqu'il sentit quelque chose effleurer son bras. C'était Larcher qui posait sa main sur sa manche.

Le professeur le regardait, les yeux grands ouverts. Sa mâchoire remuait faiblement. On aurait dit qu'il voulait dire quelque chose. Jacques approcha son oreille.

— Franck... Corsa...

Melvin écarquilla les yeux.

— Quoi? Corsa? Que... Que ditez-vous?

Il émit un autre murmure, plus faible que le précédent.

— C'est lui. Méfiez-vous.

Melvin ne fit plus un geste.

— Mon capitaine? Est-ce que tout va bien? dit un de ses hommes.

Jacques sentit soudain la sueur perler de tous les pores de sa peau. Il se leva, tituba vers la fenêtre et s'agrippa aux barreaux. Un vertige le prit. Il tira sur le col de sa chemise, aspira à grandes bouffées.

Et puis il y eut un grand bruit. En se retournant, il vit que les équipes médicales couraient partout autour du lit. Des médecins tournaient les boutons d'un moniteur, ajustaient le débit d'une perfusion, des infirmières branchaient une assistance respiratoire.

— Que se passe-t-il? demanda Jacques.

— Il est en fibrillation.

Les personnels soignants tournoyaient de plus en plus vite. Les bips sonores s'intensifiaient. Jacques resta pétrifié devant ce tourbillon infernal. Puis, il écarta les bras, les yeux effarés :

— Vite! Vite!

Des hommes en blouse blanche entrèrent dans la pièce, pendant qu'un brancardier débloquait les roues de la civière. Jacques cria comme un possédé :

— Faites quelque chose! Allons!

Il s'élança à la suite de la civière qui filait dans les couloirs, agrippé aux montants. Il répétait sans arrêt, mécaniquement :

— Il ne doit pas mourir... Il ne doit pas mourir!... Ce n'est pas moi qui l'ai tué...

Franck Corsa tournait dans son bureau comme un fauve en cage. Rajiv était venu fouiner dans ses affaires, il avait vu le dossier qui portait sa signature. Qu'allait faire, maintenant, ce foutu Hindou?

On avait encore besoin de lui. Rajiv devait pondre un putain d'algorithme. Sans algorithme, pas de système de lecture dans les pensées, et pas de grand partenariat avec les gouvernements d'Europe. Sa SIPJ, il pouvait faire une croix dessus.

Il empoigna son téléphone, calma sa colère et se fit affable.

— Rajiv? J'aimerais savoir où vous en êtes de vos recherches. Pourrions-nous déjeuner ensemble à midi? D'accord, je vous attends.

Franck se mit à déambuler dans les locaux, ruminant ses pensées. Rompu à la résolution des problèmes mathématiques, il savait que la solution venait souvent à l'improviste. En quittant son bureau pour rejoindre sa voiture sur le parking, il salua le maître-chien en faction derrière l'accès sécurisé, puis longea le couloir aux électroaimants. L'image de l'infortuné étudiant qui avait eu le pied transpercé par un grain de métal lui revint à l'esprit. Petit à petit, une idée se fit jour dans son crâne. Pour l'instant, juste une hypothèse. Il regagna le hall central, puis les locaux de l'ancienne unité d'imagerie moléculaire, autrefois dirigée par Damien Tréteau. On avait presque tout déménagé, et il ne restait que des caisses de matériel jetées à même le sol. Sur les étagères, des flacons plastifiés contenant des ingrédients pour la synthèse de biomarqueurs. Lipides, éléments rares, agents fluorescents, microparticules.

Le regard de Franck erra sur les flacons. L'un d'entre eux, translucide, renfermait des microbilles de polystyrène. Un autre, des microparticules de silice utilisées pour des réactions d'immuno-précipitation. Tréteau faisait un usage copieux de microparticules. Un troisième pot contenait des particules d'or microscopiques. Il y en avait d'autres en résine de mélanine. Il arrêta son choix sur :

Iron oxide microparticles, 1 % aq. susp.

Des microparticules d'oxyde ferreux en suspension aqueuse. Franck retourna le flacon et consulta les caractéristiques du fabricant. Les particules avaient un diamètre de cinq micromètres. Cinq millièmes de millimètres... Logiquement, elles devaient être indiscernables au goût. À supposer qu'elles s'infiltrent dans un organisme, elles se propageraient par voie digestive puis sanguine, gagnant finalement chaque recoin du corps. Surtout, l'oxyde de fer était fortement magnétique. Autrement dit, il était hautement sensible aux champs magnétiques et se comporterait exactement comme l'éclat de fer retrouvé dans l'orteil de l'étudiant. Bonne pioche.

Franck fourra le flacon dans sa poche et prit la direction du réfectoire.

Rajiv l'attendait dans la queue du réfectoire et avait déjà choisi un curry d'agneau au menu du jour. Franck lui adressa un signe amical et le rejoignit à une table dans l'angle d'un grand bac à fleurs, où ils pourraient avoir une conversation tranquille.

— Je suis curieux de connaître les résultats de vos travaux, Milton. Racontez-moi donc où vous en êtes.

— Tout se passe au mieux, monsieur Corsa. Le programme est opérationnel, en fait j'ai hâte de l'essayer dès que possible.

— Eh bien, j'allais justement vous proposer de le faire. Nous avons la possibilité d'aboutir rapidement car les séquences d'IRM mises au point par Vincent Carat semblent fonctionnelles. Que diriez-vous de faire une expérience en début d'après-midi pour voir si cela fonctionne ?

Rajiv observa Franck. Il n'arrivait pas à lire dans les yeux de ce type.

— Je veux bien, dit-il, mais nous n'avons plus de volontaires aujourd'hui. Les prochains cobayes sont programmés pour demain en matinée.

— Ça, ce n'est pas de chance, dit Franck en tapant le manche de sa fourchette sur la table. Vous ne voulez pas essayer vous-même?

Rajiv sursauta, surpris.

— C'est votre logiciel, ajouta Franck : il va livrer les images d'un esprit en activité, ne voulez-vous pas que ce soit le vôtre? Voir vos propres pensées s'agiter sur le scanner, décryptées par vos équations...

Rajiv sourit, séduit. C'était le rêve de sa vie. Et qui sait, peut-être était-ce l'unique moment pour le faire, si jamais un scandale devait couler Neuroland.

— D'accord, je...

— Bon. Vous ne voulez pas aller nous chercher une demi-bouteille de vin à l'entrée? Je suis un peu coincé au milieu de ces sièges...

Rajiv se leva, heureux de respirer un peu. Franck le regarda s'éloigner. Sitôt qu'il fut hors de vue, il déboucha le flacon de microparticules et en saupoudra le curry d'agneau de Rajiv. La matière qui tombait du flacon était une sorte de gel translucide qui se fondait rapidement dans la sauce. Il prit sa fourchette et remua rapidement l'ensemble. Il serait absolument impossible de détecter quoi que ce soit.

Rajiv revint avec une demi-bouteille de côtes-du-rhône.

— C'est tout ce que j'ai trouvé, dit-il.

— Parfait! D'ailleurs, pour vous ce sera juste un verre car je suppose qu'il ne faut pas trop s'alcooliser avant de passer un scanner. Vous me direz comment actionner la séquence IRM, n'est-ce pas?

Rajiv leva son verre. Franck trinqua. Tout se déroulait comme prévu.

La salle de contrôle ressemblait un peu à une cabine de pilotage d'un Boeing 747. Franck repéra les principales commandes propres à lancer le protocole d'IRM. Rajiv se connecta au fichier contenant les différentes séquences expérimentales et indiqua à Franck où se trouvait le programme d'acquisition des données.

— Ce fichier reçoit les données numériques produites par le scanner, dit-il. C'est lui qui permet de former les images du cerveau en action. Les fameux clichés d'imagerie cérébrale.

— D'accord, dit Franck, ça devrait aller.

Rajiv jeta un dernier coup d'œil aux commandes.

— Je vais m'allonger dans le scanner, dit-il. Vous piloterez la séquence depuis cet endroit. Si mes souvenirs sont bons, vous verrez apparaître une série d'instructions vous commandant d'activer d'abord le contre-champ qui neutralise les effets du champ de l'aimant en dehors du sarcophage d'acier.

— À quoi servent ces deux gros boutons-poussoirs vert et rouge? questionna Franck. J'ai vu qu'il y en avait aussi deux près du scanner.

— C'est un système d'interruption rapide. En cas d'urgence, vous pouvez couper le champ et le contre-champ tout en étant à proximité de l'aimant et non dans la cabine de contrôle. Il suffit alors d'enfoncer ces deux boutons.

Un jeu d'enfant.

Rajiv retira sa ceinture, ses chaussures, vida ses poches de toute pièce métallique.

— Pourquoi faites-vous cela? lui demanda Franck.

— Il ne faut laisser pénétrer aucun objet métallique dans le scanner, dit Rajiv. Les champs sont trop puissants. Il les transformerait en projectiles mortels.

— Et vous n'avez aucune pièce métallique dans votre corps, prothèse ou autre?

Rajiv secoua la tête.

— Pas que je sache.

Franck sourit, les mains toujours enfoncées dans ses poches.

— Allons, en piste.

Le jeune Indien se dirigea vers l'aimant. Il leva les yeux vers l'immense carcasse d'acier blanc.

— À quoi allez-vous penser lorsque vous serez là-dedans? demanda Franck de loin.

Rajiv se retourna, souriant.

— Je ne sais pas encore. Nous le découvrirons sur l'écran du décodeur.

Il s'allongea sur la couchette, appuya sur la tablette de contrôle latéral et s'enfonça dans le tunnel.

— Êtes-vous prêt?

Franck tira sur le bouton poussoir rouge et le contre-champ s'enclencha dans un vrombissement. Dans un instant, Rajiv allait être traversé par 12 teslas de champ magnétique hurlant, l'équivalent de deux cent mille planètes traversant son corps et ses neurones.

À l'intérieur du tunnel, il régnait une douce pénombre. Le jeune Indien ferma les yeux. Quelles pensées allait-il offrir au logiciel? Il fallait choisir une belle image. Celle de sa rencontre avec Maria s'imposa. Elle lui souriait, lui caressait le visage. Il sentait l'odeur de son parfum, le contact soyeux de ses cheveux. Comme dans ses plus beaux rêves. Et le scanner était en train de capter tout cela.

Franck tira alors le poussoir vert et libéra la puissance du champ magnétique. Dans le corps de Rajiv, dix mille milliards de petites particules métalliques, logées dans ses artères, son cœur, son foie, les vaisseaux capillaires de sa rate et de ses reins, la moelle osseuse de son fémur, dans ses globes oculaires, sa langue et ses poumons, se dirigèrent d'un même mouvement vers la périphérie de son corps, attirées par les champs titanesques produits par les flancs de l'aimant. Elles traversèrent les fluides vitaux, se heurtèrent à la paroi des vaisseaux ou des organes, s'y enfoncèrent, perforèrent tout sous leur passage. En quelques fractions de secondes, elles percèrent os, yeux, viscères, nerfs et peau, jusqu'à atteindre l'air libre et être attirées comme des insectes invisibles vers les flancs intérieurs du monstre d'acier.

Rajiv ne ressentit qu'une sorte de démangeaison emplir tout son corps. Il l'attribua à l'émotion. À l'intérieur de la salle de contrôle, Franck enclencha l'acquisition des données. Les pensées de Rajiv affluaient vers le scanner, puis à travers les fibres optiques, vers le logiciel de décodage. De seconde en seconde, elles se gravaient sur le disque dur de l'ordinateur.

Quelques secondes plus tard, la banquette émergea du tunnel d'acier.

— Alors? lui demanda Franck. C'était bien?

— Je me suis concentré au maximum. Dites-moi... Pour le décodage, pourrai-je le visionner en privé?

Franck lui sourit.

— Vous ne voulez pas qu'on voie vos pensées, c'est ça ?

— Vous comprenez... C'est un peu personnel, je...

— Bien sûr. Il faut des règles éthiques pour l'utilisation de cet appareil nouveau. Vous visionnerez donc vos pensées en premier, et puis comme cela vous pourrez nous dire si la qualité du décodage est fiable. Entendu ?

Rajiv se leva et alla enfiler ses chaussures, avant de passer sa ceinture autour de son pantalon. Il porta la main à son front.

— Je me sens bizarre, une sorte de nausée.

— Vous devriez peut-être prendre du repos, lui dit Corsa. Vous avez été très généreux en proposant vos services pour notre expérience. Prenez donc votre après-midi !

Rajiv ne protesta pas. Il se sentait fatigué. Brusquement, c'était comme une sensation de chaleur intérieure et une perte d'énergie, malgré son cœur qu'il sentait battre plus fort.

Avant de partir Rajiv prit la précaution de déposer une copie du projet ALZ-122 dans le cahier de laboratoire de Vincent Carat. Il fallait maintenant couvrir ses arrières. L'heure de vérité allait sonner.

Il fallait compter une demi-heure de trajet entre Neuroland et l'École normale supérieure. Dans le train, quelques voyageurs patientaient en lisant un journal ou en pianotant sur leurs smartphones. Un guitariste s'escrimait sur une compo des Beatles au fond du wagon. Le train aborda les faubourgs de Paris, franchit le périphérique puis arriva à la station Denfert-Rochereau. À ce moment, Rajiv eut un nouveau vertige et se sentit sur le point de s'évanouir. Il courba le buste en avant.

Il vit des taches rougeâtres à ses pieds. On aurait dit de la sueur coulant de son menton. Il essuya le bas de son visage et vit que sa main était rouge.

La peur le prit au ventre. Autour de lui, les gens s'écartèrent et le dévisagèrent, horrifiés.

Qu'est-ce qui se passe ?

Lorsque le train arriva à la station Luxembourg, il se dépêcha autant qu'il put pour rejoindre la rue Pierre-et-Marie-Curie. Il entra dans l'immeuble, se jeta dans l'ascenseur et exhala une haleine brûlante. En ouvrant la porte de l'appartement, il faillit trébucher contre le tapis et vit ses motifs tournoyer sous l'effet du vertige. Ôtant ses habits, il contempla avec saisissement son corps couvert d'une sueur rouge, des pieds à la tête.

Le sang exsudait par tous les pores de sa peau.

Épouvanté, il alla sous sa douche et fit couler de l'eau. L'eau rougit à ses pieds.

Quelque chose de grave était en train de lui arriver. Sans même passer une serviette autour de sa taille, il s'engouffra dans le salon et composa un numéro d'urgence. Une voix de femme lui répondit. Il essaya d'articuler mais sa langue était pâteuse et aucun son intelligible n'en sortit. Il se racla la gorge et voulut tourner sa langue dans sa bouche. Il sentit quelque chose s'en détacher. Il enfonça sa main dans sa bouche et en retira un morceau de chair rosâtre. L'extrémité de sa langue.

Je perds ma langue.

Il frotta ses membres. Une pellicule blanchâtre s'en détacha comme un film de cire. Sa peau. Dans un réflexe primal, il voulut crier, mais n'obtint qu'un gargouillis immonde. Sa toux, lourde, glaireuse, expulsa des corps organiques divers, blancs, noirs, rouges.

Seul son esprit semblait encore fonctionner. Il réussit à faire un pas vers le milieu du salon. Sous son poids, la partie supérieure de sa rotule droite se déboîta en arrachant la peau et les ligaments. Il tomba à genoux et s'appuya des deux mains sur le tapis. La peau de son visage se mit à pendre lamentablement, retenue aux muscles de la face par des fils de chair dissoute. Puis sa face se détacha, le laissant écorché vif. Il était encore conscient, le cœur pompant toujours quelques décilitres de sang vers son cerveau, préservé des microparticules par la barrière hématoencéphalique. C'est alors que sa vision se désorganisa. D'abord, son œil gauche coula hors de son orbite, comme un sirop irisé, avec une partie blanche et une sorte de couronne allongée formée par les pigments de l'iris privés de leur support organique. L'autre œil lui offrit la vision de son pied réduit à l'état de masse gélatineuse, pareil à un pied de cochon sur un étal de boucher.

Il était en train de se liquéfier.

Avant que le cœur s'arrête, il aperçut ses viscères s'écouler en cercles concentriques autour de lui, puis crut entendre une musique lointaine et sentit que les limites de son être se dissolvaient. Il se demanda s'il n'avait pas été, lui-même, une sorte de rêve.

Lorsque l'équipe de police secours arriva, elle ne découvrit aucun corps, seulement une sorte de flaque grasse et répugnante et plus ou moins gélatineuse.

S'il s'agissait d'une plaisanterie, elle était de fort mauvais goût.

Septième partie

Dick Vardel tourna la clé de la vieille Opel dans le contact. Elle mettait toujours du temps à démarrer. Surtout quand il faisait froid et humide. Comme ce matin. Même en juin à Bruxelles, il faisait parfois un temps à rester au coin du feu. La pluie s'abattait en longues traînées sur le pare-brise et Dick alluma une pipe en laissant le carburateur se désengorger tranquillement. Le chat n'était pas rentré de la nuit, et ça l'inquiétait. Les chats aiment s'abriter quand il fait humide, au coin d'un bon feu.

Il tourna à nouveau la clé et cette fois le moteur démarra. Il enfonça sa pipe entre ses lèvres et enclencha la première. Il quitta Moelenbeek-Saint-Jean par la N9 entre les lotissements de briques noires. Il avait hâte d'arriver au travail, mais avant il avait d'abord une visite importante à faire dans l'ouest bruxellois. La vieille Opel faisait un bruit infernal dès qu'il dépassait les quatre-vingts. Il se contenta de se caler derrière les feux arrière d'un semi-remorque qui s'engageait sur la nationale avant de rejoindre l'autoroute vers Laarbeekbos. Le paysage devint verdoyant. Des prés vallonnés et un bosquet apparurent dans son champ de vision quand il approcha de la bourgade de Berchem, puis du petit hameau de Laarbeekbos.

Lorsqu'il arriva chez les Boesmans, Nicole était encore en robe de chambre, mal peignée, occupée à fumer. Son visage avait changé, marqué par la dépression. En plus d'affronter le deuil de son mari, il lui fallait s'occuper seule des enfants.

Dick avait établi une sorte de complicité avec Boesmans mais sans plus. Quelques bières bues ensemble dans le quartier du

Parlement et des discussions qui restaient dans le cadre d'un échange habituel entre un journaliste et un député.

Ce qui n'avait pas empêché Dick Vardel d'admirer Boesmans. Les coulisses du Parlement n'avaient guère plus de secrets pour lui et il en avait une vision assez peu reluisante. Combien de politiciens étaient honnêtes parmi ceux qu'il côtoyait? Et parmi eux, combien étaient intéressants? Boesmans en faisait partie. Si tous avaient été comme lui, l'Europe aurait de l'avenir. Mais la carrière du jeune député s'était terminée de façon tragique. Il laissait derrière lui une famille meurtrie, des traites à payer et un mystère irrésolu.

Nicole lui proposa de s'asseoir devant une table recouverte d'une quantité effroyable de papiers en désordre. Dans la pénombre, une pendule hachait le temps de son long balancier. Elle lui proposa un café qu'il accepta.

— Du nouveau? fit-elle en allumant une autre cigarette sitôt qu'elle fut assise à table.

Vardel chercha une position confortable. Il toussa dans sa main et serra sa sacoche contre son ventre qui avait tendance à s'épaissir ces derniers temps.

— Vous savez quelle est ma conviction, Nicole. Je ne pense pas qu'il se soit jeté dans le vide.

La veuve de Boesmans fit la moue, et laissa tomber un paquet de cendres sur la nappe.

— Je ne le pense pas non plus, dit-elle.

Vardel était mal à l'aise. Sa priorité était de faire un papier sur la mort de Boesmans. Pas de jouer les soutiens de famille. Il chercha encore une fois une autre position sur sa chaise.

— Comment avez-vous trouvé Joël, dans les jours qui ont précédé?

— Il était heureux, répondit Nicole. J'en suis certaine : pour son dernier dimanche, nous avons fait la fête avec des amis et leurs enfants. Joël a emmené les petits cueillir des framboises sauvages dans la forêt, derrière la maison. Je crois qu'il avait atteint un véritable équilibre dans sa vie. Mais il avait des problèmes au travail. Vous savez, un type était venu lui proposer de l'argent pour qu'il vote pour l'adoption d'un amendement.

Dick Vardel prit quelques notes.

— A-t-il donné un nom?

— Non, mais il m'a dit qu'il avait placé des caméras dans son bureau.

Le visage de Vardel changea d'expression.

— Des caméras? Et c'est maintenant que vous me le dites? Bon sang, Nicole, il faut voir ce que ces caméras ont à nous livrer!

— Je l'ai signalé à la police, mais ils n'ont rien trouvé. L'inspecteur chargé de l'enquête me tient au courant des principales avancées.

— Ça alors... Il faut que j'en parle à Rudi, un ami policier.

Nicole alluma une autre cigarette.

— Tout cela ne nous avance pas beaucoup, dit-elle. Je suis désolée.

Dick se leva.

— Avez-vous fouillé dans les affaires personnelles de Joël?

— Je n'ai pas encore eu le courage de me plonger là-dedans, dit-elle en secouant la tête. Il prenait parfois des notes, le soir, à propos de certains dossiers. Je ne sais pas du tout si cela pourrait nous éclairer.

Dick hocha la tête. Il ne pouvait pas reprocher à Nicole de ne pas avoir fourré son nez dans les affaires du mort. Mais s'il ne l'y encourageait pas, elle ne le ferait jamais.

— Il y a peut-être des choses essentielles là-dedans, dit-il.

Silence de Nicole.

— Je crois que je commence à avoir une idée de ce qui s'est passé, raisonna Dick à haute voix. Je vais réunir toutes les pièces dont je dispose et vous tiendrai au courant.

Il démarra et tourna l'angle de la rue.

Nicole entrouvrit les rideaux de dentelle et regarda la voiture s'éloigner. Elle leva les yeux vers l'escalier. La présence de Joël semblait encore planer dans les recoins des chambres, du bureau, sur les papiers qu'il avait effleurés. Elle n'osait pas y toucher.

Mais elle ne pouvait plus continuer ainsi. Elle monta l'escalier et s'installa derrière le bureau de son mari. La lumière verte de l'ordinateur clignota.

Elle prit son courage à deux mains. Évidemment, il fallait un mot de passe. Elle cliqua sur la rubrique «j'ai oublié mon mot de passe» et vit s'afficher la question que Joël avait sélectionnée.

Quelle est la date de naissance de ma fille?

Les larmes montèrent aux yeux de Nicole.

Elle entra la date de naissance de Jessica et la session s'ouvrit. Le premier document à s'ouvrir fut un fichier Word composé de petits récits, de pensées personnelles ou d'observations. Joël tenait un journal. Nicole sentit son cœur battre plus fort. Jamais il ne lui en avait parlé. Tous les couples avaient leurs zones d'ombre et elle était un peu inquiète à l'idée de ce qu'elle pourrait bien trouver dans ce journal.

La dernière modification du fichier remontait au dimanche soir précédant la mort de son mari. En remarquant ce détail, Nicole sentit le courage lui manquer. Ses yeux se mirent à piquer, elle sentit une douleur sourde naître au fond de son estomac. Mais s'armant de courage, elle ouvrit le fichier.

En un instant, elle se sentit emportée. «Journée remplie de framboises et de rires d'enfants. Si je devais vivre l'éternité en une journée, je voudrais que ce soit celle-là. Framboises, framboise, framboises...»

Puis, plus rien.

Elle pleura longtemps.

Dick suivit les gerbes d'eau soulevées par les cohortes de véhicules sur la nationale vers la chaussée de Gand. Sa pensée ne cessait de tourner en boucle. Quels que soient les assassins de Joël Boesmans, il fallait qu'ils aient eu une raison sacrément valable pour balancer un député européen membre de diverses commissions par-dessus une rambarde du huitième étage du Parlement européen.

Dick parvint aux locaux de *L'Églantine*. En entrant, il éprouva le sentiment de réconfort habituel lorsqu'il sillonnait les couloirs de la rédaction. Vardel avait fait partie de ceux qui avaient lancé le journal, six ans plus tôt. *L'Églantine* était une publication en ligne qui traitait des informations exclusives sur le monde politico-médiatique. Les membres de ce journal indépendant étaient d'ailleurs tous plus ou moins d'anciens rédacteurs de journaux autrefois tournés vers l'investigation, mais qui avaient été rachetés par de grands industriels leur imposant le silence sur des sujets sensibles. Dès qu'un scandale mêlant le gouvernement, la police ou un lobby pointait le bout de son nez, les réunions du comité de rédaction se succédaient à un rythme d'enfer jusqu'à ce que Max, le patron, prenne la décision de publier un article ou un dossier sur la question, en fourbissant ses armes pour aller devant les tribunaux. Globalement, ils avaient gagné la plupart de leurs procès. Mais Max Debertigo savait qu'il suffisait d'un raté contre un gros poisson pour être obligé de mettre la clé sous la porte, le journal n'ayant pas les reins assez solides pour verser des dommages et intérêts dépassant quelques dizaines de milliers d'euros à un ministre ou à un patron d'aviation.

Lorsque Dick arriva à la rédaction, le temps était toujours aussi gris. Le bureau central se composait d'un vaste open-space entouré de poutrelles d'aluminium et de vitres donnant sur la rue. Des étagères métalliques regorgeaient de tout ce que la Belgique avait produit de quotidiens et d'hebdomadaires depuis vingt ans, classés par date de parution. Un couloir entier était tapissé de CD archivant les principales émissions de télévision diffusées aux heures de grande écoute, et une autre pièce centralisait toutes les dépêches de Reuters et des autres agences de presse couvrant l'Ouest européen.

Au milieu de tout ça, une table en contreplaqué revêtue de plastique blanc granuleux trouvait tant bien que mal sa place avec quelques sièges rotatifs, une cafetière toujours remplie et, quand on avait de la chance, une boîte de spéculoos entamée. Le bureau de Dick. Il jeta un coup d'œil au planning de la rédaction. La réunion était prévue à seize heures. Il déposa son manteau sur le dossier de sa chaise et vérifia quelques e-mails.

Sur une pile de dossiers, il attrapa un carnet qu'il avait couvert de notes et de commentaires, ainsi que toute sa documentation sur l'affaire Boesmans. Il secoua l'ensemble, l'air de tenir quelque chose d'enfin sérieux, et alla s'asseoir devant la table.

L'équipe de rédaction arrivait au compte-gouttes. Marco, Nadine et Joop, des jeunes à peine sortis de l'école de journalisme, Christel, une ancienne du *Soir*, Jean-Luc, gros et moustachu, qui traitait les sujets société. Roland, le webmestre, qui se piquait toujours d'expliquer ce qu'il fallait mettre ou ne pas mettre en ligne.

Dick s'installa à la table centrale et commença à grignoter ses spéculoos. Comme en réponse à cette agitation qui se formait, la porte du bureau du patron s'ouvrit.

— Qu'est-ce que vous fichez là ? demanda Max Debertigo en passant la tête par l'ouverture. C'est vous qui convoquez les réunions, maintenant ?

Dick, un spéculoos immobilisé à un doigt de ses lèvres, haussa les épaules d'un air désolé.

— Si vous voulez, on peut faire ça à un autre moment, dit-il.

Debertigo balaya la pièce du regard. Les jeunes avaient déjà pris leur bloc-notes et interrompu leur tâche. Il poussa un soupir et alla chercher son propre planning.

Quelques instants plus tard, du café fumait dans le broc central et les papiers glissaient entre les mains.

— Dick, dit Debertigo, c'est toi qui as la bougeotte ce matin : alors, qu'est-ce que tu as pour nous?

— Je reviens sur l'affaire Boesmans.

Il y a une semaine, Debertigo avait décidé qu'on ne tenait rien de sérieux à propos de cette histoire de suicide de député, que cela relevait du fait divers et qu'il fallait abandonner la piste. Le rédac' chef fourra ses mains dans ses poches et lança un regard ironique à Dick.

— Boesmans? Le gars qui s'est jeté de son balcon?

— Pas si sûr, dit Dick. J'ai parlé à sa veuve et il semble que Boesmans ait été un gars bien dans sa peau. Pas du genre à se suicider. Je le connaissais moi aussi et je peux dire que c'est vrai. Il était parfaitement *clean* dans sa tête.

On sentit aussitôt la nervosité de Debertigo monter d'un cran. En règle générale, le rédac' chef commençait à bourrer une pipe pour se calmer quand les réunions de rédaction s'enlisaient, mais là, l'ayant peut-être égarée, il jetait des regards agacés autour de lui.

— Et alors? Parce que ce type était heureux, il n'a pas pu se péter la gueule de son balcon?

— Il y a une barrière d'un mètre vingt, chef. On ne se «pète» pas la gueule d'une barrière d'un mètre vingt.

Debertigo fit tourner son siège en expirant par le nez. Toujours pas de pipe. Son accent du Hainaut reprenait le dessus et recommençait à affleurer sous la couche policée du directeur de publication.

— Tu fais chier avec tes théories, Dick. Et alors, et alors? Hein? Qu'est-ce que ça prouve, qu'est-ce que tu vas me dire, maintenant que tu m'as sorti les mensurations d'une putain de barrière en alu?

Avec ce déconcertant accent des environs de Luybeek, on aurait dit qu'il allait se mettre à cracher dans la cafetière. Dick, lui, continuait à feuilleter ses notes, totalement absorbé.

— Si vous voulez bien écouter, patron, je pourrai peut-être vous expliquer. Pour faire vite, Boesmans est mort à un moment où se préparait un vote important au Parlement européen. Le vote concernait un amendement d'une directive européenne, qui visait à autoriser certains établissements scientifiques français à utiliser de très hauts champs magnétiques, suspectés de représenter un danger pour la santé, à des fins de recherche médicale. Dans cette affaire, plusieurs choses clochent.

Debertigo, plus calme, se servait une tasse de café. Les raisonnements par étapes le rassuraient.

— Vous savez que je fréquente de temps en temps la députée Sarah Brennan, commença Dick. Elle me donne facilement des interviews. C'est une personnalité qui aime qu'on parle d'elle, qui fait campagne pour être élue à un poste de représentant permanent à la Commission. Quelqu'un voit qui c'est?

La jeune Nadine répondit sans hésiter.

— La va-t-en-guerre des ondes électromagnétiques. Une Jeanne d'Arc écolo presque hystérique.

— Pas si hystérique que ça. En fait, c'est une sacrée roublarde. Quand l'amendement a été déposé, elle n'a pas pipé mot. Logiquement, elle aurait dû lancer une sorte de fatwa, vous voyez le genre, et rameuter l'opinion pour dire que les Français une fois de plus ne veulent en faire qu'à leur tête, et qu'ils font courir des risques à la population sans tenir compte du principe de précaution. Eh ben, rien. Pas un mot, pas une protestation.

— Ouais, bizarre.

— Sarah Brennan a intérêt à ce que l'amendement soit voté, parce que cela lui donnera du grain à moudre par la suite. Elle pourra poursuivre son combat et lever une motion pour obtenir son élection. Alors que si l'amendement est rejeté, la question des ondes électromagnétiques en recherche biomédicale est enterrée, et Brennan ne sert plus à grand-chose.

— Bien vu, fieu[1], observa Jean-Luc en levant un pouce approbateur.

— Donc, Brennan ne représentait aucun danger pour ceux qui ont intérêt à ce que l'amendement passe.

1. « Garçon » en wallon.

Debertigo se racla la gorge, ce qui lui donnait l'allure d'un ours bourru.

— Qui a intérêt à cela? demanda-t-il.

— Je vous ferai part de mon hypothèse juste après. D'abord, je rappelle qu'il était clair que Brennan ne les inquiétait plus. En fait, le seul qui pouvait vraiment lever une motion contre l'adoption de l'amendement était le député Boesmans. Parce qu'il connaissait le dossier, et surtout qu'il l'attaquait, non pas sur le plan scientifique, mais sur le plan juridique, et que c'était un as du droit communautaire. Je l'ai entendu en parler, c'était une intelligence perçante.

— OK, dit Jean-Luc en posant ton stylo. Là, fieu, tu mouilles tes fesses. Ce que tu es en train de dire, c'est qu'on l'a liquidé parce qu'il pouvait bloquer tout le bazar. Mais qui aurait fait ça?

— L'AMRI.

— L'Amérique? faillit s'étrangler Debertigo.

— Non l'Alliance for MRI. Un consortium d'intérêts médicaux, techniques, hospitaliers, avec des associations de médecins, de patients, d'ingénieurs, de directeurs d'hôpitaux. C'est un des lobbies qui pèsent très lourd actuellement au Parlement. Ils défendent les intérêts d'une nébuleuse de corporations qui tournent autour de la fabrication des électroaimants pour les examens d'IRM dans le monde. On trouve de tout là-dedans, des prix Nobel, des présidents d'associations de patients, même un Comité de défense de la production industrielle de matériaux supraconducteurs. L'interdiction des très hauts champs leur porterait un sacré coup.

— Tu es en train de me dire qu'un lobby de fabricants de scanners a envoyé un tueur dans le bureau d'un eurodéputé pour le défenestrer?

— Tu n'imagines pas comme ils sont puissants. J'ai ici...

Debertigo le coupa.

— Arrête tout ça immédiatement, Dick. Tu ne t'entends pas parler. J'apprécie tes qualités d'enquêteur, mais il y a un moment où tu vas trop loin. Tu perds le bon sens?

— Ah oui, et qu'est-ce qu'il dirait, le bon sens? Que la vie d'un eurodéputé vaut plus que les milliards représentés par le marché du scanner?

— Ça ne colle tout simplement pas.

Dick rassembla ses notes et en tapota la tranche sur la surface de la table.

— D'accord, restez sceptiques. Pourtant, la femme de Boesmans m'a livré une information exploitable. Quelques jours avant le meurtre, Joël avait reçu la visite d'un type qui lui a proposé une grosse somme pour faire passer l'amendement. Il avait refusé vertement.

— Et alors? Tous les types à qui on refuse quelque chose ne nous punissent pas en nous défenestrant.

— Ces types-là ne sont pas «tous les types», comme tu dis.

— Écoute, Dick, il ne suffit pas qu'une histoire tienne debout pour qu'elle soit vraie. Il faut des preuves. Les allumés qui ont prétendu que le World Trade Center avait été dynamité par l'administration Bush, ils avaient aussi une histoire qui tenait debout. Mais on n'allait pas les croire pour autant. J'ai besoin de preuves. Parce que derrière, c'est le procès et si l'Alliance for MRI est ce que tu m'en dis, on peut déjà mettre la clé sous la porte.

Dick hocha la tête.

— Dommage, c'est à cause d'une logique comme celle-là qu'on rate les plus gros dossiers et que les assassins courent toujours.

Debertigo faillit sortir de ses gonds, mais il réussit finalement à passer à autre chose et à demander l'ordre du jour à ses autres rédacteurs.

Dick n'attendit pas la fin de la réunion. Il n'avait pas envie de perdre davantage de temps avec ces timorés. Il fallait avancer, avec ou sans le renfort de *L'Églantine*. La chose qui lui semblait importante était la présence de caméras dans le bureau de Boesmans. Il décrocha son téléphone et appela son contact à la Crim.

— Rudi? J'ai un service à te demander. Il faudrait que tu ailles faire un tour dans le bureau de Boesmans voir s'il y a des caméras. Tu peux me confirmer cette info?

— Je peux tout de suite te répondre, Dick. J'étais au bureau d'investigation avant-hier. Il n'y a pas de caméras. En tout cas, aucune trace dans l'inventaire des matériels mis sous scellés.

Un voyant rouge s'alluma dans la tête de Dick.

— Tu veux dire qu'il n'y avait pas de caméras dans le bureau de Boesmans?

— Non. En tout cas, le rapport d'inventaire n'en fait pas mention.

— Mais il a placé des caméras, sa femme me l'a dit !

— Moi je te dis qu'il n'y a aucune trace de caméras dans mes scellés. C'est à toi de me croire aussi.

Dans la tête de Vardel, le voyant rouge se remettait à clignoter. L'Alliance for MRI trempait jusqu'au cou dans cette histoire, il en était certain. Mais Debertigo avait raison, il lui fallait des preuves La jambe tremblotante sous son siège, Dick cliqua nerveusement sur sa messagerie. Il venait de recevoir un message, et son visage s'illumina en le découvrant.

— Ce bon vieux Martin...

Quand on voulait des preuves, il n'y avait qu'à demander. Martin Vrijsteens, un directeur de recherche à l'Institut de recherches interdisciplinaires en biologie humaine, l'IRIBHN, à l'université de Namur. Vrijsteens pilotait des programmes d'imagerie cérébrale et avait été membre de l'AMRI pendant des années, jusqu'au jour où il avait contracté de puissantes migraines dans son laboratoire. En lisant le texte de la directive 2004, Martin Vrijsteens avait acquis la certitude que les champs magnétiques des scanners étaient dangereux pour la santé et que l'AMRI défendait des intérêts contraires à ceux de la population et des personnels médicaux et de recherche. C'était un des interlocuteurs les plus précieux de Dick Vardel, un transfuge qui connaissait son ennemi pour l'avoir côtoyé de près.

En découvrant la vérité, le premier réflexe de Vrijsteens avait été de donner sa démission de l'AMRI, mais Vardel l'avait convaincu de ne rien en faire. Il était bien plus utile de garder un pied dans la place, car ce serait le meilleur moyen d'accéder à des documents compromettants sur cette association.

Et voilà que cette stratégie portait des fruits inespérés ! Dans son mail, Vrijsteens expliquait qu'il avait passé au crible les procès-verbaux des dernières réunions stratégiques de l'AMRI, que ses membres pouvaient se faire communiquer sur demande. Or, une des réunions récentes du bureau central de l'AMRI concernait la stratégie de lobbying à déployer pour peser favorablement sur l'adoption de l'amendement. La note du bureau stratégique, qui s'était réuni à Cologne début juin, était éloquente :

«Parmi les opposants potentiels à l'amendement 2004/40, signalons les députés Grünberg (Allemagne), Brennan (Irlande) et Boesmans (Belgique). Recommandons de tenter des actions de sensibilisation sur les trois parlementaires. Député Boesmans semble le plus dangereux. L'individu mobilise des arguments juridiques de poids, les expose avec à-propos. Une action particulièrement agressive doit être envisagée à son égard.»

Dick brandit un poing victorieux.

— «Une action particulièrement agressive doit être envisagée à son égard.» Si ça, ce n'est pas un assassinat prémédité! On va voir ce qu'on va voir...

Il quitta son bureau en coup de vent et traversa la salle de rédaction pour faire irruption dans celui de son chef, le document de Vrijsteens en main. Il le plaqua sur son bureau, tout essoufflé.

— Et ça, qu'est-ce que vous en dites?

Debertigo releva vers lui un visage ahuri.

— Enfin, Vardel, j'ai dit...

— Patron, ceci est un document interne à l'AMRI. Lisez. Si, si, lisez.

Vardel savoura sa victoire. Debertigo reposa la note, l'air douloureux.

— Mais enfin, Dick, on dirait que tu n'as jamais lu une note de lobbying.

— En effet, c'est ma première, et je suis déjà écœuré.

— Mais voyons, Dick, c'est le langage habituel...

— Quoi! Le langage habituel! Je crois que vous n'avez pas bien lu : «particulièrement dangereux»; «action particulièrement agressive»... Franchement, c'est comme ça qu'on parle de quelqu'un quand on veut simplement le convaincre?

Debertigo secoua la tête.

— Tu t'égares, Vardel. Les lobbies ont des stratégies agressives. Cela ne veut pas dire qu'ils flinguent les députés à coups de silencieux dans les couloirs. Dans leurs pratiques, ce langage est monnaie courante; plus un contact assidu, du harcèlement, des rendez-vous à n'en plus finir, jusqu'à ce qu'il craque. Qu'il accepte leurs arguments. Enfin, tu ne vas pas me dire que...

— Qu'ils l'ont tué? Bien sûr que si. Si tu n'es pas capable de voir ça, je ne sais pas ce que tu fiches ici.

Dick s'immobilisa au moment même où ces paroles sortirent de sa bouche. Il les avait dites presque malgré lui.

— Je... Je suis désolé, chef.

Debertigo n'avait pas réagi. Il dévisageait son rédacteur, impassible. Il avait toujours été persuadé, pour l'avoir constaté lui-même, que les accès de colère révélaient une faille d'argumentation.

— Ce n'est pas ce que je voulais dire, patron. Je connaissais Boesmans, je trouve scandaleux que...

— Je sais que ce n'est pas ce que tu voulais dire. Et je sais que tu perds les pédales parce que tu es sur une mauvaise piste et que tu ne veux pas l'admettre.

Debertigo examina Vardel, le front plissé.

— Tu ne peux pas écrire un papier qui accuse l'AMRI sur la base d'une telle note, lui dit-il d'un ton paternel. Tu vas te faire descendre en flèche. Reviens à la raison, Dick. Pour toi, je veux bien faire un effort. Tu dis que le lobby des scanners a commandité l'assassinat de l'eurodéputé Boesmans parce qu'il menaçait de faire capoter l'amendement autorisant la poursuite des expérimentations en France. Alors, comment expliques-tu que Boesmans ait été assassiné alors que l'amendement avait déjà été voté ?

Vardel fronça les sourcils.

— Comment... déjà voté... ?

— Regarde, jette un coup d'œil aux dates, dit Debertigo. Le décès de Boesmans remonte au 7 juillet, vers quatorze heures. L'amendement avait été voté le 3 juillet, soit quatre jours plus tôt. Pourquoi seraient-ils allés le tuer alors qu'il n'y avait plus d'enjeu ?

Vardel resta interdit, cherchant en vain une parade. Pour finir, Debertigo affecta l'air d'un père qui donne une leçon à son enfant :

— C'est le genre de chose qu'on vérifie, quand on se veut journaliste investigateur de haut vol. Comme toi.

Vardel ne comprenait pas. Toute sa théorie s'effondrait. Et pourtant, Boesmans avait été assassiné, il en était convaincu. Mais pourquoi ? Pourquoi, s'il n'y avait plus d'enjeu ?

Il se massa les yeux.

— Quelque chose m'a échappé.

— Ouaip. Quelque chose de gros.

Nicole Boesmans alluma l'ordinateur de Joël. Le journal intime de son mari se terminait par ces trois mots : framboises, framboise, framboises.

Elle se fit la réflexion que ce n'était pas le style de Joël. En bon juriste, celui-ci visait l'économie dans le langage et évitait les répétitions. Et puis, pourquoi avoir oublié un *s* au mot framboise du milieu, lui qui ne faisait jamais une faute d'orthographe?

Sans réfléchir, elle tapa les lettres F R A M B O I S E dans le module de recherche de l'ordinateur. Aussitôt apparut un dossier contenant des fichiers mp4.

Des vidéos.

Elle ouvrit le premier de ces documents. Ce fut un choc. La vidéo dévoilait le bureau de son mari vu depuis une webcam, probablement la caméra intégrée à son ordinateur portable. Joël semblait avoir mis au point une procédure d'enregistrement en temps réel de son environnement de travail. Cela expliquait pourquoi la police n'avait pas trouvé de caméras dans son bureau, contrairement aux indications qu'elle avait données.

La scène filmée ne montrait rien d'intéressant. Joël se levait pour aller chercher un classeur sur une étagère, puis retournait s'asseoir devant son clavier. Une simple journée de travail.

Chaque fichier comptait une heure d'enregistrement. Une procédure d'envoi automatique d'e-mails transférait les vidéos sur son compte consultable depuis son domicile.

Joël était malin. Nicole ne put réprimer un sourire. Elle repéra la date et, le cœur battant, ouvrit le fichier qui débutait à quatorze heures, soit un quart d'heure avant son décès selon le rapport d'enquête. Joël entrait dans le bureau, retirait son manteau. Attiré par la vue des portes vitrées demeurées ouvertes, on le voyait se diriger vers le balcon et sortir du champ de la caméra.

Elle stoppa aussitôt la vidéo.

Quelqu'un avait dû entrer dans le bureau avant Joël. Nicole resta longtemps prostrée devant l'ordinateur. Puis elle se résolut à ouvrir le fichier qui débutait une heure plus tôt, pendant la pause déjeuner de Joël, à treize heures.

Pendant dix minutes, rien. Seule flottait l'image du bureau vide, statique, creuse. Puis, soudain, une porte s'ouvre. Un homme entre. Vêtu d'un costume deux pièces, à la façon d'un attaché parlementaire. Il enfile des gants de cuir, passe devant le champ de la caméra, inspecte la pièce. Là, son visage est nettement visible à l'écran. Mais Nicole ne l'a jamais vu, c'est une certitude. On le voit effleurer le montant de la porte vitrée donnant sur l'extérieur, réfléchir puis abaisser la targette et faire coulisser le panneau, sortir sur le balcon. Pendant encore quarante minutes, rien ne se passe.

Sous ses yeux, Nicole a vu le visage de l'assassin de son mari.

Pour la troisième fois, Maria essaya de joindre Vincent.

On aurait dit qu'il la fuyait. Elle avait essayé de l'appeler chez sa mère, mais Félicia ne répondait presque plus au téléphone et lorsqu'elle le faisait, c'était d'une voix sépulcrale et absente. Cette fois, Maria téléphona depuis l'appartement de Patrizia, pour qu'il ne voie pas le numéro s'afficher.

Le jeune homme prit l'appel.

— Qui est à l'appareil?

— C'est moi, Maria... Il faut que je te parle. Tu dois savoir ce qui est arrivé.

Vincent l'interrompit immédiatement.

— Comment as-tu le culot de vouloir me parler? Tu crois que je ne sais pas ce qui s'est passé? Que je n'ai pas compris que tu me trompais? Tes histoires, comme quoi tu m'aimais mais qu'il te fallait du temps, que tu étais perturbée et toutes ces simagrées! Tu crois que je n'ai pas compris?

— Mais enfin Vincent de quoi parles-tu?

— D'un certain préservatif usagé sous ton lit, c'est de cela que je parle.

— Qu... Quoi!? C'est absurde, je... Je ne couche avec personne!

— Arrête ton cinéma, veux-tu? Je vous ai vus main dans la main, toi et Rajiv. Au réfectoire de l'école. Une bonne fois pour toutes, fais ce que tu veux de ta vie mais fiche-moi la paix.

Maria se mit à rire.

— C'est ridicule... Comment as-tu pu imaginer que moi et cet informaticien...

— Franchement, à quoi est-ce que tu t'attendais? Que je te prenne dans mes bras et te dise : ne t'en fais pas, ma chérie, on n'a qu'à faire un ménage à trois, Rajiv est un gars sympa?

— Ce n'est pas Rajiv qui a fait ça, Vincent.

— Alors qui est-ce?

— C'est Franck.

Maria laissa un silence s'écouler.

— Franck m'a violée, reprit-elle. Il m'a violée plusieurs fois. Il me poursuit, il me harcèle, c'est un pervers psychopathe et un sadique. J'ai essayé de me rapprocher de toi, de chercher ton aide, mais mon corps disait non.

Vincent fut un moment déstabilisé, puis grogna son dégoût.

— C'est dégueulasse d'accuser Franck. Ce garçon m'a tiré du pétrin et tout ce que tu essaies de faire, c'est de le discréditer à mes yeux. Comment fais-tu pour être aussi vicieuse? N'as-tu rien d'autre à faire que d'imaginer des combines tordues pour faire du mal à autrui? Franchement, tu es répugnante.

— Vincent! Arrête, attends! Tu te trompes, écoute-moi! Franck t'a retourné contre moi car il prépare quelque chose de terrible. Il a mis sur pied un montage financier occulte à Neuroland, un projet ALZ-122 monté par la police, qui...

Vincent raccrocha. Sa voix au téléphone l'avait bouleversé. Maintenant, sans Maria et sans sa mère, il se retrouverait vraiment seul. Franck restait son seul ami. Il fallait qu'il soit transparent avec lui. Qu'il sache ce que disait Maria. Pour que les choses soient bien claires entre eux, à la vie, à la mort.

Franck arriva au bureau à midi. Il revenait d'une réunion avec les dirigeants de la sécurité de Neuroland. Détection laser, bracelet de sécurité, systèmes de comptage, traitements anxiolytiques : la SIPJ allait être bien équipée. On allait truffer ce beau gâteau d'électronique.

Avant d'aller déjeuner, il se connecta à internet et chercha des infos sur le décès d'un professeur d'informatique indien. Comme la recherche ne donnait rien, il appela la Police judiciaire du Quai des Orfèvres pour obtenir un signalement. Il obtint un rapport qui stipulait que le professeur Milton Rajiv occupait un appartement de l'Institut Curie dans une rue du quartier du Panthéon. Apparemment, il avait quitté l'hôtel en laissant l'endroit dans un état de saleté repoussante, y répandant des restes d'une sorte de sauce rougeâtre sur un tapis. On avait lancé un avis de recherche. Le directeur du département des sciences cognitives de l'École normale exprimait son inquiétude mais également son mécontentement, car Rajiv devait encore assurer trois cours dans le cadre de ses séminaires.

Franck poussa un soupir de satisfaction. L'exécution qu'il avait conçue avait réussi au-delà de toute espérance. Rajiv était probablement rentré chez lui, juste à temps pour être liquéfié par les milliards de trous microscopiques laissés dans tout son corps par les microparticules.

C'était le crime parfait. Absolument parfait.

Il se mit à siffloter en faisant pivoter son fauteuil et en regardant par la fenêtre. Heureusement qu'il avait pensé à demander à Rajiv de lui transmettre les résultats de la première expérience de codage inverse réalisée sur sa propre personne. Il se connecta au poste de l'Hindou qui était resté allumé depuis son départ.

Le fichier de codage inverse était accessible sur le serveur interne du service scientifique de la SIPJ, dont Franck détenait tous les codes. Il cliqua sur l'icône et lança la lecture de la vidéo.

L'image était floue. On pouvait voir cependant apparaître, progressivement, une silhouette. Peu à peu, la forme se précisait.

Franck plissa les yeux et s'approcha de l'écran. Sur l'image, Rajiv tenait une femme dans ses bras. Ses mains parcouraient ses hanches et leurs lèvres s'unissaient. Le visage de la femme restait encore flou et indistinct, mais peu à peu ses traits se précisèrent. Enfin, ils furent parfaitement reconnaissables.

— Non...

Franck dut se pincer pour y croire. La méthode de codage inverse fonctionnait merveilleusement. On voyait distinctement le visage que Rajiv embrassait.

C'était celui de Maria.

Franck en resta médusé. La scène était extraordinairement détaillée et évocatrice, à la fois irréelle et presque palpable... Tout y était : les détails de ses yeux, la carnation de ses lèvres, on pouvait presque palper ses cheveux.

N'importe qui aurait reconnu Maria sur cet enregistrement.

Franck retira la clé USB et la fourra dans sa poche.

Au même moment, Vincent entra dans la pièce, le visage mortifié.

— Que se passe-t-il? lui demanda Franck. Tu as l'air d'avoir appris une sale nouvelle.

— Maria m'a appelé. Elle m'a dit des choses que j'ai du mal à croire.

Franck écarquilla les yeux. *Était-ce possible qu'elle ait parlé? Qu'elle lui ait tout raconté?*

— J'ai du mal à t'expliquer cela tellement c'est absurde, dit Vincent. Mais si je ne te le dis pas, j'aurai l'impression d'une gêne entre nous. Maria prétend que tu l'as violée. Que tu essaies de détruire notre histoire d'amour.

Franck réussit à prendre un air stupéfait.

— Je ne m'étais pas rendu compte de l'étendue de la perversité de Maria, dit-il calmement. Car bien évidemment, c'est toi qu'elle cherche à atteindre. Elle a compris que je t'aidais et ça la défrise. Elle veut ta perte, mon ami, et elle est prête à tout pour cela.

Vincent resta interdit. Il ne savait plus quoi penser.

— Donc, tu ne l'as pas violée?

— Tu veux savoir ce qui s'est passé. Eh bien regarde. Désolé de t'imposer cette épreuve mais c'est le seul moyen de couper court à tout débat.

Franck introduisit la clé USB dans l'ordinateur. Il lança la vidéo.

Vincent écarquilla les yeux. Sur l'image, on voyait Rajiv enlaçant Maria. Maria lui tendait les bras, radieuse, rayonnante et ivre de bonheur. Le jeune homme la saisissait par la taille, l'attirait contre lui. Leurs lèvres se joignaient, ses doigts plongeaient dans sa chevelure, ils donnaient l'image d'un bonheur parfait.

Vincent s'écarta.

— Arrête! Arrête!

Franck poursuivit la lecture, empêchant Vincent d'accéder au clavier de l'ordinateur.

— Tu dois voir ce qu'ils font, dit-il. Cette folle t'a insulté, blessé. Tu dois savoir qui elle est.

Vincent se mit les mains sur les yeux. Voir la vérité en face dépassait ses forces.

Il s'enfuit en courant.

Max Debertigo fourra une pincée de tabac dans sa pipe et observa le ballet des journalistes dans la salle de rédaction. Avait-il été trop sévère avec Vardel?

Avec leurs intuitions fulgurantes, les journalistes croyaient parfois débusquer le scoop du siècle. Et puis ils s'emmêlaient les pinceaux dans de banales affaires de dates ou de numéros de dossier... Finalement, ce qui apparaissait comme un dossier explosif était en fait un château de cartes qui s'effondrait au premier coup de vent.

— Vardel, tu as encore du chemin à parcourir, dit-il en s'affalant dans son fauteuil en cuir.

Le téléphone sonna.

— Debertigo à l'appareil. C'est de la part de qui?

— Je préfère garder l'anonymat, dit une voix de femme à l'accent russe. J'ai des informations confidentielles à transmettre à Dick Vardel.

— Des informations à quel sujet?

— C'est à propos de l'assassinat du député Boesmans. J'ai lu les articles de Vardel dans la presse. Ce gars a vu juste. Boesmans a bien été assassiné et je sais par qui. Je peux témoigner. Mais pas au téléphone. Ou alors, avec Vardel en personne.

Debertigo poussa un long soupir. Vardel, encore Vardel, merde quoi!

Dick Vardel arriva à *L'Églantine* en début d'après-midi.

Un Post-it était collé sur son écran d'ordi.

— Qui a laissé ça sur mon ordi? Patron...

— Une femme qui veut que tu la rappelles.

— A-t-elle laissé son nom?

Debertigo haussa les sourcils.

— Oh que non. Une interlocutrice mystère. Comme dans les films. Je crois que vous allez bien vous entendre, elle est tout à fait le genre à aimer les théories du complot.

Vardel composa le numéro. Une seule sonnerie, une voix de femme à l'autre bout du fil, avec un accent russe. Elle était brève et allait à l'essentiel. La main de Dick tâtonna vers un stylo et se mit à prendre des notes. Debertigo observait derrière la vitre de son bureau, perplexe. L'entretien dura vingt minutes sans que Vardel intervienne, si ce n'est pour relancer son interlocutrice.

Debertigo était sorti de son bureau.

— Je vais vous raconter l'affaire Boesmans. Le fond de l'histoire. De A à Z.

Vardel fit le tour de la table, sous les yeux de toute la rédaction.

— Mais à une condition. Rien ne doit sortir d'ici. Mon témoin veut être couvert par le secret des sources. Nous ne devons rien publier sans son accord. OK?

Des hochements de tête répondirent autour de la table. Dick prit un marqueur et dessina des flèches et des schémas sur le tableau.

— Tout part de Paris. Le témoin travaille pour une agence de notation, d'évaluation et de financement des projets de recherches en France, l'ANR. Il y a quelque semaines, cette jeune femme de nationalité russe découvre l'existence d'un projet factice consacré à la recherche sur Alzheimer, dans un des premiers centres d'imagerie cérébrale du monde. Elle met la main sur un dossier du ministère de l'Intérieur qui explique comment des scientifiques vont interroger des terroristes en pénétrant dans leur cerveau.

— C'est une plaisanterie? dit Debertigo.

— Pas du tout.

— Quel rapport avec Boesmans?

— Simple. Le projet français se heurte à une directive européenne. Boesmans la défend. Il est éliminé. C'est tout.

— Mais on a vu que les dates ne collaient pas...

— C'est vrai. Mais il a quand même été assassiné.

— Des preuves! dit Debertigo en attrapant un spéculoos dans la boîte en fer-blanc.

— Vous allez les avoir. Cette femme connaît personnellement le coordinateur du projet de décryptage des pensées. C'est un psychopathe en costume qui utilise les forces de police pour assouvir ses envies de pouvoir, et qui s'est hissé à une bonne place dans l'entourage du ministre. Elle peut témoigner devant un jury de ce qu'il lui a fait subir et des assassinats dont il s'est rendu coupable dans son pays.

Un silence de mort plana sur la salle de rédaction. Debertigo croqua dans son spéculoos.

— Fieu, dit Jean-Luc, ça c'est de la dynamite en bâton.

— Des preuves, martela Debertigo. Des preuves!

— Oui, je sais. Et c'est là que ça devient intéressant. La femme de Boesmans a récupéré des vidéos d'enregistrements réalisés avec la webcam du bureau du député. On y voit l'assassin.

Le morceau de spéculoos se coinça dans la glotte de Debertigo.

Il alla cracher au-dessus d'une corbeille. Des larmes perlaient au coin de ses yeux. Quand il se releva, ses yeux étaient rouges et sa voix étranglée.

— L'a... L'a... L'assassin?

— La femme russe qui a découvert le pot aux roses pense qu'elle peut l'identifier sur les images, dit Vardel. Elle embarque dans un train gare du Nord à Paris à treize heures. Elle sera chez nous en début d'après-midi.

Six paires d'yeux dévisageaient Vardel, interdits. Finalement, Debertigo frappa dans ses mains en rappelant tout le monde à la réalité.

— Allez! Vous avez entendu, on va avoir de la visite. Alors, faites chauffer du café et remplissez la boîte à biscuits! Qu'on accueille Madame l'interlocutrice mystère comme il se doit.

Franck avait revisionné la vidéo. C'était du beau boulot. Il était plutôt fier de lui. La luminosité n'était pas excellente, mais le rendu de la caméra qu'il avait utilisée dans la chambre de Maria était bon. Il l'avait humiliée pendant deux heures entières, faisant d'elle sa chose, les images étaient crues et auraient pu se monnayer fort cher sur les marchés du X clandestin. L'aspect le plus réussi du film était sans doute le caractère patent du viol et toute l'ambiguïté de la victime qui retenait ses cris pour une raison que le spectateur ne pouvait pas deviner, alors que sa souffrance crevait littéralement l'écran. C'était une belle scène. Visuellement, elle évoquait une chauve-souris dévorant le cœur d'un lys blanc. Deux heures de halètements et de souffrance contenue. Deux heures d'un visage sublime ravagé par l'épouvante.

C'était quand même incroyable qu'après cette correction Maria ne se soit pas résignée et qu'elle ait encore trouvé l'idée de lui mettre des bâtons dans les roues.

Franck empocha la clé USB et traversa le parking du centre Neuroland jusqu'à sa voiture de fonction. En échappant aux embouteillages, il serait à l'école élémentaire Jean-Moulin en une demi-heure.

Avec un peu de chance, il arriverait pour l'heure de la récréation.

En s'approchant de la clôture de l'école, Franck repéra les branches basses du sapin où Michka se réfugiait souvent, timide, à l'écart du tumulte de la cour. Le gosse était au rendez-vous. Aujourd'hui, le mioche ne repartirait pas les mains vides. Il allait recevoir un souvenir de sa mère. Un souvenir en couleurs et son THX.

Franck tira de sa poche une clé USB. Il s'approcha de la grille et dit :

— Bonjour petit, ça va ?

Le gamin hocha la tête sans rien dire.

— La maîtresse n'est pas trop méchante avec toi ? Tiens, regarde : tu sais ce que c'est ?

Michka inclina la tête. Il avait vu ce genre de petits appareils dans le couloir de l'école, près de l'ordinateur de la directrice.

— Cela s'insère dans un petit trou sur le côté d'un ordinateur, lui expliqua Franck. Tu sais comment ça marche ? Quand tu cliques sur l'image à l'écran, ça permet de voir des vidéos. Cool, non ?

Le petit hocha la tête. Franck lui tendit la clé.

— Ne la montre à personne, surtout. C'est notre secret. Sur cette vidéo, il y a ta maman.

— C'est vrai, il y a ma maman ?

— Oui, tu verras, c'est très rigolo. Mais n'en parle à personne. Trouve-toi un endroit bien au calme, parce que les adultes ils ne sont pas drôles, parfois ils nous empêchent de voir des vidéos. Pas vrai ?

Michka acquiesça de nouveau avec un sourire timide.

— Il y a l'ordinateur de maman à la maison, dit-il, alors je sais un peu l'utiliser.

— C'est très bien. Et n'oublie pas, il ne faut surtout pas que quelqu'un te dérange.

Michka regarda l'homme s'éloigner et entrer dans une belle voiture noire. Puis il tourna la clé USB dans sa main. Il en avait enfin une vraie, à lui !

Vincent était hanté par les images de Rajiv enlaçant Maria. Elles dansaient dans sa tête leur sarabande infernale, plantaient des piques dans son corps et semaient de petites bombes dans son cerveau.

Plus aucun désir ne l'habitait. Il n'avait devant lui que la folie destructrice de Maria, la maladie de sa mère et le comportement absurde des institutions qui lui refusaient tout soin médical approprié.

Cette fois, c'était trop. Il n'avait plus la force de se replonger dans ses recherches scientifiques. L'énergie qui lui permettait de surmonter les épreuves, d'apercevoir un horizon immuable et cristallin, avait disparu. Le Cret n'aurait qu'à terminer ses équations sans lui. Vincent avait envie d'être seul.

Il commença à déménager ses affaires. Il avait tenté sa chance dans le monde de la recherche et c'était un échec. Un à un, les notes d'expérimentation et les livres de cours s'entassèrent dans un carton. Tant de signes couchés sur le papier, tant de sueur versée et de passions vécues, pour rien. Fatigué et amer, au bord des larmes, il se força à jeter définitivement tout cela. Restait son cahier de laboratoire, celui où il consignait ses expériences, les détails des protocoles, les paramètres des séquences d'IRM, les résultats sur des graphiques. Ce volume se terminait par la description de la première séance d'imagerie cérébrale en très haut champ de toute l'histoire humaine, ce qui pourrait être considéré comme la mesure la plus précise de l'activité du cerveau humain. Il jeta le cahier dans la caisse.

Une feuille volante s'en échappa et tomba sur le carrelage. Il la ramassa, intrigué.

Il resta sans voix.

Ministère de l'Intérieur, Direction de la SIPJ

Objet : création d'une section de la police judiciaire avec prérogatives étendues sur l'interrogatoire de sujets sensibles dans le cadre de la loi AMT

L'objectif d'étendre les méthodes d'interrogatoire au champ de la lecture des pensées a été pris et nécessitera la mise en œuvre :

1) d'un code neuronal, volet N0 (non figuré), avec budget illimité...

2) d'un codage inverse, volet N1 (nom de code Alz. imag. Céréb.)...

Les moyens de son application nécessiteront le recrutement :

c) d'un chercheur qualifié en imagerie de diffusion fonctionnelle. Présum. Vincent Carat. cf. Annexe.

d) D'un chercheur qualifié en algorithmique de codage inverse. Présum. Milton Rajiv. cf. Annexe.

nécessiteront également la construction :

i) d'une centrale de détention à volet de 8 cellules individuelles

ii) d'un circuit d'acheminement des détenus vers le local d'interrogatoire

iii) d'un centre de contrôle attenant à la salle d'interrogatoire, disposant d'une capacité suffisante pour accueillir les délégations étrangères, personnel de traduction, accompagnants analystes & staff médical.

Pour la SIPJ, dir. Franck Corsa

Vincent retourna la feuille. Seul le recto était imprimé. Il parcourut encore une fois le texte, qui semblait arraché d'un livre ou d'un manuel. Assis sur sa chaise de bureau, il commença à prendre la mesure de ce que cela signifiait.

Franck Corsa avait signé ce document, cela ne faisait pas de doute. Son contenu était sans ambiguïté : il y était question d'un programme scientifique intégré à la police. Le ton bureaucratique, la signature de Franck, la mention de détails très réels de l'organigramme de Neuroland, et surtout son nom à lui, Vincent Carat, accolé à un axe de recherche en plein développement, tout cela semblait terriblement réel.

Son cerveau était en ébullition.

Il retourna le papier dans tous les sens. Qui avait bien pu glisser ce document dans son cahier de laboratoire? Certainement pas Franck, que cette pièce accusait. Mais surtout, le nom du dossier lui évoquait quelque chose. L'acronyme, ALZ-122. Où l'avait-il entendu?

Maria! C'était Maria qui avait évoqué ce dossier au téléphone! Elle parlait d'un montage financier occulte financé par l'État ou la police.

Le cœur battant, Vincent relut la note dans son intégralité. Tout, absolument tout y confirmait les dires de Maria. S'il devait donc la croire, le code neural devait servir à créer un système de lecture dans les pensées à des fins purement judiciaires. Le tout financé par l'État qui avait pris le contrôle de Neuroland et n'avait aucune intention de financer des recherches sur la maladie d'Alzheimer. Du même coup, cela expliquerait que les fonds destinés à sauver sa mère aient été tout simplement bloqués.

Une expression d'horreur se peignit sur son visage. Mon Dieu, si Maria avait dit la vérité... Elle aurait eu raison alors à propos de ce programme. Et dans ce cas, serait-il possible qu'elle ait également dit vrai à propos de Franck, qui l'aurait réellement violée? Vincent l'aurait alors injustement soupçonnée, insultée, et rejetée.

— Qu'ai-je fait...

Vincent sentit la pièce vaciller autour de lui. La possibilité lui apparut que Franck ait pu le manœuvrer. Il aurait pris Maria pour cible, puis lui, Vincent. Et ses secrètes intrigues auraient conduit à condamner sa mère en annulant les recherches sur Alzheimer.

Cela signifiait que Franck aurait œuvré depuis le début à le détruire.

Vincent regarda devant lui, hagard. Était-il en train de devenir fou? Franck, un traître, un menteur, un pervers, un violeur, un manipulateur?

Et Maria innocente.

Il sentit la panique l'envahir. Parler à Maria. Absolument.

Son doigt appuya fébrilement sur les touches du téléphone.

— Vous êtes bien sur ma messagerie vocale, laissez un message et je vous rappellerai, disait la voix de Maria.

En entendant le son de sa voix, Vincent se sentit inondé de tendresse. Et s'il devait ne jamais la revoir? Si tout cela était définitivement perdu?

Il aurait alors atteint le fond du désespoir et du malheur.

Franck s'était renseigné. Des enfants assistant au viol de leur mère pouvaient présenter toutes sortes de réactions : dissociation de personnalité, choc traumatique, perte de la parole, troubles obsessionnels compulsifs, dépression, suicide. Michka était tout ce qui restait à Maria. Elle avait tenu le coup uniquement grâce à lui. Lorsque Franck lui ôterait ce support affectif, tout son être s'effondrerait. Elle ne s'en remettrait jamais.

Il aurait aimé être là pour voir sa réaction quand elle voudrait adresser la parole à son fils et se heurterait au mur blanc de ses yeux morts. Quand elle verrait dans son regard le miroir de sa propre humiliation, définitive. Quand l'enfant commencerait des rituels d'automutilation, ou bégaierait sans fin, la pensée suspendue. Là, il voudrait la voir.

Franck déplia l'ordinateur sur le siège passager de sa voiture pour se connecter au bureau d'écoutes de la SDAT. Il enfila son kit mains libres et sélectionna le registre des appels passés par Maria depuis l'ANR. Il allait la localiser.

À sa surprise, il constata qu'une conversation avait été enregistrée sur le poste de la jeune femme le matin même. Plus surprenant encore, il s'agissait d'un appel passé vers la Belgique. Franck eut un mauvais pressentiment. La Belgique lui évoquait inévitablement le meurtre de Joël Boesmans. Pourquoi Maria allait-elle fourrer son nez là-dedans ?

Franck allait rejoindre la route nationale en direction de Paris, quand la bande sonore s'enclencha. Dès les premiers mots, ses mains se crispèrent sur le volant et ses mâchoires se serrèrent. Il dut faire un effort pour garder le contrôle de son véhicule.

Maria déballait tout à un journaliste qui avait suivi l'affaire Boesmans. Chaque mot s'enfonçait dans le ventre de Franck comme une lame de couteau. La jeune femme affirmait connaître l'assassin de Boesmans et le nommait lui, Franck Corsa. Maudite chienne!

De rage, Franck fit une embardée et se força à lever le pied. Ce n'était pas le moment de tout foutre en l'air. Il avait un projet à mener à bien avec Levareux. Un service de police à mettre sur pied. Dès que ce serait fait, on rigolerait bien. Il coffrerait tout ce beau monde, il pénétrerait dans leur cervelle et leur ferait vivre l'enfer. Pour l'instant il fallait juste colmater les brèches, empêcher que tout cela fuite.

Tout d'abord, il fallait écouter l'enregistrement d'une oreille neutre pour évaluer l'étendue des dégâts. La mort dans l'âme, il entendit donc Maria décrire le montage financier de Neuroland, les travaux sur le code neuronal et l'implication du ministère de l'Intérieur. Pire que tout, elle disait détenir une note issue d'un dossier secret, le dossier ALZ-122. Merde, merde, où avait-elle déniché cela?

En plus, ce Vardel posait des questions précises, voulant à tout prix comprendre tout le montage financier occulte. Il cherchait des preuves. Maria assurait pouvoir les produire. Rendez-vous était pris à Bruxelles pour rencontrer Vardel et toute la rédaction de son journal. Elle allait prendre le train de treize heures à la gare du Nord.

C'était la catastrophe.

Franck déconnecta le kit mains libres. Il devait empêcher cela à tout prix. Et il devait agir vite. Vite.

Il était onze heures trente. Il avait une heure et demie devant lui pour agir. C'était faisable, à condition d'employer les grands moyens. Il contacta Melvin directement à la SDAT.

— On a un gros problème avec la Russe, Jacques. Elle a mis la main sur le dossier ALZ-122, qui contient les statuts de la SIPJ et qui définit sa mission. Ce dossier porte la signature du ministre. Elle va le refiler aux médias, ça va commencer avec ce canard minable et après ce sera une radio, et pour finir la télé belge et demain ce sera sur nos chaînes nationales.

Melvin était dans son bureau de la sous-direction antiterroriste. En entendant cela, il se redressa aussitôt sur son siège.

— Que faut-il faire, chef?

— On a une heure pour agir. Svetkova dit qu'elle va visionner des enregistrements montrant la tête du tueur que vous avez envoyé pour régler son compte à Boesmans. Elle veut témoigner auprès de la justice et dans les médias. Si cela se produit, c'est tout le gouvernement qui saute et le projet Transparence qui tombe à l'eau. Des millions engloutis pour rien, et tout le programme de lutte antiterroriste qui repart de zéro, avec les orientations prises par le groupe de Penrice. Levareux qui saute, et les ministres de la zone euro qui sont mouillés jusqu'au cou. Vous pouvez me croire, il y a des journalistes qui rêvent toute leur vie de tenir un scoop pareil. Alors, ils n'hésiteront pas. Le journaliste qui prend l'affaire en main est un fouineur, un maniaque du détail, il a juré de nous accrocher à son tableau de chasse. Si jamais il a le dossier entre les pattes, on est morts.

— Bien reçu, patron, dit Jacques en hochant la tête.

— Comment s'appelait le type qui est allé liquider Boesmans?

— L'agent Éric Sommers.

— Eh bien dites à votre agent Éric Sommers que sa trombine est clairement visible sur des enregistrements vidéo que la police belge pourrait bien visionner d'ici vingt-quatre heures. Il s'est mal couvert, votre type, Melvin. Alors qu'il se débrouille pour terminer le travail. Svetkova doit prendre un train pour Bruxelles à la gare du Nord, à treize heures.

— Aujourd'hui?

— Mais oui, pas demain, imbécile! Aujourd'hui même, là, dans une heure et demie. Elle veut tous nous griller, la salope!

— Elle part en emportant le dossier?

— Je ne sais pas. Peut-être. De toute façon, ce dossier ajouté aux enregistrements vidéo du bureau de Boesmans à l'heure du crime, c'est la catastrophe. Votre agent Éric Sommers doit expédier l'affaire gare du Nord à treize heures. Est-ce que c'est clair?

— Parfaitement clair, chef.

Franck n'eut qu'un remords. Maria ne verrait pas son gamin, les yeux vidés par le spectacle de sa mère montée par un démon en rut, le cerveau ravagé par l'indéchiffrable. Mais ainsi allait la vie. Il arrivait qu'on n'ait pas le choix.

Jacques Melvin contacta immédiatement l'agent Sommers de la DGSE. L'homme fut étonné d'apprendre que son intrusion dans le bureau de Joël Boesmans à Bruxelles avait été filmée. Il nota avec précision les renseignements sur la présence de Maria Svetkova à la gare du Nord pour treize heures, et se fit envoyer sa photo sur son smartphone.

Sommers n'avait jamais pris pour cible un civil sur le territoire français. Il lui fallait s'organiser au plus vite pour trouver un poste de tir approprié. Le service de documentation lui fournit les cartes d'état-major du nord de Paris et il consulta les horaires de départ des trains. Le Paris-Bruxelles partait à treize heures de la voie 7. Il faudrait trouver un poste de tir parmi les blocs d'immeubles du secteur est de la gare du Nord.

À l'armurerie, il choisit un fusil L115 A3 tirant des balles blindées de calibre de 8,9 mm, jusqu'à une portée de trois mille mètres. Discret, silencieux, personne ne savait d'où venait la balle et le tireur avait le temps de s'éclipser. Le projectile mettait plus de trois secondes à atteindre sa cible.

Du coup, il fallait que la cible ne bouge pas trop entre le tir et l'impact. Sommers se rappela que pour l'embarquement dans le Thalys, les billets étaient contrôlés sur le quai par des hôtesses, les voyageurs restant debout devant le train. Voilà qui lui offrirait les deux secondes dont il avait besoin. Qui correspondaient à un tir à mille huit cents mètres.

Le poste de tir idéal était situé avenue des Buttes-Chaumont. Immeubles cinq étages. Deux mille mètres à vol d'oiseau. Une seule balle au niveau de la tempe ou du front.

Sommers plaça le fusil et six projectiles dans une mallette en fibre de carbone rembourrée de mousse de polyuréthane. L'étui possédait un renflement à une extrémité qui le faisait ressembler à une housse d'instrument de musique, type saxophone. Il choisit au magasin d'habillement une veste en cuir de musicien avec un paquet de cigarettes dans la poche extérieure, un briquet zippo et une casquette en feutre rayé. Il sortit du bâtiment de la DGSE par la porte de service, entre un escalier métallique et une benne à ordures. Dans les quartiers nord, il se fondrait totalement dans le décor.

Vincent essaya par tous les moyens de contacter Maria. Son téléphone portable ne répondait pas. Maintenant, comment lui dire qu'il regrettait, qu'il souhaitait se faire pardonner ? Elle avait toutes les raisons de refuser de lui parler.

Il essaya de joindre le bureau de Serge Larcher, mais la ligne était hors service. Finalement, une hôtesse d'accueil prit son appel à l'Agence.

— Que puis-je pour vous ?

Vincent poussa un soupir de soulagement.

— Je souhaiterais parler à Mme Svetkova, dit-il.

— Bien sûr. Ne quittez pas.

Vincent sentit son cœur battre. La sonnerie retentit dans le vide, une, deux, trois fois... Puis le son d'une messagerie. La voix de Maria. Son cœur se serra. Il fallait dire quelque chose.

— Maria, j'ai tout compris à propos de Franck. J'ai ici un document qui montre que Neuroland est la tête de pont d'un projet de lecture dans les pensées, mis sur pied par le ministère de l'Intérieur sous l'égide de Franck Corsa. Je suis prêt à t'aider pour dévoiler cette horreur. Si tu ne veux plus me voir, je le comprendrai.

Il marqua une pause, troublé par l'émotion.

— Je ne sais pas si nous nous reverrons, ni quand. Je veux juste que tu saches que c'est tout ce que je souhaite, à présent. Tant que j'aurai un souffle de vie, je penserai à toi. Si tu veux bien me pardonner, je serai à tes côtés pour toujours.

Il raccrocha, bouleversé. Pourvu qu'elle ait ce message. C'était tout ce qu'il lui restait à espérer.

Le fragment de dossier ALZ-122 toujours dans sa main, Vincent prit conscience qu'il lui fallait récupérer le document dans son intégralité. Probablement une sorte de mémorandum renfermant les détails du projet. C'était ce qui manquait pour faire éclater cette affaire au grand jour.

Où pouvait se trouver ce fameux dossier? En toute logique, dans le bureau de Franck dans les locaux du personnel de l'aile ouest où on construisait actuellement les structures d'accueil pour les futurs «patients».

Vincent se dirigea vers l'intersection des deux ailes du bâtiment, dépassa la salle d'attente, ses bacs à plantes vertes et son aquarium, avant de s'engager vers l'aile ouest. Au bout du couloir, un maître-chien était en faction devant une porte à fermeture magnétique. Il choisit de jouer son va-tout. Il s'approcha du garde et lui dit le plus naturellement :

— Je suis chef de projet. Je m'aperçois que j'ai laissé un document important dans le bureau de M. Corsa. Pour une expérience qui doit avoir lieu dans l'après-midi.

Vincent vit l'homme tirer sur la laisse de son chien, qui s'était mis à remuer. C'est ça, tu es un bon toutou. Tu aimes jouer? Le chien se mit à japper en lui tournant autour.

— Ça ne doit pas être facile pour lui de rester sans bouger au même endroit pendant toute la journée, dit Vincent de manière engageante.

— On leur fait faire un tour dans le parc après chaque service, mais ils préfèrent les patrouilles aux factions.

L'homme se tourna vers la porte.

— Vous en avez pour combien de temps?

— Deux petites minutes, pas plus.

L'homme actionna le système d'ouverture.

— Pour ressortir, vous n'avez qu'à actionner le système à détection de chaleur situé à l'intérieur.

Vincent franchit l'ouverture et se retrouva dans un long couloir éclairé par des néons. Les locaux étaient déserts. Il entra et scruta les tiroirs un à un. Un dossier de couleur violette portant cette inscription – ALZ-122 – l'arrêta. En toute hâte, il y fourra des feuilles volantes pour donner le change et sortit du bureau avec le dossier

570

sous le bras, salua le maître-chien et retourna dans son bureau pour en commencer la lecture.

Ce qu'il découvrit était sidérant. Le dossier ALZ-122 prévoyait que le code neural soit utilisé pour mettre au point une machine à décoder les pensées à partir d'un logiciel de décryptage élaboré par Milton Rajiv. Le secteur sanitaire censé accueillir les patients tétraplégiques n'était qu'une plate-forme de garde à vue où les prisonniers seraient transférés avant leur interrogatoire.

Et c'est lui, Vincent, qui avait été l'inventeur de tout cela. Ses travaux sur le code neural formaient le socle de cette organisation totalitaire.

Seule Maria avait eu l'intuition de ce qui se tramait. Elle l'avait compris et l'avait payé le prix fort. Vincent en avait les larmes aux yeux. Il sentit la rage et la tristesse s'emparer de lui. Finalement, il décrocha son téléphone et lui laissa un autre message :

« J'ai tout le dossier ALZ-122 en main. Tu avais raison. Franck est mouillé jusqu'au cou. Tout ce château de cartes qu'est Neuroland va s'effondrer. »

Jacques Melvin prit une chaise et la tira vers le lit de Serge Larcher. Le vieil homme était étendu sur son lit, sanglé comme tous les patients du centre médico-pénitentiaire.

Melvin ne savait pas comment poser sa question.

— Rappelez-moi... ce que vous disiez l'autre jour... sur Franck Corsa?

Larcher tourna lentement la tête vers lui.

— Vous voulez savoir ce qui s'est passé, le jour où vous m'avez interrogé... Pendant que vous étiez parti, Corsa a essayé de me tuer.

Les yeux de Melvin s'arrondirent. Larcher continua.

— Franck m'a d'abord fait tomber de ma chaise, puis m'a écrasé le cou avec sa chaussure. À ce moment, j'ai cru ma dernière heure arrivée.

Jacques sentit une enclume sur sa poitrine. Il avait du mal à aspirer l'air. Il voulut se lever, mais sa vision tanguait et ses genoux lui semblaient cotonneux. Il réussit à sortir dans le couloir et à trouver l'ascenseur menant au parking de l'Hôtel-Dieu, puis il chercha à reprendre sa respiration, ouvrit la boîte à gants de son véhicule et en sortit un gyrophare bleu qu'il plaqua contre le toit de la voiture. Il donna des gaz comme un fou. Roulant dans leurs orbites, ses yeux ne lui renvoyaient qu'une image saccadée de la route.

À grands coups de volant, Jacques se fraya un chemin à travers Paris et finit par garer le véhicule dans le sous-sol de la SDAT. Quelques instants plus tard, il émergea de l'ascenseur, tremblant des pieds à la tête, passa devant le bureau de Vernieuwe qui lui lança un regard étonné. Il réussit à fermer la porte de son bureau et à se laisser tomber sur son siège. Il était épuisé.

Des émotions incontrôlables remontaient d'un fond trouble et trop longtemps refoulé. Pendant des mois, il s'était entièrement appuyé sur Franck. Il lui avait littéralement remis les clés de son âme et de sa conscience. Il vénérait Corsa.

Alors, pourquoi celui-ci le trahissait-il?

Le caporal Vernieuwe se tenait dans l'embrasure de la porte, un gobelet de café à la main.

— Ça va, mon capitaine?

Jacques prit le gobelet que Vernieuwe lui tendait.

— Merci, caporal. On arrive toujours à prendre un café ensemble entre collègues! L'armée, il n'y a que ça de vrai.

Vernieuwe le considéra avec sérieux.

— Vous êtes le seul gradé qui m'ait jamais proposé de prendre un café, mon capitaine. Peut-être que si vous m'expliquiez ce qui vous arrive...

Melvin reprit une gorgée du breuvage brûlant. Les mots ne pouvaient sortir de sa bouche.

— C'est à cause de Corsa, n'est-ce pas? murmura Vernieuwe. De toute façon, je n'ai jamais cru ce qu'il disait sur vous.

Melvin sentit le sol se dérober sous ses pieds.

— Corsa disait des choses sur moi? Que disait-il?

Vernieuwe hésita.

— Je ne devrais pas vous le dire. Après tout, de toute façon, Franck Corsa m'a déjà fait chanter plus d'une fois en menaçant de supprimer mon poste et de m'obtenir un blâme du ministre. Il m'a demandé de vous placer sur écoute.

Melvin posa une main sur le cœur.

— Moi? Sur écoute? Mais... P... pourquoi?

— Selon lui, vous dépassez les bornes avec les prisonniers. Vous auriez à moitié tué un professeur d'université. Ce n'est pas vrai, n'est-ce pas?

Melvin sentit qu'on lui donnait un coup de poing à l'estomac. Il avait la nausée.

Il se jeta dans un taxi et rentra chez lui où il s'écroula dans le canapé du salon. Dans un état second, ayant aperçu le voyant rouge du répondeur, il fit l'effort d'enclencher la lecture.

« Je suis Clara Mangot, vous m'avez appelée. Je suis de retour à Paris, vous pouvez me contacter à ce numéro. »

Clara Mangot, la troisième mère des enfants morts dans les attentats? Il ne manquait plus qu'elle! À combien de reprises il avait essayé de la joindre, en vain. Maintenant, comme un signe du destin, elle venait lui rappeler une dernière fois le poids de ses fautes.

Il se redressa, prit son manteau et se rendit à l'adresse figurant sur son calepin.

Clara Mangot habitait un petit appartement non loin de Denfert-Rochereau. Jacques s'attendait à trouver une personne dévastée, mais ce fut une femme menue et énergique qui lui ouvrit. Il y avait des cartons un peu partout dans l'appartement, comme avant un déménagement.

— Pourquoi vouliez-vous me voir? dit-elle.

Jacques se demanda comment aborder la question. Il regarda dans l'appartement.

— Je peux entrer?

Elle lui indiqua un canapé dégagé au milieu du désordre qui régnait dans le salon.

— J'ai essayé de vous parler parce que je me sentais coupable, dit-il. Le jour où les bombes ont explosé, j'étais chargé de l'interrogatoire d'un suspect, Ali Saleh. Je n'ai pas su le faire parler.

Elle lui lança un regard profondément attristé.

— Cela a dû être terrible.

— C'est pour vous que cela a été terrible, voulez-vous dire. Ce qui est arrivé est de ma faute. Je n'ai pas été capable de le faire parler.

— Non, dit-elle. C'est Ali Saleh le coupable, dit-elle. Pas vous.

— J'aurais pu le faire parler si seulement j'avais...

— Si vous aviez... quoi?

Jacques regarda ses mains. Ses grosses mains qui avaient épargné Saleh et défiguré Serge Larcher.

— Vous alliez dire : si je l'avais torturé, conclut Clara Mangot. Peut-être, effectivement, auriez-vous pu obtenir ces renseignements. Mais regardez-vous. Voyez comme vous avez souffert. Le malheur nous a tous frappés : eux, moi, vous. Vous n'avez pas à vivre avec ce fardeau. Et si vous n'avez pas torturé cet homme, c'est pour une raison que vous connaissez très bien.

Jacques l'interrogea du regard. Elle lui dit :

— Vous ne l'avez pas fait parce que vous êtes quelqu'un de normal. Les gens normaux ne font pas cela. Et savez-vous la bonne nouvelle ? La terre est majoritairement peuplée de gens normaux. Et c'est pour ça qu'elle reste un endroit vivable. Le malheur est déjà assez grand, entraidons-nous plutôt.

Jacques sentit une vague d'émotion monter dans sa gorge. Soudain, des larmes jaillirent de ses yeux.

— Je suis désolé, dit-il.

Il sanglotait, la nuque courbée, incapable de relever la tête, tout son thorax immense oscillant au rythme des hoquets et des larmes. Il écarta les bras en signe d'impuissance, pour montrer qu'il ne savait pas, justement, ce qui s'était passé ce jour-là.

Clara Mangot prit les mains de Jacques.

— Ce n'est pas votre faute. Nous faisons ce que nous pouvons puisque nous n'arrivons pas à être aussi monstrueux que les fous qui nous martyrisent. Alors il faut continuer à vivre.

Jacques se laissa tomber en avant. Clara sentit cette lourde tête s'abattre sur ses genoux. Elle posa sa main dessus. Face aux deux autres mères, Jacques avait été obligé de repartir avec cette charge pesante sur lui. Maintenant Clara venait de rompre ses attaches. Le fardeau était à terre. Il était libre.

Lentement, par vagues successives, ses larmes refluèrent. Sa vision s'éclaircissait. C'était comme si on avait ôté un bandeau de ses yeux. Ses pensées lui revenaient, nettes et précises.

Alors il se releva et regarda sa montre.

— À la gare du Nord. Dans une demi-heure. Une femme va mourir.

Maria venait d'arriver dans la galerie souterraine de la gare du Nord. Consultant sa boîte vocale, elle trouva un message. Il était de Vincent.

Elle ralentit le pas en l'écoutant.

«Maria, j'ai tout compris à propos de Franck. J'ai ici un document qui montre que Neuroland est la tête de pont d'un projet de lecture dans les pensées, mis sur pied par le ministère de l'Intérieur sous l'égide de Franck Corsa. Je suis prêt à t'aider pour dévoiler cette horreur. Si tu ne veux plus me voir, je le comprendrai.»

Maria s'immobilisa dans le flot des passants. Le message continuait.

«Je ne sais pas si nous nous reverrons, ni quand. Je veux juste que tu saches que c'est tout ce que je souhaite, à présent. Tant que j'aurai un souffle de vie, je penserai à toi. Si tu veux bien me pardonner, je serai à tes côtés pour toujours.»

Elle resta plantée là, le téléphone à la main. Oui, Vincent avait compris! Dieu sait comment, mais il avait trouvé! Il n'y avait pas de mots pour décrire ce qu'elle ressentait.

Un autre message figurait sur sa boîte. On l'avait laissé une demi-heure plus tard. Et c'était encore Vincent!

«J'ai le dossier ALZ-122. Tu avais raison. Franck est mouillé jusqu'au cou. Tout ce château de cartes qu'est Neuroland va s'effondrer.»

Cette fois, c'était la fin de Franck. Dieu soit loué.

Elle regarda sa montre. Si elle ne se dépêchait pas, elle allait rater son train. Elle émergea de la galerie par l'escalator et arriva devant les panneaux d'affichage. Le train était à quai. Il était annoncé voie sept, pour treize heures. Il lui restait dix minutes. À la hâte, elle se dirigea vers les guichets prévus pour les départs dans l'heure. Dans la file d'attente se trouvaient un couple de jeunes étudiants, un cadre tenant un attaché-case et une vieille dame plantée devant le guichet.

Le saxophoniste qui sortit de la station des Buttes-Chaumont plongea sa main dans la poche extérieure de son blouson en cuir de nubuk et en ressortit un paquet de cigarettes Camel. Il observa les beaux immeubles qui bordaient la rue Botzaris. Le point culminant se situait approximativement cent ou deux cents mètres plus loin. La météo était favorable, la visibilité optimale.

En se postant sur le toit d'un des plus hauts immeubles de la rue, il aurait une vue plongeante à travers sa lunette sur un large secteur du nord de Paris.

Un couple sortit, il les salua simplement et ils lui tinrent la porte. L'ascenseur était une vieille cage métallique avec un tableau de commande d'avant-guerre. Il appuya sur le bouton du sixième. Arrivé sur le palier, il repéra la porte donnant sur le local de machinerie et l'ouvrit avec un des passes de son trousseau. Il émergea sur le toit, posa son arme sur un espace zingué en pente légère et observa les alentours.

Les autres immeubles se situaient au même niveau que le sien ou plus bas. On ne risquait pas de l'apercevoir. Le petit parapet en zinc ferait un bon appui pour son fusil et dissimulerait entièrement son corps aux regards. Au premier plan s'offraient à la vue les cimes des arbres et le paysage vallonné et verdoyant du parc des Buttes-Chaumont. Plus loin, il apercevait la mairie du XIXe arrondissement et ses toits en ardoise, et derrière le quartier des Gatinettes, avec ses villas perchées et ses quelques arpents de vigne. Enfin, en arrière-plan, une série de toits bas et allongés, d'une couleur grise uniforme. Les auvents des quais extérieurs de la gare du Nord.

Il colla l'œil sur sa lunette et vit apparaître avec une précision de détail parfaite les traverses des rails et les caténaires.

Dans quelques minutes, les voyageurs allaient commencer à défiler sur le quai. Il régla sa hausse.

À sa montre, il était 12 h 42.

Jacques Melvin faillit faire un roulé-boulé dans les escaliers du métro. Il se rattrapa à la rampe et arriva sur le quai désert. Le prochain train était annoncé dans trois minutes.

Et Sommers qui ne répondait toujours pas au téléphone. Bien sûr, c'était un pro. Il appliquait les règles et évitait tout contact avec sa hiérarchie, une fois l'action engagée.

Il aurait dû prendre sa voiture en rentrant de Levallois. Avec le gyrophare, il aurait pu espérer atteindre la gare du Nord en vingt minutes.

Non, un gyrophare n'aurait rien changé. On ne pouvait rien contre un embouteillage à hauteur de Cité ou Saint-Michel.

Il se rappelait maintenant qui était cette fille. La Russe que Corsa avait fait suivre et chez qui il s'était introduit après avoir congédié les policiers. Jacques s'était fait avoir. Il avait laissé Corsa seul dans l'appartement. Que s'était-il passé ensuite? Tout était possible. Franck mentait, Franck manipulait, Franck pouvait terroriser une femme seule. Et c'était cette femme dont il avait maintenant ordonné l'assassinat.

Le métro arriva enfin. Jacques sauta dans la rame et les stations commencèrent à s'égrener.

Il fallait à tout prix sauver cette fille. Elle pouvait à elle seule faire capoter le projet Transparence.

Plus que quatre stations.

Valérie Larcher avait déposé devant Michka des jouets qu'elle avait retrouvés dans une vieille remise. Petites autos en fer-blanc, animaux en bois peint. Cela ressemblait à des jouets fabriqués par des lutins. Mais ça allait cinq minutes, Michka préférant ce petit objet que le monsieur lui avait donné derrière le grillage. D'après ce que lui avait dit le monsieur, cet appareil permettait de voir des films amusants.

L'ordinateur de Maria était resté sur le petit secrétaire à côté du lit. Il grimpa sur une chaise et effleura les touches. L'écran s'illumina. Il chercha sur le côté où enfoncer sa clé USB. Il essaya un port au hasard. Une icône s'afficha aussitôt sur le bureau. Michka ne savait pas encore bien lire, mais le nom de sa mère, il le connaissait. Il était inscrit dessus. Il se trémoussa de joie. Sa maman était donc vraiment dans un film! Il fit glisser le curseur sur l'image et cliqua.

Pendant que le film commençait, Michka s'agenouilla sur la chaise et, tout curieux, commença à s'agiter, assis sur ses talons. «Maman...» Le visage de Maria apparaissait en gros plan. Elle avait les yeux écarquillés. La caméra pivota et une sorte de personnage avec une cagoule apparut à son tour.

— Ooh, qui c'est, celui-là?

Puis, la caméra fut déplacée et pendant un moment, l'image resta floue. Michka se pencha en avant pour mieux voir.

Valérie Larcher avait fini de préparer les œufs au plat. Elle déposa les assiettes sur la table, appela Michka à plusieurs reprises, puis, sans réponse, traversa le couloir en direction de la chambre.

Quand elle ouvrit, elle trouva le petit garçon installé face à l'ordinateur, en train de visionner une vidéo. Elle s'approcha et eut un frisson en voyant l'écran. L'épaule nue d'un homme, la nuque en partie couverte d'une étoffe noire. Il y avait un lit, et...

Affolée, Valérie rabattit le couvercle de l'ordinateur.

— Mais qu'est-ce que tu fais? s'exclama Michka.

Elle regarda l'enfant avec des yeux exorbités.

— Va dans la cuisine, Michka, balbutia-t-elle.

— Mais... J'étais en train de...

— Va dans la cuisine!

Valérie ferma la porte à double tour et revint au début de la vidéo. Le visage de Maria en gros plan était terrifiant. Le silence et les halètements signalaient une catastrophe imminente. Cet homme cagoulé se déplaçait comme une bête, la caméra changeait de position, l'image était floutée, un plan plongeant montrait le haut de son dos nu.

Valérie resta sans voix. Elle relança la lecture.

En quelques secondes, elle reçut le choc des images en pleine rétine. Elle n'avait jamais rien vu de pareil. Maria, attachée au lit, vivait l'enfer. L'homme cagoulé allait et venait entre le lit et un grand sac d'où il tirait des ustensiles qu'il utilisait pour lui faire subir les pires sévices. S'affairant autour d'elle comme une hyène autour de sa proie, il semblait la dévorer par petits morceaux. L'obscénité de son sexe raidi pendant qu'il lui tournait autour ajoutait à l'horreur et aux gémissements de Maria qui retenait ses cris, sans doute pour ne pas alerter son enfant.

Et Michka avait failli voir tout cela.

Valérie saisit la clé USB, referma l'ordinateur, prit une grande inspiration et sortit de la chambre. Dans la cuisine, elle trouva Michka jouant avec des petites autos sur le carrelage.

Il y avait échappé. Qui était le fou qui avait fait cela?

La vieille dame au guichet n'en finissait plus de poser des questions au vendeur. Elle voulait tout savoir sur les conditions de cumul des réductions de la carte senior et des tarifs séjour. Maria regarda sa montre. Il ne restait que quelques minutes.

Le cercle de la lunette à grossissement ×8 du fusil L115 A3 offrait une vue parfaite sur les voyageurs qui défilaient devant les flancs rouge sombre du Thalys stationné voie sept. Les voyageurs tiraient leurs valises derrière eux, se hâtaient, tenant leurs enfants par la main et présentant leurs billets aux hôtesses d'embarquement.

Éric Sommers était rompu aux techniques de balayage visuel pratiquées par les commandos de marine en mission de nuit. Le plus important était de ne pas trop focaliser sa vision pour ne pas la fatiguer. On estimait généralement qu'une bonne surveillance ne pouvait s'étendre au-delà d'un quart d'heure sans pause, surtout avec une lunette grossissante qui accélérait les vitesses de défilement.

Il y avait maintenant dix minutes que Sommers scrutait le quai. Sa cible n'était pas encore apparue.

Jacques sortit du métro à la gare de l'Est à 12 h 55. Il était trop tard pour emprunter une correspondance pour la gare du Nord. Il allait perdre au moins trois minutes dans les couloirs avant de pouvoir émerger et trouver le quai d'où partirait le train de Maria. Il se mit à courir dans le hall de la gare, puis gravit les escaliers donnant sur la rue d'Alsace. En point de mire à deux cents mètres environ, il aperçut l'angle de la rue de Dunkerque qui longeait la gare du Nord. Il prit une grande inspiration et entama son sprint.

Les junkies et les patrons de bar regardèrent passer ce colosse aux bras fouettant l'air et dont les cuisses semblaient vouloir arracher le bitume.

Maria tourna les yeux vers la grande horloge de la gare. Plus que deux minutes. Le guichetier prenait son temps pour agrafer les différents feuillets et les glisser dans la pochette. Lorsqu'il lui souhaita bon voyage, elle lui arracha tout simplement le billet des mains.

La voie numéro sept. À l'autre bout du hall de gare ! Elle accéléra le pas. Arrivée au bout du quai, elle vit que sa place était dans la voiture dix-huit, en tête de train. Elle serra son sac à main sous son coude et s'élança.

Melvin franchit d'un bond la rue et faillit se faire renverser par un taxi qui pila en écrasant son klaxon. Il tourna la tête en tous sens, le cœur au bord de l'explosion. Le panneau d'affichage était à une centaine de mètres vers l'ouest. Il fendit la foule.

Le train était annoncé voie sept. Il lança ses dernières forces dans la course. Il aperçut la file des voyageurs qui s'étirait jusqu'à l'extérieur de l'immense armature métallique du toit de la gare. La jeune femme devait être là-bas. Plus que trois cents mètres à faire.

Le sprint de sa vie.

L'agent Sommers aperçut enfin une chevelure blonde dans son objectif. Une femme jeune, élancée, tenant un simple sac à main et un porte-documents. Il déplaça le canon de son arme, d'un mouvement régulier. Pour l'instant, la cible était en train de courir sur le quai. Enfin elle ralentit en voyant l'hôtesse qui l'attendait devant la porte du train.

Chaque passager, au moment de monter dans le train, devait présenter son billet à l'hôtesse du Thalys qui vérifiait l'horaire, la réservation et le numéro de voiture et de siège. À cet instant, la cible serait immobile.

Maria s'avança vers l'hôtesse et tendit son billet.

Éric Sommers plaça le visage de la femme au centre de la croix de son viseur. Son doigt se posa sur la détente, il expira, exerça une pression progressive sur l'arme, relâcha. La détente s'actionna et il sentit un léger recul qu'il accompagna avec douceur. La trajectoire était parfaite. Sommers ramena l'objectif sur la cible. La femme était toujours immobile au centre du viseur. Mille huit cents mètres à parcourir. Dans deux secondes, la balle allait la percuter. Il compta mentalement. Un, deux...

Une sorte d'ombre fit irruption dans le champ de vision de l'objectif, surgissant d'on ne sait où, bondissant de côté et barrant toute la trajectoire. L'individu portait une veste de treillis, Sommers le vit distinctement prendre l'impact au niveau de la poitrine avant d'être projeté contre la jeune femme. Une cohue indescriptible s'ensuivit.

Sommers hésita à faire feu une deuxième fois. La jeune femme blonde était prise dans la bousculade. Elle n'arrêtait pas de bouger. Même s'il l'ajustait maintenant, elle aurait changé d'endroit une seconde plus tard et sa balle toucherait quelqu'un d'autre. Impossible de tirer dans ces conditions.

Sommers replia son fusil, dévissa la lunette de visée, déverrouilla la crosse et rangea les pièces dans l'étui. Moins d'une minute plus tard, il s'engouffrait dans le local technique de l'ascenseur. Un instant après, il émergeait dans la rue.

Il revissa sa casquette sur sa tête et prit une cigarette dans sa poche extérieure.

L'opération était un échec le capitaine Melvin allait être furieux.

Franck se connecta à la ligne personnelle de Vincent Carat à Neuroland. Il fallait absolument savoir si le jeune homme avait cru ou non à sa version des faits. En toute logique, le fait d'avoir vu la vidéo de Rajiv et Maria enlacés devait couper court à tout débat, mais on ne pouvait être sûr de rien.

Lorsqu'il entendit le dernier message laissé par Vincent à Maria, il faillit s'étrangler. Vincent, en possession du dossier ALZ-122? Affolé, Franck ouvrit le tiroir de son bureau où il avait laissé le dossier. Il retint un cri de rage en voyant la place vide. Comment ce fils de pute était-il entré ici?

Franck décida d'en terminer avec Vincent. Cette fois la situation était critique, il ne fallait pas tergiverser. Une exécution serait trop visible et attirerait les questions. Le mieux serait d'employer la même méthode que pour Milton Rajiv. Pas de trace, pas de preuves. Rajiv s'était liquéfié. Le véritable rêve de tout assassin.

Franck décrocha son téléphone et composa le numéro de poste de Vincent.

— Je te propose qu'on déjeune ensemble ce midi pour faire le point sur le code neural, dit-il.

— Déjeuner ensemble? Je...

Franck perçut immédiatement l'hésitation dans la voix du jeune homme. Vincent savait. Il fallait jouer serré.

— Nous devons évaluer la suite du programme sur le code neural, reprit Franck. Rajiv a eu le temps de finaliser son programme de codage inverse et je crois qu'il est au point. J'ai viré cet Hindou à cause de ce qu'il t'a fait, mais au moins il ne nous sera pas totalement inutile. Il y a une manip qu'on pourrait tester cet après-midi, d'ailleurs.

Vincent ne savait pas quoi répondre. Franck continuait d'accuser Milton. C'était glaçant d'effroi. L'essentiel était de ne pas lui donner l'alerte.

— D'accord, dit-il. Treize heures quinze.

Franck était attablé à une banquette non loin de grands pots à plantes exotiques quand Vincent posa devant lui son plateau garni d'un bœuf bourguignon.

Franck lui lança :

— J'ai envie de fêter ma nomination à la tête de Neuroland et le succès de tes travaux. Que dirais-tu de boire une bonne bouteille ? Va en chercher une à l'entrée, je te rembourserai après.

Vincent se dirigea aussitôt vers le hall d'accueil, trop heureux d'échapper encore pour un instant à la confrontation.

Aussitôt Franck déboucha le flacon de microparticules de ferrite qu'il avait utilisé avec Rajiv et en saupoudra le bœuf bourguignon du jeune homme. Le produit fut absorbé sans difficulté par la sauce.

Vincent revint quelques instants plus tard.

— Buvons à nous deux, dit Franck. Je suis heureux de tout ce que nous avons accompli ensemble. Tu vas commencer ta thèse, tu as fait aboutir le projet de recherche sur le code neural et Xavier Le Cret va te proposer un poste à Neuroland.

— Et toi ?

— J'ai été nommé à la direction de l'unité sanitaire de Neuroland, dit-il. C'est une opportunité extraordinaire. Toi tu fais des découvertes, et moi je mène la barque. Un bon tandem, n'est-ce pas ?

Vincent commença à manger son plat. Il se sentait tendu. Franck déboucha la bouteille et lui versa une grande rasade.

— Franck, que voulais-tu me dire à propos du code neural ?

— Je voulais te proposer d'être le premier à faire le test. Tu l'as bien mérité.

Vincent hésita. Entrer dans l'aimant et se prêter au codage inverse ?

Franck lui resservit un verre de vin.

— As-tu remarqué que Rajiv ne s'est plus montré ici? Il doit se douter que nous avons trouvé des preuves de sa relation avec Maria.

Vincent mâchait sa viande sans cesser de réfléchir. Franck avait raison, il y avait tout de même cette vidéo qu'il lui avait montrée, celle qui montrait Rajiv et Maria enlacés.

— As-tu pu parler à Maria de ces preuves qui l'accablent? demanda Franck.

Vincent, perturbé, hésita un instant de trop.

— Décidément, marmonna Franck, Rajiv t'aura vraiment entubé jusqu'au bout. Il saute ta nana, et après il se taille. À mon avis, la moindre des choses, ce serait que tu profites de son logiciel, tu ne crois pas? Pourquoi ne pas être le premier à faire une expérience de décodage de pensées?

Vincent ne pouvait s'empêcher de se demander comment cette vidéo avait pu être produite. Une idée absurde lui vint.

— Franck, penses-tu qu'il soit possible que Rajiv ait imaginé cette scène et que le logiciel de codage inverse en ait fait une image? À ce moment, Maria serait innocente.

Franck eut un sourire en coin.

— Qui sait? Le mieux est d'essayer. Va dans le scanner, imagine la scène que tu veux avec Maria, et si on la voit apparaître, cela voudra dire qu'effectivement, Rajiv a peut-être seulement fantasmé cette étreinte, qui dans ce cas n'aura jamais eu lieu.

Vincent hésita. Franck était l'être le plus retors qu'il avait jamais rencontré. Mais tenter l'expérience ne représentait aucun danger. Les champs électromagnétiques, même de très forte intensité, ne produisaient pas d'effets secondaires sur le cerveau, il le savait.

Vincent posa ses couverts dans son assiette.

— D'accord, mais j'ai trop bu. Une IRM avec une demi-bouteille de vin dans les veines, ce n'est pas l'idéal. Et puis je ne sais pas ce que le chef a mis dans le bœuf bourguignon mais il a un drôle de goût.

— Mettons dix-sept heures?

Vincent acquiesça. Il repoussa son assiette.

Jacques Melvin chuta lourdement sur Maria et tous deux s'affalèrent sur le quai au milieu des cris. L'hôtesse du train hurlait en sautant sur place, les yeux exorbités, tenant encore le billet de Maria à la main.

Maria se releva péniblement. Elle avait été projetée contre la paroi du train avant de retomber dans l'espace qui séparait le quai des voies. Par chance, elle n'avait pas glissé sur les rails, mais elle dut tout de même s'extirper du corps de l'homme qui s'était abattu sur elle.

Le corps de Melvin gisait au milieu de la foule. Deux agents de sécurité équipés de talkies-walkies arrivèrent en courant.

— C'est un flic, dit le chef de quai en voyant sa tenue. Ou un militaire.

Un des agents de sécurité posa sa main sur son torse.

— Il y a un impact de balle au niveau de la poitrine. Le Samu est en route.

Il déboutonna la veste de Melvin et palpa la surface de son thorax. C'était chaud, il sentait comme un grain très fin, sans doute du sang ou de l'os brisé. Lorsqu'il écarta la chemise, il vit de petites billes métalliques s'écouler d'une poche en nylon tressé, et une fumée s'élever de l'orifice.

Jacques poussa un râle en battant des paupières. Il avait l'impression qu'un bélier l'avait percuté là, dans les côtes. Ce salaud de Sommers avait sûrement utilisé du 8,9 mm. En prenant appui sur ses coudes puis ses mains, il s'assit puis se palpa les côtes. Vu la douleur, sûrement deux de cassées.

Il cligna des yeux. Et encore, c'était avec le gilet pare-balles.

Les badauds se massaient autour de lui. Péniblement, Jacques mit un genou à terre. Il s'appuya sur son autre jambe et souleva ses cent kilos. Il se tâta les membres, cherchant à savoir s'il y avait une autre trace d'impact.

— Il ne faut pas bouger, dit le chef de la sécurité. La police...

Jacques exhiba sa carte de la SDAT.

— Sous-direction antiterroriste. Si ce train ne part pas maintenant, nous aurons un attentat sur le territoire national dans les vingt-quatre heures. Faites monter les gens en voiture.

Le chef de quai reprit son talkie-walkie et donna ses instructions. Jacques monta et chercha Maria des yeux. Elle était debout dans l'allée centrale, encore sous le choc.

— Je vous cherchais. Êtes-vous en état de faire le voyage?

— Je crois, oui.

— Vous pouvez vous asseoir, je vous rejoins dans une minute.

Il se rendit aussitôt aux toilettes, retira sa chemise et dégrafa le gilet pare-balles. Le projectile s'était arrêté à quelques millimètres de la membrane de nylon.

— Du 8,9... C'est bien ce que je pensais.

Melvin observa l'hématome sur sa poitrine. Son pays possédait des hommes d'une fiabilité et d'une qualité exceptionnelle. Belle arme au service des gouvernements.

La balle de 8,9 mm tenait entre son pouce et son index. Il la remit dans sa poche. Puis il reboutonna sa chemise et retourna à sa place.

— Comment vous sentez-vous? demanda-t-il.

Maria regardait par la fenêtre, les yeux dans le vague.

— Je me sens dépassée, dit-elle. J'essaie de comprendre ce qui m'arrive. C'est Franck Corsa qui a tenté de me faire tuer, n'est-ce pas?

Jacques acquiesça.

— Exact. Comment le savez-vous?

— Corsa m'a fait subir à peu près tout ce qu'on peut infliger à un être humain. Si vous n'étiez pas intervenu aujourd'hui, il m'aurait tuée.

Elle lui saisit le bras et le serra.

— Merci.

Jacques ferma les yeux. Il avait l'impression de sortir d'une immense nuit.

— Corsa m'a aussi détruit à sa façon, dit-il. Tout ça pour son damné projet.

— Le décodage des pensées ?

— Comment le savez-vous ?

— J'ai tout découvert en mettant au jour le montage financier frauduleux opéré à travers l'Agence nationale de la recherche, dit Maria. C'est la raison pour laquelle je me rends aujourd'hui à Bruxelles. Je vais y rencontrer un journaliste qui a longtemps enquêté sur le meurtre du député Boesmans. Avez-vous suivi cette affaire ?

— C'est moi qui ai transmis l'ordre de tuer Joël Boesmans, dit-il. La personne qui en était chargée devait aussi vous éliminer aujourd'hui. L'ordre venait de Corsa, avec l'aval de Levareux.

— Ce que je n'arrive pas à comprendre, dit Maria, c'est comment un individu comme Corsa a pu persuader le ministre de l'Intérieur de commanditer de tels actes ?

— Il lui a fait croire que le projet Transparence allait être révélé à Boesmans par un professeur d'université. Un certain Serge Larcher, qu'il a ensuite tenté d'éliminer en garde à vue.

Maria sursauta.

— Franck a tenté de tuer Serge Larcher ? Mon Dieu, ne me dites pas que...

— Heureusement, le professeur est tiré d'affaire. Mais on n'est pas sûr qu'il puisse un jour remarcher. On parle de lésions cérébrales...

— Serge est la meilleure personne que j'aie jamais rencontrée.

— C'est lui qui m'a ouvert les yeux. Avec un jeune caporal à la sous-direction antiterroriste et la mère de deux enfants morts dans les attentats. Cela fait beaucoup de bonnes personnes pour remettre dans le droit chemin un type comme moi.

Maria le regardait se débattre avec son souvenir, laisser ces pensées venir à son esprit, puis s'organiser, se sédimenter. Elle comprenait ce qui lui arrivait.

— Vous n'êtes pas responsable de la mort de ce député, dit-elle. Vous avez été aliéné par Corsa. Mais vous pouvez faire maintenant quelque chose de décisif. Nous avons des enregistrements vidéo de l'assassin de Boesmans. Identifiez-le devant la police belge et les médias.

— Ce ne sera pas difficile. C'est Sommers qui a fait le coup. Je l'ai envoyé en personne.

— Parfait. Désignez-le sur les enregistrements, et la boucle sera bouclée.

Jacques hocha la tête et, pour la première fois, sourit. Il regarda par la fenêtre. Le train arrivait déjà en gare de Lille. Les bâtiments défilaient au ralenti. Dans une demi-heure maintenant, ils seraient arrivés.

Il baissa la tête vers la poche de son pantalon et sentit son portable qui vibrait. Il ouvrit le message qu'il venait de recevoir, puis hocha la tête.

— C'est Franck Corsa.

— Que veut-il?

— Il veut savoir si vous êtes morte.

Au bout du quai de la gare de Bruxelles-Midi, un gros moustachu tenait une pancarte avec l'inscription «L'Églantine». Il fit entrer Jacques et Maria dans une Nissan et les conduisit jusqu'à la Chaussée-de-Gand. Jean-Luc Vermeulen, chef de rubrique société du magazine, leur proposa de se rendre tout de suite à la rédaction.

— Voici Dick, dit-il pendant que le taxi s'arrêtait devant le bâtiment où siégait *L'Églantine*.

Un homme d'une cinquantaine d'années, portant un chandail marron avec des renforts en cuir aux coudes, attendait devant la porte du rez-de-chaussée. Il se dirigea vers la Nissan, ouvrit la porte et aida Maria à sortir.

— Madame Svetkova, je...

Melvin l'interrompit en tendant le bras devant Maria.

— Entrons, dit-il. Ne restons pas à découvert.

Dans la salle de rédaction, la première cafetière fut vidée en quelques minutes. Max Debertigo contemplait le couple avec une sorte de fascination, tirant sur sa pipe comme un pompier. Vardel installa Maria dans un siège confortable, réunit ses notes sur la table en plastique blanc et déclara devant la rédaction au grand complet :

— Maria, je veux vraiment vous remercier d'être venue. Si vous voulez, nous allons tout de suite visionner les vidéos transmises par Nicole Boesmans. Vous nous direz si vous reconnaissez l'homme qui y apparaît.

— Le tireur était un homme de la DGSE, poursuivit Melvin. Montrez-moi la vidéo, je vous le confirmerai.

Fébrile, Dick Vardel appuya sur le bouton de lecture. Une porte s'ouvrait, un homme entrait, inspectait le bureau.

— Stop, dit Melvin. C'est lui. Éric Sommers, service action.

— Pouvez-vous en témoigner devant un juge?

— Non, dit Melvin. Sommers travaille pour les services secrets de son pays, il est couvert par le secret-défense et a agi sur ordre. Sa responsabilité, je la porte. Vous ne trouverez de lui aucun identifiant nulle part, nos hommes n'apparaissent sur aucun fichier.

Dick Vardel saisit son bloc-notes.

— Vous êtes le capitaine Melvin, chef de section de la sous-direction antiterroriste?

— Oui.

— Et vous dites avoir donné l'ordre à cet homme d'éliminer Joël Boesmans?

— Exact. L'ordre émanait de Franck Corsa, le coordinateur du projet Transparence. Celui qui m'a également ordonné de faire abattre, il y a deux heures, Maria ici présente.

La rédaction restait plongée dans un silence pesant.

— Le capitaine s'est interposé entre le tireur et moi, précisa Maria. Il a pris la balle au niveau du cœur, dans son gilet protecteur.

Debertigo, sans s'en rendre compte, avait brûlé tout le contenu de sa pipe. Il chercha compulsivement sa blague à tabac.

— Corsa a-t-il reçu ses ordres de plus haut? demanda Dick.

— Inévitablement, dit Melvin. La procédure recquiert l'accord du ministre de l'Intérieur.

Le mouvement de succion de Debertigo sur sa pipe s'arrêta. Vardel lâcha son stylo. La sueur perlait à son front.

— Attendez un peu... Pourquoi le ministre de l'Intérieur aurait-il ordonné l'assassinat du député Boesmans?

— Parce que Franck Corsa lui avait fait croire que le député Boesmans s'apprêtait à recevoir, ou avait déjà reçu, des documents compromettants au sujet du projet Transparence, de la main de Serge Larcher.

Vardel roula des yeux incrédules.

— C'est ça que je ne comprends pas. Pourquoi faire croire une chose pareille?

— Corsa a agi par vengeance personnelle. Il détestait Boesmans et Larcher.

Remue-ménage autour de la table. Vardel posa sa plume.

— Votre témoignage est capital, capitaine Melvin. Mais vous savez comme moi que vous aurez de gros ennuis avec votre hiérarchie.

— C'est toute la hiérarchie qui va en avoir, laissa tomber Melvin.

— Bon, parfait. Maria, on en arrive aux preuves. Vous m'avez parlé d'un dossier qui récapitule toutes les grandes lignes du projet.

— Le dossier ALZ-122, présenté à l'Agence nationale de la recherche comme une demande de financement d'un projet de recherche sur la maladie d'Alzheimer. Le dossier ALZ-122 a aussi été très utile à ses concepteurs pour faire bonne figure devant les autorités de la Commission europénne. En fait, les fonds sont utilisés pour développer le code neural.

— Avez-vous ce dossier?

— Vincent Carat vient de le récupérer.

— Il faut qu'il nous l'envoie.

Maria intervint.

— Je n'arrive pas à le joindre.

— Que tout le monde essaie, toutes les dix minutes. Nadine, tu restes près du téléphone et je veux que tu ne le lâches que lorsque tu auras entendu ce Vincent Carat. Compris?

Dick étala toutes ses notes devant lui. Il les contempla un moment, le visage immobile.

— On ne va pas y arriver.

— Pardon?

Dick secoua la tête.

— On a ici un dossier judiciaire. La police n'est pas avertie. Il y a un incident diplomatique sous-jacent. Les services secrets français font assassiner un député européen belge à la Commission de Bruxelles. On ne pourra pas publier ce sujet.

— Comment? s'écria Maria, paniquée.

Une expression douloureuse se peignit sur le visage de Vardel.

— Dès que la police le saura, cela remontera au Premier ministre belge. Il imposera le black-out et traitera l'affaire directement avec le gouvernement français.

— Ils ne peuvent pas imposer le black-out! s'insurgea un jeune journaliste.

— Merci de ton commentaire, Joop, mais on voit que tu connais mal les rapports entre la presse et le gouvernement dans ce pays. De toute façon, Max ne nous suivra jamais sur un sujet comme celui-là.

— Nous parlons d'un homme qui a violé, torturé, tué, qui prépare la montée en puissance d'un État policier qui extraira les pensées des crânes, s'insurgea Jacques. Il y a quelques heures, j'ai failli ne jamais prendre ce train. Maria Svetkova aurait eu la tête traversée par une balle. Et vous me dites que votre «Max» ne vous suivra pas sur un sujet comme celui-là? Mais qui est-il, votre Max?!

Max Debertigo était confortablement installé dans son fauteuil de direction, incliné en arrière et à moitié voilé par les volutes de fumée de sa pipe.

— C'est vrai qu'il va y avoir un incident diplomatique, dit-il. Mais cela ne nous empêche pas de publier le sujet.

Vardel faillit s'étrangler. Était-ce bien Debertigo qui parlait?

— J'ai un certain nombre d'options, dit le rédac' chef. La meilleure étant certainement celle du journal télévisé de Rachel Slutterbeek sur la RTBF. Elle va adorer. Je vais lâcher une bombe sur le plateau. Marco, vous avez le numéro du cabinet du Premier ministre?

Sous les yeux effarés de toute la rédaction, Debertigo posa un téléphone à côté de la cafetière et attendit la tonalité. Vardel lui souffla :

— Rachel va se dégonfler.

Debertigo sourit, remit sa pipe dans sa bouche et secoua la tête d'un air entendu.

— Voulez-vous me passer le ministre, je vous prie? C'est urgent. Max Debertigo, du journal *L'Églantine*. Dites-lui que je vais passer au journal du soir sur la RTBF et évoquer l'élimination du député Boesmans par les services secrets français.

Une autre tonalité retentit. Une voix profonde retentit à l'autre bout du fil.

— Bonjour, monsieur le ministre, dit Debertigo. Non, je ne plaisante pas monsieur le ministre. J'ai ici deux témoins de l'affaire, une vidéo filmée par la webcam de la victime et un dossier classé secret-défense de Paris qui atteste de la menée d'un projet occulte de lutte antiterroriste ayant motivé l'élimination du député Boesmans par les services secrets français.

Dans la salle de rédaction, on aurait entendu une mouche voler.

— Monsieur le ministre, tempéra Debertigo, il y a eu des morts. Il y a eu manipulation et contournement des lois européennes en matière de législation des champs électromagnétiques. Le public a le droit de savoir.

Interminable tirade de l'autre côté.

— Cela ne change rien, continua Debertigo, vous ne pouvez pas m'empêcher de me rendre à la RTBF. Et vous perdriez votre temps en essayant d'intimider Rachel Slutterbeek. Elle mettrait encore plus d'entrain à traiter le sujet. Je sais aussi bien que vous qu'il y aura un incident diplomatique. Sauf... Attendez, laissez-moi parler. Sauf si on considère que tout cela pourrait être le fait d'un seul homme. Un certain Franck Corsa, éminence grise du ministre français de l'Intérieur. À y regarder de près, tout converge vers lui. Il y aurait peut-être moyen que le ministre Levareux le lâche dans la tourmente. Surtout s'il estime s'être fait doubler par son poulain.

À l'autre bout du fil, la voix reprit un ton plus posé.

— Parfaitement, monsieur le ministre. Nous pouvons faire un long portrait de l'individu dans nos colonnes, toutes les preuves l'accablent. C'est entendu, je vous rappelle dans une demi-heure, monsieur le ministre.

Debertigo raccrocha et s'avança au milieu de l'assemblée. Il posa les poings sur la table et regarda Maria.

— Madame Svetkova. Écoutez-moi bien. Je vais vous faire une proposition et vous allez me dire si cela vous convient.

Dick croisa les bras, de plus en plus intéressé.

— Notre ministre de l'Intérieur est prêt à nous laisser publier toute l'affaire mais le scénario officiel est donc le suivant : un électron libre au sein des services du ministère de l'Intérieur a échappé au contrôle des institutions et a rendu la machine folle. Nous recueillons votre témoignage, celui du capitaine Melvin, qui suffiront à faire accuser Corsa de viol, de meurtre, corruption et d'autres choses encore. En contrepartie, nous mettons le ministre Levareux hors de cause.

— Franck Corsa n'a pas agi seul, dit Maria.

— Non, mais d'une part il se peut qu'il ait effectivement berné tout le monde, et d'autre part le Premier ministre belge pense pouvoir négocier avec Michel Levareux si nous jouons le jeu. Il va lui expliquer que les médias en Belgique vont lâcher un scoop sur un projet maquillé en programme de recherche sur Alzheimer, qui a motivé l'assassinat d'un eurodéputé belge par les services secrets français. Levareux va être furieux, il va mettre en route toute la machine de l'incident diplomatique. Le ministre belge va alors proposer à Levareux une solution : faire en sorte que les articles de presse n'incriminent pas le gouvernement français, mais dressent le portrait de Franck Corsa en maître à penser influent dans les cabinets ministériels, scientifiques, bref en individu qui aurait embobiné tout le monde. Bien sûr, Levareux devra renoncer à son projet antiterroriste qu'il a dû vendre très cher à ses homologues étrangers. Mais vu les circonstances, il sera trop content d'accepter. En échange, nous demandons que Corsa soit immédiatement mis en examen pour tous les faits qui lui sont reprochés. Vous verrez, Levareux se fera un plaisir d'aller coffrer lui-même l'individu.

Maria savait qu'elle n'obtiendrait sans doute pas mieux dans l'immédiat.

— C'est d'accord, dit-elle.

— Parfait. Et maintenant, je veux que Dick et vous-même vous prépariez pour ce soir.

Dick écarquilla les yeux :

— Moi ?

— Parfaitement, tu vas aller défendre ton papier chez Slutterbeek. Je vais lui expliquer le changement de programme. Je veux avoir ton le premier jet de ton article sur mon bureau dans une demi-heure. Souviens-toi : tu blanchis le gouvernement français.

Il était dix-sept heures quand le scanner géant de Neuroland barra le champ visuel de Franck et Vincent sur toute la largeur de la pièce.

— Quel effet ça te fait de rentrer là-dedans ?

— Je l'ai déjà fait, dit Vincent.

— Oui, mais ce n'était pas pour te faire décoder tes pensées. Et pas pour savoir si ta copine t'a trompé.

Vincent s'abstint de tout commentaire. Il vérifia qu'il ne portait aucune pièce métallique sur lui.

Franck refit rapidement ses calculs. Les microparticules de fer devaient maintenant s'être logées dans les moindres recoins des artères de Vincent, de ses neurones, de ses cellules musculaires, hépatiques, rénales... Elles étaient prêtes à le traverser de part en part. Prêtes à transformer ce morveux de Vincent Carat en bouillie pour chiens. Une flaque de Vincent Carat. Comme Rajiv.

— Tu vas rentrer chez toi, après ?

— Je dois retrouver Félicia, dit Vincent, elle a besoin de moi.

— C'est bien, il faut que tu sois près de ta mère ce soir.

Oui, il fallait que Félicia voie son fils se liquéfier, sa peau de son visage se détacher, ses yeux couler sur le tapis de son appartement, crier, glouglouter et ramper, sans rien pouvoir faire pour l'aider, et finalement se retrouver face à une mare de sang, de lymphe et d'excréments qui lui rappellerait qui était vraiment son fils. Celui qui avait osé prendre la place de Franck Corsa.

En se dirigeant vers la cabine de contrôle, Franck vérifia ses appels sur sa messagerie téléphonique. Melvin ne l'avait pas encore recontacté. S'il y avait eu un problème avec Maria, il l'aurait prévenu. Donc, cela voulait dire que cette chienne était refroidie à l'heure actuelle. Il ne lui serait pas difficile de se rendre à la morgue, de faire évacuer le personnel et de violer son cadavre.

Vincent entra dans la cabine de contrôle du scanner et se retourna vers le tableau de commande.

— Voyons comment procéder, dit-il. Tu vas d'abord enclencher le contre-champ en tirant ce bouton rouge, puis le champ principal en tirant le bouton vert. Il y a les mêmes à côté du scanner, ils servent à interrompre les champs en cas d'urgence. On peut aussi les tirer vers le haut pour relancer la machine.

— D'accord. Et pour la séquence d'IRM ? Je la lance à partir du programme interne ?

— Exactement. Ça, tu m'as déjà vu le faire.

Franck hocha la tête. Il entra dans le programme et sélectionna une séquence d'IRM classique à 12 teslas. Le message s'afficha :

PENSEZ À ACTIVER LE CONTRE-CHAMP

Franck se dirigea avec Vincent vers le gigantesque cylindre enveloppant l'électroaimant.

— Bon, à toi de jouer.

Franck enclencha une commande et la banquette coulissa vers l'extérieur de l'aimant. Vincent n'avait plus qu'à s'y allonger.

C'est alors que la porte s'ouvrit.

Deux policiers firent irruption dans la pièce, arme au poing. Ils pointèrent leurs fusils sur les deux chercheurs.

— Personne ne bouge ! Les mains sur la tête !

Derrière eux, d'autres hommes se déployèrent aussitôt le long des murs, au pas de course. Au bout de quelques secondes, Franck eut devant lui la section antiterroriste au grand complet.

Il n'eut qu'un geste à faire. Il tira le bouton vert le haut, enclenchant le champ magnétique. Aussitôt, un grondement sourd monta du cylindre et les armes des policiers s'envolèrent de leurs mains pour aller se plaquer contre les flancs d'acier du scanner. En l'absence de contre-champ, tous les objets métalliques présents dans la pièce se trouvaient irrésistiblement attirés vers la machine. Effarés, les policiers commencèrent à glisser vers l'aimant, piégés par les

600

armes qu'ils portaient et les équipements métalliques de leurs ceinturons et baudriers. On en vit décoller littéralement de terre et aller se coller comme des mouches contre les flancs du cylindre, où ils se débattirent de façon grotesque. L'un d'eux poussait des hurlements de cochon qu'on égorge : Franck vit sa bouche ensanglantée par un plombage contenant de l'amalgame ferreux qui avait traversé sa joue.

Et puis, il vit Vincent tituber. Le jeune homme était lentement attiré vers l'appareil par la force des milliards de microparticules ferreuses disséminées dans son sang.

— Franck, qu'est-ce que j'ai ?... Quelque chose tire en moi, mes veines, mes tendons, ça brûle !

Franck se mit à rire. Ces putains de flics qui s'agitaient comme des moustiques sur un ruban de colle, et ce gamin qui glissait comme une poupée sur le sol, c'était vraiment trop drôle.

— Tu vas mourir, Vincent, dit-il. Tu as le corps rempli de ferraille, et cette ferraille est en train de tirer sur tes veines, sur tes intestins, ton cerveau, les parois de ton cœur et de tous tes organes ! Ça ne va pas aussi vite que pour Rajiv parce que ce porc d'Hindou était à l'intérieur du scanner et que les particules l'ont traversé d'un seul coup. Chez toi elles ne font qu'appuyer, du coup ça va faire un peu plus mal...

Les flics se débattaient comme ils pouvaient. Franck enclencha le contre-champ, l'effet d'attraction cessa et les hommes tombèrent d'un coup sur le sol. Vifs et entraînés, ils bondirent immédiatement sur leurs pieds et essayèrent de saisir leurs armes. Mais Franck débrancha de nouveau le contre-champ et en un instant ils se trouvèrent arrachés du sol et plaqués contre le métal dans un fracas de chairs écrasées et d'os martelés. Des cris s'élevaient de toutes parts. Même des hommes surentraînés devenaient des fétus de paille face à un électroaimant manipulant la force ultime de la matière.

Un des hommes beugla :

— Déconnez pas, Corsa, vous aurez bientôt toute la sous-direction antiterroriste sur le dos. Le capitaine Melvin va s'occuper de vous personnellement.

Melvin ? Le porc avait donc trahi ? Franck laissa tout ce beau monde collé sur le scanner et se dirigea vers la cabine de contrôle pour utiliser la ligne de téléphone fixe.

— Melvin, pouvez-vous m'expliquer ce qui se passe? Vous voulez vraiment avoir des problèmes avec Levareux?

— Levareux t'a lâché, Corsa. Ton temps est terminé. Tu es allé trop loin, plus personne ne te soutient. Tu n'as plus qu'à te rendre.

Franck sentit la rage l'envahir.

— Vous allez regretter ces paroles, Melvin. Vous allez tous le regretter. Vous ne savez pas à qui vous parlez. J'ai tout prévu, je tiens ce roquet de Carat, ce pleutre de Le Cret. Et Maria, est-ce que tu l'as au moins butée?

— Maria est à mes côtés, répondit Jacques. L'affaire Boesmans a éclaté. Tes méfaits sont connus de tous, même de Levareux.

Une brûlure enflamma l'estomac de Franck.

— OK, dis à Maria que Vincent veut lui parler.

— Vincent?

— Oui. Précise que je n'ai qu'un geste à faire et il se désintègre.

Quelques instants plus tard, la voix de Maria retentit dans le combiné.

— Écoute-moi, Maria, dit Franck. Vincent a actuellement le ventre collé à un aimant de 12 teslas qui est en train d'attirer lentement des microparticules de ferrite à travers tous ses organes et qui va le transformer en passoire vivante si tu ne fais rien pour le sauver.

Pour prouver ses dires, il tendit le combiné à travers la porte pour faire entendre les cris des soldats et de Vincent qui emplissaient le hangar.

— Je vais faire ce que tu demandes, Franck. Arrête ça.

— Tu as intérêt à rappliquer rapidement. Je crois que Vincent est en train de se transformer en passoire. Pour info, Rajiv a fini en soupe organique sur le tapis de son studio. Alors à toi de voir si tu veux que ça arrive aussi à Vincent.

Franck se retourna pour contempler son œuvre. Le spectacle de Vincent crucifié sur le scanner avait quelque chose de grandiose. Son visage tordu de douleur évoquait celui des damnés expiant leurs fautes. Le voilà châtié par sa propre création pour avoir voulu le dépasser, lui Franck Corsa.

Franck se mit à se promener au milieu des corps des policiers secoués de contorsions tels des prisonniers de la géhenne. Rien ne pouvait arrêter son pouvoir. Il avait tout prévu, tout contrôlé. Finalement, il revint s'asseoir sur le sol, le dos appuyé à la cloison de la cabine de contrôle.

Il attendait depuis une dizaine de minutes, quand un homme en treillis déboucha brusquement dans la pièce. D'où venait-il, celui-là? Sûrement de troupes postées en couverture à l'extérieur. Aussitôt, le fusil de l'homme s'envola et alla se plaquer avec un vacarme de tous les diables contre les flancs de l'aimant. Le soldat, ahuri, vit ses pieds commencer à glisser sur le sol. En découvrant ses collègues collés au monstre d'acier, il tenta de prendre la fuite en sens inverse, mais le champ l'avait déjà attrapé. Il s'époumonait comme un animal pris au piège. Plus il s'approchait, plus la force devenait colossale. À cinq mètres de la machine, il s'envola. Lorsque sa tête heurta l'armure d'acier de l'appareil, il y eut un choc terrible et il perdit connaissance. Franck contempla la belle brochette de soldats d'élite qui se tortillaient comme des vers au bout d'un hameçon.

C'était beau, la physique, tout de même.

Nul doute que d'autres allaient arriver. En jouant sur les boutons poussoirs, Franck commença à donner une série d'impulsions de champ magnétique, ce qui eut pour effet de projeter au sol la section antiterroriste, puis de la recoller à l'aimant, puis de la faire tomber de nouveau, et ainsi de suite. En quelques minutes, leur résistance fut brisée. Trois hommes gisaient inconscients. Rétablissant une dernière fois le contre-champ, Franck saisit un pistolet d'un des policiers. Puis il tira vers lui le corps d'un deuxième soldat, également commotionné. Il n'avait qu'à tendre le bras pour saisir une arme parmi la ribambelle de fusils HK 417 qui jonchaient le sol.

— Je ne veux plus voir personne dans la pièce. Dégagez, mains sur la tête.

Mais personne ne bougea.

Alors, sans sommation, Franck tira à bout portant sur le combattant le plus proche et braqua aussitôt après le canon de l'arme sur la tempe de l'homme assommé qui gisait à ses pieds. Les autres reculèrent immédiatement.

Très bien, songea Franck. Maintenant, avec trois otages on peut voir venir.

— Ôte ta ceinture, dit-il à Vincent. Enlève leurs ceinturons. Ligote-les fermement.

Vincent hésita. Il regarda Franck avec un mélange de mépris et de dégoût.

— Tu m'as trompé depuis le début. Tu m'as fait croire...

— Fais ce que je te dis, petit con. Je peux te recoller contre le sarcophage d'acier pour que tu crèves à petit feu. Pas un mot, ou je te fais passer le pire moment de ta vie de connard de scientifique.

Vincent s'exécuta. Franck ramassa toutes les armes qui traînaient autour de lui. Il avait de quoi tenir un siège.

— Il faut que tu saches une chose avant de crever, Vincent. J'ai sauté Maria nuit après nuit. Tu l'as déjà baisée? Non, dommage pour toi. Elle a un sacré cul. Et elle aime se le faire défoncer. C'est plus fort qu'elle. Je te jure, elle faisait tout pour que je recommence. Tout ce qu'il fallait pour que j'y retourne, et toujours plus fort. C'est comme ça, les nanas. Comme les autres, elle avait besoin d'un type qui la serre comme une chienne.

Vincent avait envie de vomir.

— Tu n'as pas d'âme, Franck, dit-il. Tu es un corps vide, un amas de cellules à qui il manque une conscience.

— Je suis parfaitement conscient de ce que je fais. Simplement, je ne suis pas alourdi par vos petites lâchetés qui vous empêchent de faire ce que vous voulez quand vous le voulez. Mes désirs sont des ordres que je mets à exécution sans attendre.

— Tu es fou. Ce que tu appelles nos lâchetés, c'est en fait la notion du bien et du mal.

— Le bien, le mal, c'est des conneries. Ce qui compte, c'est la force. Il y a actuellement une vidéo qui montre bien ce que c'est que la force. En ce moment, ce film est entre les mains du petit Michka. Il doit être en train de voir sa mère se faire chevaucher par un étalon masqué qui lui inculque les notions de soumission et d'obéissance. Il faut bien former la jeunesse, non?

Vincent secouait la tête, incrédule.

— Tu es fichu, Franck. La police va venir t'arrêter.

— La police. Elle est belle, la police, non ? Vingt-quatre musclors vaincus par un bouton pression. Je maîtrise la technique, la force électromagnétique pure. Et maintenant j'attends que ma petite chienne rapplique pour que je lui donne sa becquée. Préparetoi au moment où je la sauterai sur la banquette du scanner avant de lui faire éclater le crâne d'une balle.

— Elle ne viendra pas, Franck.

— Parlons alors de ta mère, connard. Sais-tu qu'elle prend des pilules vitaminées depuis trois semaines pour soigner son Alzheimer ?

Le visage de Vincent se décomposa.

— Quoi ? Tu as fait ça ! Mais comment...

— Ta vieille momie de mère se gave de magnézinc soir et matin pour essayer de redresser sa cervelle de limace. Le programme de recherche que tu avais enclenché à Neuroland aurait pu la sauver. Mais je l'ai fait stopper par le gouvernement. Alors, peux-tu me dire à quoi ça t'a servi d'être un prétendu génie scientifique, quand on se fait avoir comme cela ?

Vincent le dévisagea.

— Qu'ai-je fait, Franck, que t'ai-je fait ?

— Tu es l'incarnation de la médiocrité et de la faiblesse. Tu es la démonstration du fait qu'aujourd'hui notre société donne une prime à des gosses sans talent qui végètent à la dix-neuvième place du classement et que cette même société méprise ceux qui mériteraient les honneurs.

Vincent ouvrit des yeux ronds comme des billes.

— C'est pour ça que tu t'es acharné sur moi ? Tu as monté toute cette machination parce que j'étais dix-neuvième, et toi premier ?

— Comment une société peut-elle réussir en prônant d'un côté le mérite, et en récompensant d'un autre côté la médiocrité ? Il faut tout changer. Le projet Transparence va réparer tous les torts.

— En fait, tu n'es qu'un frustré.

— Pardon ?

— Tu veux te rassurer sur ta propre valeur, mais tu n'as aucune idée scientifique. Ton cerveau est un amas de neurones qui apprend des lois bien carrées et les manipule en tous sens, mais toi tu ne peux pas créer. Tu n'as pas de capacité d'innovation. Tu es un ordinateur.

Le visage de Franck s'empourpra.

— Répète ça, fils de pute?

— Tu es un ordinateur. Une machine.

— Répète ça!

— Tu es un ordinateur.

Stupéfait, Franck constata que Vincent n'avait pas peur. Il comprit que, s'il le tuait maintenant, il ne pourrait plus attirer Maria à lui. Ce minable était donc prêt à se sacrifier pour elle. Franck avait lu des choses pareilles dans des livres. Des gens étaient capables de donner leur vie pour d'autres. Cela existait.

— Eh bien, l'ordinateur va voir la tête que fait l'humain quand le crâne de sa poulette explosera dans une gerbe de sang. Tiens, va dire bonjour à l'électroaimant, pendant que j'ai quelque chose à faire.

Franck enclencha le champ magnétique et Vincent fut attiré vers le scanner. Puis il se dirigea vers la cabine de contrôle. Il était plus prudent de détruire les fichiers de commande de l'aimant. Il rompit physiquement les commandes manuelles rouge et verte dans la cabine.

Puis Franck retourna se poster près de l'aimant et libéra Vincent de la contrainte du champ magnétique. L'attente recommença. Aux alentours de huit heures du soir, du bruit se fit entendre au bout du couloir. Quelqu'un s'exprima à travers un mégaphone.

Franck reconnut Melvin. D'une voix déterminée, il glapit :

— Que Maria s'approche, seule!

— Relâche les ôtages, ordonna Melvin, tu n'as aucune chance.

— Maria, tu m'entends! Je vais en finir avec Vincent si tu ne te montres pas. Il est à ma merci.

Un silence de mort lui répondit. Puis, une femme apparut, tenant un micro à la main. Ce n'était pas Maria. Elle tirait un fil derrière elle. Un cameraman la suivait. Elle lança un regard prudent vers Franck, puis courut se mettre à l'abri à une vingtaine de mètres, derrière la cabine de contrôle.

La télé? Ils ont envoyé la télé! Génial. Le monde entier va savoir qui est Franck Corsa, l'homme qui commande à la matière et aux forces armées. Ils veulent voir du sang en direct, ils seront servis, songea Franck puis hurlant :

— Maria, tu veux voir ce qui se passe dans le corps de Vincent quand j'appuie sur le bouton?

À ces mots, Maria apparut encadrée par deux hommes. Melvin et un haut gradé. Les deux hommes se dirigèrent vers la cabine.

— Il sait qu'il est foutu, dit Jacques à Maria. Il faut lui présenter les choses d'une façon qui lui laisse entrevoir une sortie.

— Attention. Franck ne se dit jamais qu'il est foutu, il n'a pas peur de mourir, il anticipe toujours le mouvement suivant.

Son regard s'arrêta sur le tableau de commande. À côté de la console, sur un siège, elle avisa un filet métallique en câble très fin, tressé, sans doute destiné au transport d'objets massifs. Elle le saisit.

Puis, elle prit la direction du scanner. Melvin l'arrêta.

— Vous n'allez pas faire ça! C'est exactement ce qu'il veut. Dans sa tête, il a programmé votre mort, et il ira jusqu'au bout. Si vous quittez cette pièce, vous n'avez plus aucune chance.

Mais Maria fit un pas en avant, résolue. En la voyant apparaître sur le seuil de la cabine, Franck exulta.

— Ah! La voilà. La catin du master, la pute à Larcher... Viens voir ton maître, misérable succube.

Franck maintenait Vincent d'une clé de bras dans le dos, le canon de l'arme pointé contre sa carotide.

— Approche, viens voir ton ami Franck. Tu te souviens de tout ce qu'on a fait ensemble? Si tu es sage, on sortira d'ici tous les deux et on ira vivre en amoureux à l'autre bout du monde.

Franck sentit que Vincent se crispait. D'un coup violent entre les omoplates, il le projeta à plat ventre contre le sol avant de se redresser, un pied sur son dos, l'arme pointée vers l'arrière de son crâne.

— Approche. Maria.

Vincent pouvait voir maintenant les deux boutons poussoirs du scanner. Le rouge et le vert, côte à côte. Le rouge commandait le contre-champ. Si seulement il pouvait l'atteindre...

Quand Maria ne fut plus qu'à un mètre, Franck l'attrapa par le bras et la serra contre elle. Un pied sur le dos de Vincent, un bras enlaçant Maria, il les dominait enfin tous les deux.

— Embrasse-moi, salope.

Maria se sentit trembler comme une feuille.

— Fais-le, te dis-je!

Le doigt de Franck blanchit sur la détente. Maria croisa le regard de Vincent. Instinctivement, elle plongea sa main dans sa poche. Fermant les yeux et surmontant sa répulsion, elle tendit ses lèvres à Franck.

Au même instant, elle sortit le filet métallique et, d'un geste vif, le projeta sur Franck. Un moment, celui-ci eut l'air amusé. Il allait la corriger pour cette audace. Mais son regard changea d'expression quand elle enfonça le bouton rouge.

Instantanément, le contre-champ s'interrompit. L'attraction magnétique reprit, toutes les armes furent soulevées du sol et se collèrent aux flancs de l'aimant. Horrifié, Franck vit les mailles du filet se plaquer contre son visage. Il fut projeté contre le sarcophage d'acier, son arme arrachée des mains.

Aussitôt Maria recula d'un pas et Melvin accourut. Elle l'arrêta d'un geste.

Les fines mailles du filet, tractées par une puissance colossale, étaient en train de s'enfoncer dans les habits de Franck. Les minces filins exerçaient une pression fabuleuse sur ses membres et sur tout son corps.

Franck poussa un cri perçant. Son visage se quadrilla de rouge. Le câble disparut sous l'épiderme. Il haletait, sentant le métal pénétrer la chair de ses cuisses et son l'abdomen.

— Il va finir en spaghettis, dit Melvin.

Maria ne bougeait toujours pas. Le métal au fin maillage pénétra dans la gorge et la trachée du captif. Subitement, les cris s'arrêtèrent et firent place à un souffle sourd : les cordes vocales avaient été sectionnées. Seule l'artère carotide n'avait pas encore été atteinte.

Le visage de Franck était maintenant aussi rouge qu'un masque de carnaval, dégoulinant de sang. Melvin supplia Maria du regard. Finalement, elle baissa les yeux. Melvin se jeta sur le bouton poussoir vert et l'enfonça.

D'un coup, Franck fut libéré de l'étreinte du filet. Il resta un moment en suspens, comme une carcasse sur un étal de boucher. Puis il bascula en avant, les mains tendues, les yeux striés par le quadrillage. Le filet métallique était à ce point enfoncé dans les

chairs de Franck qu'il se fondait avec son visage comme une liga-
ture zébrant à jamais son corps. Les hommes de la section se
jetèrent sur lui.

Vincent s'était lui aussi effondré au pied du scanner.
Lentement, les particules de ferrite refluaient en lui, lui causant une
douleur atroce. Maria le prit dans ses bras.

Michel Levareux contemplait, atterré, les titres des journaux qui s'étalaient sur son bureau. L'émission de la télévision belge avait créé une onde de choc qui s'était propagée à tous les médias du monde. L'histoire diffusée par l'équipe de Rachel Slutterbeek constituait un brûlot. La journaliste l'avait parfaitement montée en épingle.

Si Slutterbeek ne s'était pas trouvée sur place pour filmer les images de la fusillade dans le centre Neuroland, nul doute que l'affaire n'aurait pas suscité autant d'attention. Une fois en possession des images, le déroulement de l'émission avait été savamment orchestré. L'animatrice avait d'abord laissé les invités témoigner, puis avait diffusé le reportage sur la prise d'otages dans la salle des électroaimants de Neuroland. Slutterbeek avait judicieusement cadré en gros plan le visage du psychopathe.

Au moment où le champ magnétique avait été rétabli, tout l'équipement des cameramen avait été happé vers l'aimant et instantanément neutralisé. Rachel s'était alors débrouillée avec une caméra de secours restée à l'extérieur pour filmer le dénouement et le psychopathe au corps bardé de métal transporté sur une civière, inconscient.

Sur le plateau du journal télévisé, Maria et Dick Vardel avaient expliqué la nature des travaux menés dans l'enceinte du centre de recherches, le maquillage des comptes de l'entreprise par Franck Corsa pour spolier un programme de recherche sur la maladie d'Alzheimer. Le gouvernement français se trouvait exonéré de toute responsabilité dans l'opération.

Au-delà de son supplice, Corsa fascinait. On découvrait le tissu complexe de sa personnalité : on exhuma des photos de lui enfant, on s'interrogea sur les racines de son mal. Michel Levareux avait sous les yeux la frénésie de ce déballage médiatique : « Scandale à Neuroland » ; « L'horrible supplice du psychopathe de Saclay » ; « Le conseiller du ministre violait les étudiantes » ; « Le programme scientifique occulte de la France » ; « Une section antiterroriste neutralisée par un génie de la physique ».

Levareux apprécia l'inventivité des journalistes. Corsa avait bien berné son monde, et il avait payé pour ses crimes. N'empêche. Le ministre avait senti le vent du boulet. Sans l'accord négocié au dernier moment avec le gouvernement belge, sa tête roulerait déjà sur les marches de la place Beauvau. Du beau gâchis. Le projet de lecture dans les pensées allait tomber aux oubliettes. Dommage. Sans compter qu'il allait falloir expliquer tout ça au Président.

C'est alors que les portes s'ouvrirent.

— Je n'ai pas pu l'empêcher, monsieur le ministre, bredouilla Bento. Elle dit qu'elle va tout raconter si vous ne la laissez pas entrer.

Levareux resta muet de stupeur en voyant Maria Svetkova sur le pas de la porte.

— Laissez-nous, dit-il.

Bento referma les portes. Levareux s'épongea le front. La voilà donc, la Svetkova. Elle s'avança résolument vers le bureau.

— Je viens réclamer des comptes, dit-elle. Et vous avez intérêt à répondre honnêtement à mes questions. Est-ce que vous étiez au courant de ce que Corsa faisait ?

— Évidemment non... Vous n'avez pas lu la presse ? Il nous a tous roulés.

— Vous ne saviez rien sur les agressions, le harcèlement, les intrusions à mon domicile ?

Levareux devint livide.

— Non, je vous jure. C'est absolument certain, je ne pouvais pas me douter, absolument pas.

Il se rendit compte qu'il était pitoyable, dans son propre bureau. Mais c'était la vérité. Il ne savait pas, à l'époque. Maria prit un siège sans y être invitée.

— Vous allez faire ce que je vous demande, ou votre carrière politique est terminée. Corsa a fait assassiner le député Boesmans sur votre ordre. Cet ordre a été transmis à la DGSE et à l'agent Sommers, qui a été formellement identifié par un témoin de premier rang. Vous êtes, en tant que membre du gouvernement, coupable d'assassinat sur la personne d'un député du Parlement européen.

Michel Levareux se tortilla sur son siège. Maria continua sans peur :

— Vous avez monté un centre de recherches violant toutes les règles internationales sur la détention des prisonniers, et détourné l'argent public pour le financer tout en manipulant le vote de la Commission européenne, ce qui a permis à Franck de tuer d'abord Latifa Benarbi, ensuite le professeur Milton Rajiv.

Devant la jeune femme, Levareux suait. Ses accusations étaient accablantes. Elle mit un temps avant de poursuivre.

— Voici ce que je veux. Le professeur Serge Larcher sera réintégré à son poste universitaire avec une distinction pour services rendus à la nation, une pension d'invalidité et un dédommagement pour les sévices infligés au cours de la garde à vue. Pour la famille de Latifa Benarbi, le versement d'une pension de décès au grade de commissaire divisionnaire. Pour Nicole Boesmans, le versement de dommages et intérêts par mensualités dont je vous préciserai le montant. Pour les proches de Milton Rajiv, un versement unique à préciser également. Pour André Vareski, la réintégration dans ses fonctions et la direction administrative du centre Neuroland avec mise en place d'un programme de recherche en imagerie moléculaire sur la maladie d'Alzheimer. Pour Patrizia Benedetti, la fin de sa mise à pied et une nomination au grade de chef de département. Pour Jacques Melvin, la médaille de la Sécurité intérieure. Pour Félicia Carat, une pension d'invalidité calculée au taux de cent soixante-quinze pour cent, et un hébergement à vie dans l'Établissement d'accueil des personnes âgées dépendantes relié au Val-de-Grâce. Pour Vincent Carat, un poste de chargé de recherches au CNRS et la responsabilité du programme de recherche sur Alzheimer au sein de Neuroland.

Levareux resta muet. Le téléphone sonna de nouveau.

— J'ai cru comprendre que le Président vous attendait, dit-elle en regardant le combiné. Vous n'aurez aucune difficulté à lui faire comprendre l'intérêt de ces demandes. Et inutile de me faire dégommer par un de vos tireurs de fête foraine, une demi-douzaine de médias belges n'attendent que ça pour lâcher sur le Net une série de papiers qu'ils gardent bien au chaud, au cas où.

Levareux se leva péniblement de son siège. Maria avait déjà pris la direction de la porte sans le saluer.

Le monastère de San Domiziano était perché en haut d'une colline au sud du village de Castellina, dans la province du Chianti en Toscane. Vincent vit les tours apparaître à la sortie d'un virage qui contournait un bois de chênes. L'air vibrait dans la chaleur de l'après-midi.

— C'est ici, maman?

— Oui. Il faut entrer par un chemin bordé par des allées de cyprès. En passant sous un porche, on pourra se garer dans la cour intérieure.

La voiture quitta la route départementale pour s'engager sur le chemin de terre qui fleurait bon le thym et le genévrier. Félicia prit un cachet de GT7 et l'avala avec un peu d'eau.

— Tu as pris ton comprimé ce matin? lui demanda Vincent.

— Oui, ne te fais pas de souci.

Félicia achevait sa deuxième semaine de traitement. Dès sa désignation à la tête de Neuroland, André Vareski avait fait voter des fonds massifs pour le programme de recherches de Vincent. Deux jours plus tard, Vincent et Aurélien Lancelot testaient la molécule GT7, un composé cumulant les fonctions de bloquant de l'alpha-secrétase et de stimulant du système immunitaire. Dans le scanner, Vincent avait vu les plaques diminuer en quelques jours dans le cerveau de sa mère. Aussitôt ils avaient décidé d'entreprendre le traitement.

— Il faut aller voir le frère Bernardo, dit Félicia pendant que Vincent se garait à l'ombre des murailles. Il nous mènera au coffre.

Vincent ouvrit la portière à sa mère et la suivit vers le bureau des visiteurs.

— Signora Carat! s'exclama le frère Bernardo en reconnaissant Félicia. Quel plaisir de vous revoir.

— J'ai la joie de vous présenter mon fils.

Le frère Bernardo le salua et hocha la tête en reconnaissant un objet dans la main de Vincent : une clé.

— Veuillez me suivre, s'il vous plaît.

Le moine précéda Vincent et sa mère à travers une galerie d'arcades longeant le jardin du cloître planté d'amandiers, d'orangers et de figuiers au milieu des fontaines et des carrés de verdure. Il poussa une porte en chêne noir et s'engagea dans un escalier en colimaçon, puis les fit entrer dans la bibliothèque datant du XIIᵉ siècle. Des œuvres de Boccace, Thomas d'Aquin, mais aussi Léonard de Vinci ou Averroès y étaient conservées.

Le moine s'arrêta.

— Votre mari avait beaucoup aimé notre bibliothèque, dit-il en se retournant vers Félicia.

Félicia regarda les étagères. Elle se souvenait parfaitement de leur séjour ici, plusieurs années auparavant, avec son mari, de leurs contacts avec les moines, des heures passées dans les rayonnages de chêne ciré. À l'époque, Henri était déjà amaigri par la maladie.

— *La scala, per favore*, dit frère Bernardo.

Un des aides du moine apporta des échelles pour permettre à son maître et à Vincent d'accéder aux rayonnages supérieurs. Les deux hommes gravirent les échelons, les tranches des livres défilant sous leurs yeux.

— Il doit y avoir deux chiffres sur la tranche intérieure de la clé, dit frère Bernardo. Pouvez-vous me les indiquer ?

— Oui, le 4 et le 7, dit Vincent.

Entre les rangées d'ouvrages, le mur comportait de petits coffrages fermés par des serrures finement ciselées. Le moine chercha la septième en partant du bas, puis remit la clé à Vincent.

— À vous l'honneur.

Vincent introduisit la clé dans la serrure. Le couvercle du logement se rabattit vers le bas, laissant apparaître la tranche d'un livre relié de cuir qu'il prit avec précaution.

Il s'installa au fond de la bibliothèque, dans la pénombre. L'ouvrage, entièrement rédigé en latin datait de 1650. Plusieurs planches où figuraient des câbles et des engrenages, représentaient le cerveau humain. Un drôle de petit bonhomme logeant à l'intérieur du crâne semblait actionner tous ces rouages.

— Ça alors, l'homunculus…

Par ce nom, les scientifiques et philosophes de l'époque désignaient une sorte de petit génie qui, tel un capitaine à la barre de son navire, gouvernait notre cerveau, pilotait les circuits de contrôle de nos muscles, prenait des décisions en fonction de ces données.

— Bon Dieu, pourquoi mon père m'a-t-il légué ce livre ?

Vincent rapporta l'ouvrage à l'hôtel où Maria l'attendait sur la terrasse. Là, il avoua sa déception devant cette représentation très naïve et, pour tout dire, complètement dépassée du cerveau humain.

À son tour, Maria observa le livre avec attention.

— Ce n'est pas si absurde, finit-elle par dire. Regarde comme tous ces rouages s'assemblent harmonieusement, regarde à quel point ces descriptions sont précises et minutieuses. Regarde comme ces illustrations semblent chargées d'une force d'âme.

Vincent se rapprocha de Maria.

— Si ton père a tenu à te léguer maintenant ce livre, c'est qu'il avait certainement une bonne raison.

Vincent observa de plus près la page de garde.

De Homuncili liberoque arbitrio in machina cerebris.
Opus Perronis tertius
Anno MDCL

Il se mit à traduire :

— « Troisième ouvrage de Perron »… Qui diable est ce Perron ?

Maria eut un sourire malicieux.

— Pour moi, cela ressemble à une énigme intéressante pour la fin de nos vacances.

Elle lui prit le bras et ils se levèrent pour aller contempler le coucher de soleil sur les collines. Ils avaient tout le temps pour déchiffrer les mystères de cet ouvrage.

Remerciements

Mes remerciements vont en premier à lieu à Denis Gombert, l'éditeur dont tout écrivain peut rêver : sa passion pour le récit, son œil de lynx, sa chaleur de tous les instants et sa science du roman ont été les ingrédients indispensables à l'aboutissement de cet ouvrage.

Je remercie aussi grandement Christophe Galfard pour sa confiance, sa complicité et son aide précieuse qui ont permis à ce livre d'exister.

Merci enfin à mes premiers lecteurs, Guillaume Jacquemont et Rebecca Margolin, dont le regard bienveillant a aidé ce projet à prendre son envol.

La photocomposition de cet ouvrage
a été réalisée par
GRAPHIC HAINAUT
59410 Anzin

Imprimé en France par CPI
en mars 2015

Dépôt légal : mars 2015
N° d'édition : 54291/01
N° d'impression : 127239